Russie
Des cartes pour comprendre la Russie

A S I E

Corée du Sud
Quels sont les défis posés par la croissance économique de la Corée du Sud ?

Japon
Comment s'exprime l'influence du Japon en Asie du Sud et de l'Est ?

Chine
Comment la Chine exerce-t-elle son influence dans le monde ?

Dubai
Quels effets de la mondialisation font débat dans un territoire comme Dubai ?

Shanghai
En quoi Shanghai est-elle une ville mondiale ?

Océan

Pacifique

Mumbai
En quoi Mumbai est-elle la vitrine de l'émergence de l'Inde ?

Océan

Indien

Singapour
En quoi Singapour est-il un pôle majeur de la mondialisation ?

O C É A N I E

Madagascar
Pourquoi le développement de Madagascar est-il difficile ?

Johannesburg
Johannesburg, la vitrine de la nouvelle Afrique du Sud ?

Thème 3 Dynamiques géographiques de grandes aires continentales

Chapitre 6 L'Amérique : puissance du Nord, affirmation du Sud
Chapitre 7 L'Afrique : les défis du développement
Chapitre 8 L'Asie du Sud et de l'Est : les enjeux de la croissance

Rubriques dans le manuel

exemple

étude de cas

chapitre

Les auteurs remercient particùlièrement les cartographes de l'AFDEC.
Dominique Husken-Ulbrich remercie l'éditrice, Sylvie Blanchard.

Couverture : **Ellen Gögler**

Maquette intérieure : **Brigitte Mougin** et **Frédéric Jély**

Mise en page : **Laure Raffaëlli-Péraudin** et **Olivier Brunot**

Iconographie : **Laurence Blauwblomme** et **Valérie Dereux**

Cartographie : **Martine Marmouget ; Altiplano ; Légendes cartographie (Dario Ingiusto)**

Dessins techniques : **Christophe Michel** et **Beata Gierasimczyk/Domino**

Correction : **Claire Marchandise** (Les quatre coins éditions, Paris)

Relecture pédagogique : **Claude Chaizy-Alsac** (professeur d'histoire-géographie au lycée Godefroi-de-Bouillon à Clermont-Ferrand) et **Véronique Van Ne Dervelde** (professeur d'histoire-géographie au lycée Saint-Rémi à Roubaix)

Stagiaire : **Zoé Minet**

www.hachette-education.com

ISBN : 978-2-01-135563-8

© Hachette Livre 2012, 43, quai de Grenelle, 75905 Paris Cedex 15.

GÉOGRAPHIE T^{les} L/ES

Mondialisation et dynamiques géographiques des territoires

Sous la direction de

Dominique HUSKEN-ULBRICH,
professeur d'histoire-géographie au lycée français de Singapour

Coordinateurs d'ouvrage

Anne GASNIER,
professeur d'histoire-géographie au lycée Marguerite-Yourcenar au Mans
Fanny MAILLO-VIEL,
professeur d'histoire-géographie au lycée Christophe-Colomb à Sucy-en-Brie

Auteurs

Alban BERVAS, professeur d'histoire-géographie en classes préparatoires au lycée Pierre-Corneille à Rouen
Valérie BODINEAU, Prag à l'université de Nantes, IUFM des Pays de la Loire
Pascal BONIFACE, directeur de l'Institut de relations internationales et stratégiques (IRIS)
    et enseignant à l'université Paris 8
Nouhedy CZUBOWSKI, professeur d'histoire-géographie au lycée Jean-Monnet à Joué-lès-Tours
Nicolas DEMONFORT, professeur d'histoire-géographie au lycée Pierre-Corneille à Rouen
Bénédicte FLORIN, maître de conférences à l'université François-Rabelais de Tours
Frédérique HANNEQUIN, académie de Lyon
Aude LESAGE, professeur d'histoire-géographie au lycée Pierre-Corneille à Rouen
Vincent MORINIAUX, maître de conférences à l'université Paris-Sorbonne (Paris IV)
Julien PICOLLIER, professeur d'histoire-géographie TZR dans l'académie de Grenoble
Philippe REKACEWICZ, journaliste et cartographe
Catherine REYNAUD, professeur d'histoire-géographie
Emmanuelle RUIZ, professeur d'histoire-géographie au collège Mauboussin à Mamers
Estelle UGINET, professeur d'histoire-géographie au collège Ampère à Oyonnax

hachette
ÉDUCATION

SOMMAIRE

THÈME 1
Clés de lecture d'un monde complexe

SOMMAIRE

THÈME 3
Dynamiques géographiques de grandes aires continental

COMPOSITION

ÉTUDE CRITIQUE DE DOCUMENT

PRODUCTION GRAPHIQUE

Mondialisation et dynamiques géographiques des territoires

Thème 1 introductif – Clés de lectures d'un monde complexe (10-11 heures)

Questions	Mise en œuvre
Des cartes pour comprendre le monde	L'étude consiste à approcher la complexité du monde par l'interrogation et la confrontation de grilles de lectures géopolitiques, géoéconomiques, géoculturelles et géoenvironnementales. Cette étude, menée principalement à partir de cartes, est l'occasion d'une réflexion critique sur les modes de représentations cartographiques.
Des cartes pour comprendre la Russie	Les grilles de lecture de la question 1 sont utilisées pour appréhender la complexité d'une situation géographique : – la Russie, un État continent eurasiatique en recomposition.

Thème 2 – Les dynamiques de la mondialisation (18-20 heures)

Questions	Mise en œuvre
La mondialisation en fonctionnement	– Un produit mondialisé (étude de cas). – Processus et acteurs de la mondialisation. – Mobilités, flux et réseaux.
Les territoires dans la mondialisation	– Une ville mondiale (étude de cas). – Pôles et espaces majeurs de la mondialisation ; territoires et sociétés en marge de la mondialisation. – Les espaces maritimes : approche géostratégique.
La mondialisation en débat	– États, frontières et mondialisation. – Débats et contestations.

Thème 3 – Dynamiques géographiques de grandes aires continentales (29-31 heures)

Questions	Mise en œuvre
L'Amérique : puissance du Nord, affirmation du Sud	– Le bassin caraïbe : interface américaine, interface mondiale (étude de cas). – Le continent américain : entre tensions et intégrations régionales. – États-Unis - Brésil : rôle mondial, dynamiques territoriales.
L'Afrique : les défis du développement	– Le Sahara : ressources, conflits (étude de cas). – Le continent africain face au développement et à la mondialisation. – L'Afrique du Sud : un pays émergent.
L'Asie du Sud et de l'Est : les enjeux de la croissance	– Mumbai : modernité, inégalités (étude de cas). – L'Asie du Sud et de l'Est : les défis de la population et de la croissance. – Japon - Chine : concurrences régionales, ambitions mondiales.

En géographie, comme en histoire, le programme est conçu pour être traité dans un horaire annuel de 57 à 62 heures.

TABLEAU DES CAPACITÉS ET MÉTHODES DU PROGRAMME

Capacités et méthodes		
I- Maîtriser des repères chronologiques et spatiaux		
1) Identifier et localiser	– nommer et périodiser les continuités et ruptures chronologiques – nommer et localiser les grands repères géographiques terrestres	
	– situer et caractériser une date dans un contexte chronologique – nommer et localiser un lieu dans un espace géographique	
2) Changer les échelles et mettre en relation	– situer un événement dans le temps court ou le temps long – repérer un lieu ou un espace sur des cartes à échelles ou systèmes de projections différents	
	– mettre en relation des faits ou événements de natures, de périodes, de localisations spatiales différentes (approches diachroniques et synchroniques)	
	– confronter des situations historiques ou/et géographiques	

Capacités et méthodes	
II- Maîtriser des outils et méthodes spécifiques	
1) Exploiter et confronter des informations	– identifier des documents (nature, auteur, date, conditions de production)
	– prélever, hiérarchiser et confronter des informations selon des approches spécifiques en fonction du document ou du corpus documentaire
	– cerner le sens général d'un document ou d'un corpus documentaire, et le mettre en relation avec la situation historique ou géographique étudiée
	– critiquer des documents de types différents (textes, images, cartes, graphes, etc.)
2) Organiser et synthétiser des informations	– décrire et mettre en récit une situation historique ou géographique
	– réaliser des cartes, croquis et schémas cartographiques, des organigrammes, des diagrammes et schémas fléchés, des graphes de différents types (évolution, répartition)
	– rédiger un texte ou présenter à l'oral un exposé construit et argumenté en utilisant le vocabulaire historique et géographique spécifique
	– lire un document (un texte ou une carte) et en exprimer oralement ou par écrit les idées clés, les parties ou composantes essentielles ; passer de la carte au croquis, de l'observation à la description
3) Utiliser les TIC	– ordinateurs, logiciels, tableaux numériques ou tablettes graphiques pour rédiger des textes, confectionner des cartes, croquis et graphes, des montages documentaires
III- Maîtriser des méthodes de travail personnel	
1) Développer son expression personnelle et son sens critique	– utiliser de manière critique les moteurs de recherche et les ressources en ligne (internet, intranet de l'établissement, blogs)
	– développer un discours oral ou écrit construit et argumenté, le confronter à d'autres points de vue
	– participer à la progression du cours en intervenant à la demande du professeur ou en sollicitant des éclaircissements ou explications si nécessaire
2) Préparer et organiser son travail de manière autonome	– prendre des notes, faire des fiches de révision, mémoriser les cours (plans, notions et idées clés, faits essentiels, repères chronologiques et spatiaux, documents patrimoniaux)
	– mener à bien une recherche individuelle ou au sein d'un groupe ; prendre part à une production collective
	– utiliser le manuel comme outil de lecture complémentaire du cours, pour préparer le cours ou en approfondir des aspects.

LA MISE EN ŒUVRE DU PROGRAMME DANS LE MANUEL

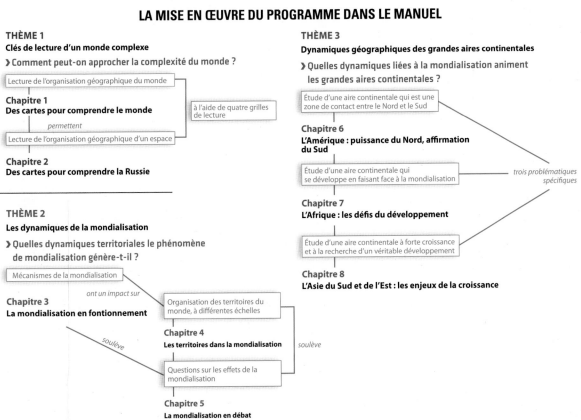

THÈME 1

Clés de lecture d'un monde complexe

❯ **Comment peut-on approcher la complexité du monde ?**

Lecture de l'organisation géographique du monde

Chapitre 1
Des cartes pour comprendre le monde

permettent

Lecture de l'organisation géographique d'un espace

à l'aide de quatre grilles de lecture

Chapitre 2
Des cartes pour comprendre la Russie

THÈME 2

Les dynamiques de la mondialisation

❯ **Quelles dynamiques territoriales le phénomène de mondialisation génère-t-il ?**

Mécanismes de la mondialisation

ont un impact sur

Chapitre 3
La mondialisation en fontionnement

Organisation des territoires du monde, à différentes échelles

Chapitre 4
Les territoires dans la mondialisation

soulève

soulève

Questions sur les effets de la mondialisation

Chapitre 5
La mondialisation en débat

THÈME 3

Dynamiques géographiques des grandes aires continentales

❯ **Quelles dynamiques liées à la mondialisation animent les grandes aires continentales ?**

Étude d'une aire continentale qui est une zone de contact entre le Nord et le Sud

Chapitre 6
L'Amérique : puissance du Nord, affirmation du Sud

Étude d'une aire continentale qui se développe en faisant face à la mondialisation

trois problématiques spécifiques

Chapitre 7
L'Afrique : les défis du développement

Étude d'une aire continentale à forte croissance et à la recherche d'un véritable développement

Chapitre 8
L'Asie du Sud et de l'Est : les enjeux de la croissance

LES ÉPREUVES DU BACCALAURÉAT

LA COMPOSITION

Sujet ●━━━━━━━━━━ **Travail préparatoire au brouillon**

Étape 1 **Analyser le sujet**

ou

Après avoir choisi le sujet parmi les deux proposés, mobiliser les connaissances nécessaires

Analyse du sujet

> *Identifier les mots-clés ;*

> *Délimiter l'espace concerné ;*

> *Dégager la problématique ;*

> *Lister les connaissances personnelles qui vont permettre de traiter le sujet ;*

> *Choisir les productions graphiques à réaliser.*

① Numéroter les pages du brouillon

Puis organiser les connaissances

Rédaction de l'introduction **3**
et de la conclusion

> *L'introduction comporte*
  4 étapes :
  1. la phrase d'accroche ;
  2. l'explication du sujet
     et la délimitation de l'espace
     concerné ;
  3. la problématique ;
  4. l'annonce du plan (parties).
> *La conclusion comporte*
  2 étapes :
  1. la réponse à la
     problématique ;
  2. l'ouverture.

Étape 2 **Élaborer le plan**

Plan détaillé **2**

1 Idée générale de la partie 1
A. *Idée-clé du paragraphe 1*
  1. Arguments ;
  2. Exemples, productions
     graphiques.

B. *Idée du paragraphe 2*
  1. Arguments ;
  2. Productions graphiques.

C. *Idée du paragraphe 3*
  1. Arguments ;
  2. Exemples.

Phrase de transition vers la
partie suivante.

Ne pas écrire
au verso

Étape 3 **Rédiger la composition**

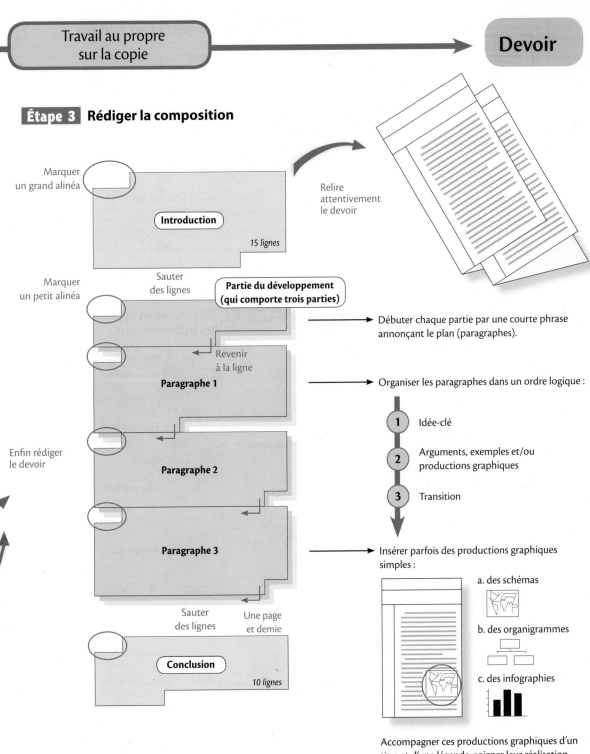

Marquer
un grand alinéa

Introduction

15 lignes

Relire
attentivement
le devoir

Marquer
un petit alinéa

Sauter
des lignes

**Partie du développement
(qui comporte trois parties)**

Revenir
à la ligne

Paragraphe 1

Enfin rédiger
le devoir

Paragraphe 2

Paragraphe 3

Sauter
des lignes

Une page
et demie

Conclusion

10 lignes

Débuter chaque partie par une courte phrase
annonçant le plan (paragraphes).

Organiser les paragraphes dans un ordre logique :

1. Idée-clé

2. Arguments, exemples et/ou
productions graphiques

3. Transition

Insérer parfois des productions graphiques
simples :

a. des schémas

b. des organigrammes

c. des infographies

Accompagner ces productions graphiques d'un
titre et d'une légende, soigner leur réalisation.
Créer des renvois dans le développement :
« Le schéma montre que... » ou « (voir schéma
ci-contre) ».

L'ÉTUDE D'UN OU DE DEUX DOCUMENT(S)

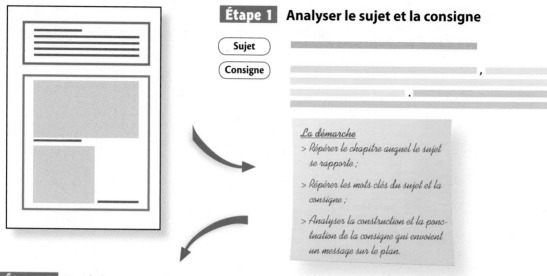

Étape 1 **Analyser le sujet et la consigne**

Sujet

Consigne

La démarche
> Repérer le chapitre auquel le sujet se rapporte ;
> Repérer les mots clés du sujet et la consigne ;
> Analyser la construction et la ponctuation de la consigne qui envoient un message sur le plan.

Étape 2 **Exploiter et confronter les informations**

Un ou deux document(s)

Étape 3 **Organiser et synthétiser les informations**

Marquer un grand alinéa

Introduction

Revenir à la ligne

Marquer un petit alinéa

Paragraphe 1

Développement

Paragraphe 2

Paragraphe 3

Conclusion

Les informations
> Comprendre le lien entre le sujet et le(s) document(s) (sont-ils représentatifs ?) et entre les documents eux-mêmes (se complètent-ils ? Se contredisent-ils ?).
> Relever toutes les informations du ou des document(s) répondant au sujet.
> À l'aide des connaissances personnelles, compléter, nuancer et critiquer les informations du ou des document(s).

La réponse
> Rédiger une courte introduction qui présente le sujet (problématique) et le ou les document(s) (auteur, nature et source).
> Rédiger une réponse organisée en deux ou trois paragraphes et composée d'informations du ou des documents et de connaissances personnelles.

> Rédiger une courte conclusion qui montre l'intérêt et les limites éventuelles du ou des documents pour la compréhension du sujet.

RÉALISATION D'UN CROQUIS / D'UN SCHÉMA

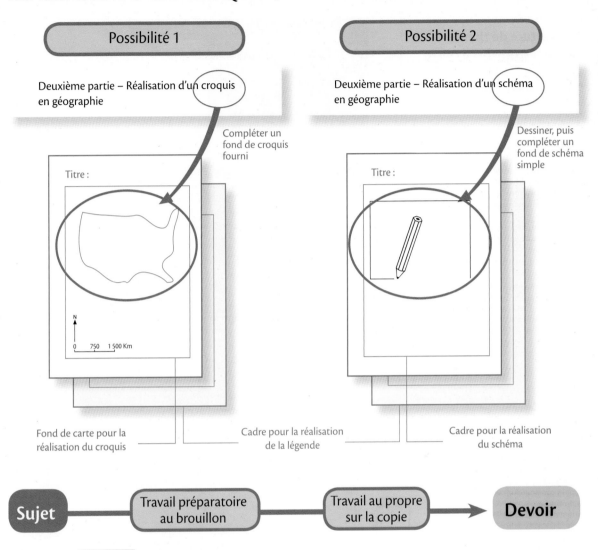

Possibilité 1	Possibilité 2

Deuxième partie – Réalisation d'un croquis en géographie

Compléter un fond de croquis fourni

Titre :

N
0   750   1 500 Km

Fond de carte pour la réalisation du croquis

Cadre pour la réalisation de la légende

Deuxième partie – Réalisation d'un schéma en géographie

Dessiner, puis compléter un fond de schéma simple

Titre :

Cadre pour la réalisation du schéma

Sujet → Travail préparatoire au brouillon → Travail au propre sur la copie → **Devoir**

Étape 1 Analyser le sujet

Étape 2 Élaborer la légende et choisir les figurés

Étape 3 Réaliser le croquis/schéma

Croquis ou schéma ?
> *Croquis : représentation cartographique simplifiée, qui rend compte de l'organisation et des dynamiques d'un espace.*
> *Schéma : représentation graphique dans laquelle on abandonne l'échelle tout en respectant les règles du langage cartographique. Il est facile à réaliser (recours à des formes géométriques) et facile à mémoriser.*
Source : Eduscol, 2011.

Ne pas oublier
> *De donner un titre au croquis/schéma*
> *D'organiser la légende en parties*
> *D'utiliser les trois types de figurés (de surface, ponctuels et linéaires)*
> *De soigner la réalisation du croquis/ schéma.*

DÉCOUVRIR VOTRE MANUEL

Ouverture de thème et ouverture de chapitre

Pour entrer dans les grandes questions au programme :
- de grandes photos ouvrant le débat
- les problématiques clés
- des outils de repérage (carte, sommaire).

Le thème 1, centré sur l'étude et la comparaison de cartes :
- Cartes **géo-économiques**
- Cartes **géopolitiques**
- Cartes **géoculturelles**
- Cartes **géo-environnementales**

- Des doubles pages pour expliciter les enjeux de la cartographie (offrir des grilles d'analyse, montrer un monde complexe) et initier l'élève à un regard critique sur cet outil.
- Des doubles pages complémentaires pour approfondir les critères : changer de source, changer de point de vue, changer d'échelle, changer d'indicateur.
- Un bilan pour synthétiser les connaissances.

Les thèmes 2 et 3, organisés autour d'études de cas, d'exemples et de cartes :
- de nombreux grands documents de nature et d'échelle variées
- des questions simples pour prélever des informations, les mettre en relation
- les notions géographiques essentielles
- des sujets d'étude de cas ou des exemples contemporains.

Étude de cas

Des études thématiques de 8 pages avec :
- une problématique par double page pour construire un raisonnement progressif
- une structure parallèle pour les études de cas d'un même chapitre, afin de faciliter les comparaisons
- un **bilan de l'étude de cas** pour s'entraîner à la synthèse sous forme rédigée et sous forme cartographique.

Exemple

Une double page qui illustre une question du cours

Cartes

Une double page présentant une ou deux cartes thématiques avec un questionnement simple.

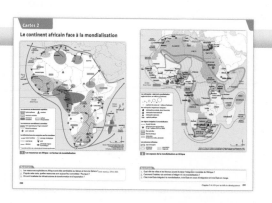

Des doubles pages organisées en 3 parties avec :

- une problématique par cours
- un cours complet et structuré
- la définition des notions essentielles
- des repères chiffrés
- trois grands documents par double page.

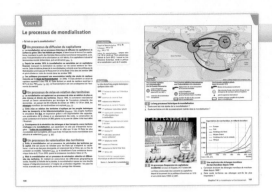

Des doubles pages pour s'entraîner aux épreuves du Bac L ou ES avec un grand choix de sujets guidés et ou d'entraînement sur tous les types d'épreuves :

- composition
- étude critique de document(s)
- production graphique : croquis et schémas

Des doubles pages supplémentaires pour s'entraîner à réaliser schémas ou croquis en passant des schémas au croquis ou des croquis au schéma.

L'essentiel pour faciliter la mémorisation :

- un résumé des cours
- des chiffres clés
- des schémas cartographiques synthétiques
- un organigramme de synthèse
- des notions à ne pas confondre

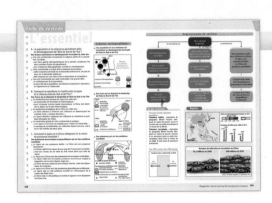

Des doubles pages pour préparer l'après-Bac avec des exemples d'activités qui pourront être abordées dans l'enseignement supérieur en sciences humaines.

Sommet du G20 à Cannes (France) en 2011.

Le G20 est apparu en 1999 et est composé de pays industrialisés et émergents représentant près de 90 % du PIB mondial. Par son poids grandissant, il s'impose peu à peu face au G8 et symbolise l'émergence d'un monde polycentrique ainsi que la redistribution récente des richesses et des rapports géopolitiques.

Sommet du G8 à Gênes (Italie) en 2001.
Né dans les années 1970, le G8 réunit une fois par an les dirigeants de huit pays figurant parmi les plus grandes puissances économiques mondiales.

complexe

THÈME 1

Clés de lecture d'un monde complexe

❯ **Comment peut-on approcher la complexité du monde ?**

Lecture de l'organisation géographique du monde

Chapitre 1

Des cartes pour comprendre le monde

permettent

à l'aide de quatre grilles de lecture

Lecture de l'organisation géographique d'un espace

Chapitre 2

Des cartes pour comprendre la Russie

Des cartes pour comprendre le monde

■ Si les cartes représentaient, après la fin de la guerre froide, un monde organisé autour d'un pôle, les États-Unis, elles ont fortement évolué depuis. La puissance américaine s'exerce désormais dans un monde polycentrique dont les centres se répartissent entre plusieurs continents, ce qui complexifie les représentations cartographiques.

■ Dans le même temps, les cartes montrent un monde pluriel. La création de richesses progresse, alors que la pauvreté demeure une réalité pour les populations de nombreux pays. De plus, le monde, fragmenté en presque 200 États ayant chacun leur histoire et leur propre vision du monde, devient de plus en plus difficile à comprendre. Les cartes peuvent nous aider à décrypter des tendances et des évolutions, même si leur discours est souvent incomplet ou partial.

■ Des équilibres se mettent en place dans certaines parties du monde ; des déséquilibres liés à la pauvreté ou aux affrontements de puissances apparaissent ou s'accroissent. Dans un monde où les conflits existent sous différentes formes et où les centres de pouvoir changent vite, les cartes deviennent rapidement caduques.

> **Comment la complexité du monde est-elle traduite par les cartes ?**

CHINE
RUSSIE
Mer du Japon
CORÉE DU NORD
38°
CORÉE DU SUD
JAPON

Une manipulation cartographique à l'occasion du 60ᵉ anniversaire de la Corée du Nord (2008).

Après avoir tenté de réunifier la péninsule coréenne par la force durant la guerre de Corée (1950-1953), la Corée du Nord conserve cet objectif, comme le montre cette carte représentant une situation qui n'existe pas. L'absence de la zone démilitarisée le long du 38ᵉ parallèle et le cerclage noir de la péninsule donnent le ton de la carte, qui sert d'instrument de propagande auprès de l'opinion publique.

Faire une carte, c'est faire des choix

Exemple 1 Représenter les musulmans dans le monde

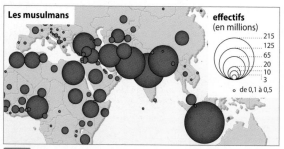

1 Source : M.-F. Durand, P. Copinschi, B. Martin et D. Placidi-Frot, *Atlas de la mondialisation*, © Presses de Sciences Po, 2007.

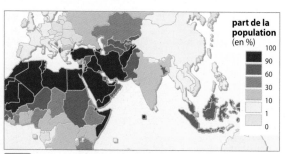

2 Source : M.-F. Durand, P. Copinschi, B. Martin et D. Placidi-Frot, *Atlas de la mondialisation*, © Presses de Sciences Po, 2007.

Exemple 2 Représenter le trafic mondial des conteneurs dans le monde

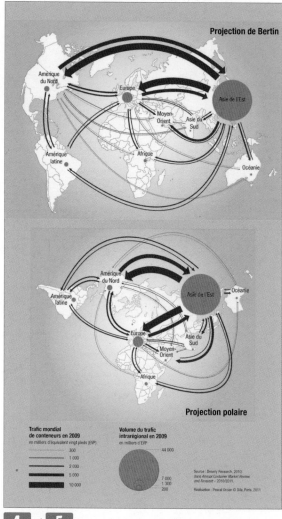

4 et **5** Source : C. Grataloup, *Représenter le monde*, 2011.

3 La carte, un outil

Les cartes et la cartographie sont des outils utilisés pour rendre compte d'une réalité en la simplifiant. Outil des géographes, mais aussi [...] des militaires, de l'État, c'est-à-dire du pouvoir, les cartes ne sont pas des choses neutres. Faire une carte c'est faire des choix. [...] Apprendre à lire une carte et garder un esprit critique, prendre du recul par rapport aux informations que son auteur a choisi d'y faire apparaître ou qu'il a choisi d'omettre, c'est très important. Les projections, les échelles, les couleurs, les trames, les symboles et les figurés, les noms et les délimitations, les titres et la légende doivent être pris en compte. [...] La discrétisation est nécessaire pour cartographier des données quantitatives. Discrétiser, c'est découper une série statistique en classes. Cette opération a un impact sur la manière de représenter une série statistique, des données quantitatives sous la forme d'une carte.

F. Guillot, www.geographie-sociale.org, 2011.

Étape 1

Analyser une carte

1. Quel est le thème des **doc. 1 et 2** ? Parmi les deux titres suivants, dites lequel convient le mieux au **doc. 1** et lequel au **doc. 2** : le monde musulman ; les musulmans dans le monde.

2. Proposez un titre pour le **doc. 4** et un pour le **doc. 5**.

Étape 2

Comparer des cartes

1. Comparez les choix de centrage et d'échelle des **doc. 1 et 2**. Présentent-ils la même vision des musulmans ? Justifiez votre réponse.

2. Les **doc. 1 et 2** se contredisent-ils ou sont-ils complémentaires ? Pour répondre, appuyez-vous sur le cas de l'Inde.

3. Les **doc. 4 et 5** présentent exactement les mêmes informations. Offrent-ils le même point de vue sur le monde ? Justifiez votre réponse en analysant les choix de projection.

Étape 3

Porter un regard critique sur la représentation cartographique

1. D'après le **doc. 3**, quels éléments peuvent faire varier le discours d'une carte ? Appuyez votre réponse sur la comparaison des **doc. 1 et 2** et des **doc. 4 et 5**.

2. Montrez que les choix cartographiques réalisés dans ces cartes ne sont pas « neutres » (**doc. 3**).

Centrage : choix cartographique privilégiant un espace placé au centre de la carte. Les planisphères utilisés en Europe sont le plus souvent européano-centrés.

Dans le manuel, trois principaux types de centrage de planisphère apparaissent :

européano-centré   américano-centré   pacifico-centré

Échelle : La définition est double :
– numérique : rapport entre les distances réelles d'un espace et celles de la carte ;
– géographique : échelon d'analyse spatiale d'un phénomène par le géographe : local, régional, continental, global.

Dans le manuel, les cartes sont présentées à des échelles très différentes :

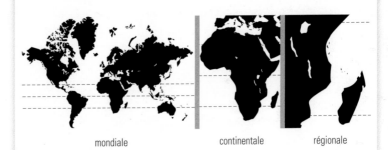

mondiale   continentale   régionale

Projection : procédé imaginé pour représenter à plat la Terre qui est une sphère. Il en existe plus de 200 qui portent le nom de leur créateur et aucune n'est absolument exacte : il n'est pas possible de cartographier la Terre sans la déformer. Le choix d'une projection dépend donc surtout de ce que l'on veut représenter.

Dans le manuel, deux types de projections ont été utilisés :

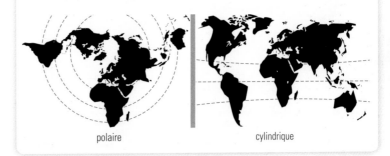

polaire   cylindrique

En quoi les transformations géo-économiques du monde modifient-elles la manière de cartographier l'espace mondial ?

Les transformations économiques dans le cadre de la mondialisation sont nombreuses et les cartes permettent de visualiser le fonctionnement en réseaux ou la hiérarchie des territoires. Pourtant, si les cartes permettent de vérifier que des contrastes d'intégration, de richesse et de développement persistent, elles interrogent également sur la légitimité de la limite Nord-Sud.

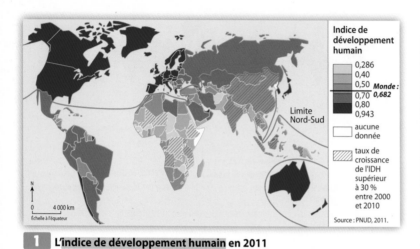

1 **L'indice de développement humain en 2011**

Vocabulaire

Anamorphose : carte dans laquelle la surface d'un territoire est proportionnelle au phénomène représenté.

Centre/périphérie : voir p. 144.

Discrétisation : voir doc. 3 p. 20.

Développement : ensemble des processus sociaux et économiques apportant aux hommes une plus grande sécurité, une plus grande satisfaction de leurs besoins.

IDH (indice de développement humain) : indicateur de développement qui prend en compte l'espérance de vie à la naissance, le taux d'alphabétisation des adultes et le revenu national brut par habitant (qui remplace désormais le PIB).

Nord : ensemble des pays développés.

PIB/PNB :

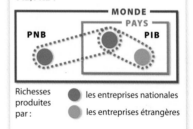

Sud : ensemble des pays en développement.

Triade : voir p. 24.

2 **Les flux de marchandises dans le monde**

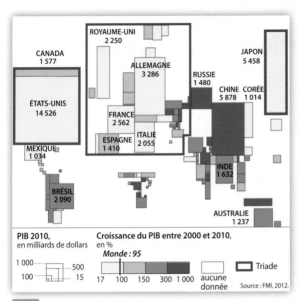

CANADA
1 577

ROYAUME-UNI
2 250

ALLEMAGNE
3 286

JAPON
5 458

RUSSIE
1 480

CHINE
5 878

CORÉE
1 014

ÉTATS-UNIS
14 526

FRANCE
2 562

ITALIE
2 055

ESPAGNE
1 410

MEXIQUE
1 034

INDE
1 632

BRÉSIL
2 090

AUSTRALIE
1 237

PIB 2010,
en milliards de dollars

Croissance du PIB entre 2000 et 2010,
en %
Monde : 95

1 000 · · · ·
500
100 · · · ·
15

17   100   150   300   1 000

aucune
donnée

Triade

Source : FMI, 2012.

3 Le PIB et son évolution (anamorphose)

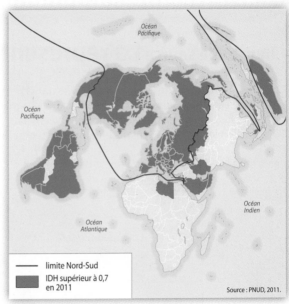

Océan
Pacifique

Océan
Pacifique

Océan
Indien

Océan
Atlantique

limite Nord-Sud

IDH supérieur à 0,7
en 2011

Source : PNUD, 2011.

4 Une limite Nord-Sud contestée

La ligne représentant la limite Nord-Sud est apparue en 1980.
Jusqu'à cette date, la division du monde entre pays développés
et pays en développement était toujours représentée par un
contraste de couleurs ou de hachures.

Questions

Analyser une carte

1. Montrez que des contrastes de développement et de richesse persistent dans le monde. (doc. 1 et 3)

2. Montrez que le commerce mondial est fortement polarisé. (doc. 2)

Comparer des cartes

3. Y a-t-il corrélation entre le niveau de richesse et de développement d'un État ? Justifiez votre réponse par des exemples précis. (doc. 1 et 3)

4. En confrontant les doc. 2 et 3, montrez que la Triade est désormais concurrencée et que le modèle ne s'organise plus autour de centres et de périphéries.

Porter un regard critique sur la représentation cartographique

5. Comment les valeurs quantitatives et les dynamiques sont-elles représentées dans les doc. 1 à 3 ?

6. Expliquez les choix de l'anamorphose. (doc. 3)

7. Montrez que les choix de discrétisation de l'IDH modifient la lecture des cartes. (doc. 1, doc. 4 et doc. 1 p. 40)

8. En le confrontant au doc. 1, expliquez le titre du doc. 4 et la remise en cause actuelle de la limite Nord-Sud.

Retenir en réalisant un schéma

Complétez le schéma et la légende ci-dessous.

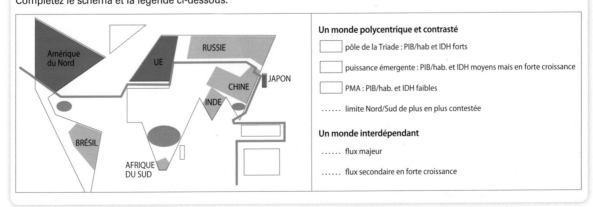

Amérique
du Nord

RUSSIE

UE

JAPON

CHINE

INDE

BRÉSIL

AFRIQUE
DU SUD

Un monde polycentrique et contrasté

☐ pôle de la Triade : PIB/hab et IDH forts

☐ puissance émergente : PIB/hab. et IDH moyens mais en forte croissance

☐ PMA : PIB/hab. et IDH faibles

...... limite Nord/Sud de plus en plus contestée

Un monde interdépendant

...... flux majeur

...... flux secondaire en forte croissance

Changer de source **La représentation des pays émergents**

L'organisation actuelle de l'espace mondial se transforme avec l'apparition de pays émergents à la très forte croissance économique. Cette dynamique modifie la manière de cartographier l'espace économique mondial, qui n'est plus dominé par la seule Triade et devient ainsi polycentrique. Or, comme le nombre de pays émergents fluctue selon les auteurs, les représentations cartographiques varient elles aussi.

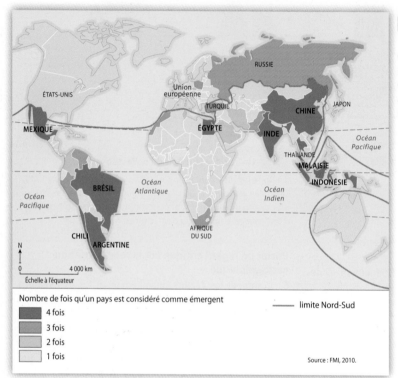

Nombre de fois qu'un pays est considéré comme émergent

- 4 fois
- 3 fois
- 2 fois
- 1 fois

——— limite Nord-Sud

Source : FMI, 2010.

1 **Une définition variable des pays émergents.**

Quatre groupes d'experts économiques (banquiers) ont donné leur liste de pays émergents, selon leurs propres critères. Ainsi, certains pays sont cités quatre fois, d'autres trois, etc.

Vocabulaire

BRICS : noyau pilote des principaux pays ascendants (Brésil, Russie, Inde, Chine et Afrique du Sud).

Centre/périphérie : voir p. 22.

Pays émergents : pays du Sud en passe de sortir du sous-développement et dont la croissance économique est forte. Les pays émergents, dont le poids dans l'économie mondiale est de plus en plus important, représentent un ensemble inorganisé.

Polycentrisme : ordre mondial basé sur l'existence de plusieurs centres. Dans les relations internationales, la période de l'hyperpuissance américaine (1991-2001) a laissé la place à une nouvelle organisation, fondée avant tout sur la croissance économique, dans laquelle les États-Unis doivent composer avec l'affirmation de puissances ascendantes.

Puissance : capacité d'un État à influer sur le comportement des autres États.

Triade : ensemble des trois régions qui dominent l'économie mondiale : l'Amérique du Nord (États-Unis et Canada), l'Europe occidentale et le Japon. Parfois, cette définition s'élargit à d'autres pays d'Asie orientale (Corée du Sud, Taïwan, Hongkong et Singapour) ou intègre la Chine littorale.

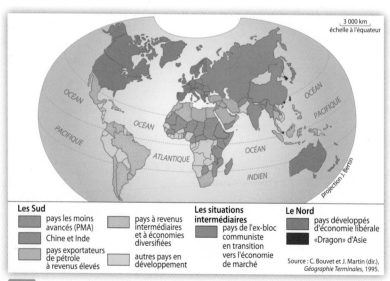

Les Sud
- pays les moins avancés (PMA)
- Chine et Inde
- pays exportateurs de pétrole à revenus élevés
- pays à revenus intermédiaires et à économies diversifiées
- autres pays en développement

Les situations intermédiaires
- pays de l'ex-bloc communiste en transition vers l'économie de marché

Le Nord
- pays développés d'économie libérale
- «Dragon» d'Asie

Source : C. Bouvet et J. Martin (dir.), *Géographie Terminales*, 1995.

2 **Les pays émergents : une catégorie qui n'existe pas en 1995.**

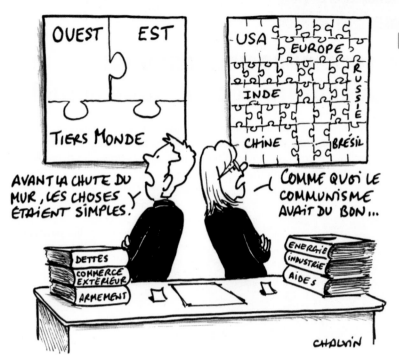

3 Un monde polycentrique.
Caricature de Chalvin, mars 2008.

4 Des pays émergents aux puissances émergentes

Si les pays à revenu intermédiaire (PRI) et les pays les moins avancés (PMA) font l'objet d'une définition précise de la part des institutions politiques et financières internationales, celles-ci ne s'accordent pas sur la notion de « pays émergent ». Très fréquemment, seuls les critères économiques ou financiers sont pris en considération. L'OCDE[1] distingue ainsi une vingtaine d'économies émergentes dont les principales caractéristiques sont : une forte contribution à la croissance économique mondiale, une amélioration des conditions de vie de la population [...] et une participation active aux échanges internationaux. D'autres observateurs soulignent pourtant la nécessité de distinguer les « économies émergentes » des « puissances émergentes ». Ce dernier qualificatif est plus restrictif et ne concerne que quelques États, appelés à exercer un rôle de premier plan dans les affaires internationales, de par leur poids économique et démographique, mais aussi leur capacité militaire et leur influence diplomatique.

F. Lafargue, *Questions internationales*, n° 51, sept-oct. 2011.

1. L'Organisation de coopération et de développement économiques.

5 Chiffres clés de quelques pays émergents

	PIB/hab. en 2011, en dollars	Part du PIB mondial en 2011, en %	Taux de croissance en 2012, en %
Afrique du Sud	8 342,2	0,6	3,6
Brésil	12 916,9	3,6	3,6
Chine	5 183,9	10,0	9,0
Inde	1 527,3	2,6	7,5
Malaisie	8 616,7	0,4	5,1
Mexique	10 802,8	1,7	3,6
Russie	13 235,6	2,7	4,1

Source : FMI, 2012.

Questions

Analyser une carte

1. Sur quels continents les pays émergents sont-ils les plus nombreux ? (doc. 1)

2. Montrez que le poids économique de certains pays émergents contribue à périmer le concept de Triade et remet en cause celui de centre et de périphérie. (doc. 1, 2 et 3 p. 23)

Comparer des cartes

3. Quels sont les acteurs institutionnels et économiques qui contribuent à définir et classer les pays émergents ? Pourquoi leurs regroupements diffèrent-ils ? (doc. 2 et 5)

4. Pourquoi peut-on dire que les pays émergents restent des pays du Sud ? (doc. 1 et 5 et doc. 1 et 3 p. 22-23)

5. Le doc. 4 distingue les « pays émergents » des « puissances émergentes ». Définissez ce dernier terme à l'appui des doc. 3 p. 27 et doc. 3 p. 35.

Porter un regard critique sur la représentation cartographique

6. Pourquoi est-il indispensable de connaître la source d'une carte avant de l'étudier ? (doc. 1 et 2)

7. En quoi l'apparition de pays émergents sur la scène internationale complexifie-t-elle la représentation cartographique de l'espace mondial ? (doc. 1 à 5)

En quoi les cartes sont-elles un outil pour comprendre le nouvel ordre géopolitique actuel ?

Depuis la fin de la guerre froide, les cartes font apparaître un nouvel ordre géopolitique, plus complexe. La croissance des dépenses militaires, les limites de l'influence américaine liées à la reconstruction de puissances vieillissantes (Russie) et l'émergence de nouveaux acteurs stratégiques (Chine, Inde) sont les nouvelles dynamiques à l'œuvre. Le nombre de conflits est en baisse et les cartes permettent de l'expliquer.

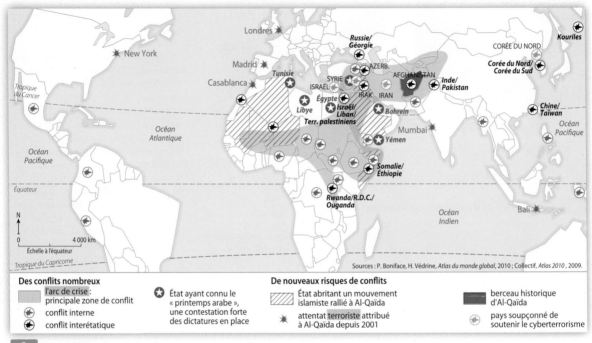

Sources : P. Boniface, H. Védrine, *Atlas du monde global*, 2010 ; Collectif, *Atlas 2010*, 2009.

Des conflits nombreux

l'arc de crise : principale zone de conflit

⊛ conflit interne

⊛ conflit interétatique

✪ État ayant connu le « printemps arabe », une contestation forte des dictatures en place

De nouveaux risques de conflits

▨ État abritant un mouvement islamiste rallié à Al-Qaïda

✳ attentat terroriste attribué à Al-Qaïda depuis 2001

berceau historique d'Al-Qaïda

⊛ pays soupçonné de soutenir le cyberterrorisme

1 | **Les conflits régionaux dans le monde en 2012**

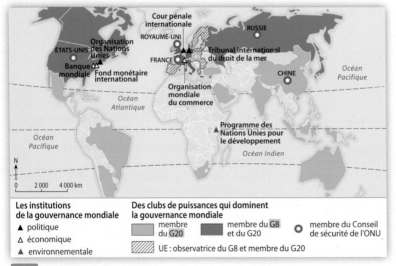

Les institutions de la gouvernance mondiale

▲ politique

△ économique

▲ environnementale

Des clubs de puissances qui dominent la gouvernance mondiale

▨ membre du G20

▨ membre du G8 et du G20

⊙ membre du Conseil de sécurité de l'ONU

▨ UE : observatrice du G8 et membre du G20

2 | **Les organisations internationales de la gouvernance**

Vocabulaire

Arc de crise (ou croissant de crise) : région concentrant des foyers de violence et de guerre dus à l'enchevêtrement de peuples différents, à l'exploitation du pétrole et aux questions religieuses.

G8 (ou Groupe des huit) : voir p. 16.

G20 : voir p. 16.

Géopolitique : branche de la géographie étudiant les rivalités étatiques, mais aussi intra et interétatiques.

Gouvernance : ensemble des règles, des acteurs et des actions liés à une question commune (ex. : régulation du capitalisme, développement durable) et exerçant une autorité.

Terrorisme : voir p. 29.

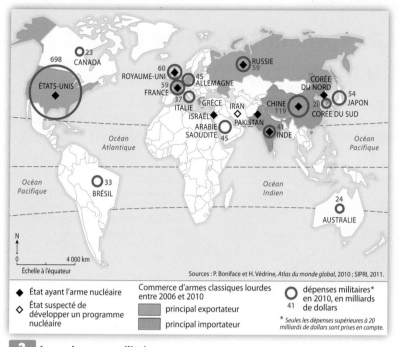

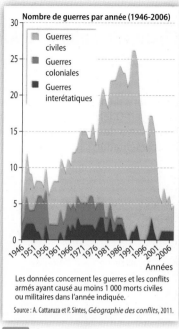

Nombre de guerres par année (1946-2006)

Guerres civiles

Guerres coloniales

Guerres interétatiques

Années

Les données concernent les guerres et les conflits armés ayant causé au moins 1 000 morts civiles ou militaires dans l'année indiquée.

Source : A. Cattaruza et P. Sintes, *Géographie des conflits*, 2011.

Sources : P. Boniface et H. Védrine, *Atlas du monde global*, 2010 ; SIPRI, 2011.

◆ État ayant l'arme nucléaire

◇ État suspecté de développer un programme nucléaire

Commerce d'armes classiques lourdes entre 2006 et 2010

principal exportateur

principal importateur

○ dépenses militaires* en 2010, en milliards de dollars

* Seules les dépenses supérieures à 20 milliards de dollars sont prises en compte.

3 Les puissances militaires

4 Une baisse des conflits au XXIᵉ siècle ?

Questions

Analyser une carte

1. Quelles sont les grandes puissances militaires mondiales ? (doc. 3)

2. Dans quelle partie du monde les conflits sont-ils les plus nombreux ? (doc. 1) En quoi peut-on dire que les conflits s'inscrivent dans la mondialisation ? (doc. 1 et 3)

3. Où se concentrent les organisations internationales de la gouvernance ? (doc. 2)

Comparer des cartes

4. Confrontez les doc. 1 et 3. Quels sont les facteurs qui expliquent l'absence de conflits entre les grandes puissances ? Y a-t-il d'autres explications ?

5. D'après les doc. 1 p. 22 et 3 p. 23, quels sont les facteurs qui expliquent la concentration actuelle des conflits dans l'arc de crise ?

Porter un regard critique sur la représentation cartographique

6. Pourquoi les cartes géopolitiques ont-elles une durée de vie limitée (doc. 1, 3 et 4) ? Est-ce vrai pour toutes les cartes ?

Retenir en réalisant un schéma

Complétez le schéma et la légende ci-dessous.

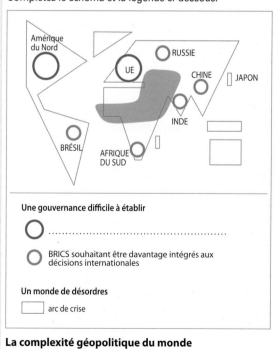

Une gouvernance difficile à établir

○ ....

○ BRICS souhaitant être davantage intégrés aux décisions internationales

Un monde de désordres

☐ arc de crise

La complexité géopolitique du monde

Changer de point de vue La représentation de visions du monde opposées

Les visions du monde proposées par les États-Unis, puissance occidentale établie, et l'Iran, puissance ascendante du Moyen-Orient, reflètent les valeurs et les objectifs de ces deux acteurs géopolitiques. La confrontation de ces deux points de vue illustre la complexité géopolitique du monde et l'importance du regard critique à porter sur la représentation cartographique.

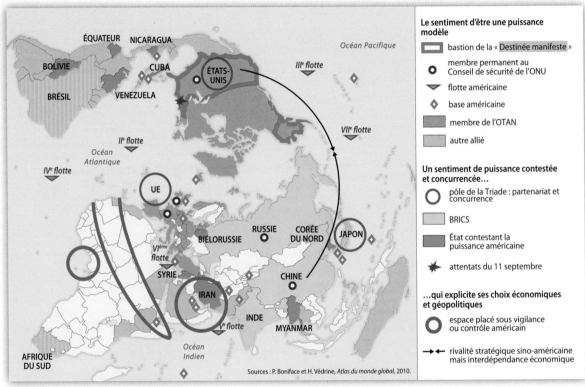

1 Le monde vu des États-Unis

2 Chronologie Iran/États-Unis

1979	Proclamation de la **République islamique** d'Iran. Prise d'otages à l'ambassade américaine qui durera jusqu'en janvier 1981. L'Iran renie sa reconnaissance de l'État d'Israël.
1980-1988	Guerre Iran-Irak (initiative irakienne).
1995	Les États-Unis imposent un embargo commercial à l'Iran, accusé de soutenir le terrorisme et de vouloir acquérir l'arme nucléaire.
2001	Attentat du 11 septembre. 1 à 2 millions de réfugiés afghans en Iran après l'intervention américaine en Afghanistan.
2002	Le président américain George W. Bush désigne l'Iran, l'Irak et la Corée du Nord comme les pays de l'« axe du Mal ».
2003	Invasion américaine de l'Irak.
2005	Mahmoud Ahmadinejad élu Président en Iran. Selon lui, Israël doit être « rayé de la carte ».
2006	M. Ahmadinejad annonce que « l'Iran a rejoint les pays nucléaires ». Début des sanctions occidentales sur le nucléaire iranien.
2008	Barack Obama élu président des États-Unis. Rupture avec la politique étrangère de G.W. Bush fondée sur le *containment* (endiguement) et passage à la politique de l'*engagement* (ouverture) vis-à-vis des ennemis des États-Unis.
2011	Rapport de l'Agence internationale à l'énergie atomique défavorable à l'Iran. Début des premières sanctions contre le pétrole iranien.

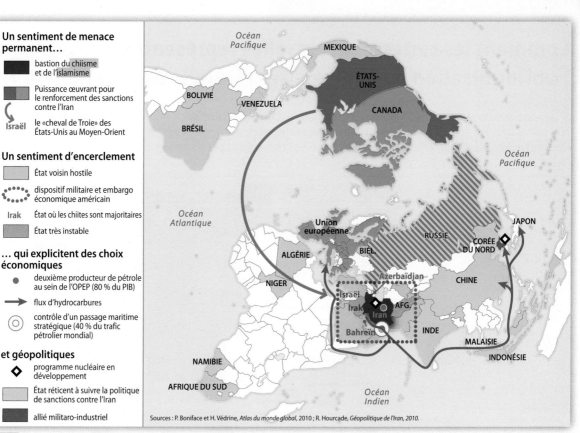

Un sentiment de menace permanent...

- bastion du chiisme et de l'islamisme
- Puissance œuvrant pour le renforcement des sanctions contre l'Iran
- *Israël* le «cheval de Troie» des États-Unis au Moyen-Orient

Un sentiment d'encerclement

- État voisin hostile
- dispositif militaire et embargo économique américain
- *Irak* État où les chiites sont majoritaires
- État très instable

... qui explicitent des choix économiques

- deuxième producteur de pétrole au sein de l'OPEP (80 % du PIB)
- flux d'hydrocarbures
- contrôle d'un passage maritime stratégique (40 % du trafic pétrolier mondial)

et géopolitiques

- programme nucléaire en développement
- État réticent à suivre la politique de sanctions contre l'Iran
- allié militaro-industriel

Sources : P. Boniface et H. Védrine, *Atlas du monde global*, 2010 ; R. Hourcade, *Géopolitique de l'Iran*, 2010.

3 **Le monde vu d'Iran**

Questions

Analyser une carte

1. Quelles visions les États-Unis et l'Iran ont-ils du monde et de leur propre puissance ?
2. Montrez que cette vision du monde détermine les choix géo-économiques et géopolitiques étasuniens et iraniens.

Comparer des cartes

3. Quels points communs et quelles différences peut-on établir dans ces deux manières de voir le monde ?
4. Quel regard porte l'Iran sur les États-Unis, et inversement ? D'après la chronologie, comment l'expliquez-vous ? Montrez que les réseaux d'alliances formés par les deux pays s'opposent.

Porter un regard critique sur la représentation cartographique

5. Analysez les choix de centrage, de projections et de couleurs des deux cartes. Montrez qu'ils servent le discours de la carte.
6. Quelles sont les sources de ces deux cartes ? Pourquoi la carte est-elle toujours un point de vue sur le monde ?

Vocabulaire

Chiite/sunnite : deux courants de l'islam qui se sont formés à la mort de Mahomet, en 632. Pour les sunnites, qui se réclament de la tradition (sunna), la direction de la communauté des croyants doit être assumée par le plus sage des musulmans. Pour les chiites, elle doit l'être par le gendre du Prophète, Ali, puis par ses descendants.

Destinée manifeste : idéologie née au XIXᵉ siècle qui affirme la mission des États-Unis à répandre la démocratie et leur modèle de civilisation.

Islamisme : idéologie politique visant à l'instauration d'un État où l'islam est la base du fonctionnement des institutions, de l'économie et de la société.

République islamique d'Iran : État où les principes fondateurs, en matière politique, économique et sociale proviennent de l'islam chiite.

Terrorisme : emploi de la terreur à des fins politiques ou religieuses.

Cartes géoculturelles

Comment les cartes peuvent-elles représenter l'uniformisation ou la diversité culturelle dans le monde ?

Si la mondialisation favorise l'uniformisation culturelle, notamment grâce aux NTIC, de nombreuses différences culturelles peuvent être cartographiées. La diversité des langues, des cultures ou des religions amène à représenter des aires de civilisation aux limites fluctuantes selon les choix opérés par les cartographes.

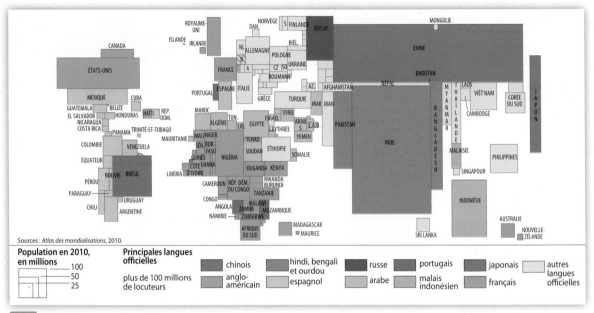

Sources : *Atlas des mondialisations*, 2010.

Population en 2010, en millions
- 100
- 50
- 25

Principales langues officielles
plus de 100 millions de locuteurs

- chinois
- anglo-américain
- hindi, bengali et ourdou
- espagnol
- russe
- arabe
- portugais
- malais indonésien
- japonais
- français
- autres langues officielles

1 Les grandes aires linguistiques

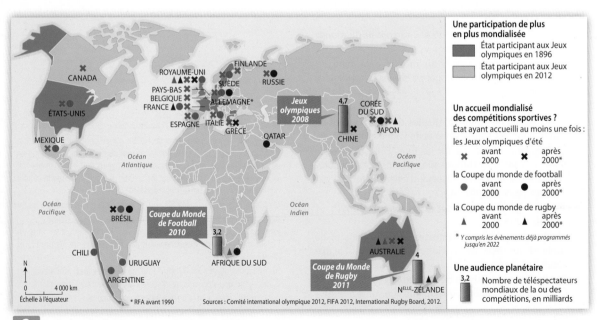

Une participation de plus en plus mondialisée
- État participant aux Jeux olympiques en 1896
- État participant aux Jeux olympiques en 2012

Un accueil mondialisé des compétitions sportives ?
État ayant accueilli au moins une fois :

les Jeux olympiques d'été
- ✖ avant 2000
- ✖ après 2000*

la Coupe du monde de football
- ● avant 2000
- ● après 2000*

la Coupe du monde de rugby
- ▲ avant 2000
- ▲ après 2000*

* Y compris les évènements déjà programmés jusqu'en 2022

Une audience planétaire
3,2 Nombre de téléspectateurs mondiaux de la ou des compétitions, en milliards

N
0   4 000 km
Échelle à l'équateur

* RFA avant 1990   Sources : Comité international olympique 2012, FIFA 2012, International Rugby Board, 2012.

2 Les grands événements sportifs mondiaux

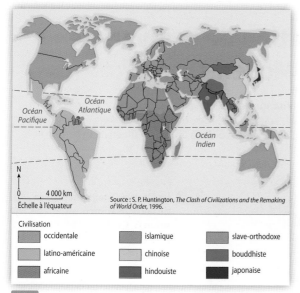

Source : S. P. Huntington, *The Clash of Civilizations and the Remaking of World Order*, 1996.
Échelle à l'équateur

Civilisation
- occidentale
- islamique
- slave-orthodoxe
- latino-américaine
- chinoise
- bouddhiste
- africaine
- hindouiste
- japonaise

3 Les aires de civilisation selon S. Huntington.

S. Huntington, chercheur et conseiller du gouvernement américain, publie en 1996 un livre qui soulève une vive polémique. Il considère que la fin de la guerre froide ne se traduit pas par un nouvel ordre international fondé sur des valeurs universelles et sur la paix. Au contraire, il annonce un monde de conflits culturels et religieux entre les grandes aires de civilisations.

Questions

Analyser une carte

1. Quelles sont les grandes aires linguistiques dans le monde ? (doc. 1)
2. En quoi le doc. 2 illustre-t-il une certaine uniformisation culturelle mondiale ?

Comparer des cartes

3. Montrez que la diversité linguistique n'est pas le seul critère retenu pour délimiter les aires de civilisation. (doc. 3 et 4)
4. Quelles sont les différences entre les doc. 3 et 4 ?
5. S. Huntington évoque la possibilité de conflits entre plusieurs aires de civilisation. En confrontant le doc. 3 avec le doc. 1 p. 26, montrez que la plupart des conflits ont lieu à l'intérieur des aires de civilisation.
6. Expliquez la localisation des événements sportifs récents (depuis 2000) en confrontant le doc. 2 à la carte 3 p. 23.

Porter un regard critique sur la représentation cartographique

7. Quel est l'intérêt de la représentation par anamorphose ? (doc. 1) Montrez que ce choix ne peut représenter toute la diversité des langues dans le monde.
8. Citez un pays ou une région classé de façons différentes dans les doc. 1, 3 et 4.

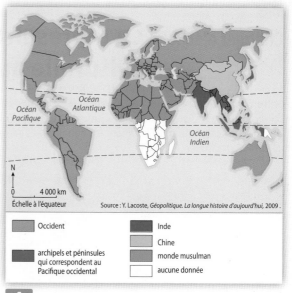

Source : Y. Lacoste, *Géopolitique. La longue histoire d'aujourd'hui*, 2009.
Échelle à l'équateur

- Occident
- Inde
- Chine
- archipels et péninsules qui correspondent au Pacifique occidental
- monde musulman
- aucune donnée

4 Les aires de civilisation selon Y. Lacoste.

Y. Lacoste, géographe français, répond, à la thèse de S. Huntington en 1997 dans le journal *Le Monde*. Il rappelle que les conflits majeurs ont lieu au sein des aires de civilisations et sur des territoires restreints où les enjeux géopolitiques l'emportent sur les antagonismes religieux. Il présente un autre découpage des civilisations en cinq grandes aires.

Vocabulaire

Aire de civilisation : espace identifié comme ayant une unité culturelle, du fait que les sociétés humaines qui y vivent adoptent des modes de pensée et de vie semblables.

Retenir en réalisant un schéma

Complétez le schéma et la légende ci-dessous.

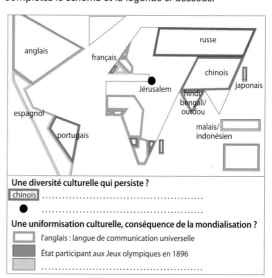

anglais
français
russe
chinois
japonais
Jérusalem
hindi/bengali/ourdou
espagnol
malais/indonésien
portugais

Une diversité culturelle qui persiste ?

chinois ....

● ....

Une uniformisation culturelle, conséquence de la mondialisation ?

- l'anglais : langue de communication universelle
- État participant aux Jeux olympiques en 1896
- ....

Cartes géoculturelles

Changer d'échelle La représentation de la diversité culturelle au Moyen-Orient

Entre Europe et Asie, le Moyen-Orient est le berceau des civilisations et le lieu de naissance des trois grandes religions monothéistes (chrétienne, judaïque et musulmane). Aujourd'hui, 75 % des habitants de la région sont des musulmans sunnites. En variant les échelles, les cartes peuvent nous aider à étudier la diversité ethnique et culturelle du Moyen-Orient.

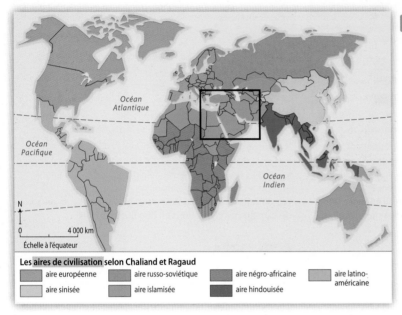

1 Le Moyen-Orient, un espace de la civilisation musulmane, selon G. Chaliand et J.-P. Ragaud (1997)

Les aires de civilisation selon Chaliand et Ragaud
- aire européenne
- aire russo-soviétique
- aire négro-africaine
- aire latino-américaine
- aire sinisée
- aire islamisée
- aire hindouisée

Vocabulaire

Aire de civilisation : voir p. 31.
Chiites/sunnites : voir p. 29.

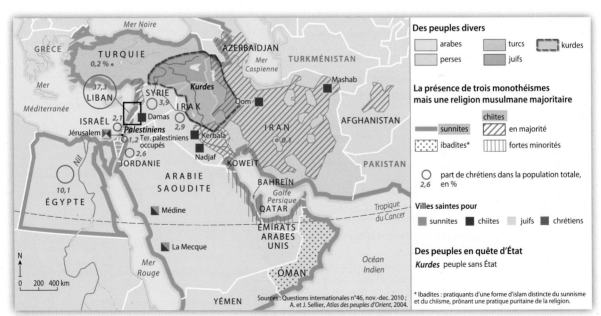

Des peuples divers
- arabes
- turcs
- kurdes
- perses
- juifs

La présence de trois monothéismes mais une religion musulmane majoritaire

	chiites	
sunnites	en majorité	
ibadites*	fortes minorités	

○ part de chrétiens dans la population totale, en %
2,6

Villes saintes pour
- sunnites
- chiites
- juifs
- chrétiens

Des peuples en quête d'État
Kurdes peuple sans État

* Ibadites : pratiquants d'une forme d'islam distincte du sunnisme et du chiisme, prônant une pratique puritaine de la religion.

Sources : Questions internationales n°46, nov.-déc. 2010 ; A. et J. Sellier, *Atlas des peuples d'Orient*, 2004.

2 Le Moyen-Orient : une grande diversité religieuse et ethnique

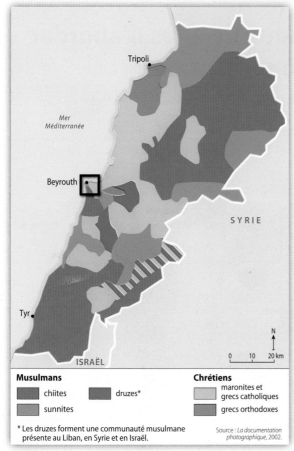

Musulmans
- chiites
- sunnites
- druzes*

Chrétiens
- maronites et grecs catholiques
- grecs orthodoxes

Mer Méditerranée

Tripoli

Beyrouth

SYRIE

Tyr

ISRAËL

0   10   20 km

N

* Les druzes forment une communauté musulmane présente au Liban, en Syrie et en Israël.

Source : *La documentation photographique*, 2002.

3 **Une forte diversité religieuse au Liban.**

17 communautés religieuses officielles sont dénombrées au Liban. Il n'existe aucune statistique officielle concernant la répartition des Libanais par confession mais les estimations les plus fréquentes comptent entre 35 % et 40 % de chrétiens et 60 % à 65 % de musulmans.

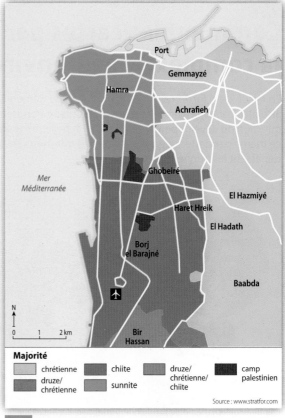

Majorité
- chrétienne
- druze/ chrétienne
- chiite
- sunnite
- druze/ chrétienne/ chiite
- camp palestinien

Port
Gemmayzé
Hamra
Achrafieh
Ghobeiré
El Hazmiyé
Haret Hreik
El Hadath
Borj el Barajné
Baabda
Bir Hassan

Mer Méditerranée

N
0   1   2 km

Source : www.stratfor.com

4 **Beyrouth (capitale du Liban) : une ville multireligieuse.**

Si Beyrouth a été une ville refuge pour de nombreuses communautés au cours du XXᵉ siècle (Arméniens, Palestiniens, entre autres), la guerre civile libanaise de 1975 à 1990 a causé de nombreux déplacements de populations au sein du pays et une partition de Beyrouth en deux, contribuant à regrouper les communautés religieuses dans des quartiers distincts.

Questions

Analyser une carte

1. Montrez que l'auteur du **doc.1** présente le Moyen-Orient comme une région homogène. En quoi la caractéristique qui unifie cet espace diffère-t-elle des autres aires de civilisation ?

2. Comment la diversité religieuse et ethnique s'exprime-t-elle au Moyen-Orient ? **(doc. 2, 3 et 4)**

Comparer des cartes

3. Comparez le découpage du monde en aires de civilisation du **doc. 1** avec les **cartes 3 et 4 p. 31**. Que peut-on en conclure ?

4. En quoi le Liban illustre-t-il la complexité religieuse du Moyen-Orient ? **(doc. 3 et 4)** Quels autres États ou villes auraient pu être cartographiés pour illustrer la complexité religieuse du Moyen-Orient ? **(doc. 2)**

5. Quelles sont les conséquences géopolitiques de cette diversité religieuse et ethnique ? **(doc. 2 et doc. 1 p. 26)**

Porter un regard critique sur la représentation cartographique

6. Pourquoi la représentation cartographique des aires de civilisation est-elle difficile ? **(doc. 1)**

7. Pourquoi peut-on dire que chaque changement d'échelle nuance la vision précédente ? En quoi le petit texte accompagnant le **doc. 3** révèle-t-il les limites de la représentation des communautés religieuses sur la carte du Liban ?

8. Expliquez pourquoi il est indispensable de changer d'échelles lorsque l'on étudie un espace. **(doc. 1 à 4)**

Comment les cartes permettent-elles d'aborder la complexité géo-environnementale ?

En raison de la forte croissance économique et démographique, les atteintes contre l'environnement se multiplient et posent désormais la question du développement durable à l'échelle mondiale. Les cartes sur ce thème permettent de montrer que les questions environnementales dépassent les frontières nationales.

Vocabulaire

Développement durable : voir p. 37.

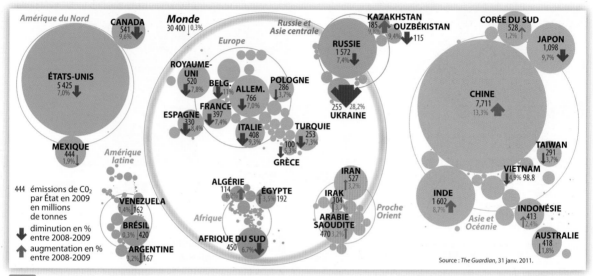

1 **Les émissions de CO$_2$ par État en 2009.** Un cartogramme est une représentation cartographique très visuelle et esthétique, souvent utilisée en infographie. Celui-ci représente par anamorphose les émissions de CO$_2$ qui constituent l'essentiel des gaz à effet de serre accusés d'être à l'origine du réchauffement climatique.

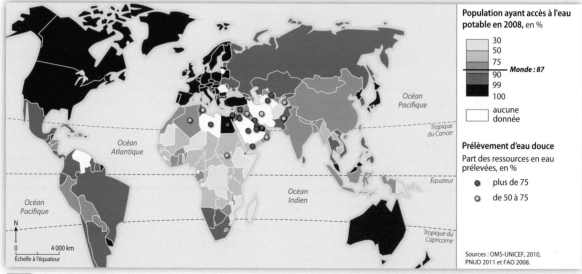

2 Un accès à l'eau inégal

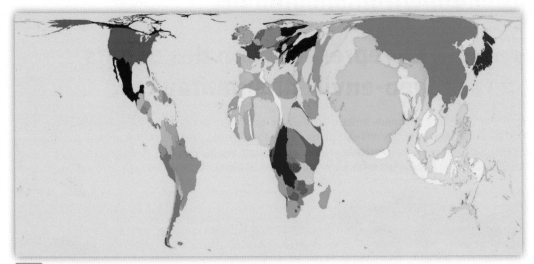

3 **La situation démographique du monde en 2050.** Cartogramme tiré de *The Atlas of the Real World*, 2010.

4 **Les problèmes environnementaux : une nouvelle clé de lecture géopolitique ?**

Aurait-on pu comprendre la seconde moitié du XXᵉ siècle sans recourir à la grille de lecture de la guerre froide ? Il en va de même pour l'épée de Damoclès climatique pour le XXIᵉ siècle : le péril écologique se substitue – ou plutôt s'ajoute – au danger des armes de destruction massive. [...] Que deviendront demain [les victimes des changements environnementaux], avec le réchauffement climatique, la montée des océans, les tempêtes et ouragans, la désertification, la déforestation, l'érosion des sols, la raréfaction de l'eau, les épidémies, etc. ? Et où iront les centaines de millions d'hommes et de femmes chassés de leur terre natale, sinon vers les favelas de la misère, les rangs des guérillas ou les barques tentant de gagner l'Occident ?

Ces sources de conflits intra ou inter-étatiques sont déjà à l'œuvre aujourd'hui. Une des clés de l'affrontement israélo-palestinien n'est-elle pas l'eau ? La pénurie annoncée de pétrole n'explique-t-elle pas le « grand jeu » opposant Russie et Occidentaux dans le Caucase et l'Asie centrale ? Le malheur du Darfour ne vient-il pas aussi du combat pour des ressources naturelles qui se raréfient ? Est-ce un hasard si, de l'Asie au Maghreb, Al-Qaïda et ses filiales recrutent dans les pires bidonvilles ?

Collectif, *L'atlas de l'environnement*, 2008.

Questions

Analyser une carte

1. Quels sont les États qui émettent le plus de CO_2 ? Pourquoi s'agit-il d'un problème environnemental mondial ? (doc. 1)

2. Quels sont les États où l'eau potable est rare ? (doc. 2)

Comparer des cartes

3. Quel lien peut-on établir entre les situations présentées dans les doc. 1 et 2 et la répartition de la population ?

4. Quelles relations peut-on établir en confrontant le doc. 1 au doc. 3 p. 23 ?

5. En vous appuyant sur le doc. 4, localisez les principales victimes du changement climatique.

6. Montrez que les cartes géo-environnementales ne suffisent pas à mesurer le développement durable.

Porter un regard critique sur la représentation cartographique

7. Confrontez les choix cartographiques des doc. 1, 2 et 3. En quoi ces cartes peuvent-elles devenir des outils de communication ? Pour quels acteurs ? (doc. 1 à 3)

Retenir en réalisant un schéma

Complétez le schéma et la légende ci-dessous.

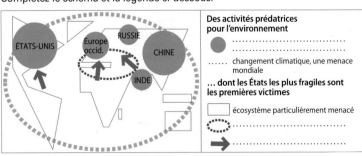

La complexité géo-environnementale du monde

Cartes géo-environnementales

Changer d'indicateur La représentation des débats géo-environnementaux

De nombreuses grilles de lecture du monde tentent de mesurer les conséquences des activités humaines sur l'environnement. Elles opposent des États dits « vertueux » à des États « coupables » de fortes prédations. Mais les indicateurs retenus pour faire ces cartes tiennent rarement compte des aspects économiques et sociaux du développement durable. Et ils peuvent engendrer des discours totalement contraires.

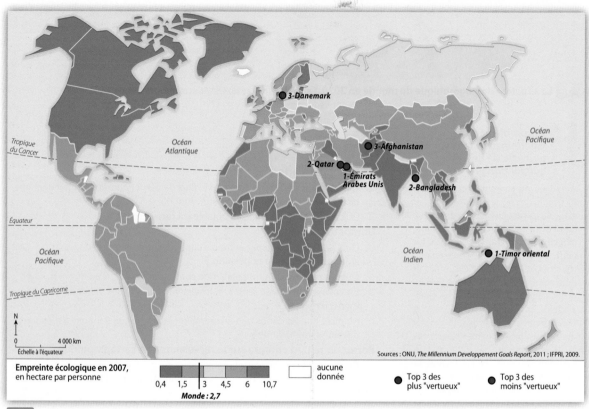

Sources : ONU, *The Millennium Developpement Goals Report*, 2011 ; IFPRI, 2009.

Empreinte écologique en 2007, en hectare par personne

0,4 1,5 3 4,5 6 10,7

Monde : 2,7

aucune donnée

● Top 3 des plus "vertueux"

● Top 3 des moins "vertueux"

1 **L'empreinte écologique dénonce les pays industrialisés.** Diffusée par l'ONG WWF, elle se mesure en hectares globaux par personne et évalue la superficie moyenne par habitant nécessaire à chaque État pour assouvir ses besoins. Plus l'empreinte est forte, plus l'État est jugé prédateur.

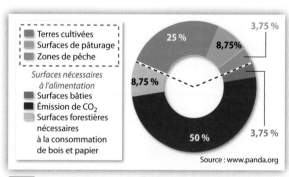

Terres cultivées
Surfaces de pâturage
Zones de pêche
Surfaces nécessaires à l'alimentation
Surfaces bâties
Émission de CO_2
Surfaces forestières nécessaires à la consommation de bois et papier

25 % 8,75 % 3,75 %
8,75 %
50 % 3,75 %

Source : www.panda.org

2 **Les indicateurs composant l'empreinte écologique**

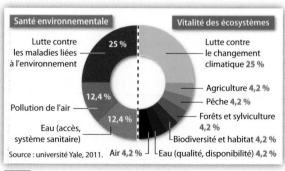

Santé environnementale | Vitalité des écosystèmes

Lutte contre les maladies liées à l'environnement
Pollution de l'air
Eau (accès, système sanitaire)
Air 4,2 %
25 %
12,4 %
12,4 %

Lutte contre le changement climatique 25 %
Agriculture 4,2 %
Pêche 4,2 %
Forêts et sylviculture 4,2 %
Biodiversité et habitat 4,2 %
Eau (qualité, disponibilité) 4,2 %

Source : université Yale, 2011.

3 **Les indicateurs composant l'EPI**

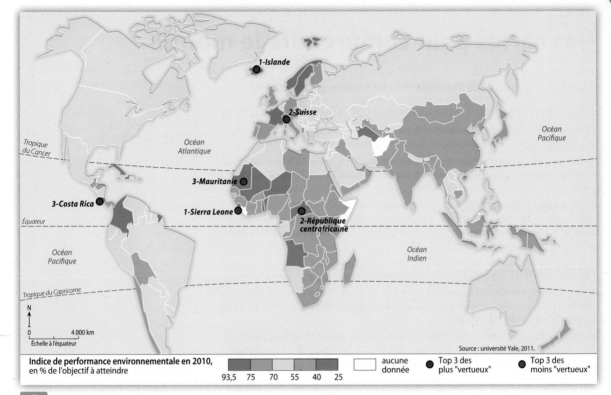

Indice de performance environnementale en 2010, en % de l'objectif à atteindre

93,5 75 70 55 40 25

aucune donnée

● Top 3 des plus "vertueux"

● Top 3 des moins "vertueux"

Source : université Yale, 2011.

4 **L'indice de performance environnementale (EPI) dénonce les pays les plus pauvres.** Selon ce classement, élaboré par des chercheurs universitaires américains, un pays classé 100 serait le meilleur, et celui classé 0, le pire. Cet indicateur cumule 25 critères et tient compte des politiques environnementales menées par les États.

Questions

Analyser une carte

1. Dans chacune des cartes, quels sont les États vertueux et ceux mis en accusation de forte déprédation environnementale ? (doc. 1 et 4)

Comparer des cartes

2. Quels sont les critères retenus pour l'élaboration des deux indicateurs ? En quoi diffèrent-ils ? (doc. 2 et 3)

3. Montrez que ces indicateurs conduisent à une lecture totalement différente du monde. (doc. 1 et 4)

4. Confrontez cette lecture du monde au doc. 1 p. 22. Que peut-on en conclure ?

Porter un regard critique sur la représentation cartographique

5. Quels procédés cartographiques a-t-on utilisés pour mettre en valeur ces représentations ? (doc. 1 et 4)

6. Quelles sont les critiques faites dans le doc. 5 ? En quoi ce texte nuance ou conforte-t-il les indicateurs environnementaux ? Quel regard critique peut-on également porter sur ce texte ?

5 **Les indicateurs environnementaux : des instruments catastrophistes et dangereux ?**

Les discours catastrophiques sont innombrables quand il s'agit d'évoquer le réchauffement climatique. […] La diffusion d'informations anxiogènes est un élément très médiatique intéressant l'ensemble des médias. Ces discours profitent à différents acteurs, ils sont nécessaires à certaines ONG pour obtenir les moyens financiers indispensables à leur action, ils servent certains laboratoires de recherche et des firmes… Ils permettent à des pays du Sud d'obtenir d'importants financements. […] La nouvelle « religion » de la protection de la nature […] évite soigneusement de poser les questions […] de la pauvreté, du mal-développement, de la situation inacceptable de plusieurs milliards de personnes sur la terre dont la cause n'est certainement pas seulement, loin s'en faut, l'érosion de la biodiversité ou le changement climatique.

S. Brunel et J.-R. Pitte, *Le ciel ne va pas nous tomber sur la tête*, 2010.

Vocabulaire

Développement durable : développement qui permet de satisfaire nos besoins actuels sans compromettre la possibilité pour les générations futures de satisfaire les leurs. Le développement durable doit conduire à plus d'équité entre les hommes et les générations.

Environnement : au sens étroit, milieu naturel ; au sens large, ensemble des éléments naturels et sociaux qui nous entourent.

Des cartes pour comprendre le monde

> **Comment la complexité du monde est-elle traduite par les cartes ?**

Représenter la complexité géo-économique du monde

■ **Les cartes montrent la persistance d'inégalités de développement.** Cependant, la limite Nord-Sud, est de moins en moins évidente.

■ **Les cartes permettent de lire l'explosion des flux dans la mondialisation.** Elles renforcent la conscience d'interdépendance entre les différentes parties du monde.

■ **Un monde polycentrique s'affirme**, en raison du déclin relatif de la puissance des États-Unis et de la montée en puissance des pays émergents **(voir p. 24-25)**. Face à la diversité des flux et à leur multiplication, la construction des cartes donne à lire une réalité temporaire.

Représenter la complexité géopolitique du monde

■ **Les conflits actuels ont changé de nature** et leur nombre baisse. Les stratégies des États étant multiples et évolutives, les cartes géopolitiques doivent être lues de façon critique **(voir p. 28-29)**.

■ **Les conflits ont surtout lieu dans des espaces en retard de développement :** 80 % des PMA connaissent ou ont connu un conflit depuis 1990. La cartographie des conflits est difficile, car les évolutions sur le terrain sont rapides.

■ **Certains pays émergents veulent plus de reconnaissance dans les affaires internationales.** L'extension du G8 au G20 illustre cette tendance.

Représenter la complexité géoculturelle du monde

■ **La mondialisation rend plus difficile la cartographie des contrastes culturels.** En raison des flux humains et culturels, la représentation d'aires de civilisation doit être observée avec un regard critique car les espaces de métissage se multiplient.

■ **Plusieurs découpages ont cependant été tentés.** S. Huntington, universitaire américain, divise le monde en neuf aires de civilisation selon des critères essentiellement religieux et ethniques, tandis que le géographe Y. Lacoste limite leur nombre à cinq.

■ **Les cartographes influencent la manière de voir le monde (doc. 1)**. Ainsi S. Huntington évoque un risque de conflits entre civilisations. Or sa vision cartographique ignore les fractures internes à chaque civilisation **(voir p. 32-33)**. Il est donc indispensable de changer d'échelle pour appréhender les contrastes dans le monde.

Représenter la complexité géo-environnementale du monde

■ **Les atteintes à l'environnement sont une préoccupation mondiale.** Mais les cartes qui tentent de les mesurer sont souvent imprécises ou contradictoires **(voir p. 36-37)**.

■ **Les pressions sur l'environnement sont liées aux niveaux de richesse et de développement.** Les questions environnementales ont aussi des conséquences géopolitiques.

■ **Les cartes proposent aussi des tendances prévisionnelles.** Elles deviennent des outils de communication **(doc. 2)**.

Vocabulaire

Aire de civilisation : voir p. 31.
Développement : voir p. 22.
Géopolitique : voir p. 26.
G8 : voir p. 16.
G20 : voir p. 16.
Pays émergents : voir p. 24.
PMA : voir p. 292.
Polycentrisme : voir p. 24.

Repère

Le poids comparé des BRICS et du G20

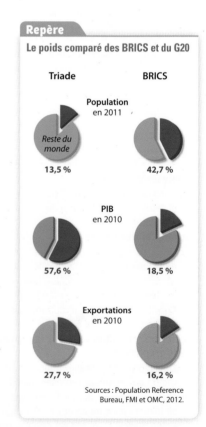

Triade   BRICS

Population
en 2011

Reste du
monde

13,5 %   42,7 %

PIB
en 2010

57,6 %   18,5 %

Exportations
en 2010

27,7 %   16,2 %

Sources : Population Reference
Bureau, FMI et OMC, 2012.

1 Les choix du cartographe

Les cartes [...] ne sont ni objectives ni exhaustives, elles ne sont en rien le réel, mais son interprétation. La réalisation de cartes résulte d'une longue série de choix, de lectures subjectives, d'une manière de voir, parfois manipulatrice, bien souvent approximation. Une carte est une image graphique qui doit permettre une perception instantanée et une mémorisation facile de l'information représentée. [...]

Tout projet de carte renvoie le cartographe à la disponibilité, à la qualité et à la cohérence de ses sources. Les données statistiques sont à l'image des États qui les produisent. Exhaustives, comparables et à jour dans les États développés disposant d'appareils statistiques anciens et fiables, elles sont amnésiques, indisponibles, voire falsifiées, dans les États autoritaires ou totalitaires ; indigentes et peu fiables dans les États les plus pauvres où même l'état civil fait parfois défaut. Cette hétérogénéité est en partie corrigée par les grands organismes internationaux et les acteurs privés, éditeurs, groupes de presse ou ONG qui publient régulièrement des rapports et annuaires. [...] Plus que jamais, il est indispensable de se livrer, pour une même donnée, aux comparaisons et aux critiques des sources.

M.-F. Durand (dir.), *Atlas de la mondialisation. Comprendre l'espace mondial contemporain*, 2010.

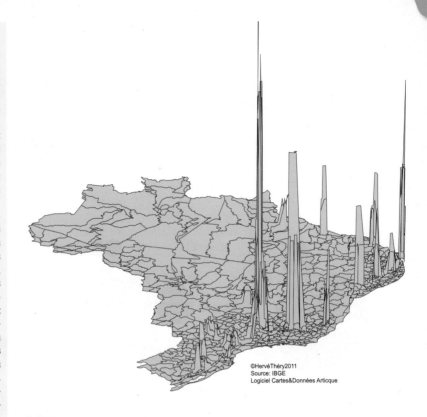

©HervéThéry2011
Source: IBGE
Logiciel Cartes&Données Articque

2 Carte en 3D de la densité de peuplement au Brésil.

Un logiciel de cartographie permet de traiter en relief des informations statistiques. Cette représentation insiste sur les forts contrastes de peuplement entre le littoral et l'intérieur du pays sans masquer une densité derrière une autre. Le choix de l'angle de vision est ici primordial.

1. Comparez cette carte avec celle de la page 237. Laquelle vous semble la plus précise ? la plus visuelle ?

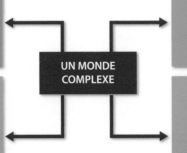

Du point de vue géoculturel
- **Un monde différencié** : aires de civilisation
- **Un monde uniformisé** (métissage et brassage culturels) ?

Du point de vue géo-environnemental
- **Un monde menacé** (réchauffement climatique) ?
- **Un monde en manque de gouvernance environnementale**

UN MONDE COMPLEXE

Du point de vue géopolitique
- **Un monde dominé** : puissances établies (États-Unis), puissances ascendantes (BRICS)
- **Un monde où les conflits persistent**
- **Un monde fragmenté** : rôle des États, recherche d'une gouvernance mondiale

Du point de vue géo-économique
- **Un monde inégalitaire** : contrastes de développement mais une limite Nord-Sud discutable
- **Un monde polycentrique** : pôles établis de la Triade, pays émergents
- **Un monde interdépendant** : en lien avec la mondialisation des échanges

3 Un monde complexe

EXERCICE RÉDIGÉ

SUJET Les cartes permettent-elles de comprendre la complexité du monde ?

Montrez que la carte du PIB et de l'IDH permet d'approcher la complexité du monde à travers les inégalités de richesse et de développement, mais que son mode de représentation nécessite une réflexion critique.

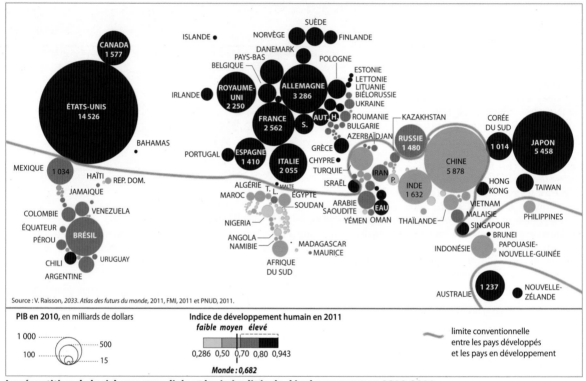

Source : V. Raisson, *2033. Atlas des futurs du monde*, 2011, FMI, 2011 et PNUD, 2011.

PIB en 2010, en milliards de dollars
1 000 · · · · · · ·
100 · · · · · · ·
500
15

Indice de développement humain en 2011
faible moyen élevé
0,286 0,50 0,70 0,80 0,943
Monde : 0,682

limite conventionnelle entre les pays développés et les pays en développement

La répartition de la richesse mondiale et les inégalités de développement en 2010-2011

Étape 1 Analyser le sujet et la consigne

Montrez que la carte du PIB et de l'IDH permet d'approcher la complexité du monde à travers les inégalités de richesse et de développement mais que son mode de représentation nécessite une réflexion critique.

■ <u>Délimiter l'espace concerné et identifier les mots-clés</u>

Les cartes **permettent-elles de comprendre la complexité du monde** ?

Identifiez les choix cartographiques opérés dans le document. Quel regard critique peut-on porter ? Quel est l'avantage de supprimer le fond ?

Sous quel angle la complexité du monde est-elle abordée ? Dans quelle mesure les inégalités de richesse et de développement participent-elles à la complexité du monde ? Quel découpage du monde présentent-elles ? Cette carte permet de confronter deux critères différents : le PIB et l'indice de développement humain. Quel découpage du monde le PIB et l'IDH présentent-ils ?

Le document est un planisphère. L'espace concerné est le monde. Pourtant, au-delà de l'échelle mondiale, le sujet invite à s'interroger sur le découpage du monde en sous-ensembles.

Étape 2 **Rédiger l'étude critique de document**

■ Présenter l'étude critique de documents

Introduction : *Les inégalités de richesse et de développement sont des marqueurs visibles de l'organisation du monde et la carte est l'outil le plus usuel des géographes pour tenter de représenter sa complexité. Ce cartogramme original du PIB et de l'IDH permet de s'interroger sur les inégalités socio-économiques autant que susciter une réflexion critique sur l'outil cartographique.*

> Présentation du sujet et lien avec la question au programme

> Mise en valeur de l'intérêt du document pour traiter le sujet

Paragraphe 1 : *Les indicateurs utilisés dans cette carte sont classiques pour mesurer les inégalités socio-économiques. D'une part, l'indicateur de développement humain est le principal outil de mesure des inégalités dans le monde. Il intègre, sur une échelle de 0 à 1, l'espérance de vie à la naissance, le taux d'alphabétisation des adultes et le RNB ppa/hab. Critère qualitatif, il est parfois délaissé au profit d'indicateurs plus précis (indice de pauvreté humaine qui intègre cinq variables, coefficient de Gini qui calcule les inégalités internes). D'autre part, le produit intérieur brut mesure la production de biens et services en dollars dans un pays sur une année donnée. Le cartographe utilise la parité de pouvoir d'achat qui permet d'éliminer les différences de niveau de prix entre les pays. Ces deux indicateurs sont fournis par des organismes internationaux dépendants de l'ONU, le PNUD et le FMI, qui en font des outils de mesure universels permettant les comparaisons nationales. En définitive, l'IDH reste l'indice privilégié pour présenter les inégalités de développement dans le monde tandis que le PIB établit la hiérarchie des pays selon leur richesse.*

> Courte phrase introduisant le paragraphe

> Prélèvement des informations dans le document

> Recours aux notions clés pour analyser le document

> Courte phrase concluant l'idée générale du paragraphe

Paragraphe 2 : *À travers le tracé de la limite conventionnelle, la carte oppose un Nord et un Sud qui constituent un premier niveau de lecture des inégalités dans le monde. En effet, la majorité des États à IDH élevé (supérieur à 0,7) appartiennent au groupe des pays développés qui forment le Nord. À l'inverse, une majorité des États à IDH faible ou moyen (inférieur à 0.7) sont des pays en développement qui appartiennent au Sud. De même, à l'exception de quelques puissances émergentes (Chine, Inde, Brésil), les États les plus riches sont les pôles de la Triade (États-Unis, UE, Japon) tandis que l'Afrique subsaharienne disparaît presque totalement. Par les choix cartographiques réalisés, la carte contribue à renforcer cette image : choix de l'anamorphose (qui met en évidence les pays les plus riches et fait disparaître les plus pauvres), tracé de la limite Nord-Sud, choix des couleurs dont la hiérarchisation renforce l'opposition, discrétisation qui met en évidence des groupes de pays (Triade, PMA). Ainsi, ce premier niveau de lecture propose une lecture simple des inégalités dans le monde.*

> Mot de liaison permettant de structurer l'étude de document

> Regard critique porté sur le document

Paragraphe 3 : *Cependant, une lecture plus fine apporte un autre regard et conduit à nuancer cette première vision du monde. La carte met en évidence des sous-ensembles dépassant la simple limite Nord-Sud. Au Nord comme au Sud, les nuances sont nombreuses : les pays d'Europe de l'Est et la Russie ont un IDH inférieur aux pôles de la Triade, qui cumulent richesse et développement ; les pays les moins avancés ont un IDH et un PIB nettement inférieurs aux autres pays du Sud. Plus encore, certains États du Sud (Argentine, pays pétroliers) ont un IDH comparable à celui des pays d'Europe de l'Est, alors qu'ils ne se situent pas du même côté de la limite conventionnelle. De plus, la confrontation avec l'IDH permet de corriger l'image donnée par le PIB, en montrant que les États riches ne sont pas tous développés (pays émergents). Néanmoins, cette carte ne rend pas compte des dynamiques et oublie aussi les inégalités à d'autres échelles (régionales, locales). Pour toutes ces raisons, la carte de l'IDH et du PIB donne une image partielle de la complexité du monde.*

Conclusion : *Ainsi, la confrontation des documents permet à la fois de s'interroger sur les inégalités de développement et de richesse dans le monde et sur les modes de représentation cartographiques utilisés pour les montrer. Si l'étude critique de cette carte permet de soulever les principaux enjeux des inégalités, elle met également en évidence ses limites pour apprécier la complexité du monde.*

> Réponse à la problématique soulevée par le sujet

> Réponse nuancée (limites) au sujet

EXERCICE GUIDÉ

SUJET Les cartes permettent-elles de comprendre la complexité du monde ?

Montrez que les cartes des aires de civilisation permettent d'approcher les contrastes culturels du monde mais que leur mode de représentation nécessite une réflexion critique.

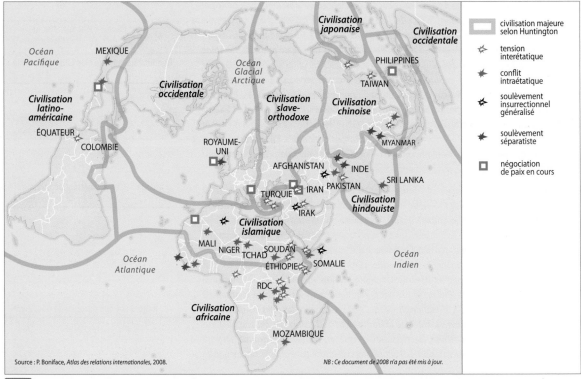

Source : P. Boniface, *Atlas des relations internationales*, 2008.

NB : Ce document de 2008 n'a pas été mis à jour.

1   Une remise en question de la thèse du « choc des civilisations » de S. Huntington

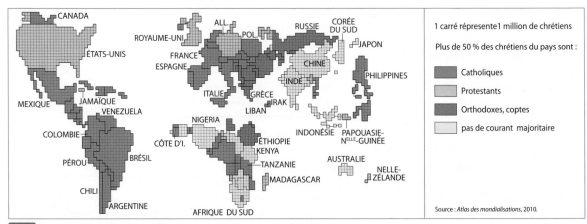

Source : *Atlas des mondialisations*, 2010.

2   Les chrétiens dans le monde

Étape 1 Analyser le sujet et la consigne

Montrez que les cartes des aires de civilisation permettent d'approcher les contrastes culturels mais que leur mode de représentation nécessite une réflexion critique.

Les cartes permettent-elles de comprendre la complexité du monde ?

■ Délimiter l'espace concerné et identifier les mots-clés

Quels sont les choix cartographiques (figurés, couleurs) de chacune de ces cartes ? Dans quelle mesure ces choix portent-ils un discours différent, voire contradictoire ? Pourquoi P. Boniface superpose-t-il une autre vision du monde à celle de S. Huntington ? Avec quel objectif ?

Sous quel angle la complexité du monde est-elle abordée ? Quel découpage du monde les doc. 1 et 2 proposent-ils ? Sont-ils contradictoires ? Comment définir une aire de civilisation ? Comment S. Huntington les a-t-il délimitées ?

Étape 2 Exploiter et confronter les informations

Conseil *La confrontation de deux documents permet de développer une argumentation nuancée.*

Questions soulevées par le sujet	Informations relatives au sujet	Regard critique sur les choix cartographiques
1. Quel découpage géoculturel du monde ces cartes donnent-elles à voir ?	Comparez les découpages de S. Huntington avec celui de C. Chaliand et J.-P. Ragaud (doc.1 p. 32) en vous appuyant sur les exemples des Philippines et du Japon.	Que peut-on conclure sur la délimitation des aires de civilisation ?
2. Quelles nuances peut-on apporter au découpage du monde de S. Huntington ?	Comparez la représentation de la répartition des chrétiens dans le monde (doc. 1 et 2).	En quoi le procédé par anamorphose utilisé dans le doc. 2 est-il pertinent pour discuter la vision de S. Huntington ?
	Montrez qu'il existe des zones de métissage culturel.	
3. Pourquoi la thèse du « choc des civilisations » de S. Huntington est-elle critiquable ?	Quelles sont les zones où les conflits sont les plus nombreux ?	Montrez que la vision du monde de S. Huntington est réductrice.
	La localisation des conflits dans le monde confirme-t-elle le « choc des civilisations » ?	Quels procédés cartographiques P. Boniface utilise-t-il pour critiquer la théorie de S. Huntington ?

Prélèvement des informations dans les documents

Explication des informations prélevées à l'aide des connaissances personnelles

Regard critique sur la représentation cartographique

Étape 3 Organiser et synthétiser les informations

Conseil *Il faut montrer l'intérêt de confronter deux documents.*

■ Présenter l'étude critique de documents

Terminez la rédaction de l'introduction en présentant les documents.

Représenter les contrastes culturels du monde constitue un défi pour le cartographe. Les aires de civilisations permettent de représenter ces contrastes mais leur délimitation pose problème. ....

Présentation du sujet et lien avec la question au programme

Présentation des documents : mise en valeur de leur intérêt pour traiter le sujet

■ Développer l'étude critique de documents

Terminez la rédaction de l'étude critique selon l'exemple du paragraphe 1 ci-dessous.

Paragraphe 1 : *La représentation cartographique des contrastes culturels du monde utilise des critères variés.......................*
....

Paragraphe 2 : *Les choix faits par S. Huntington montrant une vision figée des civilisations sont discutables.......................*
....

Paragraphe 3 : *La thèse de S. Huntington selon laquelle les conflits du XXIe siècle seront culturels a été très critiquée...................*
....

ENTRAÎNEMENT

SUJET Les cartes permettent-elles de comprendre la complexité du monde ?

En quoi la représentation des conflits permet-elle de comprendre la complexité du monde ? En vous appuyant sur le doc. 2, portez un regard critique sur la représentation cartographique du doc. 1.

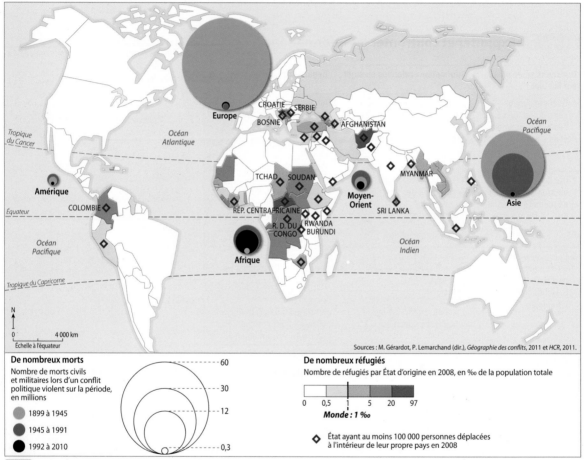

Sources : M. Gérardot, P. Lemarchand (dir.), *Géographie des conflits*, 2011 et *HCR*, 2011.

De nombreux morts

Nombre de morts civils et militaires lors d'un conflit politique violent sur la période, en millions

- 1899 à 1945
- 1945 à 1991
- 1992 à 2010

De nombreux réfugiés

Nombre de réfugiés par État d'origine en 2008, en ‰ de la population totale

0   0,5   1   5   20   97

Monde : 1 ‰

◇ État ayant au moins 100 000 personnes déplacées à l'intérieur de leur propre pays en 2008

1   Des conflits aux conséquences humaines dramatiques

2   Une baisse des conflits au XXIᵉ siècle ?

Au début du XXIᵉ siècle, le nombre de conflits est moins important, de l'ordre de – 40 % entre 1992 et 2005 selon un rapport du Centre de sécurité humaine de Vancouver (2006). Parallèlement, entre 1992 et 2005, le nombre des génocides et des massacres a chuté de 80 %, celui des réfugiés de 30 %, celui des coups d'État a été diminué par deux environ. Les raisons de cette baisse du nombre de conflits armés sont liées au contexte géopolitique global : fin des guerres de décolonisation, fin de la paralysie de l'ONU (qui engage, en 1996 et 2002, six fois plus de missions de diplomatie préventive, quatre fois plus de missions de maintien de la paix), progrès et montée des niveaux de vie, nombre croissant de régimes démocratiques (20 en 1946, 88 en 2005), activités des organisations non gouvernementales et associations régionales.

P. Boulanger, *Géographie militaire et géostratégie. Enjeux et crises du monde contemporain*, 2010.

ENTRAÎNEMENT

SUJET Les cartes permettent-elles de comprendre la complexité du monde ?

À l'aide du texte, montrez que la carte :
– croise des grilles de lecture géo-environnementale, géopolitique et géo-économique ;
– constitue une manière d'illustrer la complexité du monde ;
– doit faire l'objet d'un regard critique quant aux choix cartographiques.

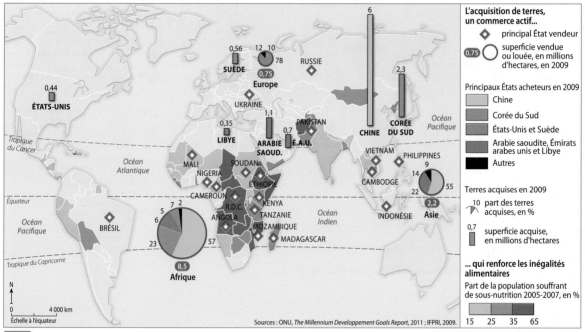

Sources : ONU, *The Millennium Developpement Goals Report*, 2011 ; IFPRI, 2009.

1 L'accaparement des terres agricoles

2 Augmenter la production agricole pour faire face à la croissance démographique

Un quart des terres mondiales est très dégradé ou affiche une forte tendance à la dégradation [...]. « *L'agriculture occupe déjà 11 % de la surface des terres émergées de la planète* » [...] rappelle le rapport [2011 de la FAO]. Cependant, le rythme de croissance de la production agricole et d'amélioration des rendements ralentit depuis quelques années. [...] « *Les gains de production ont été associés à des pratiques de gestion qui ont dégradé les systèmes d'exploitation de la terre et de l'eau dont dépend la production.* » Toute la planète est concernée, selon la FAO, [...] mais l'Afrique et l'Asie sont les continents où la situation est la plus alarmante. Les experts de la FAO affirment que, d'ici à 2050, « *il sera nécessaire de produire un milliard de tonnes de céréales et 200 millions de tonnes de produits animaux supplémentaires chaque année* » pour nourrir une population

de plus en plus nombreuse et aspirant à un certain standard alimentaire. [...] La surface des terres cultivées a augmenté de 12 % au cours des cinquante dernières années, une progression qui correspond au doublement des surfaces irriguées. Les pays qui devront augmenter le plus leur production sont également les plus touchés par la dégradation des sols, la surexploitation des ressources et le changement climatique. Dans ces pays à faible revenu, la surface de terre cultivée rapportée au nombre d'habitants est de 0,17 hectare, contre 0,37 pour les pays riches. « *Il existe un lien étroit entre pauvreté et accès insuffisant aux ressources en terres et en eau* », constatent les auteurs du rapport.

Le Monde, 30 novembre 2011.

EXERCICE GUIDÉ

SUJET Les cartes permettent-elles de comprendre la complexité du monde ?

Montrez que la carte de la diffusion de la crise financière permet d'approcher la complexité du monde mais que son mode de représentation nécessite une réflexion critique.

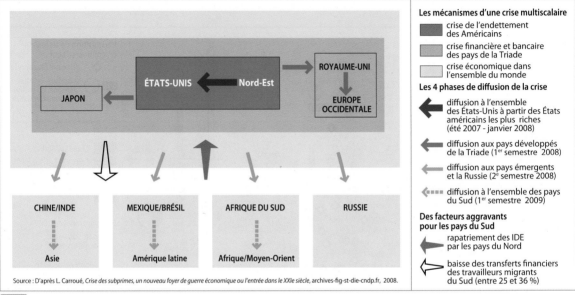

Source : D'après L. Carroué, *Crise des subprimes, un nouveau foyer de guerre économique ou l'entrée dans le XXIe siècle*, archives-fig-st-die-cndp.fr, 2008.

1 La diffusion de la crise financière de 2008 dans le monde

2 Le fond de carte : une nécessité ?

Si le fond de carte peut être un repère, s'il peut être manipulé pour s'adapter à l'information cartographique cartographiée, il n'en demeure pas moins une carte glissée sous une autre carte : c'est la carte de la carte. Comme tel, il sert le plus souvent à s'orienter dans la carte, ne serait-ce que pour opérer des regroupements pertinents d'objets. Réciproquement, cette carte de fond implique que ses lieux entretiennent entre eux des rapports de localisation indépendants de l'information cartographiée en surface. Dès lors, l'expérience est tentante de supprimer le fond de carte pour voir ce qu'il cache.

J. Lévy, P. Poncet, E. Tricoire, « La carte, enjeux contemporains »,
La Documentation photographique, 2004.

Étape 1 Analyser le sujet et la consigne

Les cartes **permettent-elles de** comprendre **la complexité** du monde ?

Montrez que la carte de la diffusion de la crise financière permet d'approcher la **complexité du monde** mais que **son mode de représentation** nécessite une **réflexion critique**.

■ Délimiter l'espace concerné et identifier les mots-clés

Quel est l'élément habituellement indispensable dans une carte qui a disparu ? Comment les continents et les États sont-ils représentés ?

Sous quel angle la complexité du monde est-elle abordée ? Comment cette carte rend-elle compte de l'interdépendance des États ?

L'espace concerné est le monde. Mais le sujet invite à s'interroger sur les différentes échelles de diffusion de la crise à des sous-ensembles régionaux.

Étape 2 Exploiter et confronter les informations

Complétez le tableau.

Conseil *Pour étudier les documents, il faut prélever les informations en lien avec le sujet et les expliquer à l'aide de connaissances personnelles.*

	Informations	Explications
Sur le fond	• Une diffusion rapide : en quelques mois, l'ensemble du monde est affecté par la crise financière. • ………………………………………………………	• Cette diffusion mondiale rapide est liée à l'interdépendance économique et financière du monde. • ………………………………………………………
Sur la forme	• Absence de fond de carte « indépendant de l'information cartographiée en surface ». • ………………………………………………………	• ………………………………………………………… • …………………………………………………………

Étape 3 Organiser et synthétiser les informations

■ Développer l'étude critique des documents

Points forts :
– courte phrase introduisant le paragraphe
– prélèvement adroit des informations dans le document
– regard critique sur le document

Sur le modèle proposé pour le paragraphe 1, expliquez les points forts et les points faibles du paragraphe 2.

Paragraphe 1 : *La crise financière de 2008 s'est largement diffusée à l'ensemble du monde. La carte le montre par différents procédés. Des figurés de surface de couleurs chaudes emboîtés montrent les trois échelles de la crise. C'est aux États-Unis que commence la crise qui gagne les autres pôles de la Triade pour se diffuser à la Russie et aux pays du Sud. Des flèches montrent les dynamiques de cette crise multiforme et multiscalaire qui affecte en quelques mois (été 2007 - début 2009) l'ensemble de la planète.*

Points faibles :
– peu de recours aux mots-clés et aux connaissances personnelles
– absence de mots de liaison pour structurer la rédaction
– pas de phrase concluant l'idée générale du paragraphe

Paragraphe 2 : *La carte montre également que la crise est un facteur de désordre mondial. En effet, la globalisation financière appuyée sur les NTIC conduit à une propagation rapide de la crise et à sa mutation en crise économique. Ainsi, on observe le passage d'une crise de l'endettement des ménages américains à une crise économique généralisée à l'ensemble de la planète par sa diffusion dans les principaux pôles économiques mondiaux. De même, deux flèches montrent comment la baisse des transferts financiers conduit à aggraver la crise dans les États du Sud.*

Terminez la rédaction du paragraphe 3 en valorisant les points forts et évitant les points faibles.

Paragraphe 3 : *Le choix de s'affranchir du fond de carte habituel « pour voir ce qu'il cache » constitue un procédé original.* ……………………………………………………………..

■ Conclure l'étude critique des documents

Terminez la rédaction de la conclusion de l'étude critique de documents.

Réponse à la problématique soulevée par le sujet

Ainsi, l'exemple de la diffusion de la crise financière de 2008 permet de montrer l'interdépendance croissante des États tout en questionnant l'intérêt d'un fond de carte ou de son absence. ………………………………………………………

Réponse nuancée (limites) au sujet

EXERCICE GUIDÉ

SUJET La complexité de l'organisation de l'espace mondial actuel

Étape 1 Analyser le sujet

La complexité de l'organisation de l'espace mondial actuel

■ Délimiter l'espace concerné et identifier les mots-clés

Pour représenter cette complexité, il faut choisir les 4 grilles de lecture.

Certains choix cartographiques sont résolus par le planisphère fourni (centrage, projection, par exemple). Il reste à sélectionner les informations et les figurés.

Le monde actuel est marqué par des dynamiques de transformation à identifier et à cartographier.

■ Dégager une problématique

Proposition de formulation : *Quelles sont les caractéristiques qui font du monde un espace à l'organisation complexe ?*

Conseil *La problématique doit couvrir l'ensemble du sujet et permettre une démonstration.*

Étape 2 Élaborer la légende et choisir les figurés

■ Lister les informations

– *Triade*
– *réchauffement climatique*
– *inégalités de développement (IDH +– fort)*
– *............*

Au brouillon, on liste les informations susceptibles d'être utilisées.

■ Organiser les informations

À l'intérieur de chaque partie, groupez les informations en sous-parties. Ici, les grilles de lecture géopolitique, géo-économique, géoculturelle et géo-environnementale peuvent constituer les sous-parties.

Groupez les informations listées en grandes parties. Chacune constitue une partie de la démonstration.	Formulez les informations retenues dans le cadre du sujet.	Choisissez le figuré adapté à chaque information en fonction de sa nature, de son importance pour le sujet, de l'échelle…
Grandes parties du plan	**Informations**	**Figurés**
1. Un monde de contrastes	– Limite Nord-Sud → Une limite de plus en plus contestée –	——
2. Un monde de plus en plus polycentrique	– Triade → Pôle établi de la Triade –	⦿
3. Un monde de désordres ?	– Réchauffemant climatique → Menace globale de réchauffement climatique –	⚙

Étape 3 **Réaliser le croquis**

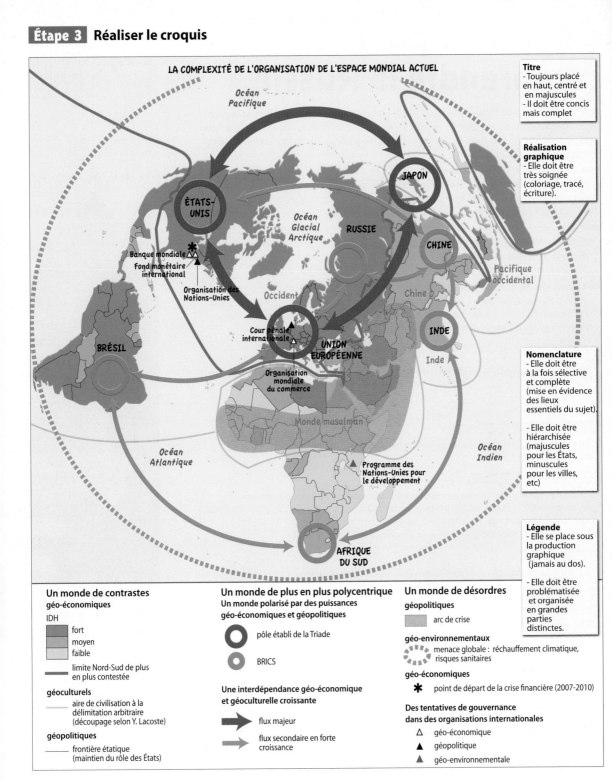

LA COMPLEXITÉ DE L'ORGANISATION DE L'ESPACE MONDIAL ACTUEL

Océan Pacifique

JAPON

ÉTATS-UNIS

Océan Glacial Arctique

RUSSIE

CHINE

Banque mondiale
Fond monétaire international

Organisation des Nations-Unies

Occident

Pacifique occidental

Chine

Cour pénale internationale

INDE

BRÉSIL

UNION EUROPÉENNE

Inde

Organisation mondiale du commerce

Monde musulman

Océan Atlantique

Océan Indien

Programme des Nations-Unies pour le développement

AFRIQUE DU SUD

Titre
- Toujours placé en haut, centré et en majuscules
- Il doit être concis mais complet

Réalisation graphique
- Elle doit être très soignée (coloriage, tracé, écriture).

Nomenclature
- Elle doit être à la fois sélective et complète (mise en évidence des lieux essentiels du sujet).
- Elle doit être hiérarchisée (majuscules pour les États, minuscules pour les villes, etc)

Légende
- Elle se place sous la production graphique (jamais au dos).
- Elle doit être problématisée et organisée en grandes parties distinctes.

Un monde de contrastes
géo-économiques

IDH
- fort
- moyen
- faible

limite Nord-Sud de plus en plus contestée

géoculturels

aire de civilisation à la délimitation arbitraire (découpage selon Y. Lacoste)

géopolitiques

frontière étatique (maintien du rôle des États)

Un monde de plus en plus polycentrique
Un monde polarisé par des puissances géo-économiques et géopolitiques

pôle établi de la Triade

BRICS

Une interdépendance géo-économique et géoculturelle croissante

flux majeur

flux secondaire en forte croissance

Un monde de désordres
géopolitiques

arc de crise

géo-environnementaux
menace globale : réchauffement climatique, risques sanitaires

géo-économiques
* point de départ de la crise financière (2007-2010)

Des tentatives de gouvernance dans des organisations internationales
△ géo-économique
▲ géopolitique
▲ géo-environnementale

Des cartes pour comprendre la Russie

■ La Fédération de Russie est le plus grand État du monde, né en 1991 après la chute de l'URSS. Les cartes mettent en lumière de nombreux contrastes liés aux héritages de la période soviétique, mais également à l'intégration de la Russie dans l'économie de marché et la mondialisation.

■ La Russie doit désormais composer avec une capacité de puissance limitée. Mais les cartes montrent qu'elle tire profit de la puissance ancienne de l'Europe et du fort dynamisme des puissances asiatiques, en raison de sa position géographique originale à cheval sur deux continents.

■ Étant donné le nombre élevé de nationalités et de religions différentes en Russie, il n'est pas aisé de cartographier la diversité culturelle du pays. Surtout, l'influence russe dépasse les frontières de la Russie, ce que montrent bien les cartes qui représentent les minorités russes dans les États voisins.

■ Avec le changement climatique, les cartes laissent entrevoir des enjeux majeurs pour la Russie. Alors que la fonte du permafrost et de la banquise de l'océan Arctique révèle de nombreuses ressources, les autorités doivent prendre en compte rapidement les contraintes majeures afin d'assurer leur exploitation.

> **Comment la complexité de la Russie est-elle traduite par les cartes ?**

RUSSIE
■ Moscou
CHINE

Entre héritage et modernité : les paysages urbains de Moscou, vitrine du capitalisme russe.

La croissance économique russe a une traduction directe sur la transformation de Moscou, qui a gagné plus de 1,5 million d'habitants en vingt ans. Si les héritages soviétiques se lisent encore dans le paysage (au centre, une des sept tours staliniennes), un urbanisme nouveau émerge avec le quartier d'affaires de Moscow City, qui témoigne de la volonté de Moscou de s'élever au rang de ville mondiale.

Cartes géo-économiques

En quoi les cartes permettent-elles de comprendre l'inégal développement économique du territoire russe ?

Citée comme pays émergent, notamment du fait de son intégration dans les BRICS, la Russie est plutôt une puissance réémergente en raison de son passé soviétique. Les effets des politiques d'aménagement du territoire se lisent d'ailleurs sur les cartes illustrant l'inégal développement du territoire russe.

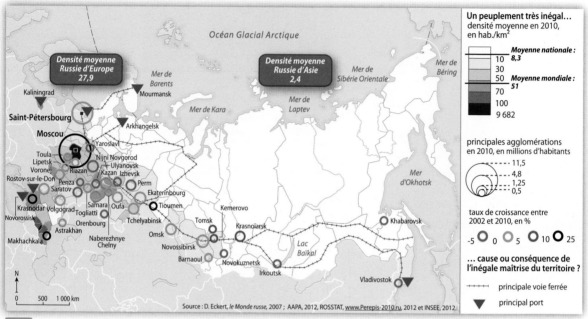

1 D'importants contrastes de peuplement

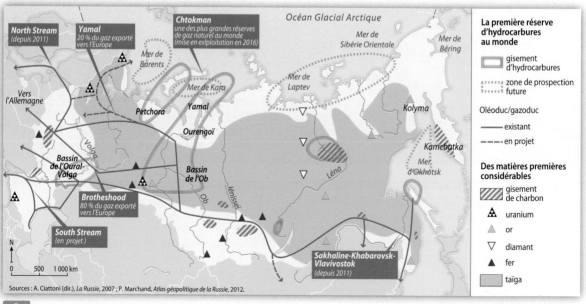

2 D'importantes ressources énergétiques et minières

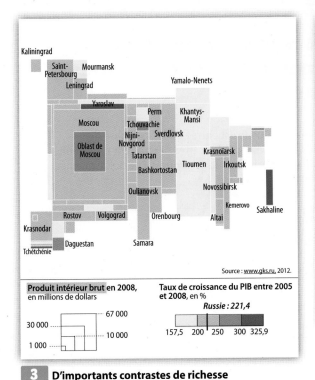

Kaliningrad

Saint-Petersbourg Mourmansk

Leningrad Yamalo-Nenets

Yaroslav

Perm Khantys-Mansi

Moscou Tchouvachie
Nijni-Novgorod Sverdlovsk

Oblast de Moscou Tatarstan

Bashkortostan Tioumen Irkoutsk

Oulianovsk Novossibirsk

Krasnoiarsk

Rostov Volgograd Orenbourg Altai
Kemerovo Sakhaline

Krasnodar

Tchétchénie Daguestan Samara

Source : www.gks.ru, 2012.

Produit intérieur brut en 2008, en millions de dollars

67 000

30 000

10 000

1 000

Taux de croissance du PIB entre 2005 et 2008, en %

Russie : 221,4

157,5 200 250 300 325,9

3 D'importants contrastes de richesse

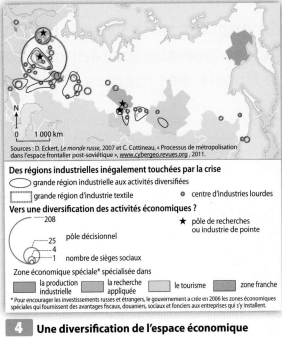

Sources : D. Eckert, *Le monde russe*, 2007 et C. Cottineau, « Processus de métropolisation dans l'espace frontalier post-soviétique », www.cybergeo.revues.org , 2011.

Des régions industrielles inégalement touchées par la crise

⬯ grande région industrielle aux activités diversifiées

▢ grande région d'industrie textile   ● centre d'industries lourdes

Vers une diversification des activités économiques ?

208
25
4
1 nombre de sièges sociaux

pôle décisionnel

★ pôle de recherches ou industrie de pointe

Zone économique spéciale* spécialisée dans

▢ la production industrielle ▢ la recherche appliquée ▢ le tourisme ▢ zone franche

* Pour encourager les investissements russes et étrangers, le gouvernement a créé en 2006 les zones économiques spéciales qui fournissent des avantages fiscaux, douaniers, sociaux et fonciers aux entreprises qui s'y installent.

4 Une diversification de l'espace économique

Vocabulaire

BRICS : voir p. 24
Économie de rente : voir p. 58.
Pays émergent : voir p. 24.
PIB : voir p. 22.

Questions

Analyser une carte

1. Montrez que la répartition de la population et des richesses est inégale. (doc. 1 et 3)

2. Montrez que la Russie est un territoire riche en ressources et en activités. (doc. 2 et 4)

Comparer des cartes

3. La répartition de la population et celle des ressources correspondent-elles ? Quelle en est la conséquence sur la mise en valeur du territoire ? (doc. 1 et 2)

4. Montrez que le territoire russe est inégalement intégré dans la mondialisation. Montrez qu'une partie de ce territoire est en crise. (doc. 1, 2 et 4)

Porter un regard critique sur la représentation cartographique

5. Quelle critique peut-on formuler au sujet du centrage des doc. 1, 2 et 4 ?

6. Pourquoi le choix de l'anamorphose pour représenter le PIB est-il particulièrement pertinent dans le cas de la Russie ? (doc. 3) Qu'apprend-on si l'on compare cette anamorphose à celle du doc. 3 p. 23 ?

Retenir en réalisant un schéma

Complétez le schéma et la légende ci-dessous.

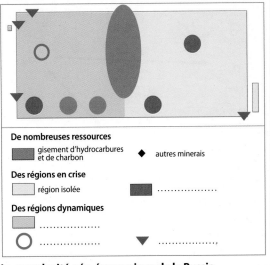

De nombreuses ressources

▢ gisement d'hydrocarbures et de charbon   ◆ autres minerais

Des régions en crise

▢ région isolée   ▢ ....

Des régions dynamiques

▢ ....

◯ ....   ▼ ....

La complexité géo-économique de la Russie

Cartes géopolitiques

En quoi les cartes géopolitiques permettent-elles de comprendre les rapports complexes entretenus entre la Russie, ses marges et les États voisins ?

Après la chute de l'URSS et la perte de son influence mondiale, la Russie est entrée dans une phase de recomposition de sa puissance. Ses priorités sont dorénavant régionales et les cartes permettent de le vérifier, la Russie cherchant surtout à asseoir sa mainmise sur l'étranger proche au sud et à l'ouest. Elle doit également contrôler les marges instables de son territoire, notamment dans le Caucase.

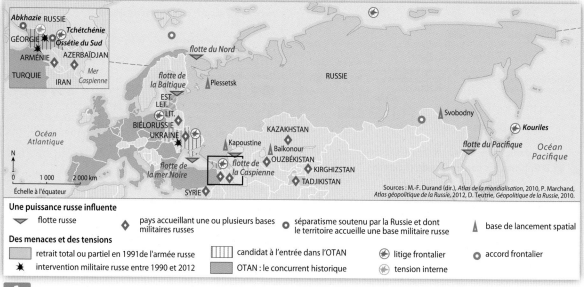

Sources : M.-F. Durand (dir.), *Atlas de la mondialisation*, 2010, P. Marchand, *Atlas géopolitique de la Russie*, 2012, D. Teutrie, *Géopolitique de la Russie*, 2010.

Une puissance russe influente

▽ flotte russe

◇ pays accueillant une ou plusieurs bases militaires russes

○ séparatisme soutenu par la Russie et dont le territoire accueille une base militaire russe

▲ base de lancement spatial

Des menaces et des tensions

▨ retrait total ou partiel en 1991 de l'armée russe

✳ intervention militaire russe entre 1990 et 2012

▥ candidat à l'entrée dans l'OTAN

▨ OTAN : le concurrent historique

⊛ litige frontalier

⊛ tension interne

◎ accord frontalier

1 **La Russie dans son espace régional : entre accords et opérations militaires**

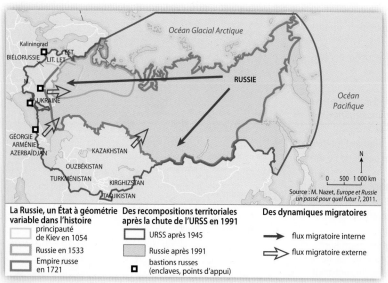

Source : M. Nazet, *Europe et Russie un passé pour quel futur ?*, 2011.

La Russie, un État à géométrie variable dans l'histoire

▢ principauté de Kiev en 1054

▢ Russie en 1533

▢ Empire russe en 1721

Des recompositions territoriales après la chute de l'URSS en 1991

▢ URSS après 1945

▢ Russie après 1991

■ bastions russes (enclaves, points d'appui)

Des dynamiques migratoires

→ flux migratoire interne

⇒ flux migratoire externe

2 **Les étapes de la mise en valeur du territoire russe**

> **Vocabulaire**
>
> **CÉI (Communauté des États indépendants) :** voir p. 57.
>
> **Étranger proche :** voir p. 57.
>
> **Marge :** voir p. 63.
>
> **Organisation de coopération de Shanghai (OCS) :** club de 6 pays, né en 1991, dominé par Moscou et Pékin, agissant, dans cette région stratégique et riche en hydrocarbures, comme un contrepoids aux États-Unis et à l'OTAN.
>
> **Puissance :** voir p. 24.
>
> **URSS (Union des Républiques socialistes soviétiques) :** État modèle du communisme fondé en 1922 qui domine le bloc de l'Est durant la guerre froide. Elle a éclaté en 1991 en 15 États indépendants.

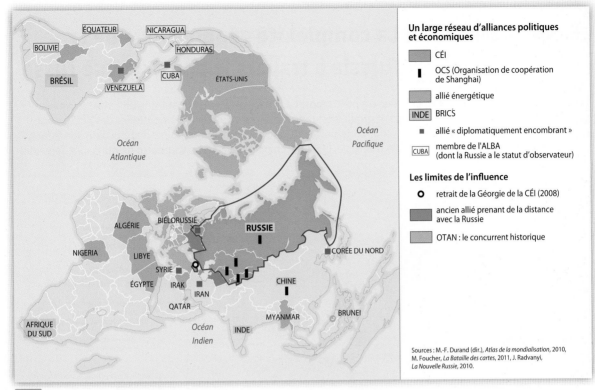

Un large réseau d'alliances politiques et économiques

- CÉI
- ▮ OCS (Organisation de coopération de Shanghai)
- allié énergétique
- INDE BRICS
- ▪ allié « diplomatiquement encombrant »
- CUBA membre de l'ALBA (dont la Russie a le statut d'observateur)

Les limites de l'influence

- ⊙ retrait de la Géorgie de la CÉI (2008)
- ancien allié prenant de la distance avec la Russie
- OTAN : le concurrent historique

Sources : M.-F. Durand (dir.), *Atlas de la mondialisation*, 2010, M. Foucher, *La Bataille des cartes*, 2011, J. Radvanyi, *La Nouvelle Russie*, 2010.

3 La Russie dans le monde : entre accords hérités et nouveaux partenariats

Questions

Analyser une carte

1. Pourquoi peut-on dire que la Russie est un État à géométrie variable ? (doc. 2)

2. Montrez que les marges et les États voisins de la Russie ont suivi des trajectoires différentes après 1991. (doc. 1, 2 et 3)

3. Quelles relations la Russie entretient-elle avec ces territoires ? (doc. 1, 2 et 3)

Comparer des cartes

4. À partir des doc. 1 et 3, identifiez dans quelle direction la Russie cherche à renforcer son influence.

5. La Russie se présente-t-elle davantage comme une puissance régionale ou mondiale ? (doc. 1 et 3, doc. 3 p. 27)

Porter un regard critique sur la représentation cartographique

6. Justifiez le choix de deux projections différentes dans les doc. 1 et 3.

7. En quoi les choix cartographiques modifient-il la représentation de l'OTAN dans les doc. 1 et 3 ? Quel impact ces choix peuvent-ils avoir sur la lecture de la place de la Russie dans le monde ?

Retenir en réalisant un schéma

Complétez la nomenclature du schéma ci-dessous.

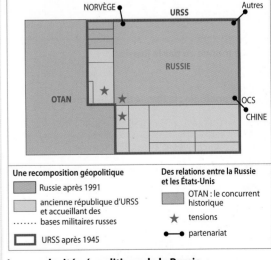

Une recomposition géopolitique
- Russie après 1991
- ancienne république d'URSS et accueillant des
- ...... bases militaires russes
- URSS après 1945

Des relations entre la Russie et les États-Unis
- OTAN : le concurrent historique
- ★ tensions
- ●—● partenariat

La complexité géopolitique de la Russie

Changer de point de vue La complexité géopolitique de la Russie à travers le point de vue russe

Après la chute de l'URSS en 1991, la Russie n'a pu s'opposer à la mise en place d'un monde unipolaire dominé par les États-Unis. Mais les cartes montrent qu'elle s'est rapprochée des puissances émergentes des BRICS pour retrouver une influence mondiale dans un monde polycentrique. En gardant des points d'appui dans son étranger proche et en revendiquant une partie de l'Arctique, la Russie cherche à dépasser son statut de puissance seconde.

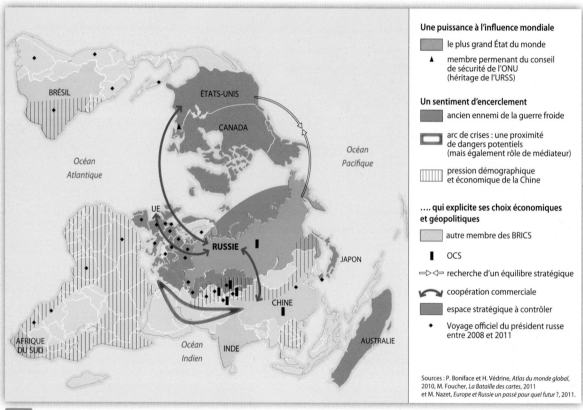

Une puissance à l'influence mondiale

■ le plus grand État du monde

▲ membre permanent du conseil de sécurité de l'ONU (héritage de l'URSS)

Un sentiment d'encerclement

■ ancien ennemi de la guerre froide

▭ arc de crises : une proximité de dangers potentiels (mais également rôle de médiateur)

▥ pression démographique et économique de la Chine

.... qui explicite ses choix économiques et géopolitiques

▢ autre membre des BRICS

▮ OCS

⇨⇦ recherche d'un équilibre stratégique

↝ coopération commerciale

■ espace stratégique à contrôler

♦ Voyage officiel du président russe entre 2008 et 2011

Sources : P. Boniface et H. Védrine, *Atlas du monde global*, 2010, M. Foucher, *La Bataille des cartes*, 2011 et M. Nazet, *Europe et Russie un passé pour quel futur ?*, 2011.

1 Le monde vu par la Russie

2 Chronologie : la Russie dans le monde

1991	Chute de l'URSS / signature du traité START entre la Russie et les États-Unis visant à réduire les armes stratégiques offensives. Création de la CÉI.
1994	Signature d'un « partenariat pour la paix » avec l'OTAN.
1998	La Russie intègre le G7, qui devient G8.
2001	Création de l'Organisation de coopération de Shanghai (OCS).
2009	Premier sommet des BRICS (Brésil, Russie, Inde, Chine) à Ékaterinbourg (Russie).
2010	Signature du nouveau traité START.

Vocabulaire

BRICS : voir p. 24.

CÉI (Communauté des États indépendants) : association régionale créée en 1991 afin de préserver une cohérence économique et politique entre les territoires de l'ex-URSS : respect de l'intégrité territoriale des États, harmonisation des réformes économique, politique, commerciale, douanière et diplomatique. Toutefois, la CÉI reste une coquille vide dominée par la Russie.

Étranger proche : expression forgée au lendemain de l'effondrement de l'URSS désignant les ex-Républiques soviétiques, dans lesquelles la Russie conserve des intérêts stratégiques. Depuis 1992, les limites de l'« étranger proche » ont évolué. Si les États baltes, du fait de leur intégration à l'Union européenne, ne font plus partie de cet ensemble, la Russie cherche à s'approprier une partie de l'Arctique qu'elle considère comme « son » étranger proche.

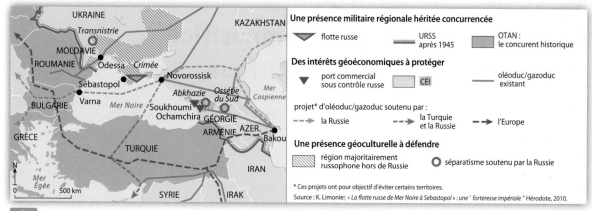

Source : K. Limonier, « La flotte russe de Mer Noire à Sebastopol » : une " forteresse impériale " Hérodote, 2010.

3 La mer Noire et le Caucase : un espace stratégique pour la Russie.

Pour conserver son port militaire de Sébastopol, la Russie paie 98 millions de dollars par an à l'Ukraine et lui vend du gaz dont le prix est 30 % inférieur au prix normal de livraison. Si la présence russe est liée à des objectifs stratégiques, les enjeux sont également territoriaux puisque la Russie soutient ouvertement les minorités russes présentes dans le pays.

4 La Russie en quête de nouveaux partenariats

L'OCS [...] s'opposera aux plans occidentaux d'une défense antimissile pouvant « menacer la stabilité internationale ». [...] Défendu par les administrations américaines, qui le considèrent comme une protection indispensable contre les menaces liées à la prolifération nucléaire, émanant de pays comme l'Iran, [...] le projet [...] a été revu à la baisse [...]. Plus légère, la nouvelle version prévoit que des intercepteurs et des radars soient installés dans des pays d'Europe centrale – Pologne, République tchèque et Roumanie – en 2015. Elle n'a cependant pas calmé l'opposition de Moscou, qui en fait toujours un cheval de bataille et considère que le troisième site américain est dirigé contre elle. La Russie refuse une extension de la présence militaire américaine dans une zone qu'elle considère toujours comme sa sphère d'influence. Elle exige aussi l'assurance que ce système n'affaiblira pas son arsenal nucléaire. En novembre 2010, le Kremlin a proposé une nouvelle architecture de la sécurité en Europe, destinée à tenir les États-Unis éloignés de la région et à affaiblir l'OTAN. [...] Le fait que la Chine se soit ralliée à la Russie révèle les capacités de Moscou à développer son influence diplomatique en dehors de la région pour contrer l'OTAN.

Le Figaro, 16 juin 2011.

5 L'Arctique vue par un dessinateur russe. A. Zudin, août 2007.

Si l'Arctique russe est encore très peu peuplée, la fonte des glaces laisse entrevoir de nombreuses opportunités dans une région qui contiendrait un quart des réserves mondiales d'hydrocarbures. La Russie revendique auprès de l'ONU un élargissement de sa ZEE en Arctique.

Questions

Analyser une carte

1. Quelle vision la Russie a-t-elle du monde et de sa propre puissance ? (doc. 1 et 5)

2. Que cherche-t-elle à construire dans la mer Noire, le Caucase et l'Arctique ? (doc. 1, 3 et 5)

Comparer des cartes

3. Comparez les visions des doc. 1 et doc. 3 p. 55 et montrez que la puissance russe n'est pas présentée de la même façon.

4. Pour quelles raisons la Russie cherche-t-elle à contrôler la mer Noire, le Caucase et l'Arctique et à contourner d'autres territoires ? (doc. 1, 3 et 5 et doc. 3 p. 27)

Porter un regard critique sur la représentation cartographique

5. Justifiez les choix cartographiques du doc. 1 en matière de centrage, de projection et de couleurs.

6. Quel regard critique peut-on porter sur les sources utilisées pour la réalisation de la carte intitulée « Le monde vu par la Russie » ? (doc. 1)

La Russie, un État en recomposition géo-économique et géopolitique

> Quelles sont les formes de la recomposition géo-économique et géopolitique de la Russie ?

Représenter la complexité géo-économique de la Russie

■ **Les cartes montrent un inégal développement économique des territoires russes** (doc. 3). Les trois quarts de la population se concentrent dans la partie européenne. La répartition des activités sur le territoire est l'héritage des politiques soviétiques qui ont développé de grands bassins industriels (moyenne Volga, Oural) aujourd'hui en crise (sidérurgie, textile). Désormais, la Russie est une économie de rente qui tente de se diversifier (Repère B).

■ **Les cartes permettent de lire les conséquences de l'ouverture de la Russie à la mondialisation.** La concentration des investissements dans les régions les plus dynamiques (centre, grandes métropoles, régions de la Volga et de l'Ob) et riches en hydrocarbures (Tioumen, Khantys-Mansis) ont contribué au rétrécissement de la « Russie utile ». Si les cartes par anamorphose montrent d'importants écarts de richesse entre la partie européenne et asiatique, il est indispensable de changer d'échelle pour mesurer les disparités entre les métropoles et la « Russie profonde » (doc. 1).

■ **Les cartes mettent en lumière le contraste entre la répartition de la population et celle des ressources.** De nombreux gisements d'hydrocarbures sont encore inexploités dans la périphérie, surtout en Sibérie orientale. La proximité des puissances économiques asiatiques (Chine, Japon) à la consommation énergétique croissante encourage la mise en valeur des richesses russes, même si 80 % du gaz russe est encore consommé en Europe.

Représenter la complexité géopolitique de la Russie

■ **Les cartes présentent la Russie comme une puissance ascendante.** Si elle a une vision du monde héritée de la puissance soviétique, son influence géopolitique ne s'exerce plus à l'échelle mondiale et les cartes sont désormais centrées sur son étranger proche. En conservant une présence militaire et des intérêts stratégiques dans ces pays, la Russie cherche à reconstruire une aire d'influence sur le continent eurasiatique pour lutter contre les influences étrangères (États-Unis, Chine) (doc. 2). Ainsi, la Russie a eu un rôle actif dans la création d'alliances régionales plus ou moins efficaces (CÉI, OCS).

■ **Les cartes insistent sur les relations ambiguës entre la Russie et ses États voisins.** Certains ont conservé d'étroites relations avec la Russie (Biélorussie, Kazakhstan réunis dans une union douanière). D'autres ont préféré prendre leur distance, comme les États baltes (adhésion à l'UE) ou la Géorgie (départ de la CÉI après l'intervention russe sur son territoire en 2008). La présence de bases russes et de populations russophones en Crimée permet à la Russie de perturber les choix politiques de l'Ukraine. Le tracé des nouveaux gazoducs entre la Russie et l'Europe illustre les rapports difficiles entre la Russie et certains de ses voisins (Repère A).

■ **Les modifications territoriales de la Russie, après la chute de l'URSS, ont entraîné des flux et des tensions.** La Russie accueille des migrants de son étranger proche, ce qui ne freine pas pour autant le décroissement de sa population (142 millions d'habitants en 2010 contre 145 en 2002) (Repère A). En croisant les grilles de lecture géopolitique et géoculturelle, il apparaît que les tensions ont surtout lieu aux marges de la Russie, habitées par des peuples de nationalité et de religion différentes (Nord-Caucase).

Vocabulaire

CÉI : voir p. 57.
Centres-périphéries : voir p. 144.
Économie de rente : économie faiblement diversifiée qui s'appuie surtout sur les ressources naturelles.
Étranger proche : voir p. 57.
Marge : voir p. 63.
Puissance ascendante : voir p. 369.

Repère A

L'immigration en Russie en 2010

191 656 arrivées (359 330 en 2000) dont 90 % des autres membres de la CÉI

Asie centrale : Kazakhstan, Ouzbékistan, Kirghizstan, Tadjikistan
Europe : Moldavie, Ukraine, Biélorussie
Caucase : Arménie, Azerbaïdjan, Géorgie
Autres

Source : ROSSTAT, 2012.

Repère B

Exportations et importations en Russie en 2010

Exportations en 2010 (397 milliards de dollars)

■ matières premières et énergétiques
■ produits manufacturés
■ produits agricoles
■ autres

Importations en 2010 (229 milliards de dollars)

■ matières premières et énergétiques
■ produits manufacturés
■ produits agricoles
■ autres

Source : gks, 2012.

1 **Moscou, la vitrine du capitalisme russe**

Moscow City est le quartier d'affaires international situé à l'ouest de Moscou ; il regroupe, sur 60 hectares, des tours de bureaux, des hôtels et un complexe de loisirs. Des multinationales étrangères sont déjà installées sur le site (Procter & Gamble, IBM, Novartis, Citibank…).

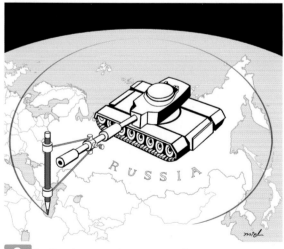

2 **La Russie et son étranger proche.**
Caricature de Deng Coy Miel, *Singapour*, 1er septembre 2008.

3 **Des inégalités territoriales qui s'accentuent ?**

La fin du modèle d'économie planifiée et centralisée a eu des effets géographiques sensibles. L'espace industriel et agricole hérité de plusieurs décennies de soviétisation subit des transformations rapides. Les contrastes interrégionaux de niveau de richesse et de développement s'accroissent. Certaines régions sortent incontestablement gagnantes de la mutation post-soviétique. D'autres sont en revanche dans une situation critique et ne semblent pas en mesure d'en sortir à moyen terme. Il s'agit en particulier des régions situées dans le sud de la Sibérie orientale et de l'Extrême-Orient, dépourvues de matières premières, et des régions du sud de la partie européenne (républiques caucasiennes), minées par une instabilité politique chronique. Parallèlement, le territoire russe tend à se fragmenter avec un écart de richesse croissant entre, d'un côté, des grandes villes qui s'arriment peu à peu au réseau des métropoles européennes, de l'autre, le reste du territoire, où la plupart des indicateurs socio-économiques sont aujourd'hui nettement en retrait. Parmi ces métropoles, Moscou se détache rapidement. Ses fonctions métropolitaines ne la placent pas encore au même niveau que les grandes métropoles européennes, mais l'écart de dynamisme se creuse entre la capitale fédérale et le reste du pays.

A. Ciattoni (dir.), *La Russie*, 2007.

Pourquoi la complexité géoculturelle en Russie est-elle difficile à cartographier ?

Même si 80 % de la population est russienne, la Russie est un État multinational où vivent plus de 150 « nationalités ». Cette réalité, combinée à une diversité religieuse dans un État majoritairement orthodoxe, est difficile à représenter sur les cartes. La situation est encore plus complexe en raison de la présence de minorités russiennes dans les pays voisins et elle représente de véritables enjeux non seulement au sein du territoire russe mais également entre la Russie et son étranger proche.

Sources : M. Ferro et M.-H. Mandrillon, *Russie, peuples et civilisations*, 2005 ; V. Kolossov, *La Russie*, 2007 et J. Radvanyi, *Les Etats postsoviétiques*, 2011.

1 **La diversité ethnique en Russie**

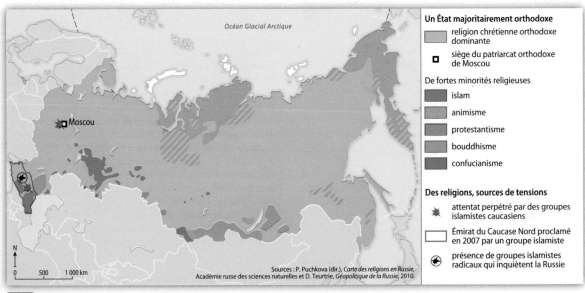

Sources : P. Puchkova (dir.), *Carte des religions en Russie*, Académie russe des sciences naturelles et D. Teurtrie, *Géopolitique de la Russie*, 2010.

2 **La diversité religieuse en Russie**

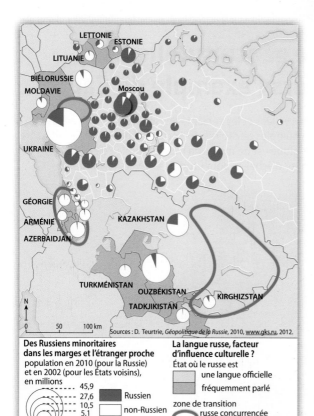

Sources : D. Teurtrie, *Géopolitique de la Russie*, 2010, www.gks.ru, 2012.

Des Russiens minoritaires dans les marges et l'étranger proche
population en 2010 (pour la Russie) et en 2002 (pour les États voisins), en millions

- 45,9
- 27,6
- 10,5
- 5,1

▨ Russien
☐ non-Russien

La langue russe, facteur d'influence culturelle ?
État où le russe est
☐ une langue officielle
☐ fréquemment parlé

zone de transition
⬭ russe concurrencée par les langues locales

3 **Russiens** et non-Russiens en Russie européenne et dans l'étranger proche

4 Les enjeux nationaux dans la région multiethnique Volga-Oural

Peuplée au cours de son histoire de nomades et de sédentaires, de païens, d'orthodoxes et de musulmans, de Finno-Ougriens, de russophones et de turcophones, la région Volga-Oural est à cheval entre les mondes russe et centre-asiatique, un monde bien à part. […] Dans les campagnes, les différences culturelles sont prégnantes et, d'un village à l'autre, les indices ne manquent pas pour signaler un changement d'appartenance ethnique. Si l'on remarque la présence de ruches et de cuisines d'été dans l'enceinte des maisons, on peut s'attendre à entendre les villageois parler bachkir (groupe turc de la famille des langues altaïques). Éloigné de quelques kilomètres, le village voisin peut être non plus bachkir mais oudmourte, c'est-à-dire que l'on y entendra les villageois parler cette langue finno-ougrienne, incompréhensible aux turcophones. Qu'ils se rencontrent dans le magasin du village tchouvache voisin et les villageois de ces deux villages parleront russe entre eux. […] Frontalière avec le Kazakhstan, la région Volga-Oural est un espace d'interactions et de chevauchements où l'on ne sait jamais à l'avance la langue altaïque, finno-ougrienne ou slave parlée dans tel ou tel lieu-dit.

X. Le Torrivellec, « La région Volga-Oural en Russie », *Hérodote*, 2010.

Vocabulaire

Russe (*Rossiiski*) : citoyen russe habitant dans la fédération de Russie quelle que soit sa communauté culturelle, linguistique ou ethnique (tatar, tchétchène, russien…).

Russien (*Rousskie*) : personne qui appartient à la communauté culturelle, linguistique ou ethnique russe. Les Russiens forment 80 % de la population de la Russie, mais plusieurs millions d'entre eux vivent dans les États de l'étranger proche.

Questions

Analyser une carte

1. Présentez la diversité ethnique et religieuse de la Russie. (doc. 1 et 2)

2. Comment se répartissent les Russiens et les minorités ? (doc. 1 et 3)

Comparer des cartes

3. Quel lien peut-on établir entre la répartition des Russiens et les étapes de la mise en valeur du territoire russe ? Que pouvez-vous en conclure ? (doc. 3 et doc. 2 p. 54)

4. La répartition des Russiens et celle des orthodoxes correspondent-elles ? Que pouvez-vous en conclure ? (doc. 1 et 2)

Porter un regard critique sur la représentation cartographique

5. Pourquoi est-il impératif de changer d'échelles pour aborder la complexité culturelle en Russie ? (doc. 1, 3 et 4)

Retenir en réalisant un schéma

Complétez le schéma et la légende ci-dessous.

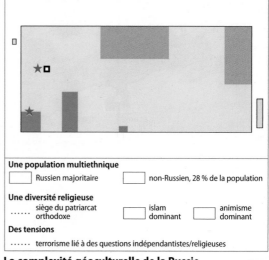

Une population multiethnique
☐ Russien majoritaire   ☐ non-Russien, 28 % de la population

Une diversité religieuse
⋯⋯ siège du patriarcat orthodoxe   ☐ islam dominant   ☐ animisme dominant

Des tensions
⋯⋯ terrorisme lié à des questions indépendantistes/religieuses

La complexité géoculturelle de la Russie

Changer d'échelle La complexité géoculturelle de la Russie à travers l'exemple du Caucase

Plus de 100 peuples, parlant environ 43 langues, habitent les vallées et les versants des montagnes du Caucase russe. Si l'URSS a dominé ces peuples en les divisant en de multiples territoires, son éclatement en 1991 a fait naître de nombreuses instabilités. Aujourd'hui, cette marge stratégique est de moins en moins peuplée de Russiens et de plus en plus musulmane. Il est donc indispensable de changer d'échelles pour étudier sa diversité culturelle.

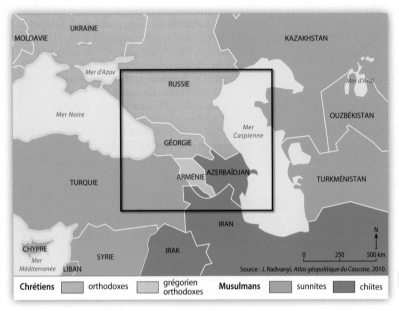

Chrétiens : orthodoxes — grégorien orthodoxes — Musulmans : sunnites — chiites

Source : J. Radvanyi, *Atlas géopolitique du Caucase*, 2010.

1 **Les religions majoritaires au Caucase et dans ses environs**

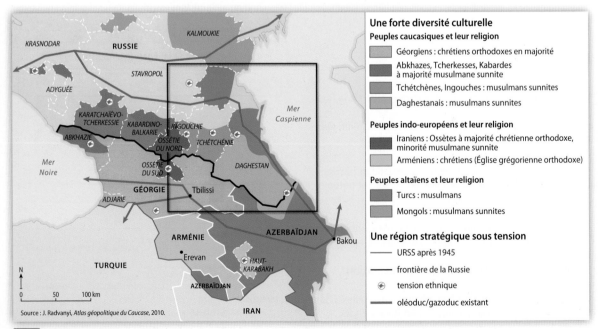

Une forte diversité culturelle

Peuples caucasiques et leur religion
- Géorgiens : chrétiens orthodoxes en majorité
- Abkhazes, Tcherkesses, Kabardes à majorité musulmane sunnite
- Tchétchènes, Ingouches : musulmans sunnites
- Daghestanais : musulmans sunnites

Peuples indo-européens et leur religion
- Iraniens : Ossètes à majorité chrétienne orthodoxe, minorité musulmane sunnite
- Arméniens : chrétiens (Église grégorienne orthodoxe)

Peuples altaïens et leur religion
- Turcs : musulmans
- Mongols : musulmans sunnites

Une région stratégique sous tension
- —— URSS après 1945
- —— frontière de la Russie
- ⊛ tension ethnique
- —— oléoduc/gazoduc existant

Source : J. Radvanyi, *Atlas géopolitique du Caucase*, 2010.

2 **Le Caucase, une mosaïque de peuples**

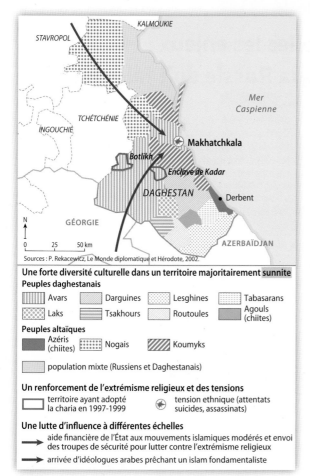

Une forte diversité culturelle dans un territoire majoritairement **sunnite**

Peuples daghestanais

- Avars
- Darguines
- Lesghines
- Tabasarans
- Laks
- Tsakhours
- Routoules
- Agouls (chiites)

Peuples altaïques

- Azéris (chiites)
- Nogaïs
- Koumyks

- population mixte (Russiens et Daghestanais)

Un renforcement de l'extrémisme religieux et des tensions

- territoire ayant adopté la charia en 1997-1999
- tension ethnique (attentats suicides, assassinats)

Une lutte d'influence à différentes échelles

→ aide financière de l'État aux mouvements islamiques modérés et envoi des troupes de sécurité pour lutter contre l'extrémisme religieux

→ arrivée d'idéologues arabes prêchant un islam fondamentaliste

3 La République musulmane du Daghestan.

Peuplé de 2,5 millions d'habitants, le Daghestan regroupe 12 ethnies qui parlent 30 dialectes. À 90 % musulmane, cette région est le théâtre d'affrontements réguliers entre les rebelles islamistes et les forces de sécurité russes. Les attentats y sont fréquents.

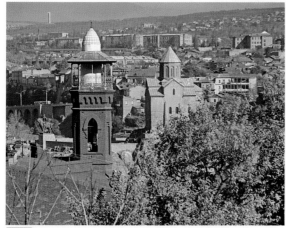

5 La diversité religieuse à Tbilissi (Géorgie)

4 Une mixité ethnique menacée ?

Malgré des épisodes de disputes sur l'eau et les pâturages, de razzia et d'enlèvements, voire de pogroms ou de guerres locales, les populations [du Caucase russe] vivaient jusqu'à ces dernières années dans une grande mixité. Le peuplement traditionnel rend parfaitement compte de cette situation avec des villes multinationales où l'on retrouve les traces de ségrégations ethniques fort anciennes, à l'exemple de Derbent au Daghestan : dans la vieille ville, entre deux mini-murailles de Chine descendant des contreforts montagneux jusque sous la mer, on retrouve côte à côte églises russes et arméniennes, synagogues et vieilles mosquées. Les villages sont ethniquement plus homogènes, mais d'un point de peuplement à l'autre, dans un même district peuvent dominer des ethnies différentes. […]

Cette mosaïque est remise en cause, aujourd'hui, avec toute une série de mouvements contradictoires : regroupement de certains peuples sur leur territoire, dispersion d'autres ethnies fuyant les points chauds, départ des Russes des républiques, y compris celles de Russie comme le Daghestan ou la Tchétchénie.

J. Radvanyi, *La nouvelle Russie*, 2010.

Vocabulaire

Marge : périphérie d'un centre souvent située à proximité d'une frontière. La région du Caucase est un exemple de marge du territoire russe.

Russien : voir p. 61.

Sunnite : voir p. 29.

Questions

Analyser une carte

1. Présentez la diversité ethnique et religieuse du Caucase. (doc. 1, 2, 3 et 4)

2. Montrez que cette diversité est source de tensions. (doc. 2, 3 et 4)

Comparer des cartes

3. Montrez que les limites des nationalités ne coïncident pas avec celles des États. (doc. 1, 2 et 3)

4. En quoi le Daghestan illustre-t-il la complexité géoculturelle du Caucase ? (doc. 1, 2 et 3)

Porter un regard critique sur la représentation cartographique

5. Du point de vue caucasien, quelles critiques peut-on formuler sur les cartes des aires de civilisation ? (doc. 3 et 4 p. 31)

Cartes géo-environnementales

En quoi les cartes reflètent-elles les enjeux environnementaux auxquels la Russie doit faire face ?

Lors de l'effondrement de l'URSS en 1991, la Russie a hérité d'une situation environnementale catastrophique qu'il est difficile de cartographier en raison du manque de données fiables. Aujourd'hui, le défi du développement durable est crucial pour la Russie, car les ressources à exploiter se trouvent dans des espaces aux contraintes naturelles fortes et aux enjeux géostratégiques majeurs.

Vocabulaire

Contrainte : voir p. 66.

Développement durable : voir p. 37.

Pergélisol : sol gelé en profondeur s'étendant en Russie sur environ 10 millions de km² dont seule la partie superficielle dégèle en été (*raspoutitsa*). Le réchauffement climatique accélère sa fonte, créant de vastes zones marécageuses qui libèrent des gaz à effet de serre, mais rend aussi possible sa mise en culture. **Merzlota** et **permafrost** sont des synonymes russe et anglais.

Ressource : voir p. 66.

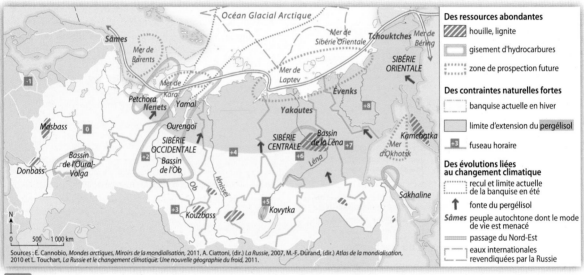

1 L'espace russe : entre ressources abondantes et contraintes naturelles

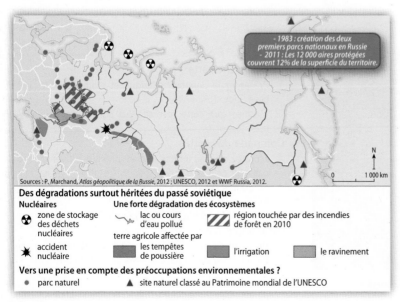

2 L'espace russe : entre dégradations héritées et préoccupations de l'environnement.

La Russie n'a pas été épargnée par la politique soviétique d'industrialisation : 40 % de son territoire serait pollué et 75 % de ses eaux de surface seraient impropres à la consommation. Le ministère de l'Environnement russe créé en 1988 a été dissous en 2000. Les questions environnementales dépendent désormais du ministère des Ressources naturelles.

3 **Les dégradations environnementales à Norilsk (Sibérie occidentale)**

À 320 km au nord du cercle Arctique, Norilsk (175 300 habitants) accueille le groupe industriel Norilsk Nickel, 1er producteur mondial de nickel et de palladium. Il rejette des émanations très importantes de dioxyde de souffre, qui ont une incidence sur l'espérance de vie des habitants, de dix ans inférieure à ce qu'elle est dans le reste du pays.

4 **Les enjeux de l'exploitation des hydrocarbures dans le Grand Nord russe**

La Russie, 1er producteur mondial de gaz et 2e pour le pétrole, a vu le centre de gravité de sa production migrer vers le nord depuis les années 1930. […] Ainsi, l'extraction et l'acheminement de la ressource hautement polluante s'effectuent dans des milieux extrêmes qui causent un vieillissement rapide des infrastructures. L'hiver, le grand froid rend les métaux cassants, le pétrole devient visqueux et doit être chauffé pour le transport. Au printemps, les innombrables marécages rendent la maintenance délicate et certains sites sont inaccessibles. […] De plus, le permafrost […] constitue une contrainte à l'aménagement. Or, il peut contenir jusqu'à 90 % de glace et l'activité humaine peut provoquer sa fonte, laquelle génère, en retour, d'autres difficultés d'exploitation. […] En Arctique, des inci-dents surviennent souvent dès les premières années de mise en fonctionnement des pipelines. Or 30 % des gazoducs russes ont plus de vingt ans.

Les terres (sub)arctiques sont habitées par des peuples autochtones qui composent avec la nature et ont avec elle un rapport tout particulier. Le nomadisme permet d'alléger la pression sur ces écosystèmes fragiles dont la régénération est lente. Or leur terre est parfois devenue un espace de production pour le système monde. […] Après avoir été surtout observateurs du changement […], ils tentent aujourd'hui d'être plus acteurs via l'association RAIPON (Russian Association of Indigenous Peoples of the North, fondée en 1990).

Y. Vaguet, www.regard-est.com, 15 janvier 2009.

Questions

Analyser une carte

1. Quelles contraintes naturelles la Russie doit-elle surmonter pour exploiter ses ressources ? Quels sont les effets du changement climatique sur ces contraintes ? (doc. 1 et 4)

2. Quelles sont les atteintes à l'environnement ? (doc. 3)

Comparer des cartes

3. À partir des doc. 1 et 4 et 1 doc. p. 56, expliquez en quoi l'exploitation des ressources dans le Grand Nord russe est un enjeu géopolitique majeur.

4. Nuancez la situation de l'environnement en Russie dans le contexte mondial à l'aide des doc. 1 et 4 p. 36-37.

Porter un regard critique sur la représentation cartographique

5. Quelle critique peut-on formuler au sujet du centrage des doc. 1 et 2 ?

Retenir en réalisant un schéma

Complétez le schéma et la légende ci-dessous.

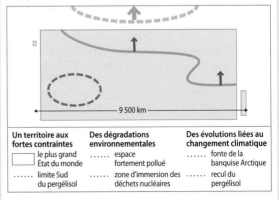

9 500 km

Un territoire aux fortes contraintes	Des dégradations environnementales	Des évolutions liées au changement climatique
☐ le plus grand État du monde	…… espace fortement pollué	…… fonte de la banquise Arctique
…… limite Sud du pergélisol	…… zone d'immersion des déchets nucléaires	…… recul du pergélisol

La complexité géo-environnementale de la Russie

La Russie, un État en recomposition géoculturelle et géo-environnementale

> Quelles sont les formes de la recomposition géoculturelle et géo-environnementale de la Russie ?

Représenter la complexité géoculturelle de la Russie

■ **Les cartes des ethnies présentent un État russe très majoritairement russien** (**Repère A**). Toutefois, la population russe est composée de très nombreuses nationalités aux langues et religions différentes. Si les régions autour de Moscou sont largement composées de Russiens orthodoxes, les minorités se concentrent dans les marges du pays. Les Russiens sont désormais en position de minorité ethnique dans le Caucase Nord (1,9 % en Tchétchénie, 0,8 % en Ingouchie) ou en Iakoutie (37,9 %).

■ **Un regard critique doit être porté sur les cartes de la diversité culturelle russe.** En effet, non seulement les limites entre les différentes nationalités et religions sont difficiles à tracer à l'échelle de la Russie, mais il est indispensable de changer d'échelles pour appréhender la complexité culturelle. Ainsi, 150 nationalités différentes vivent à Moscou. De plus, les recensements peuvent être manipulés par les autorités fédérales, notamment dans les territoires autonomes où la part des ethnies locales est parfois volontairement exagérée.

■ **Les cartes montrent que l'influence russe dépasse les frontières de la Russie.** Ainsi, environ 18 millions de Russiens vivent dans les pays de l'étranger proche (**doc. 2**). La présence de communautés russiennes en Géorgie (Abkhazie, Ossétie du Sud) a justifié l'intervention de l'armée russe contre cet État en 2008. La langue russe est une langue officielle dans de nombreux États voisins de la Russie (Kazakhstan, Biélorussie). Toutefois, cette influence culturelle risque de diminuer compte tenu de la forte croissance démographique des périphéries de la Russie qui contraste avec la baisse de la population russe (**Repère B**).

Représenter la complexité géo-environnementale de la Russie

■ **Les cartes insistent sur l'immensité du territoire russe et sur le poids des contraintes naturelles, dans un des États les plus froids au monde.** À l'est de l'Oural, la distance moyenne entre les villes avoisine 250 km (contre 48 km aux États-Unis et 25 km en Europe occidentale). À Iakoutsk (Sibérie orientale), les températures hivernales descendent à – 50 °C ; pourtant, la ville, située dans une région riche en minerais et hydrocarbures, compte 270 000 personnes. Dans l'île de Sakhaline, l'exploitation du pétrole off-shore doit également composer avec le froid (**doc. 3**).

■ **Selon les indicateurs retenus, les cartes insistent sur les nombreuses atteintes à l'environnement (Oural, Volga), héritages de la période soviétique, ou sur les efforts de protection.** Les deux sites de Dzerjinsk et Norilsk (**doc. 3 p. 65**) ont été classés parmi les zones les plus polluées du monde. Pourtant, les 12 000 aires protégées nationales et régionales couvrent environ 12 % du territoire. La gestion durable de l'environnement est un véritable enjeu dans un pays où se trouvent plus de 20 % des ressources d'eau douce et des forêts du monde.

■ **Les cartes permettent d'appréhender les conséquences des évolutions climatiques.** Avec le réchauffement climatique, certaines régions sont menacées ou suscitent des convoitises. En Arctique (15 % des réserves mondiales d'hydrocarbures), outre les contraintes naturelles et techniques liées au froid, la Russie doit prendre en compte le coût financier et les intérêts géostratégiques concurrents (États-Unis, Canada) (**doc. 1**).

Repère A

Composition ethnique en Russie (recensement de 2010)

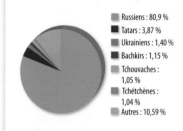

- Russiens : 80,9 %
- Tatars : 3,87 %
- Ukrainiens : 1,40 %
- Bachkirs : 1,15 %
- Tchouvaches : 1,05 %
- Tchétchènes : 1,04 %
- Autres : 10,59 %

Source : www.gks.ru, 2012

Repère B

Effectifs de population comparés de la Russie et de ses régions périphériques entre 1950 et 2050

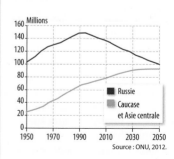

- Russie
- Caucase et Asie centrale

Source : ONU, 2012.

1 Mourmansk, la plus grande ville au nord du cercle polaire.

2 **La minorité russe en Transnistrie, un enjeu majeur pour la Russie**

La Transnistrie incarne le paradigme du quasi-État instrumentalisé par une grande puissance. [...] Le Kremlin soutient à distance une entité amie afin d'étendre ou de maintenir son influence dans une région. Le levier d'influence de Moscou repose ici sur la minorité russe arrivée en Transnistrie à partir de 1941 : 25 % des Transnistriens sont ethniquement russes et 60 % sont russophones. [...] La minorité russe de Transnistrie, elle, s'insère dans un conflit régional, lui-même intégré dans un plus vaste dispositif de conflictualité, impliquant notamment la Russie, les États-Unis et l'Union européenne. [...] En 1991, au moment de l'effondrement soviétique, la Transnistrie, bande de terre enclavée entre Moldavie et Ukraine, peuplée de 800 000 habitants et n'excédant pas 4 000 km², refuse le rattachement envisagé entre la Moldavie et la Roumanie. Elle fait alors sécession d'avec Chinisau, se donne Tiraspol pour capitale [...], ce qui conduit à une guerre entre Moldaves et séparatistes. Le conflit est rapidement « gelé » du fait de la présence sur place de la XIVᵉ armée soviétique [...]. Bien que ne bénéficiant d'aucune reconnaissance – pas même de la Russie – la Transnistrie fonctionne depuis comme n'importe quel État. [...] Si elle ne représente qu'un confetti géographique, elle est un point de passage obligé du gaz russe alimentant le sud-est de l'Europe.

J.-F. Fiorina, *Comprendre les enjeux stratégiques*,
www.notes-geopolitiques.com, ESC Grenoble, février 2011.

3 **Le froid, une contrainte dans l'île de Sakhaline.**

Les infrastructures nécessaires à l'exploitation des hydrocarbures doivent résister à la pression de la glace et à des températures inférieures à – 50 °C.

EXERCICE GUIDÉ

SUJET Les dynamiques migratoires en Russie

Pourquoi peut-on dire que les flux migratoires sont le reflet des déséquilibres et de la recomposition de la Russie ? Portez un regard critique sur la carte.

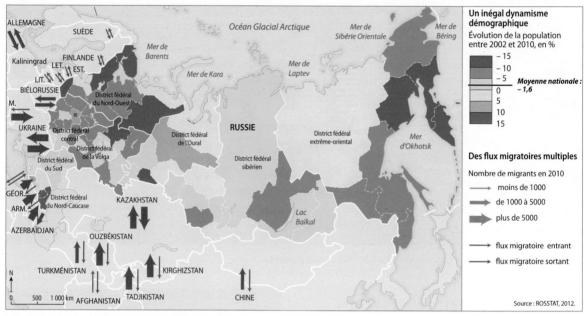

Les dynamiques migratoires en Russie

Étape 1 **Analyser le sujet et la consigne**

■ Délimiter l'espace concerné

Pourquoi peut-on dire que les **flux migratoires** sont le reflet des **déséquilibres** et de la **recomposition** de la **Russie** ?

La Russie est un État-continent, 1er au monde par sa superficie. Pourquoi les dynamiques migratoires sont-elles spécifiques dans un État de cette taille ?

Les dynamiques migratoires en Russie

■ Identifier les mots-clés

Trouvez un synonyme aux termes « déséquilibres » et « recomposition ».

Le terme « dynamiques » recouvre les flux mais également les évolutions temporelles. Quelles sont les deux formes de dynamiques migratoires présentées sur la carte ?

Étape 2 **Exploiter et confronter les informations**

Comprendre une carte en étudiant sa légende.

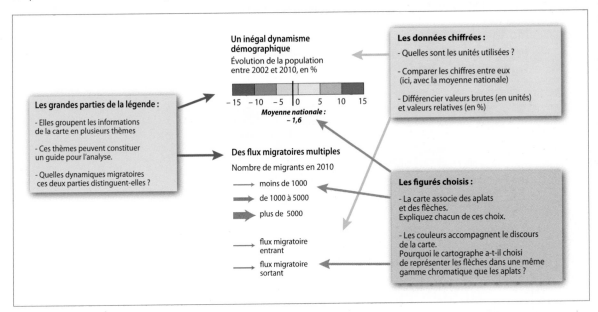

Les données chiffrées :

- Quelles sont les unités utilisées ?

- Comparer les chiffres entre eux (ici, avec la moyenne nationale)

- Différencier valeurs brutes (en unités) et valeurs relatives (en %)

Un inégal dynamisme démographique
Évolution de la population entre 2002 et 2010, en %

– 15   – 10   – 5   0   5   10   15
Moyenne nationale : – 1,6

Les grandes parties de la légende :

- Elles groupent les informations de la carte en plusieurs thèmes

- Ces thèmes peuvent constituer un guide pour l'analyse.

- Quelles dynamiques migratoires ces deux parties distinguent-elles ?

Des flux migratoires multiples
Nombre de migrants en 2010

→ moins de 1000
→ de 1000 à 5000
→ plus de 5000

→ flux migratoire entrant
→ flux migratoire sortant

Les figurés choisis :

- La carte associe des aplats et des flèches. Expliquez chacun de ces choix.

- Les couleurs accompagnent le discours de la carte. Pourquoi le cartographe a-t-il choisi de représenter les flèches dans une même gamme chromatique que les aplats ?

Étape 3 **Organiser et synthétiser les informations**

■ Présenter l'étude critique de document

Terminez la présentation de l'étude critique de document.

Compte tenu de la superficie et de l'histoire récente de la Russie, les dynamiques migratoires y sont spécifiques et reflètent les déséquilibres et les formes de recomposition de cet État-continent. ....
...

Présentation du sujet et lien avec la question au programme

Présentation du document : mise en valeur de son intérêt pour traiter le sujet

■ Développer l'étude critique de document

Terminez la rédaction du paragraphe 2.

Paragraphe 1 : *Les dynamiques démographiques de la Russie reflètent et renforcent les déséquilibres territoriaux. En effet, certains espaces (métropoles, Oural) enregistrent des hausses significatives du nombre de leurs habitants entre 2002 et 2010, dates des deux derniers recensements, alors que les marges (Sibérie, Asie centrale) ont une population qui diminue. On peut associer ces différences aux contraintes climatiques (froid) et économiques (régions enclavées, industries et régions rurales traditionnelles en crise) ou au contraire aux facteurs d'attractivité (métropolisation, présence de ressources d'hydrocarbures). Pourtant, dans le détail, on observe des contre-exemples : le Caucase, marge méridionale de la Russie, a une évolution positive en raison de la fécondité des populations musulmanes. Cependant, la carte, par le mode de représentation choisi (moyenne régionale), gomme les inégalités locales. Par exemple, si le territoire dans lequel elle se situe perd des habitants entre 2002 et 2010, la ville de Krasnoïarsk en gagne 7% dans le même temps. Les flux internes participent donc à la recomposition territoriale de la Russie.*

Courte phrase introduisant et concluant le paragraphe

Prélèvement des informations dans le document

Recours aux notions clés pour analyser le document

Regard critique sur la représentation cartographique

Paragraphe 2 : *Les flux migratoires externes témoignent de la recomposition de la Russie...*
...

EXERCICE GUIDÉ

SUJET L'inégal développement géo-économique des territoires russes

Montrez les facteurs de l'inégal développement géo-économique de la Russie et les disparités territoriales qui en résultent. Vous apporterez une lecture critique sur la représentation cartographique.

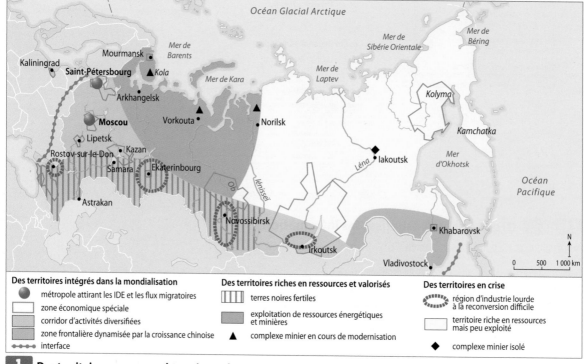

Des territoires intégrés dans la mondialisation
- 🔴 métropole attirant les IDE et les flux migratoires
- ☐ zone économique spéciale
- ☐ corridor d'activités diversifiées
- ☐ zone frontalière dynamisée par la croissance chinoise
- •→•→• interface

Des territoires riches en ressources et valorisés
- ‖‖‖ terres noires fertiles
- ☐ exploitation de ressources énergétiques et minières
- ▲ complexe minier en cours de modernisation

Des territoires en crise
- ⬤ région d'industrie lourde à la reconversion difficile
- ☐ territoire riche en ressources mais peu exploité
- ◆ complexe minier isolé

1 Des territoires russes aux dynamiques économiques contrastées

2 Ekaterinburg, candidate à l'accueil de l'Exposition universelle de 2020

Étape 1   Analyser le sujet et la consigne

■ <u>Délimiter l'espace concerné</u>

Montrez les facteurs de l'inégal développement géo-économique de la Russie et les disparités territoriales qui en résultent. Portez un regard critique sur la représentation cartographique.

> Le sujet est à l'échelle du territoire russe mais il ne faut pas perdre de vue son insertion dans l'espace mondial. Quelles informations les documents apportent-ils à ce sujet ?

L'inégal développement géo-économique **des** territoires russes

■ <u>Identifier les mots-clés</u>

> Définissez le terme « géo-économie ». Quelles informations montrent un développement géoéconomique inégal de la Russie ?

> Pourquoi certaines régions sont-elles plus dynamiques que d'autres ?

> Montrez les limites de la représentation cartographique (projection, type de figurés, discrétisation…).

Étape 2   Exploiter et confronter les informations

Complétez le tableau suivant.   **Conseil** *Pour organiser les idées de l'étude de documents, il est utile de s'aider d'un tableau.*

Questions soulevées par le sujet	Informations relatives au sujet	Regard critique sur les choix cartographiques
1. Quels sont les territoires dynamiques sur le plan économique ? Pourquoi ?	– Métropoles : Moscou, Saint-Pétersbourg. Rappelez les caractéristiques d'une métropole. – Territoires tournés vers l'Europe : une mise en valeur ancienne, renforcée par la mondialisation (interface avec l'Europe). – Territoires frontaliers avec la Chine : – ………………………………… – Zones économiques spéciales : – ……………………………………	– Figuré ponctuel de couleur vive : mise en valeur. – Figuré de surface : pose le problème de la limite de la zone cernée ; la carte est une simplification et ne prétend pas être le réel. Elle suppose des choix et donc un parti pris. – Figuré ponctuel unique : – ……………………………………
2. Quels sont les territoires en difficulté ? Pourquoi ?	– ………………………………… – …………………………………	– ………………………………… – …………………………………
3. Quelles sont les bases territoriales de la restauration de la puissance de la Russie ?	– ………………………………… – ………………………………… – …………………………………	– ………………………………… – ………………………………… – …………………………………

> Informations extraites des documents

> Recours aux notions et aux connaissances personnelles

Étape 3   Organiser et synthétiser les informations

Conseil *La légende d'une carte peut parfois suggérer un plan.*

Rédigez les paragraphes 2 et 3 selon l'exemple du paragraphe 1.

Paragraphe 1 : *Les territoires les plus dynamiques sont ceux qui sont ouverts à la mondialisation. Ainsi, la Russie de l'Ouest, bénéficie d'une mise en valeur ancienne et de l'interface avec l'Europe. Le développement d'activités diversifiées s'appuie sur un réseau dense de voies de communication et sur l'axe du Transsibérien que ne montre pas la carte. La création de zones économiques spéciales depuis 2005 vise à attirer les investissements étrangers qui se concentrent encore largement sur Moscou et Saint-Pétersbourg. En effet, grâce à leur fonction de commandement et leurs services supérieurs, Moscou et Saint-Pétersbourg sont devenues des métropoles et le cœur économique de la Russie drainant les IDE et les populations. À l'Est, les territoires transfrontaliers sont dynamisés par la croissance et les investissements des entreprises chinoises et par l'interface avec le Japon. Cependant, la carte ne montre pas l'inégal dynamisme de ces ZES, ni leurs domaines de développement économique. Les zones dynamiques de la Russie restent concentrées encore largement sur une portion restreinte du territoire russe.*

> Courte phrase introduisant le paragraphe

> Prélèvement des informations dans le document

> Recours aux notions clés pour analyser le document

> Mot de liaison permettant de structurer l'étude de document

> Regard critique porté sur le document

> Courte phrase concluant l'idée générale du paragraphe

ENTRAÎNEMENT

SUJET ## Les relations de la Russie avec ses marges et les États voisins

Montrez que les relations complexes de la Russie avec ses marges et les États voisins constituent des enjeux géopolitiques et géo-économiques majeurs pour cet État en recomposition. Portez un regard critique sur la représentation cartographique.

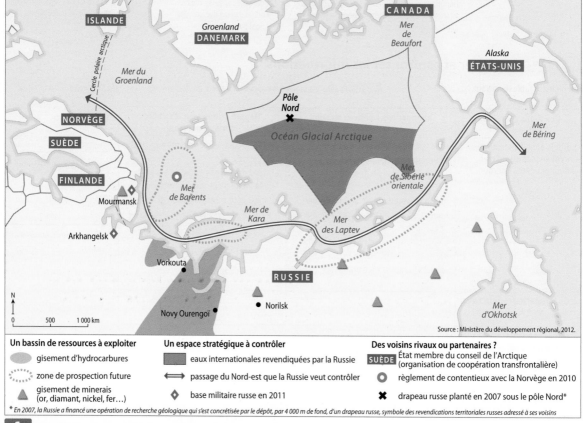

Source : Ministère du développement régional, 2012.

Un bassin de ressources à exploiter
- gisement d'hydrocarbures
- zone de prospection future
- gisement de minerais (or, diamant, nickel, fer…)

Un espace stratégique à contrôler
- eaux internationales revendiquées par la Russie
- passage du Nord-est que la Russie veut contrôler
- base militaire russe en 2011

Des voisins rivaux ou partenaires ?
- **SUÈDE** État membre du conseil de l'Arctique (organisation de coopération transfrontalière)
- règlement de contentieux avec la Norvège en 2010
- drapeau russe planté en 2007 sous le pôle Nord*

* En 2007, la Russie a financé une opération de recherche géologique qui s'est concrétisée par le dépôt, par 4 000 m de fond, d'un drapeau russe, symbole des revendications territoriales russes adressé à ses voisins

1 **L'Arctique, une marge devenue stratégique pour la Russie**

2 **Le Caucase, un « étranger proche » sous influence ?**
Wolvertion, 8 octobre 2008.

Traduction : « Pas de panique ! Nous sommes là pour rétablir la paix ! »

En 2008, la Russie, qui soutient les séparatistes d'Ossétie du Sud (région de Géorgie), déclare la guerre à la Géorgie (ancienne république soviétique).

ENTRAÎNEMENT

SUJET **La question des ressources, un enjeu majeur pour la Russie**

En quoi la gestion des ressources constitue-t-elle à la fois un enjeu
géo-environnemental, géo-économique et géopolitique pour la Russie ?
Portez un regard critique sur la représentation cartographique.

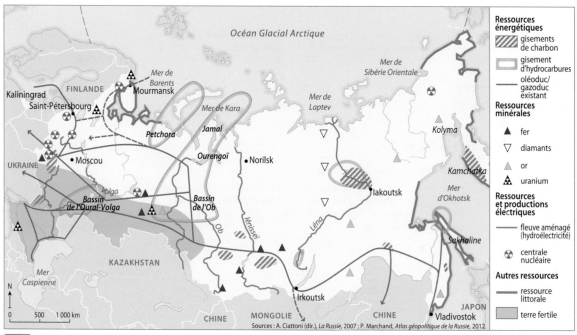

1 **La répartition des ressources naturelles en Russie**

2 **Le transport des hydrocarbures, un enjeu majeur pour la Russie**

Le territoire russe est richement doté en pétrole et en gaz. [...]
avec 12,6 % de la production mondiale, la Russie est l'un des
1ers producteurs mondiaux de pétrole avec l'Arabie Saoudite, et
le 2e exportateur. Elle est aussi le 1er producteur de gaz naturel
(21,3 % de la production mondiale). [...] Les hydrocarbures
sont expédiés par de puissantes conduites vers les grandes
régions de consommation intérieures et extérieures, tout particulièrement l'Europe. [...] Aussi, l'organisation et la fiabilité
des transports des hydrocarbures sont un enjeu décisif pour les
exportations et un point faible pour la Russie. [...] L'exemple
du gaz permet d'illustrer cette situation. La Russie et Gazprom[1]
ont multiplié les accords politiques et industriels avec les pays
consommateurs (UE, Chine, Japon), avec les pays producteurs
(Kazakhstan, Turkménistan) mais aussi avec les pays de transit
(Ukraine). Ces accords visent à réduire les vulnérabilités et à
garder la maîtrise de la ressource et des voies de transit. [...]
Reste la question environnementale dont ne s'est guère souciée
la Russie, pays à la « croissance extensive » grâce à son étendue
qui lui donne l'impression de ne pas avoir de limites. Beaucoup
d'experts s'inquiètent des catastrophes, des ravages en cours.
[...] Les pétroliers sont avant tout tournés vers le pompage et
l'exportation, et négligent les réseaux de conduite. Les rup-
tures d'oléoducs aboutissent au déversement du pétrole et à des
incendies dans la plaine russe chaque année.

Y. Veyret et J. Jalta, *Développements durables*, 2010.

1. 1re FTN russe d'extraction, de traitement et de transport de gaz naturel.

EXERCICE GUIDÉ

SUJET La Russie, un État-continent eurasiatique en recomposition

Étape 1 Analyser le sujet

■ Délimiter l'espace concerné et identifier les mots-clés

L'immensité du territoire est un élément de puissance de la Russie. Quels sont ses dimensions, ses atouts, ses contraintes ?

La Russie, un État-continent eurasiatique en recomposition

Cette notion fait référence à l'exercice d'une autorité sur un territoire. Quel est le rôle de l'État russe aux échelles nationale et internationale ? Comment le représenter sur un croquis ?

Le croquis doit faire apparaître les relations de la Russie avec les deux ensembles : l'Europe et l'Asie.

Il faut prendre en considération les bouleversements et les nouvelles dynamiques de l'espace russe.

■ Dégager une problématique

Proposition de formulation : *En quoi la Russie est-elle un État-continent eurasiatique en recomposition ?*

Étape 2 Élaborer la légende

Conseil *Sur un croquis, seules les informations essentielles au sujet sont retenues.*

Sélectionnez puis classez les informations suivantes dans le tableau.

Principale métropole ; étranger proche (anciennes républiques de l'URSS, alliances multiples) ; isolement hivernal par l'englacement ; périphérie intégrée ; siège du patriarcat orthodoxe ; conflit et tension ; centre politique d'influence internationale ; axe majeur de communication ; route maritime saisonnière en voie de pérennisation ; zone franche ; exportation d'hydrocarbures ; centre ; autre gisement minier ; froid : limite sud de la merzlota ; périphérie en marge ; région de forte pollution ; alliance avec la Chine (OCS, …) ; flux migratoire interne ; interface dynamique ; présence de fortes minorités (musulmanes, etc.), etc.

Grandes parties du plan	Sous-parties	Informations à cartographier
1. Un État-continent aux multiples contrastes	a. Contrastes géo-économiques b. Contrastes géoculturels	– centre – .... – ....
2. Un État-continent aux multiples atouts et contraintes	a. Un héritage géopolitique et géoculturel à entretenir b. Des conditions géo-environnementales spécifiques	– .... – réserve d'hydrocarbures – ....
3. Les dynamiques de la recomposition	a. Restaurer .... b. Valoriser	– centre politique d'influence internationale – .... – ....

Étape 3 Choisir les figurés et réaliser le croquis

Complétez le tableau en associant chaque figuré proposé à une information.

Informations		Figurés	
● principale métropole		ponctuel	● ▲ ★ ○
....		linéaire	⬌ --- ← ← •••••
....		surface	▭ ▭ ▭ ▭ ▥

Complétez la légende et le titre du croquis. Placez sur le croquis les figurés manquants.

Conseil *Les figurés doivent être adaptés à l'information qu'ils représentent. Le choix de leur couleur et de leur taille se fait en fonction de leur importance (centre en rouge…).*

Titre : ....

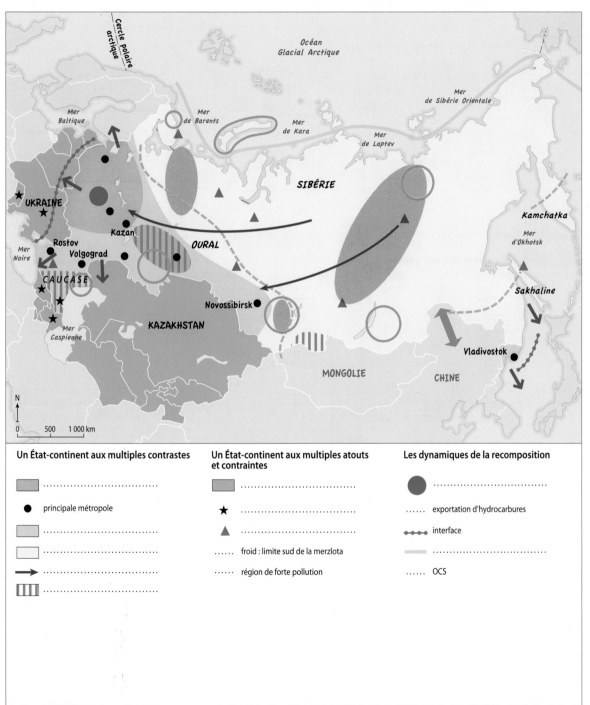

Un État-continent aux multiples contrastes

▨	....
●	principale métropole
▨	....
▢	....
→	....
▥	....

Un État-continent aux multiples atouts et contraintes

▨	....
★	....
▲	....
......	froid : limite sud de la merzlota
......	région de forte pollution

Les dynamiques de la recomposition

●	....
......	exportation d'hydrocarbures
●━●━●	interface
▬▬▬	....
......	OCS

EXERCICE GUIDÉ

SUJET La Russie : une situation complexe

Étape 1 Critiquer des choix cartographiques

Schéma 1 Centres et périphéries économiques

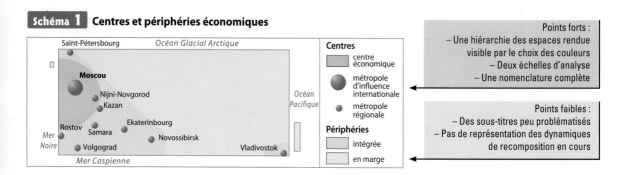

Points forts :
– Une hiérarchie des espaces rendue visible par le choix des couleurs
– Deux échelles d'analyse
– Une nomenclature complète

Points faibles :
– Des sous-titres peu problématisés
– Pas de représentation des dynamiques de recomposition en cours

Sur le modèle proposé ci-dessus, expliquez les points forts et les points faibles des schémas ci-dessous.

Schéma 2 Tensions et accords géopolitiques

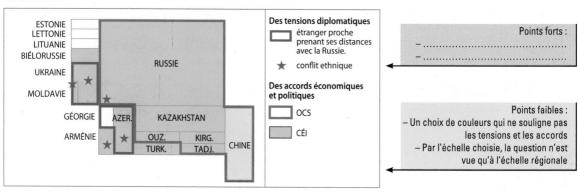

Points forts :
– ....
– ....

Points faibles :
– Un choix de couleurs qui ne souligne pas les tensions et les accords
– Par l'échelle choisie, la question n'est vue qu'à l'échelle régionale

Schéma 3 Ressources et contraintes du territoire

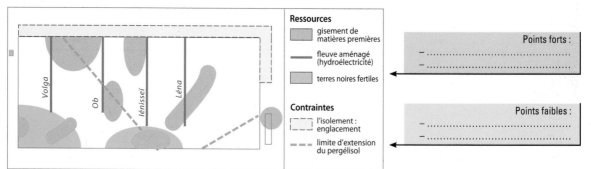

Points forts :
– ....
– ....

Points faibles :
– ....
– ....

Étape 2 Faire des choix cartographiques

Complétez les légendes et schémas suivants en réalisant des choix cartographiques qui mettent en valeur le thème de chaque schéma.

Schéma 4 Des dynamiques démographiques inégales

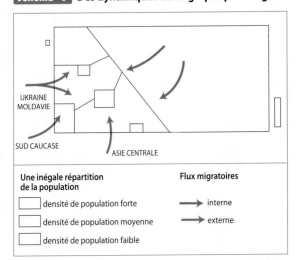

UKRAINE
MOLDAVIE

SUD CAUCASE

ASIE CENTRALE

Une inégale répartition de la population

- [ ] densité de population forte
- [ ] densité de population moyenne
- [ ] densité de population faible

Flux migratoires

- → interne
- → externe

Schéma 5 Des contrastes culturels

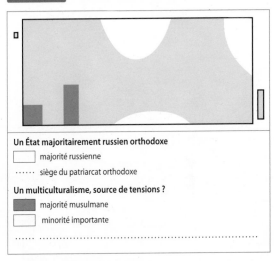

Un État majoritairement russien orthodoxe

- [ ] majorité russienne
- ...... siège du patriarcat orthodoxe

Un multiculturalisme, source de tensions ?

- [ ] majorité musulmane
- [ ] minorité importante
- ....

Schéma 6 Les étapes de mise en valeur du territoire

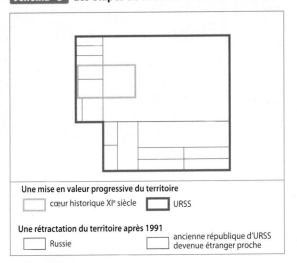

Une mise en valeur progressive du territoire

- [ ] cœur historique XIᵉ siècle
- [ ] URSS

Une rétractation du territoire après 1991

- [ ] Russie
- [ ] ancienne république d'URSS devenue étranger proche

Schéma 7 Un environnement menacé ?

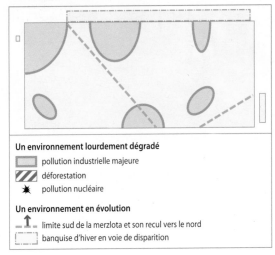

Un environnement lourdement dégradé

- [ ] pollution industrielle majeure
- [ ] déforestation
- ✳ pollution nucléaire

Un environnement en évolution

- ⬆ limite sud de la merzlota et son recul vers le nord
- [ ] banquise d'hiver en voie de disparition

Étape 3 Valoriser un croquis par les choix cartographiques

À l'aide des étapes 1 et 2, construisez un croquis sur le sujet : La Russie, une situation complexe.

Vous pouvez organiser vos idées selon le plan suivant :

1. Une situation géo-économique complexe
2. Une situation géopolitique complexe
3. Une situation géoculturelle complexe
4. Une situation géo-environnementale complexe

Chargement d'un porte-conteneur à Keppel Harbour (Singapour).

État membre de l'ASEAN (Association of Southeast Asian Nations), Singapour est un territoire fortement intégré dans la mondialisation, comme en témoignent son port et son quartier d'affaires.

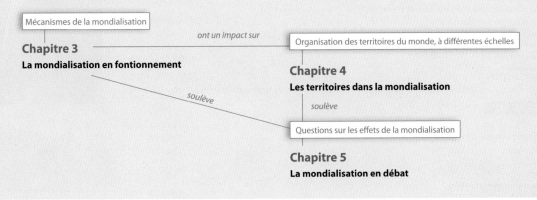

THÈME 2

Les dynamiques de la mondialisation

> **Quelles dynamiques territoriales le phénomène de mondialisation génère-t-il ?**

Mécanismes de la mondialisation

ont un impact sur

Organisation des territoires du monde, à différentes échelles

Chapitre 3
La mondialisation en fontionnement

Chapitre 4
Les territoires dans la mondialisation

soulève

soulève

Questions sur les effets de la mondialisation

Chapitre 5
La mondialisation en débat

La mondialisation en fonctionnement

■ La mondialisation est un processus de diffusion du capitalisme dans le monde. Elle repose sur une mise en relation des différentes parties de celui-ci, mais aussi sur une double logique d'intégration/exclusion à l'origine de profondes inégalités. Elle dessine un monde hiérarchisé entre des centres d'impulsion et des périphéries plus ou moins dominées.

■ La mondialisation met en jeu différents acteurs, au centre desquels les FTN ont un poids écrasant. Ces grandes firmes doivent cependant composer avec les États, les grands organismes internationaux et d'autres acteurs défendant leurs propres centres d'intérêt (ONG, groupes de pression…).

■ La mondialisation est renforcée par l'explosion des flux humains, matériels et immatériels qui en sont le moteur. La mobilité des hommes, des marchandises, des services, des informations et des capitaux tisse des réseaux qui organisent l'espace mondial et tend à accentuer la hiérarchisation des territoires.

> **Quels sont les mécanismes de la mondialisation ?**

Indice de mondialisation en 2008

22,7   40   60   80   92,6
Monde : 58

☐ aucune donnée

Voir définition p.100.

○ Triade
○ BRICS

Source : EPFZ, 2012.

Embarquement d'automobiles au port de Yantai, dans la province du Shandong (Chine).

En 2010, General Motors, le 3e grand constructeur automobile mondial, a délocalisé en Chine la production de la Chevrolet Sail, dont les premiers 1 300 exemplaires ont été exportés au Chili et au Pérou. La FTN compte aussi sur l'explosion de la demande en Chine, qui est devenue en 2009 le premier marché mondial en nombre de véhicules vendus (+ 44 % sur un an).

En quoi le café est-il représentatif du fonctionnement de la mondialisation ?

Avec 2,3 milliards de tasses bues quotidiennement, le café est une boisson universelle qui a largement été affectée par les différentes phases de développement de la mondialisation.

1 En quoi le café est-il un produit inscrit dans la mondialisation ?

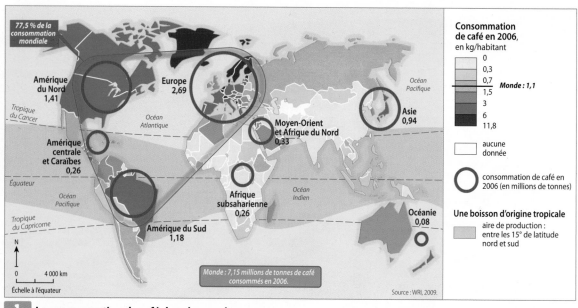

1 La consommation de café dans le monde

2 Un engouement croissant pour le café en Chine.

La Chine, où la boisson dominante est le thé, accueille près de 700 commerces de l'enseigne Starbucks, alors que la FTN n'est présente sur le territoire que depuis 1999.

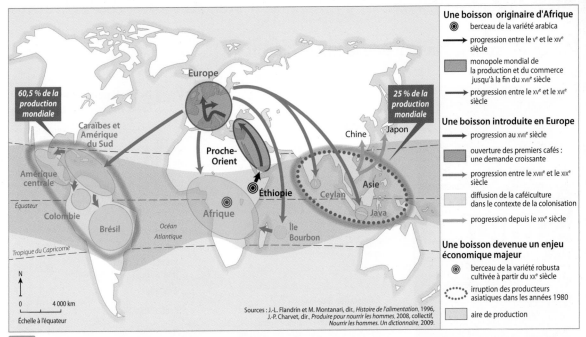

Une boisson originaire d'Afrique

◉ berceau de la variété arabica

→ progression entre le Vᵉ et le XIVᵉ siècle

▨ monopole mondial de la production et du commerce jusqu'à la fin du XVIIᵉ siècle

→ progression entre le XVᵉ et le XVIᵉ siècle

Une boisson introduite en Europe

→ progression au XVIIᵉ siècle

▨ ouverture des premiers cafés : une demande croissante

→ progression entre le XVIIIᵉ et le XIXᵉ siècle

▨ diffusion de la caféiculture dans le contexte de la colonisation

→ progression depuis le XIXᵉ siècle

Une boisson devenue un enjeu économique majeur

◉ berceau de la variété robusta cultivée à partir du XXᵉ siècle

◌ irruption des producteurs asiatiques dans les années 1980

▨ aire de production

60,5 % de la production mondiale

25 % de la production mondiale

Europe — Caraïbes et Amérique du Sud — Amérique centrale — Colombie — Brésil — Proche-Orient — Éthiopie — Afrique — Océan Atlantique — Île Bourbon — Chine — Japon — Ceylan — Asie — Java

Équateur — *Tropique du Capricorne*

N
0 ——— 4 000 km
Échelle à l'équateur

Sources : J.-L. Flandrin et M. Montanari, dir., *Histoire de l'alimentation*, 1996, J.-P. Charvet, dir., *Produire pour nourrir les hommes*, 2008, collectif, *Nourrir les hommes. Un dictionnaire*, 2009.

3 **La diffusion du café dans le monde.** Le Brésil acquiert son rang de 1ᵉʳ producteur mondial à partir de 1830.

4 **Une production très largement diffusée par la colonisation européenne.**
Affiche publicitaire, 1950.
« La grande histoire d'une tasse de café Lavazza ; transport du café destiné à l'exportation (Indochine) ».

5 **Une caféière à Llano Bonito, près de San José (Costa Rica).**
Arbre des tropiques humides, le caféier arabica trouve ses conditions optimales à une altitude comprise entre 800 et 1500 mètres.

Questions

1. Quels sont les principaux espaces de production et de consommation de café ? (doc. 1, 3 et 5)

2. Quelles sont les principales étapes de la diffusion mondiale du café ? (doc. 3)

3. Quels sont les facteurs de la mondialisation du café ? Quelles en sont les limites ? (doc. 2 et 4)

2 Quels sont les acteurs de la filière du café ?

Café arabica
La demande mondiale évolue vers cette variété de café originaire d'Éthiopie, moins amère et plus aromatisée que le robusta*.

Éthiopie
Un des pays les plus pauvres du monde : IDH (rang) en 2010 : 0,328 (157e)
Part de l'agriculture dans le PIB en 2009 : 47 %.

Coopérative Sidama
Petits producteurs regroupés en coopérative (l'une des plus grosses du monde) qui s'autogère et à laquelle Max Havelaar garantit une rémunération correcte.

Max Havelaar
Association internationale créée en 1988 et délivrant un label apposé sur le produit.

* Variété de café corsé (chargé en caféine), avec une amertume prononcée.

6 Max Havelaar : une association délivrant un label international de commerce équitable

7 Des **FTN** puissantes face à des États en position de faiblesse

FTN ou États	Chiffres d'affaires en 2011 ou PIB en 2011, en milliards de dollars
Indonésie	824,3
Vietnam	121,6
Nestlé (Suisse)	**105,3**
Procter & Gamble (États-Unis)	**79,7**
Équateur	65,3
Kraft (États-Unis)	**49,5**
Guatemala*	46,7
Éthiopie*	30,5
Honduras*	17,2
Ouganda	16,0
Starbucks (États-Unis)	**11,7**
Papouasie-Nouvelle-Guinée	11,4
Sara Lee (États-Unis)**	**10,8**
Nicaragua*	7,1
Tchibo (Allemagne)**	**3,4**

Sources : FMI, *Fortune* et OIC, 2012.

* États où les exportations de café représentent plus de 15 % des exportations totales.

** Chiffres 2010.

8 Nestlé : une FTN qui dirige la production de café au Mexique

Le numéro 1 mondial de l'agroalimentaire compte faire de son usine Nescafé de Toluca [capitale de l'État de Mexico] le plus grand centre de production de café soluble de la planète. « *Dans les cinq prochaines années, Nestlé doublera la quantité de café qu'il se procure directement auprès des caféiculteurs* », a annoncé [...] le directeur général de [Nestlé]. [...] Pourtant, loin de réjouir les paysans, le projet de la multinationale provoque un tollé parmi les syndicats de producteurs de café au Mexique. D'après eux, le marché sera inondé de café à bas prix, et les cours, qui connaissent une embellie depuis dix ans, risquent de s'effondrer.

[...] Selon l'Organisation internationale du café, le prix de l'arabica de type Colombie s'établissait à 247 dollars les 100 livres, tandis que le robusta s'échangeait à 93 dollars. Or c'est sur cette dernière variété que mise Nestlé pour augmenter sa production mondiale de Nescafé. « *Un agriculteur qui plante du robusta devra récolter trois fois plus de grains pour gagner autant qu'avec de l'arabica* », affirme [...] la Coordination d'organisations caféicoles de l'État de Veracruz. Un point de vue partagé par des spécialistes du secteur, qui assurent que cultiver du robusta au Mexique n'est pas rentable, dans la mesure où les salaires sont bien plus bas dans les principaux pays producteurs de cette variété, notamment au Vietnam. [...] Malgré cela, le gouvernement mexicain a appuyé l'expansion du robusta. [...] Le ministère [de l'Agriculture] subventionnera à hauteur de 2 222 dollars [1 625 euros] par hectare les nouvelles plantations de robusta. Les producteurs de café ont exigé du gouvernement qu'il révise sa politique.

AméricaEconomica, cité par *Courrier International*, 18 novembre 2010.

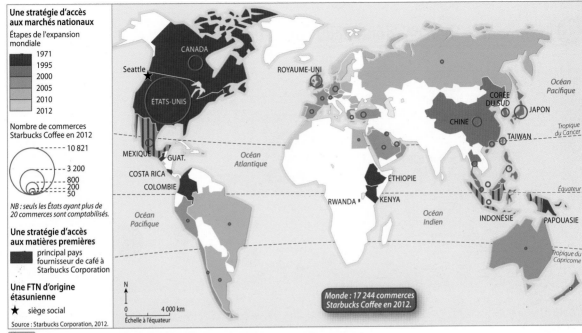

Une stratégie d'accès aux marchés nationaux

Étapes de l'expansion mondiale
- 1971
- 1995
- 2000
- 2005
- 2010
- 2012

Nombre de commerces Starbucks Coffee en 2012
- 10 821
- 3 200
- 800
- 200
- 50

NB : seuls les États ayant plus de 20 commerces sont comptabilisés.

Une stratégie d'accès aux matières premières
- principal pays fournisseur de café à Starbucks Corporation

Une FTN d'origine étasunienne
- ★ siège social

Source : Starbucks Corporation, 2012.

Monde : 17 244 commerces Starbucks Coffee en 2012.

N
0   4 000 km
Échelle à l'équateur

9 Starbucks Corporation : un déploiement planétaire qui s'accélère

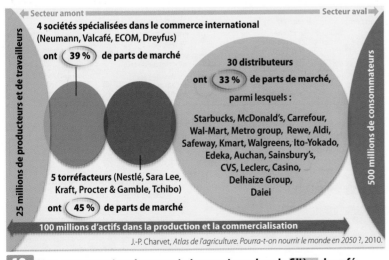

◄ Secteur amont ———————————— Secteur aval ►

4 sociétés spécialisées dans le commerce international (Neumann, Valcafé, ECOM, Dreyfus)

ont **39 %** de parts de marché

30 distributeurs

ont **33 %** de parts de marché, parmi lesquels :

Starbucks, McDonald's, Carrefour, Wal-Mart, Metro group, Rewe, Aldi, Safeway, Kmart, Walgreens, Ito-Yokado, Edeka, Auchan, Sainsbury's, CVS, Leclerc, Casino, Delhaize Group, Daiei

5 torréfacteurs (Nestlé, Sara Lee, Kraft, Procter & Gamble, Tchibo)

ont **45 %** de parts de marché

25 millions de producteurs et de travailleurs

500 millions de consommateurs

100 millions d'actifs dans la production et la commercialisation

J.-P. Charvet, *Atlas de l'agriculture. Pourra-t-on nourrir le monde en 2050 ?*, 2010.

10 Une concentration du pouvoir économique dans la **filière** du café

Questions

1. Quels sont les principaux acteurs de la filière du café ? (doc. 6, 8, 9 et 10)

2. Quelles stratégies ces acteurs suivent-ils ? En quoi sont-elles différentes ? (doc. 8, 9 et 10)

3. Montrez que les États sont en situation de dépendance vis-à-vis des FTN. (doc. 7 et 10)

3 Comment le marché mondial du café s'organise-t-il ?

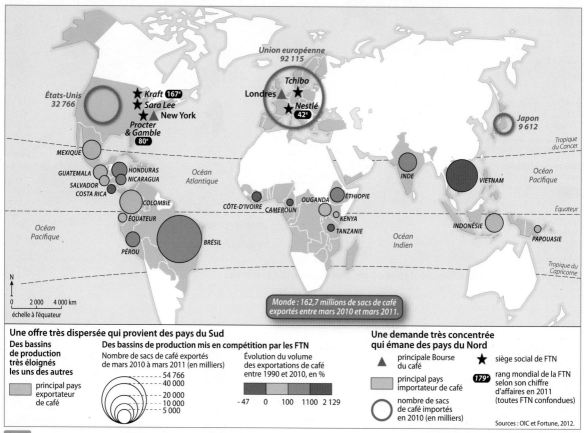

Union européenne
92 115

Londres ▲ ★ Tchibo
★ Nestlé 42ᵉ

★ Kraft 167ᵉ
★ Sara Lee
★ ▲ New York
Procter
& Gamble
80ᵉ

États-Unis
32 766

Japon
9 612

MEXIQUE

GUATEMALA
HONDURAS
NICARAGUA
SALVADOR
COSTA RICA
COLOMBIE
ÉQUATEUR
PÉROU
BRÉSIL

*Océan
Atlantique*

CÔTE-D'IVOIRE CAMEROUN
OUGANDA ÉTHIOPIE
KENYA
TANZANIE

INDE

VIETNAM

INDONÉSIE

PAPOUASIE

*Océan
Pacifique*

*Océan
Pacifique*

*Océan
Indien*

*Tropique
du Cancer*

Équateur

*Tropique du
Capricorne*

N

0 2 000 4 000 km
échelle à l'équateur

Monde : 162,7 millions de sacs de café
exportés entre mars 2010 et mars 2011.

Une offre très dispersée qui provient des pays du Sud

Des bassins
de production
très éloignés
les uns des autres

☐ principal pays
exportateur
de café

Des bassins de production mis en compétition par les FTN

Nombre de sacs de café exportés
de mars 2010 à mars 2011 (en milliers)

⬤ 54 766
40 000
20 000
10 000
5 000

Évolution du volume
des exportations de café
entre 1990 et 2010, en %

-47 0 100 1100 2 129

**Une demande très concentrée
qui émane des pays du Nord**

▲ principale Bourse
du café

☐ principal pays
importateur de café

◯ nombre de sacs
de café importés
en 2010 (en milliers)

★ siège social de FTN

179ᵉ rang mondial de la FTN
selon son chiffre
d'affaires en 2011
(toutes FTN confondues)

Sources : OIC et Fortune, 2012.

11 Le commerce international du café.

Depuis les années 1980, le Vietnam fait une irruption très spectaculaire dans la production de café. Il s'est hissé au 2ᵉ rang des producteurs et exportateurs de café, devant la Colombie.

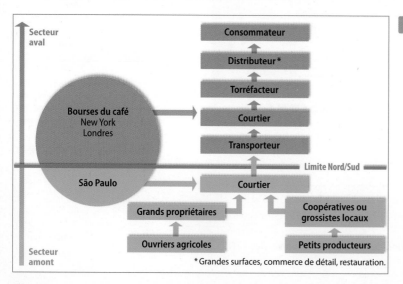

Secteur
aval

Consommateur
↑
Distributeur*
↑
Torréfacteur
↑
Courtier
↑
Transporteur
↑

Bourses du café
New York
Londres

─── Limite Nord/Sud ───

São Paulo

Courtier
↑
Grands propriétaires
↑
Ouvriers agricoles

Coopératives ou
grossistes locaux
↑
Petits producteurs

Secteur
amont

* Grandes surfaces, commerce de détail, restauration.

12 L'organisation en réseau
de la filière du café

Vocabulaire

Filière : voir p. 85.
Flux : voir p. 123.
Réseau : voir p. 123.

13 **Exportation du café de la coopérative d'agriculteurs Gumutindo de Mbale (Ouganda).**

a. Pesée des sacs de café arabica : les petits producteurs sont payés en fonction du poids de cerises* qu'ils ont récoltées à la main.

b. Chargement des sacs de café dans un conteneur : le café est l'un des produits agricoles pour lequel la part de la production transitant par le marché mondial est la plus élevée.

* Cerise : fruit du caféier qui renferme les grains.

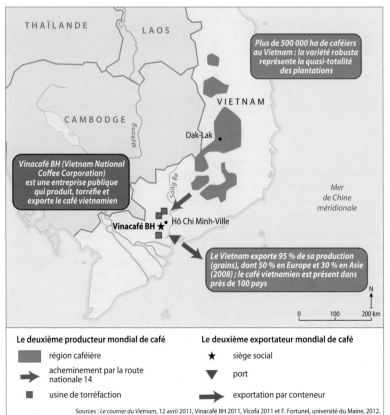

14 **Une filière du café qui vit de l'exportation au Vietnam**

Plus de 500 000 ha de caféiers au Vietnam : la variété robusta représente la quasi-totalité des plantations

Vinacafé BH (Vietnam National Coffee Corporation) est une entreprise publique qui produit, torréfie et exporte le café vietnamien

Le Vietnam exporte 95 % de sa production (grains), dont 50 % en Europe et 30 % en Asie (2008) ; le café vietnamien est présent dans près de 100 pays

THAÏLANDE LAOS CAMBODGE VIETNAM
Mékong Dak-Lak Song Be
Mer de Chine méridionale
Vinacafé BH ★ Hô Chi Minh-Ville

0 100 200 km

Le deuxième producteur mondial de café

- ▬ région caféière
- ➤ acheminement par la route nationale 14
- ■ usine de torréfaction

Le deuxième exportateur mondial de café

- ★ siège social
- ▼ port
- ➤ exportation par conteneur

Sources : *Le courrier du Vietnam*, 12 avril 2011, Vinacafé BH 2011, Vicofa 2011 et F. Fortunel, université du Maine, 2012.

Questions

1. Quels sont les principaux pays exportateurs et importateurs de café ? Dans quel sens les flux se dirigent-ils ? (doc. 11, 13 et 14)

2. Pourquoi peut-on dire que le marché mondial du café s'organise en réseau ? (doc. 12)

3. Montrez que le marché mondial du café est dominé par les acteurs de l'aval. (doc. 12)

En quoi le café est-il représentatif du fonctionnement de la mondialisation ?

L'essentiel

A. En quoi le café est-il un produit inscrit dans la mondialisation ?

Une production et une consommation de café qui se sont progressivement mondialisées

➤ **Une production au Sud pour une consommation au Nord**

Les régions productrices de café et les régions consommatrices ne coïncident pas complètement : 85 % de la production mondiale se situe en Amérique latine et en Asie (entre les 15° de latitude nord et sud); 80 % de la consommation mondiale se concentre en Europe et en Amérique. Certains signes indiquent que l'Asie s'ouvre de plus en plus à cette boisson, comme le succès des restaurants Starbucks.

➤ **Une diffusion mondiale en trois étapes**

Originaire d'Éthiopie, le café est consommé au Moyen-Orient jusqu'au XVIᵉ siècle. À partir du XVIIᵉ siècle, ...

Terminez la rédaction de ce paragraphe en dégageant les grandes étapes et leurs facteurs explicatifs.

➤ **Des facteurs et des limites à la mondialisation du café**

Trois facteurs expliquent la mondialisation du café...

Terminez la rédaction de ce paragraphe en présentant les facteurs de la mondialisation du café, puis en nuançant cette mondialisation.

B. Quels sont les acteurs de la filière du café ?

Une filière dominée par une poignée d'acteurs situés dans les pays du Nord

En vous inspirant de l'exemple ci-dessus, rédigez un paragraphe pour chacune des grandes idées suivantes.

➤ **Une filière du café qui met en jeu des acteurs peu nombreux**
- Quels sont les acteurs de la filière du café ?
- Quels sont ceux qui dominent cette filière ?

➤ **Une filière du café déséquilibrée**
- Pourquoi peut-on dire que les FTN sont des acteurs incontournables du marché du café ?
- Pourquoi les autres acteurs sont-ils en position de faiblesse par rapport aux FTN ?

➤ **Des acteurs suivant des stratégies différentes**
- Quelles sont les stratégies d'implantation des FTN du café ?
- Quel rôle les États jouent-ils dans le marché du café ?
- Quelle stratégie alternative développent d'autres acteurs ?

C. Comment le marché mondial du café s'organise-t-il ?

Un marché mondial dynamisé par des flux en provenance du Sud

➤ **Un marché mondial avec une offre très dispersée au Sud et une demande très concentrée au Nord**

Rédigez un paragraphe résumant cette idée.

➤ **Un marché mondial organisé en réseaux**

Rédigez un paragraphe résumant cette idée.

➤ **Un marché mondial dominé par une logique financière**

Rédigez un paragraphe résumant cette idée.

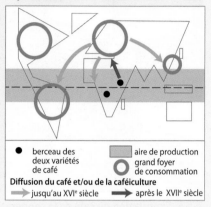

A. La mondialisation progressive de la production et de la consommation de café

- ● berceau des deux variétés de café
- ▢ aire de production
- ○ grand foyer de consommation

Diffusion du café et/ou de la caféiculture
- ⟹ jusqu'au XVIᵉ siècle
- ⟹ après le XVIIᵉ siècle

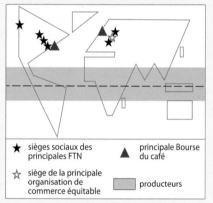

B. La domination de la filière du café par des acteurs situés dans les pays du Nord

- ★ sièges sociaux des principales FTN
- ▲ principale Bourse du café
- ☆ siège de la principale organisation de commerce équitable
- ▢ producteurs

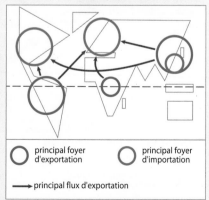

C. Un marché mondial du café dynamisé par des flux en provenance du Sud

- ○ principal foyer d'exportation
- ○ principal foyer d'importation
- ⟶ principal flux d'exportation

Schéma de synthèse

Titre : ....

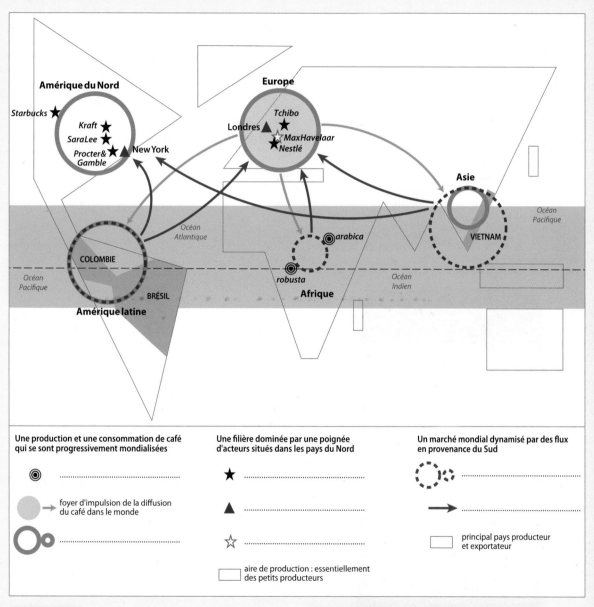

Une production et une consommation de café qui se sont progressivement mondialisées

◎ ....

⬤→ foyer d'impulsion de la diffusion du café dans le monde

◯◦ ....

Une filière dominée par une poignée d'acteurs situés dans les pays du Nord

★ ....

▲ ....

☆ ....

☐ aire de production : essentiellement des petits producteurs

Un marché mondial dynamisé par des flux en provenance du Sud

⟲ ....

⟶ ....

☐ principal pays producteur et exportateur

Question

› À l'aide du bilan de l'étude de cas, complétez la légende du schéma de synthèse. Donnez un titre au croquis.

Conseil

› Pour construire votre schéma de synthèse, vous pouvez réaliser préalablement un petit schéma pour chaque partie de plan, comme sur la page ci-contre. Utilisez des formes géométriques simples.

En quoi le téléphone mobile est-il représentatif du fonctionnement de la mondialisation ?

Né dans les années 1980, le téléphone mobile connaît une diffusion exceptionnellement rapide puisque, aujourd'hui, plus de 5,2 milliards d'appareils sont utilisés dans le monde. D'abord réservé aux populations des pays du Nord, ce produit concerne de plus en plus les populations des pays du Sud, pour qui la téléphonie mobile constitue une opportunité d'être mises en relation avec l'ensemble de la planète.

1 En quoi le téléphone mobile s'inscrit-il dans la mondialisation ?

Applications
Petits programmes informatiques faisant du téléphone mobile un outil multifonction et connectant les sociétés et les lieux au réseau numérique mondial.

Apple
En 2011, sur 460 millions de smartphones vendus, plus de 86 millions sont des iPhone.

1 **Le smartphone**, couplage de la téléphonie mobile et de l'Internet.

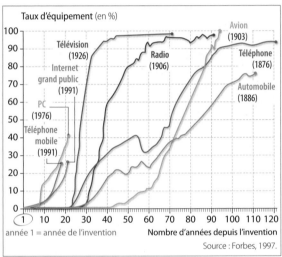

Source : Forbes, 1997.

2 **Une des technologies à la diffusion la plus rapide**

3 **Un produit mondialisé aux usages différenciés**

	Fonction du téléphone mobile		
	La plus utilisée	Plus utilisée qu'ailleurs	Peu utilisée
Afrique	Appels	Messagerie	
Amérique du Nord		Reconnaissance musicale, MMS	
Amérique du Sud	Réveil	Partage de photos et de vidéos	Reconnaissance musicale
Asie		Jeux et recherche d'applications	
Europe			GPS et cartes numériques
Océanie	SMS	Réseaux sociaux	

Source : www.gsmarena.com, 2011.

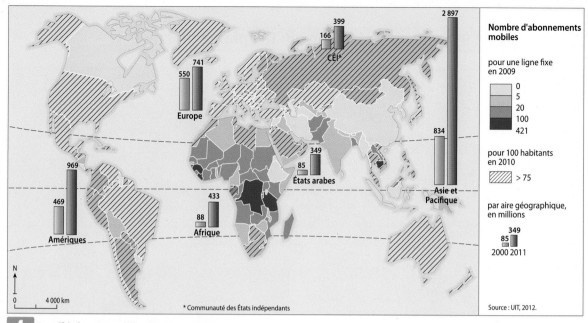

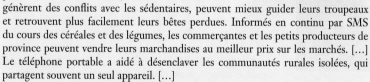

4 La téléphonie mobile dans le monde

5 Une progression fulgurante de la téléphonie mobile au Mali

Depuis 2002, le marché africain de la téléphonie mobile enregistre la croissance la plus rapide au monde, plus 50 % par an. [...] Longtemps, le Mali a été en retard par rapport à ses voisins. [...] Les freins économiques et culturels semblaient également nombreux. Comment recharger une batterie sans électricité au milieu de la brousse ? Comment envoyer un SMS quand la moitié de la population est analphabète ? Comment acheter du crédit (0,17 euro la minute) quand le revenu journalier atteint à peine 1 euro ? Pourtant, le pays comptait fin 2008 près de 3,5 millions d'utilisateurs, plus du quart de la population. [...]
Toutes les boutiques de Bamako affichent sur leur fronton un numéro de portable. En milieu rural, le téléphone a également modifié la perception de l'espace. Les Peuls nomades, dont les transhumances génèrent des conflits avec les sédentaires, peuvent mieux guider leurs troupeaux et retrouvent plus facilement leurs bêtes perdues. Informés en continu par SMS du cours des céréales et des légumes, les commerçantes et les petits producteurs de province peuvent vendre leurs marchandises au meilleur prix sur les marchés. [...] Le téléphone portable a aidé à désenclaver les communautés rurales isolées, qui partagent souvent un seul appareil. [...]
En quelques années, l'Afrique a assimilé très rapidement les usages classiques du téléphone portable et en a inventé de nouveaux. [...] Alors que le paiement par téléphone portable peine à s'imposer en Europe, l'Afrique a dans ce domaine une longueur d'avance. Bientôt, une commerçante de Bamako pourra utiliser son mobile comme un porte-monnaie virtuel, où elle pourra déposer ou retirer de l'argent, ou en transférer une partie sur le compte d'une amie. Elle pourra directement régler sa facture d'électricité ou certains de ses achats, et même obtenir un micro-crédit.

Le Monde, 26 février 2010.

Questions

1. Quels sont les principaux espaces où la téléphonie mobile est la plus développée ? (doc. 4)

2. Analysez le rythme de diffusion et les usages du téléphone mobile. (doc. 2 et 3)

3. Pourquoi peut-on dire que le téléphone mobile met en relation directe les différentes parties du monde ? (doc. 4 et 5)

2 Quels sont les acteurs de la filière du téléphone mobile ?

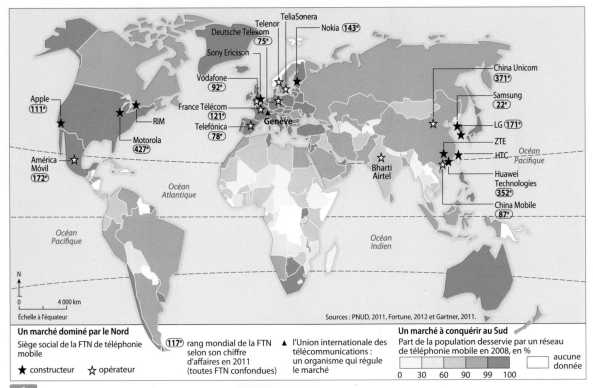

TeliaSonera
Telenor
Deutsche Telekom
75ᵉ
Nokia **143ᵉ**
Sony Ericsson
Vodafone **92ᵉ**
Apple **111ᵉ**
France Télécom **121ᵉ**
RIM
Telefónica **78ᵉ**
Genève
Motorola **427ᵉ**
América Móvil **172ᵉ**

China Unicom **371ᵉ**
Samsung **22ᵉ**
LG **171ᵉ**
ZTE
HTC
Bharti Airtel
Huawei Technologies **352ᵉ**
China Mobile **87ᵉ**

Océan Pacifique
Océan Atlantique
Océan Pacifique
Océan Indien

N

0   4 000 km
Échelle à l'équateur

Sources : PNUD, 2011, Fortune, 2012 et Gartner, 2011.

Un marché dominé par le Nord
Siège social de la FTN de téléphonie mobile

★ constructeur   ☆ opérateur

117ᵉ rang mondial de la FTN selon son chiffre d'affaires en 2011 (toutes FTN confondues)

▲ l'Union internationale des télécommunications : un organisme qui régule le marché

Un marché à conquérir au Sud
Part de la population desservie par un réseau de téléphonie mobile en 2008, en %

0   30   60   90   99   100
☐ aucune donnée

6   Un poids écrasant des FTN du Nord et des pays émergents

7   Une campagne de l'Union internationale des télécommunications (ITU) : réduire la fracture numérique.

Traduction : « Mise en réseau des villages ; renforcement de l'accès au réseau à prix abordable dans les zones rurales reculées. »

8   Le rôle central de l'État en Mauritanie

La société soudano-mauritanienne des télécommunications Chinguitel a annoncé aujourd'hui le lancement du nouveau service de son réseau GSM[1]. [...] Le ministre a indiqué [...] que les pouvoirs publics ont œuvré pour impulser la concurrence et créer un climat attractif pour les investisseurs privés dans le secteur des télécommunications en plus d'un partenariat accru entre les secteurs public et privés.

Il a souligné que le gouvernement a œuvré, en partenariat avec les opérateurs locaux de téléphonie mobile, pour relier le pays au câble marin pour un coût estimé à 25 millions de dollars américains, et qu'il se penche actuellement sur la réalisation d'un réseau national de fibres optiques pour renforcer et sécuriser la liaison mondiale avec le pays et pour promouvoir les services numériques sur tout le territoire national. Le ministre a souligné que les efforts déployés par les secteurs public et privés ont permis l'extension de l'exploitation du GSM de 73 % environ dans le public en 2009. [...]

De son côté, le président du conseil d'administration de Chinguitel a exprimé ses remerciements au gouvernement et au peuple mauritaniens pour les facilités faites à la société.

Le Quotidien de Nouakchott, 12 mai 2011.

1. *Global System for Mobile Communications*. Désigne un réseau permettant de transmettre la voix, les sms et les mms.

9 Ouvrières d'une usine à Ningbo, dans la province du Zhejiang (Chine)

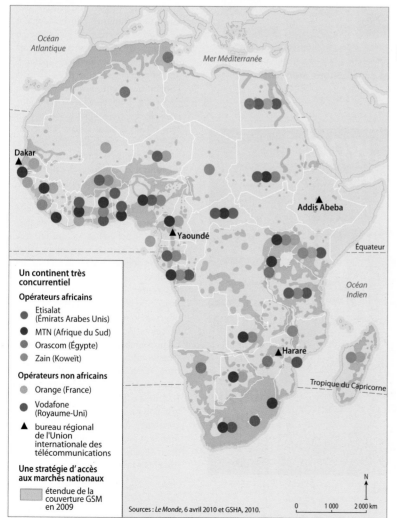

10 Des FTN qui cherchent à pénétrer le marché africain

Questions

1. Quels sont les principaux acteurs de la filière du téléphone mobile ? (doc. 6, 7, 9 et 10)

2. Quelles stratégies ces acteurs suivent-ils ? En quoi sont-elles différentes ? (doc. 6 et 10)

3. Montrez que les États sont en situation de dépendance vis-à-vis des FTN. (doc. 8 et 10)

3 Comment le marché mondial du téléphone mobile s'organise-t-il ?

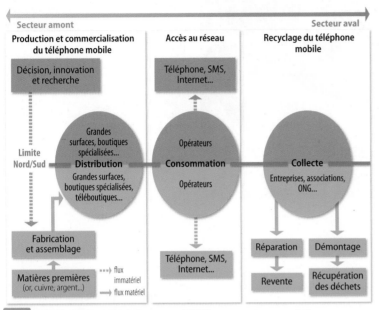

Secteur amont

Secteur aval

Production et commercialisation du téléphone mobile

Décision, innovation et recherche

Grandes surfaces, boutiques spécialisées...

Distribution

Grandes surfaces, boutiques spécialisées, téléboutiques...

Limite Nord/Sud

Fabrication et assemblage

Matières premières (or, cuivre, argent...)

···▶ flux immatériel
——▶ flux matériel

Accès au réseau

Téléphone, SMS, Internet...

Opérateurs

Consommation

Opérateurs

Téléphone, SMS, Internet...

Recyclage du téléphone mobile

Collecte

Entreprises, associations, ONG...

Réparation | Démontage

Revente | Récupération des déchets

11 **L'organisation en réseau de la filière du téléphone mobile**

13 **Une téléboutique à Naivasha (Kenya)**

---

12 **Un facteur de développement en Haïti**

Selon les économistes, la diffusion de la téléphonie mobile a un impact positif sur le développement économique d'un pays. En Haïti, l'arrivée d'un nouvel opérateur privé de téléphonie mobile s'est révélée être un puissant soutien à l'économie du pays. Le taux de pénétration est passé de 5 % fin 2005 à plus de 30 % en 2008. Cette progression a permis à Haïti de rattraper d'autres pays moins avancés. [...] Le nouvel opérateur téléphonique aurait contribué à environ 20 à 27 % de la croissance du PIB, ce qui constitue pour une entreprise opérant dans un domaine non lié à une matière première un cas unique. L'investissement de Digicel a fortement contribué au montant total des investissements directs étrangers et au développement des infrastructures du pays. Depuis l'obtention d'une licence GSM en juin 2005, Digicel a investi 260 millions de dollars en Haïti, soit le plus gros investissement jamais réalisé par une entreprise étrangère dans le pays. [...] Les conséquences de l'arrivée du nouvel opérateur s'évaluent également au regard du nombre d'emplois créés, qu'ils soient directs [...] ou indirects [...]. Au total, l'activité de Digicel a permis d'employer près de 63 000 personnes, ce qui fait que près de 3,5 % de la population active travaille désormais dans le secteur des services.

En outre, la forte progression de l'usage du téléphone mobile en Haïti pourrait jouer un rôle indirect dans l'accélération des transferts de fonds en provenance de la diaspora et dans l'amélioration de l'efficacité des marchés agricoles et alimentaires. [...] Les transferts de fonds ont augmenté [...] de 15 % en 2007, et cette progression est à mettre en regard avec la croissance du nombre de téléphones mobiles, [...] le téléphone mobile étant devenu un outil de bancarisation des plus pauvres.

J.-M. Huet, I. Viennois et P. Labarthe, « L'économie des pays en développement face à la diffusion de la téléphonie mobile », *Questions internationales*, juillet-août 2010.

14 Un atelier de réparation à Kolkata, dans l'État du Bengale-Occidental (Inde)

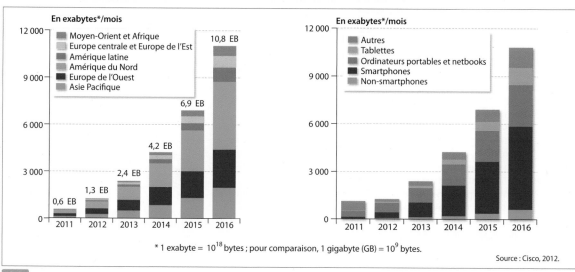

En exabytes*/mois

- Moyen-Orient et Afrique
- Europe centrale et Europe de l'Est
- Amérique latine
- Amérique du Nord
- Europe de l'Ouest
- Asie Pacifique

10,8 EB — 6,9 EB — 4,2 EB — 2,4 EB — 1,3 EB — 0,6 EB

2011 2012 2013 2014 2015 2016

En exabytes*/mois

- Autres
- Tablettes
- Ordinateurs portables et netbooks
- Smartphones
- Non-smartphones

2011 2012 2013 2014 2015 2016

* 1 exabyte = 10^{18} bytes ; pour comparaison, 1 gigabyte (GB) = 10^9 bytes.

Source : Cisco, 2012.

15 Une explosion des flux de communication dans le monde (projection)

Questions

1. Comment évolueront les principaux flux de communication ? Comment expliquez-vous cette évolution ? (doc. 15)

2. Pourquoi peut-on dire que le marché mondial du téléphone mobile s'organise en réseau ? (doc. 11)

3. Montrez que le marché mondial du téléphone mobile est source de croissance et de richesse. (doc. 11, 12, 13 et 14)

Vocabulaire

Filière : voir p. 85.
Flux : voir p. 123.
Réseau : voir p. 123.

En quoi le téléphone mobile est-il représentatif du fonctionnement de la mondialisation ?

L'essentiel

A. En quoi le téléphone mobile s'inscrit-il dans la mondialisation ?

Un produit qui s'est rapidement mondialisé

➤ **Un produit universel :**

Le téléphone mobile est un produit universel. Aucun espace n'y échappe, même les plus marginalisés, où le nombre d'abonnements mobiles pour une ligne fixe est le plus fort (Afrique). Si, dans les pays du Nord, il est devenu un objet polyvalent aux multiples applications, le téléphone mobile constitue un vecteur essentiel d'ouverture sur le monde et donc de développement dans les pays du Sud (porte-monnaie virtuel au Mali).

➤ **Un des produits à la diffusion la plus rapide :**

Apparu à la fin des années 1970, le téléphone mobile est un des produits à la diffusion la plus rapide.

Terminez la rédaction de ce paragraphe en montrant la rapidité de la diffusion du téléphone mobile, puis son extension récente aux espaces jusque-là marginalisés.

➤ **Des limites à la mondialisation de ce produit :**

Même si la progression du téléphone mobile est fulgurante, il existe des limites à sa mondialisation.

Terminez la rédaction de ce paragraphe en insistant sur l'inégale diffusion du téléphone mobile et la diversité des usages.

B. Quels sont les acteurs de la filière du téléphone mobile ?

Une filière dominée par une poignée d'acteurs situés dans les pays du Nord et les pays émergents

Rédigez un paragraphe pour chacune des grandes idées suivantes.

➤ **Une filière du téléphone mobile qui met en jeu des acteurs peu nombreux :**

• Quels sont les principaux acteurs de la filière du téléphone mobile ?

• Où se situe leur siège social ?

➤ **Une filière du téléphone mobile déséquilibrée :**

• Pourquoi peut-on dire que les FTN sont des acteurs incontournables du marché du café ?

• Pourquoi les autres acteurs sont-ils en position de faiblesse par rapport aux FTN ?

➤ **Des acteurs suivant des stratégies différentes**

• Quelles sont les stratégies d'implantation des FTN ?

• Quel rôle les États jouent-ils dans le marché du téléphone mobile ?

• Quelle stratégie alternative développent d'autres acteurs ?

C. Comment le marché mondial du téléphone mobile s'organise-t-il ?

Un marché mondial dynamisé par de multiples flux

➤ **Un marché mondial où les flux matériels et immatériels sont très nombreux**

Rédigez un paragraphe résumant cette idée.

➤ **Un marché mondial organisé en réseaux**

Rédigez un paragraphe résumant cette idée.

➤ **Un marché mondial dominé par une logique financière**

Rédigez un paragraphe résumant cette idée.

A. La mondialisation rapide du téléphone mobile

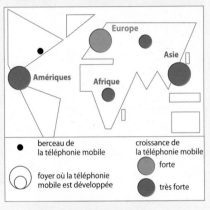

● berceau de la téléphonie mobile	croissance de la téléphonie mobile
○ foyer où la téléphonie mobile est développé	forte
	très forte

B. La domination de la filière par des acteurs des pays du Nord et des pays émergents

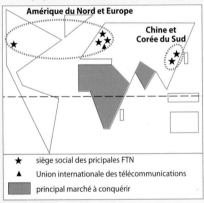

★ siège social des pricipales FTN

▲ Union internationale des télécommunications

▬ principal marché à conquérir

C. Un marché mondial dynamisé par de multiples flux

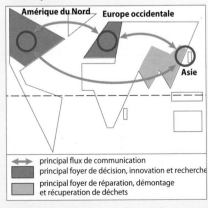

◄► principal flux de communication

■ principal foyer de décision, innovation et recherche

■ principal foyer de réparation, démontage et récupération de déchets

Schéma de synthèse

FICHE À COMPLÉTER
EN TÉLÉCHARGEMENT
SUR LE SITE COMPAGNON

Titre : ....

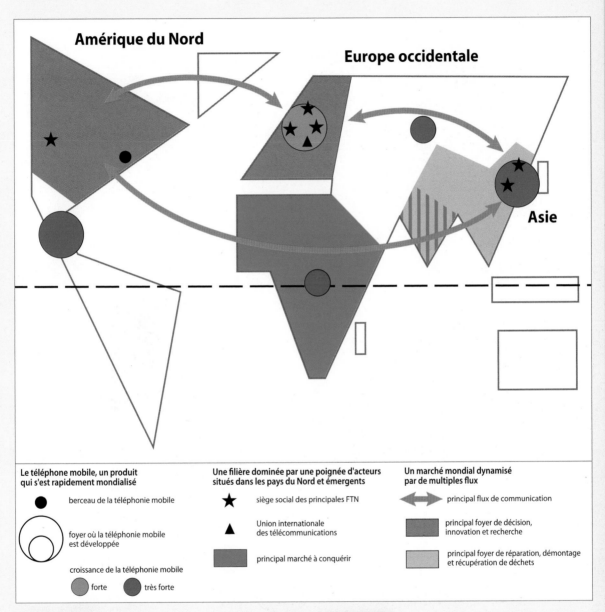

Amérique du Nord

Europe occidentale

Asie

Le téléphone mobile, un produit qui s'est rapidement mondialisé

●   berceau de la téléphonie mobile

◎   foyer où la téléphonie mobile est développée

croissance de la téléphonie mobile

● forte   ● très forte

Une filière dominée par une poignée d'acteurs situés dans les pays du Nord et émergents

★   siège social des principales FTN

▲   Union internationale des télécommunications

■   principal marché à conquérir

Un marché mondial dynamisé par de multiples flux

⬌   principal flux de communication

■   principal foyer de décision, innovation et recherche

■   principal foyer de réparation, démontage et récupération de déchets

Question

❯ À l'aide du bilan de l'étude de cas, complétez le schéma et sa légende. Donnez un titre au schéma.

Conseil

❯ Pour construire votre schéma, vous pouvez préalablement en réaliser un pour chaque partie de plan, comme sur la page ci-contre. Utilisez des figurés simples.

Le fonctionnement de la mondialisation

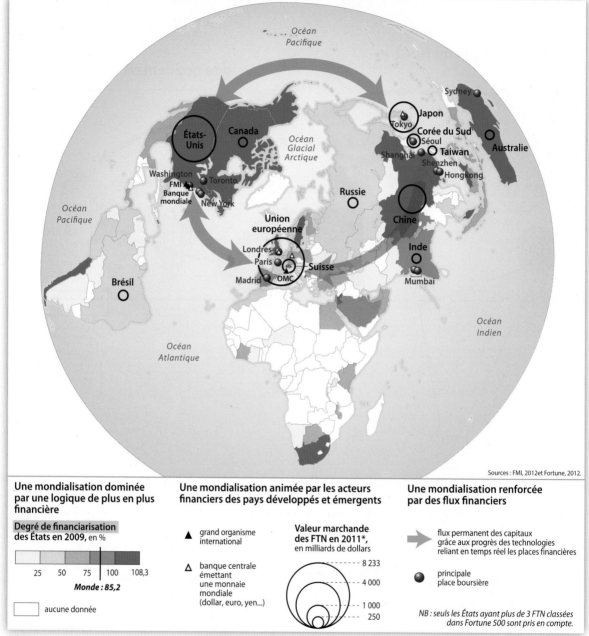

Sources : FMI, 2012et Fortune, 2012.

Une mondialisation dominée par une logique de plus en plus financière

Degré de financiarisation des États en 2009, en %

| 25 | 50 | 75 | 100 | 108,3 |

Monde : 85,2

aucune donnée

Une mondialisation animée par les acteurs financiers des pays développés et émergents

▲ grand organisme international

△ banque centrale émettant une monnaie mondiale (dollar, euro, yen...)

Valeur marchande des FTN en 2011*, en milliards de dollars

- 8 233
- 4 000
- 1 000
- 250

Une mondialisation renforcée par des flux financiers

➤ flux permanent des capitaux grâce aux progrès des technologies reliant en temps réel les places financières

● principale place boursière

NB : seuls les États ayant plus de 3 FTN classées dans Fortune 500 sont pris en compte.

1 **Les flux de capitaux dans le monde**

Questions

1. Qu'est-ce qui caractérise la mondialisation actuelle ? (doc. 1)
2. Quels sont les principaux acteurs de la mondialisation ? (doc. 1)

Vocabulaire

Degré de financiarisation : rapport entre le stock de capitaux d'un pays et son PIB.

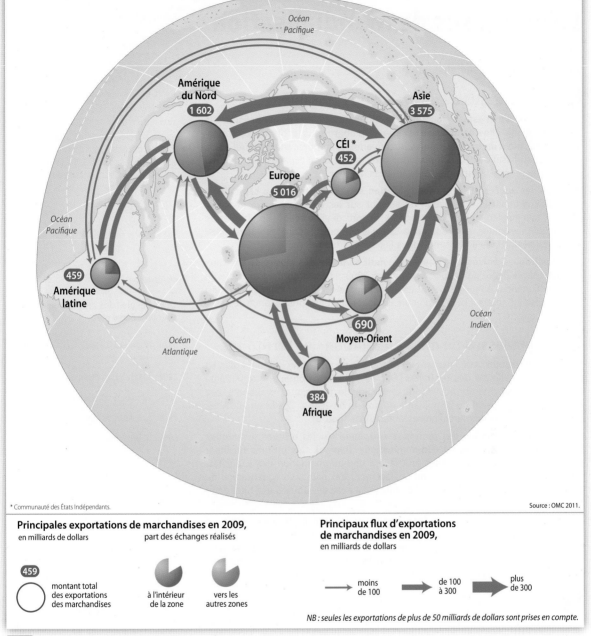

Principales exportations de marchandises en 2009,
en milliards de dollars   part des échanges réalisés

459
○ montant total
   des exportations
   des marchandises

à l'intérieur   vers les
de la zone   autres zones

Principaux flux d'exportations
de marchandises en 2009,
en milliards de dollars

→ moins
   de 100

→ de 100
   à 300

→ plus
   de 300

NB : seules les exportations de plus de 50 milliards de dollars sont prises en compte.

* Communauté des États Indépendants.   Source : OMC 2011.

2 **Les flux de marchandises dans le monde**

Questions

1. Dans quelles parties du monde les flux sont-ils les plus importants ? Quelles sont celles qui restent à l'écart ? (doc. 1 et 2)

2. La géographie des flux de capitaux et de marchandises est-elle semblable à celle dessinée par le marché mondial du café ou de la téléphonie mobile ? (doc. 1 et 2)

Le processus de mondialisation

> Qu'est-ce que la mondialisation ?

A Un processus de diffusion du capitalisme

■ **La mondialisation est un processus historique de diffusion du capitalisme à la surface du globe. Elle s'est réalisée par étapes,** d'abord sous la forme d'un capitalisme marchand à partir des Grandes Découvertes (commerce triangulaire), puis, avec l'industrialisation et la colonisation au XIXᵉ siècle, d'un capitalisme industriel (économies-monde britannique, puis américaine) **(doc. 1).**

■ **Depuis les années 1970, la mondialisation se caractérise par un capitalisme financier** marquant la domination du secteur sur les autres secteurs de l'économie. Cette troisième phase de la mondialisation coïncide avec les politiques de libéralisation promues par le Royaume-Uni et les États-Unis dans les années 1980 et généralisées au reste du monde dans les années 1990.

■ **Ces politiques provoquent une accumulation inédite des stocks de capitaux mesurée par le degré de financiarisation** : en 2009, 17 États abritent un stock de capitaux supérieur à leur PIB, 41 États abritent un stock de capitaux supérieur à 50 % de leur PIB **(carte 1 p. 22)**. La financiarisation est une conséquence de l'économie de marché.

B Un processus de mise en relation des territoires

■ **La mondialisation est également un processus de mise en relation de plus en plus intense et directe des territoires.** Depuis 1945, le commerce international connaît un boom extraordinaire qui témoigne de l'ouverture croissante des économies : en passant de 59 milliards de dollars en 1948 à 12 178 en 2009, les échanges mondiaux de marchandises ont explosé **(doc. 3)**.

■ **Cette mise en relation des territoires s'explique par les progrès techniques dans les transports et les télécommunications (Repère).** Ces progrès facilitent la circulation des flux, en expansion grâce à une augmentation des capacités, une accélération de la vitesse et un abaissement des coûts. La construction de porte-conteneurs et d'avions (A 380) géants ou la pose de câbles à très haut débit l'illustrent.

■ **Conséquence de la révolution des échanges et des transports, aucun territoire n'échappe à la mondialisation**, qui cependant ne crée pas d'ensemble homogène : l'indice de mondialisation montre en effet que 14 des 15 États les plus mondialisés sont européens, alors que 9 des 15 États les moins mondialisés sont africains et océaniens **(carte 1 p. 80)**.

C Un processus de valorisation des territoires

■ **Enfin, la mondialisation est un processus de valorisation des territoires par le capital.** Elle est source de richesse pour les États qui s'adaptent au capitalisme : c'est le cas des pays émergents, et notamment de la Chine, qui, au lieu de contester ce modèle, l'adoptent **(doc. 2)** et bénéficient d'une croissance économique forte de 5,7 % en 2010, quand la croissance mondiale s'élève à 3 %.

■ **Mais la mondialisation est un processus de valorisation sélective et différenciée des territoires.** En mettant en concurrence les différences géographiques (coûts, fiscalité) à l'échelle de la planète, la mondialisation repose sur une double logique d'intégration/exclusion à l'origine de profondes inégalités : les pays les moins avancés sont, par exemple, exclus du partage des richesses.

Vocabulaire

Degré de financiarisation : voir p. 98.
Échanges : voir p. 123.
Flux : voir p. 123.
Indice de mondialisation : compris entre 0 et 100 et calculé par l'École polytechnique fédérale de Zurich (EPFZ), il mesure les trois dimensions économique, sociale et politique de la mondialisation à partir de 24 variables.

Repère

Le rôle décisif des progrès techniques : quelques dates clés

1820 : 1ᵉʳ bateau à vapeur sur l'Atlantique Nord

1869 : ouverture du canal de Suez

1876 : naissance du téléphone

1914 : ouverture du canal de Panama

1946 : 1ᵉʳ ordinateur (calculateur géant)

1956 : 1ᵉʳ navire porte-conteneurs, 1ᵉʳ câble téléphonique transatlantique

1958 : 1ʳᵉ liaison transatlantique par avion à réaction

1962 : 1ᵉʳ satellite de communication

1969 : 1ᵉʳ Boeing 747

1976 : 1ᵉʳ ordinateur personnel (micro-ordinateur)

1979 : 1ᵉʳ téléphone mobile

1982 : naissance d'Internet

1991 : naissance du World Wide Web

2006 : 1ᵉʳ Airbus 380

Transport maritime, transport aérien, informatique et télécommunications

Source : L. Carroué (dir.), *La mondialisation*, 2006.

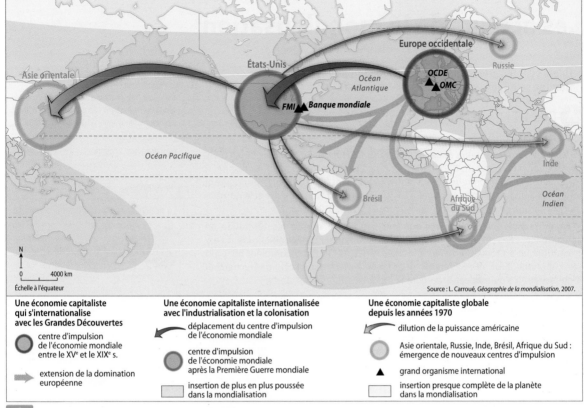

Source : L. Carroué, *Géographie de la mondialisation*, 2007.

Une économie capitaliste qui s'internationalise avec les Grandes Découvertes

○ centre d'impulsion de l'économie mondiale entre le XVe et le XIXe s.

→ extension de la domination européenne

Une économie capitaliste internationalisée avec l'industrialisation et la colonisation

↙ déplacement du centre d'impulsion de l'économie mondiale

● centre d'impulsion de l'économie mondiale après la Première Guerre mondiale

☐ insertion de plus en plus poussée dans la mondialisation

Une économie capitaliste globale depuis les années 1970

↙ dilution de la puissance américaine

○ Asie orientale, Russie, Inde, Brésil, Afrique du Sud : émergence de nouveaux centres d'impulsion

▲ grand organisme international

☐ insertion presque complète de la planète dans la mondialisation

1 **Le long processus historique de mondialisation**

1. Quels sont les trois stades de la mondialisation ?

2. Quels territoires ont été successivement insérés dans la mondialisation ?

2 **Un processus d'expansion du capitalisme occidental.** Caricature de Chappatte, *IHT*, 17 octobre 2007.

La Chine communiste s'est convertie au capitalisme depuis le lancement de sa politique d'ouverture en 1978 et son entrée dans l'OMC en 2001.

3 **Une explosion des échanges mondiaux de marchandises depuis 1948**

1. Comment évoluent les échanges mondiaux de marchandises depuis 1948 ?

2. Dans quels territoires ces échanges sont-ils les plus importants ?

Les acteurs de la mondialisation

> Quels sont les principaux acteurs de la mondialisation ?
  Quelles sont leurs stratégies ?

A Les FTN, des acteurs qui encouragent le processus

■ **Les FTN sont les acteurs majeurs de la mondialisation**. En 2011, les 82 000 FTN réalisent plus du quart du PIB, deux tiers du commerce mondial, et participent à la gouvernance économique par un lobbying puissant (OMC, FMI). Elles couvrent toutes les activités et appartiennent à 81 % aux pays du Nord, même si le nombre de FTN du Sud progresse vite (+ 54 % entre 2006 et 2010) **(doc. 1)**.

■ **La puissance des FTN repose sur leur capacité à mettre les territoires en concurrence**. Elles imposent leur division internationale du travail et gèrent l'espace mondial en fonction de leurs intérêts. En 2011, 10 États cumulent 59 % du stock mondial d'IDE et 65 États 96 %, essentiellement dans la Triade (recherche, high-tech) et les puissances émergentes (diversification croissante).

■ **Leurs stratégies d'implantation suivent trois logiques** : l'accès aux produits et aux matières premières, l'accès aux marchés et la valorisation des inégalités socio-économiques. Les FTN délocalisent leurs productions dans le Sud (40 % des emplois) afin d'abaisser les coûts de production (avantages fiscaux, main-d'œuvre bon marché), mais leurs IDE privilégient toujours le Nord (48 % pour les États-Unis et l'UE en 2011).

B Les États, des acteurs qui encouragent ou régulent le processus

■ **Les États sont aussi des acteurs centraux de la mondialisation**. Ils aménagent leur territoire : infrastructures portuaires, zones franches (ZES chinoises, Tanger Med). En ratifiant les traités internationaux, les États ouvrent leurs systèmes économiques, ce qui génère emplois, remontée de filière et intégration aux échanges mondiaux.

■ **Les États jouent un rôle de régulateur de la mondialisation**. Ils assurent les besoins des populations (éducation, travail) et des entreprises (recherche, investissements), et, après avoir longtemps dérégulé, ils œuvrent pour limiter les dérives de la mondialisation (délocalisations, uniformisation) et cultivent leurs spécificités (modèles anglo-saxon, germanique, asiatique) **(doc. 2)**.

■ **Les États s'organisent en associations régionales de coopération économique**, ce qui leur permet de s'affirmer dans la mondialisation. L'UE, l'Alena, l'Asean ou le Mercosur sont à la fois des relais et des régulateurs (pression internationale) de la mondialisation **(Repère B)**.

C Les autres acteurs

■ **Les instances internationales cherchent à encadrer la mondialisation**. L'OMC encourage les échanges mondiaux en limitant le protectionnisme et arbitre les différends entre États. Le FMI veille à la stabilité financière et, comme la Banque mondiale, accorde des prêts aux pays en difficulté. Les sommets informels du G8 et du G20 coordonnent les politiques des pays les plus riches **(Repère A, doc. 3)**.

■ **Les organisations illicites produisent une mondialisation parallèle**. Elles s'organisent avec des flux entre des espaces d'approvisionnement (opium afghan, prostituées d'Europe de l'Est), de consommation (Nord) et des pôles financiers (paradis fiscaux) : le marché de la drogue génère autant d'argent que celui du pétrole.

■ Les **ONG** (Greenpeace, Oxfam, WWF, Amnesty International), **les médias et les groupes de pression** forgent, autant qu'ils relaient, une opinion publique internationale, participant ainsi à la mondialisation.

Vocabulaire

Division internationale du travail : spécialisation des pays dans un type d'activité (recherche, innovation, production, montage…).

FTN : voir p. 85.

Gouvernance : voir p. 26.

Repère A

La gouvernance économique mondiale

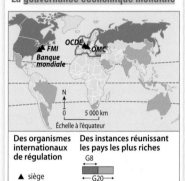

FMI
Banque mondiale
OCDE
OMC

N
0   5 000 km
Échelle à l'équateur

Des organismes internationaux de régulation	Des instances réunissant les pays les plus riches
▲ siège	G8
	← G20 →

☐ UE : observatrice du G8 et membre du G20

Repère B

Le poids comparé de quelques regroupements d'États

		Millions d'habitants en 2011	Part de la population mondiale en 2011, en %	Part du PIB mondial en 2011, en %
Associations régionales de coopération économique	Alena	461	6,6	27,2
	Asean	600,8	8,6	3,0
	Mercosur	276,5	4,0	4,5
	UE	501,7	7,2	25,8
Clubs de pays	G8	885,7	12,7	52,8
	G20	4 528,0	64,8	87,5
	Brics*	2 984,9	42,7	18,5

Sources : Population Reference Bureau et FMI, 2012.

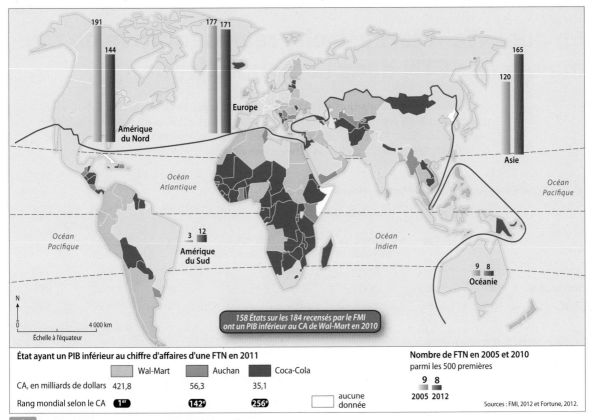

191 177 171
144

Europe

Amérique
du Nord

Océan
Atlantique

Océan
Pacifique

Asie

165

120

Océan
Pacifique

Océan
Indien

3 12

Amérique
du Sud

9 8
Océanie

N

0   4 000 km

Échelle à l'équateur

*158 États sur les 184 recensés par le FMI
ont un PIB inférieur au CA de Wal-Mart en 2010*

État ayant un PIB inférieur au chiffre d'affaires d'une FTN en 2011			Nombre de FTN en 2005 et 2010
Wal-Mart	Auchan	Coca-Cola	parmi les 500 premières
CA, en milliards de dollars 421,8	56,3	35,1	9 8
Rang mondial selon le CA **1er**	**142e**	**256e**	2005 2012

aucune donnée

Sources : FMI, 2012 et Fortune, 2012.

1 Des FTN plus riches que la majorité des États

2 Le rôle essentiel de l'État aux États-Unis pendant la crise financière de 2007-2010.
Caricature de Chappatte, *Le Temps*, 22 mai 2010.

1. À quelle doctrine le trader fait-il allusion lorsqu'il parle de « main invisible » ?
2. Quel rôle le gouvernement des États-Unis a-t-il joué pendant la crise financière ?

3 Le G20 : l'élaboration d'une gouvernance économique mondiale

En regroupant les vingt pays les plus puissants de la planète, du Nord et du Sud, le G20 porte l'espoir d'une régulation ordonnée et coordonnée de la mondialisation économique. En 2009, l'institution a effectivement prouvé son utilité en réussissant [...] à organiser le pilotage politique d'une nouvelle régulation financière. Mais son succès s'arrête là. [...] Sa tentative de devenir un organe de surveillance et d'alerte des déséquilibres économiques mondiaux se heurte [...] à la résistance des États qui ne souhaitent pas se voir imposer leur politique économique par une institution supranationale. [...]

Le G20, qui inclut les principaux pays émergents, est un progrès indéniable par rapport au club fermé du G7 mais sa légitimité reste contestée. D'abord, elle est censitaire, il faut être parmi les plus riches pour en faire partie. Ensuite, les grands pays y jouent un rôle prépondérant. [...] Enfin, des pays clés importants dans leur zone, par exemple l'Espagne ou Singapour, n'en sont pas membres.

L'État de l'économie 2011, Alternatives économiques, 2011.

1. Quelle est la fonction du G20 ?
2. Quels États le composent ?

En quoi Wal-Mart est-elle représentative du rôle majeur des FTN dans la mondialisation ?

Fondée en 1962 aux États-Unis, Wal-Mart est une entreprise familiale de la distribution qui s'est hissée au premier rang des firmes transnationales en réalisant un chiffre d'affaires supérieur au PIB de 158 États. Depuis les années 1990, Wal-Mart développe une stratégie d'internationalisation qui en fait un acteur majeur du processus de mondialisation.

1 Le poids économique de Wal-Mart : quelques chiffres clés

	Magasins en 2011						Chiffre d'affaires en 2010	
	Nombre	%	Surface, en millions de m²	%	Salariés, en millions	%	En millions de dollars	%
États-Unis	4 413	49,2	64 871	70,9	1,4	66,7	309 720	73,9
International	4 557	50,8	26 633	29,1	0,7	33,3	109 232	26,1
Total	8 970	100	91 504	100	2,1	100	418 952*	100

Source : Wal-Mart Stores, 2011.

* Il est supérieur au PIB de la Norvège et à deux fois celui du Nigeria.

2 Une stratégie de délocalisation des approvisionnements

Défenseur dans les années 1980 du fameux slogan « *Buy American*[1] », la firme doit aujourd'hui sa fortune aux importations de produits manufacturés de pays aux coûts salariaux bien plus compétitifs. Wal-Mart achète les produits qu'il distribue auprès d'environ 65 000 fournisseurs répartis dans une soixantaine de pays dont seulement un millier aux États-Unis. En 2006, ses bureaux d'achat sont implantés dans 22 pays. [...]

La Chine constitue l'espace privilégié de l'approvisionnement de l'entreprise. Une équipe de 400 personnes coordonne la production et les achats de 20 milliards de dollars par an chez une vingtaine de milliers de fournisseurs. [...] Shenzhen devient le siège du bureau Wal-Mart pour l'Asie du Sud puis, en 2002, [...] sa centrale d'achat à l'échelle planétaire s'y installe. [...] L'atelier du monde [...] n'aurait pu fonctionner efficacement sans la révolution du conteneur dans le domaine du transport maritime. Au total, c'est environ 230 000 conteneurs EVP[2] que Wal-Mart fait traverser chaque année le Pacifique, d'est en ouest. [...]

Pour maintenir des prix bas tous les jours comme l'indique son slogan « *Everyday low prices*[3] », l'entreprise importe 60 % des produits vendus dans ses magasins, en 2005, contre 6 % en 1995. Sa politique de prix discount a été un formidable accélérateur des effets de la mondialisation aux USA, d'où le débat actuel sur la responsabilité de la firme dans le gonflement du gigantesque déficit commercial du pays.

R.-P. Desse, « Les territoires emboîtés de Wal-Mart », *BSGLg*, 2011.

1. « Achetez américain ! »
2. Équivalent vingt pieds.
3. « Des prix bas tous les jours ».

3 Wal-Mart : une FTN de la grande distribution

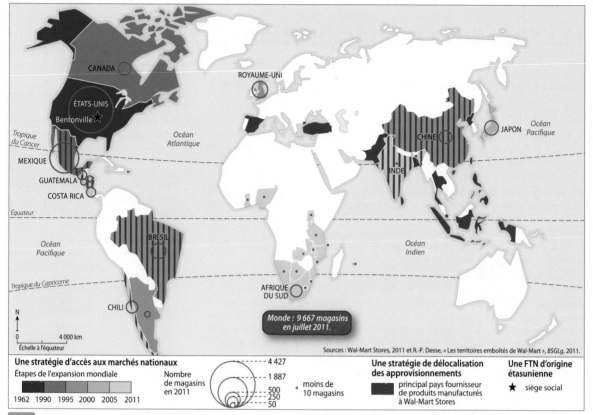

Une stratégie d'accès aux marchés nationaux

Étapes de l'expansion mondiale

1962 1990 1995 2000 2005 2011

Nombre
de magasins
en 2011

4 427
1 887
500
250
50

• moins de
10 magasins

Une stratégie de délocalisation
des approvisionnements

principal pays fournisseur
de produits manufacturés
à Wal-Mart Stores

Une FTN d'origine
étasunienne

★ siège social

Monde : 9 667 magasins
en juillet 2011.

Sources : Wal-Mart Stores, 2011 et R.-P. Desse, « Les territoires emboîtés de Wal-Mart », *BSGLg*, 2011.

4 **Wal-Mart : un déploiement planétaire tardif**

5 **Les obstacles à l'expansion de Wal-Mart en Europe**

Dans les années 1990, les premières implantations en Europe vont rencontrer les premières difficultés, jusqu'à obliger la firme à renoncer à son expansion européenne.

En 1999, Wal-Mart rachète Asda, la 2e plus grande chaîne de supermarchés du Royaume-Uni. La décennie Thatcher avait permis de faire évoluer le droit du travail et de baisser le niveau des salaires britanniques à des niveaux acceptables pour l'entreprise américaine. En 2003, Wal-Mart absorbe Sainsbury's. [Mais] les syndicats de la grande distribution [...] vont utiliser leurs relais dans la presse et le monde politique pour susciter des campagnes anti-Wal-Mart, ralentissant de ce fait la croissance du groupe au Royaume-Uni.

En Allemagne, [...] l'implantation de Wal-Mart est un échec. [...] Dans un environnement très concurrentiel où d'importantes parts de marché, notamment dans l'alimentaire, sont prises par les hard discounters, [...] les méthodes commerciales à l'américaine n'ont pas fonctionné. [...] Par ailleurs, une réglementation très stricte sur les heures d'ouverture des magasins et sur la flexibilité des horaires de travail des employés limite les marges de manœuvre de Wal-Mart. [...] L'entreprise nord-américaine [...] quitte le territoire allemand en 2006.

R.-P. Desse, « Les territoires emboîtés de Wal-Mart »,
BSGLg, 2011.

Questions

1. Présentez Wal-Mart : sa branche d'activités, son poids économique et son déploiement planétaire. (doc. 2, 3 et 4)

2. Quelles sont les deux dimensions de l'internationalisation de Wal-Mart ? De quelles façons cette internationalisation se réalise-t-elle ? (doc. 1, 2 et 4)

3. Le territoire d'action de Wal-Mart couvre-t-il l'ensemble de la planète ? Pourquoi ? (doc. 2 et 4)

Les flux de la mondialisation

> Quels sont les principaux flux mondiaux ? Quels réseaux mettent-ils en place ?

A Des flux humains croissants

■ **La mobilité des hommes connaît une forte accélération**. Elle a triplé en trente ans (214 millions en 2009) et se diversifie : travailleurs, élites qualifiées (fuite des cerveaux), réfugiés ou déplacés politiques ou climatiques, membres du regroupement familial (70 % des migrations vers les États-Unis).

■ **Les migrations deviennent planétaires**. Elles s'organisent autour de la Triade mais également du Sud (golfe Persique, espaces de transit du Maghreb ou du Mexique). Les migrations Sud-Nord et Sud-Sud représentent chacune 29 % du total, et les migrations Nord-Nord, près du quart. Tout en accueillant les élites qualifiées, les pays d'immigration érigent des protections diverses (barrières, zones d'enfermement) afin de contrôler ces flux (doc. 2).

■ **Les flux touristiques internationaux explosent**. Ils totalisent 1 milliard d'arrivées en 2010 et devraient presque doubler d'ici à 2020. Ceci s'explique par la baisse des coûts de transport et la hausse des niveaux de vie, mais reste un fait polarisé (15 pays accueillent 2/3 des flux). Cette mondialisation touristique, soumise aux aléas économiques et géopolitiques, a des conséquences sur les sociétés (développement, choc culturel) et les territoires (aménagement, environnement) et organise le monde en réseaux interdépendants.

B Des flux matériels dominants

■ **Le commerce mondial augmente deux fois plus vite que la production depuis 1950**. Il en représente environ le quart. Ceci s'explique par la libéralisation des échanges (OMC, unions régionales) et la révolution des transports, en particulier maritimes, ceux-ci acheminant 70 % des produits échangés. Les produits manufacturés représentent 70 % du commerce de marchandises, les matières énergétiques ou minières 20 %, et les produits agricoles 10 % (doc. 1 et p. 22-23).

■ **Les flux sont polarisés par la Triade et les puissances émergentes** (Repère A et doc. 1). 85 % des échanges se font entre eux, mais les pays sont inégalement dépendants de leurs exportations (Singapour à 76 %, Allemagne à 33 %, États-Unis à 7 %). Les pays les plus pauvres sont marginalisés.

■ **Ces flux dessinent un réseau de plus en plus complexe**. L'utilisation massive des conteneurs entraîne la hiérarchisation des plates-formes portuaires et aéroportuaires (hubs), qui s'organisent en façades maritimes dont les plus puissantes drainent les flux les plus importants.

C Des flux immatériels qui explosent

■ **Les flux de capitaux sont en forte progression**. Les IDE augmentent avec la multinationalisation et les flux générés par la capitalisation boursière ont été multipliés par 5 en vingt ans (Repère B). Les transferts des migrants représentent trois fois la valeur de l'aide financière internationale et participent au développement des pays de départ.

■ **Les flux de services marchands représentent un cinquième de la valeur du commerce international**. Ils sont dominés par les économies post-industrielles du Nord, même si les puissances émergentes progressent vite (18 % pour la Chine et le Brésil entre 2005 et 2009). Ils prennent des formes variées : tourisme (26 % du total), transports (21 %), télécommunications, médias…

■ **Les échanges immatériels s'organisent aussi en réseaux**. Les marchés financiers sont interconnectés et les places boursières des métropoles du Nord (85 % de la capitalisation mondiale) fonctionnent en continu. Les NTIC favorisent la constitution de réseaux d'information dominés par les grandes agences de presse (Associated Press, Reuters) et, de plus en plus, par le réseau numérique (Google, Twitter) (doc. 3).

Vocabulaire

Hubs : voir p. 146.

IDE : investissement d'une firme à l'étranger par la création ou le rachat d'une entreprise existante.

Réfugié : personne fuyant une situation politique qui la met en danger dans son pays d'origine (guerre civile, dictature, persécution ethnique ou religieuse).

Repère A

Les principaux pays marchands en 2011

Les 5 premiers pays exportateurs de marchandises	Part des exportations mondiales de marchandises
Chine	10,4 %
États-Unis	8,4 %
Allemagne	8,3 %
Japon	5,1 %
Pays-Bas	3,8 %

Les 5 premiers pays importateurs de marchandises	Part des importations mondiales de marchandises
États-Unis	12,8 %
Chine	9,1 %
Allemagne	6,9 %
Japon	4,5 %
France	3,9 %

Source : OMC, 2012.

Repère B

Les flux sortants d'IDE en 2010

Pays en développement
Amérique latine et Caraïbes 5,8 % (76)
CÉI* 4,5 % (60)
Asie et Océanie 18,5 % (245)
Afrique 0,5 % (7)
Autres 6,9 % (92)
Europe 36,0 % (476)
Amérique du Nord 27,8 % (367)
Pays développés

Total : 1 323 milliards de dollars

* Communauté des États indépendants. Source : CNUCED, 2011.

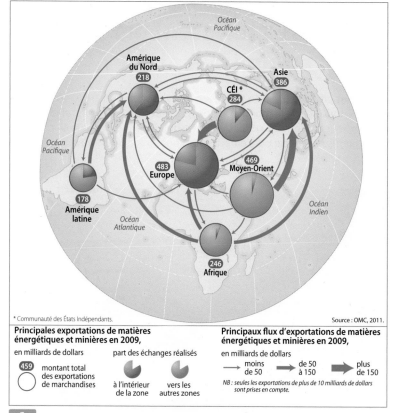

Source : OMC, 2011.

Principales exportations de matières énergétiques et minières en 2009,

en milliards de dollars

459 montant total des exportations de marchandises

part des échanges réalisés

à l'intérieur de la zone   vers les autres zones

Principaux flux d'exportations de matières énergétiques et minières en 2009,

en milliards de dollars

→ moins de 50   → de 50 à 150   ➡ plus de 150

NB : seules les exportations de plus de 10 milliards de dollars sont prises en compte.

1 Le commerce de matières énergétiques et minières dans le monde

1. Quels sont les principaux flux de matières énergétiques et minières ?
2. Quels sont les pôles où les flux entre les zones sont forts ? Quels sont ceux où ils sont faibles ?

3 Les flux d'information lors du « printemps arabe » de 2011.

Les NTIC ont été à la fois un outil de la révolution (manifestations organisées à partir de réseaux sociaux) et un vecteur de sa diffusion.

2 La mobilité des hommes dans le domaine de la santé

La mondialisation de la santé se constate [par exemple à travers] la mondialisation des flux de personnes [qui] résulte de deux phénomènes : la mobilité des soignants, qu'elle soit engendrée par des pénuries dans certains pays ou par des différences de rémunération, et le tourisme médical qui amène les patients à se faire soigner là où les soins offrent le meilleur rapport qualité-prix. Un mouvement asymétrique se crée : un flux de patients « aisés » se déplace du Nord vers les établissements hospitaliers du Sud, tandis qu'à l'inverse un flux de soignants s'écoule du Sud vers le Nord. [...]

C'est aux États-Unis que l'on totalise le plus grand nombre de médecins nés à l'étranger (près de 200 000). [...] La France compte 23 308 infirmières nées à l'étranger, soit 5,5 % des effectifs. Les Philippines, l'Afrique et plus généralement les pays en développement servent de réservoir dans lequel puisent les pays développés. [...] Ces mouvements s'inscrivent dans les flux migratoires de personnes hautement qualifiées du Sud vers le Nord. [...]

S'il n'est pas étonnant de voir des habitants parmi les plus fortunés des pays en développement venir se faire soigner dans les pays riches, il est plus inhabituel que des pays pauvres offrent des prestations de qualité qui attirent des patients originaires des pays développés. [...] Aux États-Unis, on est passé de 150 000 patients partis se faire soigner en Asie ou en Amérique latine en 2006, à 750 000 en 2007 et le chiffre sera proche de 6 millions en 2010. [...] La Thaïlande était en 2007 la première destination du tourisme médical avec 1,5 million de patients, l'Inde occupant la deuxième place.

J.-F. Nys, « Les nouveaux flux de migrations médicales », *Revue internationale et stratégique*, 2010.

1. Quels sont les deux types de mobilités médicales ?
2. Quels sont les facteurs de ces mobilités ?

En quoi les flux migratoires reflètent-ils le fonctionnement de la mondialisation ?

Si les migrations humaines ont presque triplé en trente ans, elles sont en réalité très anciennes et incarnent les processus historiques de la mondialisation (traite des esclaves, migrations européennes de la fin du XIXe et du début du XXe siècle). Elles sont devenues de plus en plus complexes et s'organisent en réseaux entre pôle émetteurs et pôles récepteurs aux politiques disparates.

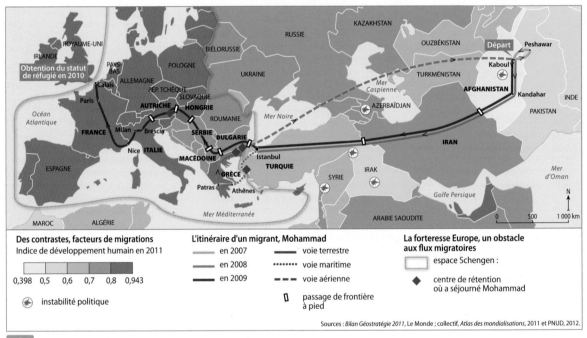

Des contrastes, facteurs de migrations
Indice de développement humain en 2011

0,398 0,5 0,6 0,7 0,8 0,943

instabilité politique

L'itinéraire d'un migrant, Mohammad
— en 2007   voie terrestre
— en 2008   •••••••• voie maritime
— en 2009   --- voie aérienne
                passage de frontière à pied

La forteresse Europe, un obstacle aux flux migratoires
espace Schengen :
centre de rétention où a séjourné Mohammad

Sources : *Bilan Géostratégie 2011*, Le Monde ; collectif, *Atlas des mondialisations*, 2011 et PNUD, 2012.

1 **Le long parcours d'un migrant, Mohammad**

2 **Une immigration entre protection et sélection en Australie.** Caricature de P. Nicholson, *The Punch*, 7 janvier 2011.

Traduction : « Immigration qualifiée » ;
« Avancez en début de file, monsieur. »

3 **La mobilité, un facteur de développement**

Le rapport du PNUD (Programme des Nations unies pour le développement) de 2009 montre, chiffres à l'appui, que la mobilité est devenue un facteur essentiel du développement humain. Les transferts de fonds (300 milliards de dollars en 2006, [...] 328 milliards en 2008) représentent trois fois l'aide publique au développement (105 milliards de dollars en 2008). Le développement par l'exil s'accélère quand les élites réinvestissent leurs savoir-faire ou leurs capitaux, comme en Inde et en Chine. La modernisation des modes de vie est parfois source d'importation d'idées de liberté, d'égalité et de démocratie. Les pays de départ commencent à s'intéresser à leurs migrants, hier considérés comme des traîtres ou des lâches : ils multiplient la double nationalité, le soutien aux associations de compatriotes, la facilitation des transferts de fonds et soutiennent le vote de leurs ressortissants à l'étranger, comme stratégie d'influence.

Collectif, *Atlas des mondialisations*, 2011.

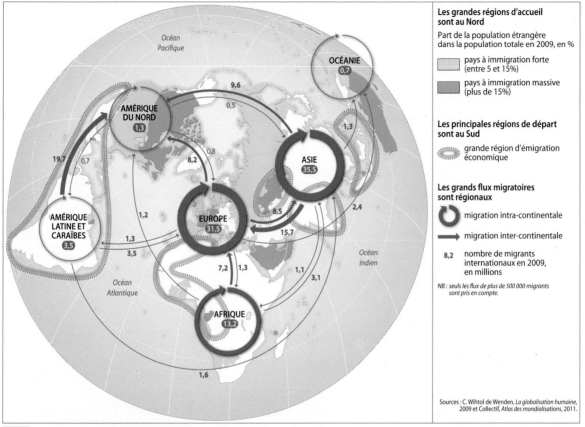

Les grandes régions d'accueil
sont au Nord

Part de la population étrangère
dans la population totale en 2009, en %

pays à immigration forte
(entre 5 et 15%)

pays à immigration massive
(plus de 15%)

Les principales régions de départ
sont au Sud

grande région d'émigration
économique

Les grands flux migratoires
sont régionaux

migration intra-continentale

migration inter-continentale

8,2 nombre de migrants
internationaux en 2009,
en millions

NB : seuls les flux de plus de 500 000 migrants
sont pris en compte.

Sources : C. Wihtol de Wenden, *La globalisation humaine*,
2009 et Collectif, *Atlas des mondialisations*, 2011.

4 **Les flux migratoires dans le monde**

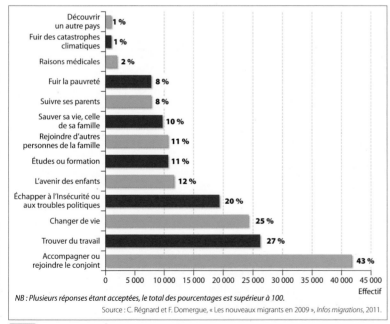

NB : *Plusieurs réponses étant acceptées, le total des pourcentages est supérieur à 100.*

Source : C. Régnard et F. Domergue, « Les nouveaux migrants en 2009 », *Infos migrations*, 2011.

5 **Les raisons du départ des migrants.** Ces données résultent d'une enquête
réalisée en 2010 auprès de 100 000 migrants entrés en France en 2009.

EXERCICE GUIDÉ

SUJET Processus, acteurs et flux de la mondialisation

Étape 1 Analyser le sujet

■ Identifier les mots-clés et délimiter l'espace concerné

Processus, acteurs et flux de la mondialisation

| Repérez dans le cours 1 les trois sens de « processus de mondialisation ». | Quels sont les principaux acteurs de la mondialisation ? Quelles sont leurs stratégies ? | Ce terme invite à réfléchir aux liens existant entre les trois thèmes du sujet. Quels sont-ils ? | De quelles natures sont les échanges à travers le monde ? Quelles sont leurs directions ? Quels sont les échanges les plus importants ? | La mondialisation caractérise un processus qui se réalise à l'echelle mondiale. |

■ Dégager la problématique

Conseil *Une bonne problématique induit un développement logique.*

Proposition de formulation : *Quels sont les mécanismes de la mondialisation ?*

Étape 2 Élaborer le plan

Complétez la liste d'exemples, puis organisez-les dans le tableau suivant.

Conseil *Au brouillon, listez les informations susceptibles d'être utilisées.*

Groupez les informations listées en grandes parties. Chacune constitue une partie de la démonstration	Organisez chaque partie autour de deux ou trois arguments	Choisissez des exemples extraits du cours, des connaissances personnelles pour appuyer la démonstration

Grandes parties du plan	Arguments	Exemples
1. Les trois processus de la mondialisation	a. Un processus de diffusion du capitalisme b. Un processus de mise en relation des territoires c. Un processus de valorisation des territoires	*Grandes Découvertes ;* ....
2. Les trois principaux types d'acteurs	a. Les FTN : des acteurs qui encouragent le processus b. Les États : des acteurs qui encouragent ou régulent le processus c. Des acteurs qui dénoncent	....
3. Les trois principaux types de flux qui tissent des réseaux	a. Des flux humains croissants b. Des flux matériels importants c. Des flux immatériels qui explosent	....

Étape 3 Rédiger la composition

Introduction : *Désormais, plus aucun espace n'échappe au processus de mondialisation, qui s'est intensifié depuis les années 1970. Ce système d'échanges généralisés qui repose sur des flux humains, matériels (produits agricoles, énergétiques, manufacturés...) et immatériels (services, informations et capitaux) résulte de stratégies d'acteurs plurielles et parfois opposées. Quels processus ces acteurs mettent-ils en œuvre et en quoi favorisent-ils la croissance des échanges ? Après avoir analysé le processus de mondialisation et les acteurs de ces échanges, nous présenterons l'organisation des flux mondiaux et leurs conséquences sur l'organisation de l'espace mondial.*

→ Amorce et définition du sujet

→ Problématique

→ Annonce du plan

Développement

Partie 1 : Les trois processus de la mondialisation

La mondialisation constitue un processus ancien, total et inégal.
Rédigez la partie 1 en développant les arguments de cette idée, que vous illustrerez par les exemples retenus dans le plan et par un schéma.

> La première phrase de chaque partie en annonce le contenu

Transition :
Le dernier stade de la mondialisation actuelle a donc profondément accéléré les échanges exploitant les inégalités des territoires. Ces flux émanent de stratégies d'acteurs majeurs qui répondent à des logiques parfois opposées.

> La transition clôt la partie rédigée en répondant partiellement à la problématique et annonce la partie suivante

Partie 2 : Les trois principaux types d'acteurs

Trois types d'acteurs interagissent dans la mondialisation, tantôt pour favoriser la diffusion du capitalisme, tantôt pour la réguler voire la dénoncer.
Les FTN (82 000 en 2011) constituent les acteurs centraux de la mondialisation et appartiennent à 81 % aux pays du Nord. Comme Wal-Mart, Starbucks ou Nike, elles mettent en concurrence les territoires, poursuivant une logique d'avantages comparatifs et de division internationale du travail (DIT) : sièges sociaux dans les pôles de la Triade, unités de production dans les pays offrant une main-d'œuvre bon marché (Chine), des matières premières (Total au Congo) ou un marché à conquérir. Ces investissements renforcent l'interdépendance des territoires.

> Chaque paragraphe contient :
> – une affirmation
> – des arguments tirés du cours
> – des exemples concrets (données chiffrées, lieux précis…)
> – une transition avec le paragraphe suivant

Rédigez la suite de la partie 2 en développant les arguments retenus, que vous illustrerez par des exemples et un schéma.

Partie 3 : Les trois principaux types de flux qui tissent des réseaux

Rédigez la partie 3 en développant les arguments sur l'organisation des flux, que vous illustrerez par des exemples et un schéma.
Le schéma suivant figure le fonctionnement asymétrique de la mondialisation.

Schéma   **L'asymétrie des flux dans le monde**

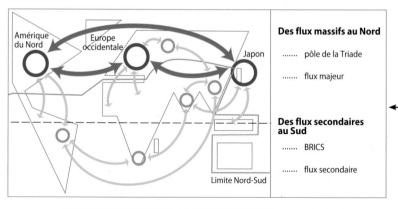

> – L'insertion de petits schémas est valorisée
> – Le schéma est introduit mais pas décrit : inutile de répéter les informations cartographiées

Conclusion : *Le processus de mondialisation procède du jeu d'acteurs multiples dont les FTN représentent les acteurs centraux. En recherchant les situations les plus rentables, elles suivent une logique de mise en concurrence des territoires. Ceux-ci sont ainsi mis en réseaux par les flux que leurs activités économiques génèrent. Même si les acteurs institutionnels tentent une régulation, la mondialisation repose sur une structure polycentrique qui n'a pas tout à fait effacé l'asymétrie entre les pays du Nord et ceux du Sud et certains territoires restent encore en marge de la mondialisation. Pour lutter contre les effets négatifs de la mondialisation, ONG, médias et groupes de pression réclament une gouvernance mondiale et œuvrent pour un développement durable, soucieux d'un développement équilibré entre respect de l'environnement, progrès social et croissance économique.*

> Rappel des principaux arguments et réponse à la problématique

> Ouverture vers un débat plus large toujours en lien avec « la mondialisation »

EXERCICE GUIDÉ

SUJET Un produit mondialisé

À partir de l'étude de cas menée en classe, présentez la mondialisation de ce produit, ses acteurs et les flux qu'il génère.

Étape 1 Analyser le sujet

■ Identifier les mots-clés

Conseil *On n'analyse qu'un seul produit, celui étudié en classe. Trois notions essentielles du cours sont soulignées.*
  – Quels espaces sont concernés par le commerce de ce produit ?
  – Quels sont les acteurs de ce marché ?
  – Dans quelles directions vont les échanges ?

À partir de l'étude de cas menée en classe, présentez la **mondialisation** de ce **produit**, ses **acteurs** et les **flux** qu'il génère.

un **produit** mondialisé

Le produit choisi doit être représentatif du sujet : c'est un exemple pour comprendre un processus plus large (la mondialisation). Quel produit a été étudié en classe ? Quelle est la nature de ce produit ?

Quelle différence y a-t-il entre « mondial » et « mondialisé » ?

■ Délimiter l'espace concerné

■ Dégager la problématique

Proposition de formulation adaptée aux études de cas **1** et **2** :

En quoi le téléphone mobile/le café est-il représentatif du fonctionnement de la mondialisation ?

Étape 2 Élaborer le plan

En utilisant les documents de l'étude de cas, complétez la colonne « Exemples » du tableau suivant.

Grandes parties	Arguments	Exemples (café ou téléphonie mobile)
1. Une mondialisation progressive de la production et de la consommation du produit	a. Une consommation et une production aujourd'hui mondialisée	– 2,3 milliards de tasses de café bues quotidiennement dans le monde OU – 5,6 milliards d'utilisateurs du téléphone mobile, plus de 99 % de la population desservie par un réseau de téléphonie mobile aux États-Unis ou en UE – ....
	b. Les étapes de la diffusion	– À partir du XVIIIe siècle, les Européens diffusent la production du café OU – Le mobile : une des technologies à la diffusion la plus rapide
2. Une filière dominée par une poignée d'acteurs	a. Des acteurs peu nombreux b. Une filière déséquilibrée c. Des acteurs aux stratégies différentes	– Doc. 10 p. 85 / Doc. p. 92-93 : .... – Doc. 7 et 8 p. 84 / Doc. 6 et 8 p. 92 : .... – Doc. 7 et 9 p. 85 / Doc. 7, 9 et 10 p. 93 : ....
3. Des flux asymétriques	a. Un marché Nord-Sud inégal b. Une filière organisée en réseau c. Une filière à l'origine de flux divers	– Doc. 11 et 12 p. 86 / Doc. 11, 12 et 13 p. 94 : .... – Doc. 12 p. 86 / Doc. 11 p. 94 : .... – Doc. 11 à 14 p. 86-87 / Doc. 1 p. 90, doc. 5 p. 91 et doc. 12 et 13 p. 94 : ....

Étape 3 Rédiger la composition

■ Organiser l'introduction

Proposez une amorce à l'introduction.

Pour formuler une amorce, appuyez-vous sur un exemple, un fait ou des données statistiques.

....

....

Le marché de la téléphonie mobile/du café est-il cependant représentatif du fonctionnement de la mondialisation ? Suit-il les mêmes

logiques ? Nous verrons successivement qu'il s'agit d'un produit mondialisé qui favorise la création de réseaux, que sa diffusion repose sur des flux asymétriques et qu'elle est portée par des acteurs aux stratégies variées et parfois opposées.

■ Illustrer la composition par des schémas

Donnez un titre à chacun des schémas suivants et, en vous reportant au tableau de l'étape 2, associez-les à une partie de la composition.

Titre : ....

Titre : ....

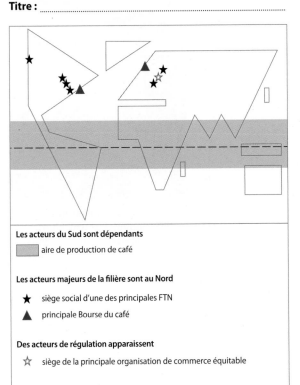

Les acteurs du Sud sont dépendants

▢ aire de production de café

Les acteurs majeurs de la filière sont au Nord

★ siège social d'une des principales FTN

▲ principale Bourse du café

Des acteurs de régulation apparaissent

☆ siège de la principale organisation de commerce équitable

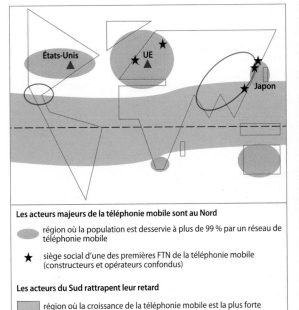

Les acteurs majeurs de la téléphonie mobile sont au Nord

⬭ région où la population est desservie à plus de 99 % par un réseau de téléphonie mobile

★ siège social d'une des premières FTN de la téléphonie mobile (constructeurs et opérateurs confondus)

Les acteurs du Sud rattrapent leur retard

▢ région où la croissance de la téléphonie mobile est la plus forte

◯ principale région de fabrication de téléphones mobiles

Peu d'acteurs de la régulation

▲ siège de l'Union internationale des télécommunications (organisme dépendant de l'ONU)

Proposez un schéma illustrant une autre partie de la composition.

■ Rédiger l'ouverture de la conclusion

Écrivez une fin de conclusion qui élargit le sujet tout restant en relation directe avec ce sujet.

L'étude de la téléphonie mobile/du café illustre le fonctionnement de la mondialisation. Les flux économiques, financiers et technologiques générés mettent en relation les différents espaces de la planète et constituent des réseaux. De même, le marché de ce produit tire profit mais également accentue les différences de développe-

ment entre les territoires, répondant aux logiques des acteurs économiques. Toutefois, la diffusion de la téléphonie mobile/le marché du café participe à l'intégration des territoires, notamment ceux du Sud ....

....

EXERCICE GUIDÉ

SUJET La poupée Barbie : un produit mondialisé ?

Après avoir décrit la mondialisation du produit, expliquez quelle est la stratégie d'une FTN comme Mattel et quelles en sont les limites.

1 La diffusion de la poupée Barbie dans le monde

Barbie, un jouet mondialisé		Mattel, une FTN actrice de la mondialisation
	1945	Création de Mattel à Los Angeles.
Création de la poupée Barbie.	1959	300 000 poupées vendues dès l'année de sa création.
Création de Ken, compagnon de Barbie.	1961	
Création de Francie, poupée noire (marché américain).	1967	
Création de Barbie Moba, poupée asiatique (marché japonais).	1983	
Création de Barbie Theresa, poupée hispanique.	1988	
Création de Barbie Marina, poupée asiatique.	1990	1re campagne publicitaire avec des poupées ethniques.
Création de Barbie Shani, poupée noire (marché africain).	1991	
	2003	Création de Fulla, poupée fabriquée en Chine, à robe longue et foulard, qui détrône Barbie dans le monde musulman.
50e anniversaire de Barbie : plus d'un milliard de poupées vendues dans le monde depuis sa création.	2009	Ouverture d'un magasin Barbie à Shanghai.
	2010	– 1 milliard de dollars de chiffre d'affaires lié aux seules ventes de la poupée Barbie. – **Part des ventes de Barbie hors États-Unis :** Europe : 50 % ; Amérique latine : 30 %, Asie Pacifique : 10 % (dont 2 % pour la Chine), reste du monde : 7 %. – Barbie interdite à la vente en Arabie Saoudite et en Iran.
	2011	Fermeture du magasin de Shanghai.

Sources : Mattel, 2010, AFP, 07/03/2011 et M. Debouzy, « La poupée Barbie », www.clio.revues.org

2 Ouvrière d'une usine Zhongmei (sous-traitant de Mattel), à Foshan, dans la province du Guangdong (Chine)

Étape 1 Analyser le sujet et la consigne

■ Identifier les mots-clés

La **poupée Barbie** : un **produit mondialisé** ?

La poupée Barbie est le jouet le plus vendu au monde. En quoi ce type de produit participe-t-il à la mondialisation culturelle et à une forme d'américanisation ? En quoi la FTN Mattel est-elle un acteur de cette mondialisation ?

Que signifie « produit mondialisé » ? Comment se distingue un produit mondialisé d'un autre produit ?

Le point d'interrogation incite à relativiser cette mondialisation.

Après avoir décrit la **mondialisation du produit**, expliquez quelle est la **stratégie d'une FTN comme Mattel** et **quelles en sont les limites.**

■ Délimiter l'espace concerné

Les limites spatiales du sujet sont mondiales et dépassent les États-Unis (lieu de naissance et siège social de Mattel).

Étape 2 Exploiter et confronter les informations

À partir des informations fournies par les documents, complétez le tableau suivant.

Conseil *Pour éviter la paraphrase, il faut classer les informations et les rattacher à un argument plus général.*

1. Barbie, un produit mondialisé	2. Les stratégies de mondialisation de la FTN Mattel	3. Des limites à la mondialisation
– Plus d'un milliard de poupées vendues entre 1959 et 2009 *pour 7 milliards d'habitants en 2010* – …………………………	– Usine de Foshan *(délocalisation de la production dans des pays à bas coûts)* – …………………………	– Pourcentage de vente en Afrique inférieur à 7 % *en raison du faible pouvoir d'achat des populations (PMA)* – …………………………

Prélèvement des informations dans les documents

Explication des informations prélevées à l'aide des connaissances personnelles

Étape 3 Organiser et synthétiser les informations

■ Présenter l'analyse de documents dans une introduction

Comme le montrent l'histoire de la poupée et la photographie de sa fabrication, la poupée Barbie, jouet le plus vendu dans le monde, est un bon exemple des stratégies de conquête des marchés nationaux de la FTN Mattel et des résistances à sa diffusion.

Présentation des documents : mise en valeur de leur intérêt pour traiter le sujet

Présentation du sujet et lien avec la question au programme

■ Développer l'analyse de documents

Pour rédiger votre analyse, utilisez le plan que vous avez élaboré à l'étape 2.

■ Conclure l'analyse de documents

Malgré quelques résistances de nature économique ou culturelle, la poupée Barbie est devenue un produit mondialisé grâce à l'adaptation constante de la FTN Mattel aux marchés nationaux et à l'utilisation des différences de développement économique et sociale du monde.

Réponse nuancée (limites) au sujet

Réponse à la problématique soulevée par le sujet

ENTRAÎNEMENT

SUJET Les FTN, principaux acteurs de la mondialisation

À travers l'analyse de ce dessin de presse, analysez le rôle des FTN dans la mondialisation. Portez un regard critique sur le document.

La mondialisation vue par Osama Hajjaj, caricaturiste jordanien.

EXERCICE GUIDÉ

SUJET ## Une FTN actrice majeure de la mondialisation : Toyota

À partir de cet exemple, montrez que les FTN développent une stratégie d'internationalisation tout en maintenant un ancrage national. Portez un regard critique sur le document.

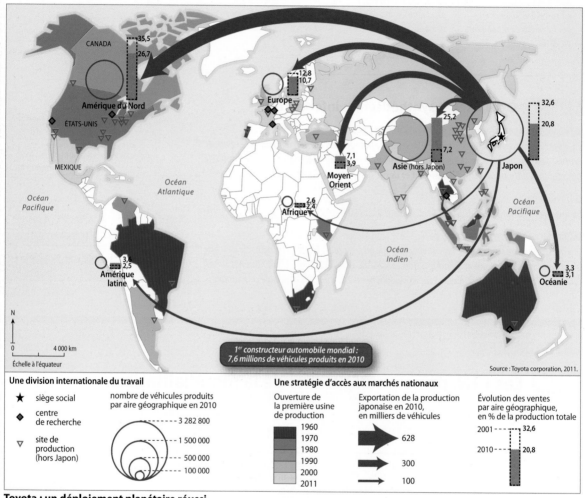

Une division internationale du travail

★ siège social

◆ centre de recherche

▽ site de production (hors Japon)

nombre de véhicules produits par aire géographique en 2010

⸺ 3 282 800
⸺ 1 500 000
⸺ 500 000
⸺ 100 000

Une stratégie d'accès aux marchés nationaux

Ouverture de la première usine de production

1960
1970
1980
1990
2000
2011

Exportation de la production japonaise en 2010, en milliers de véhicules

➡ 628
➡ 300
➡ 100

Évolution des ventes par aire géographique, en % de la production totale

2001 ⸳⸳⸳ 32,6
2010 ⸳⸳⸳ 20,8

1ᵉʳ constructeur automobile mondial : 7,6 millions de véhicules produits en 2010

Source : Toyota corporation, 2011.

Toyota : un déploiement planétaire réussi

Étape 1   Analyser le sujet et la consigne

■ Identifier les mots-clés et délimiter l'espace concerné

À partir de cet exemple, montrez que les **FNT** développent une **stratégie d'internationalisation** tout en maintenant un ancrage national. Portez un regard critique sur ce doment.

Une **FTN** actrice majeure **de la** mondialisation : Toyota

Rappelez la définition d'une FTN. En quoi les FTN sont-elles des acteurs de la mondialisation ?

La mondialisation caractérise un processus qui se réalise à l'échelle mondiale. Quelles logiques guident les stratégies d'implantation des FTN ? Concernent-elles tous les espaces de la planète ? Pourquoi peut-on parler de division internationale du travail ?

En quoi le japonais Toyota est-il un exemple représentatif des FTN ?

Étape 2 Exploiter et confronter les informations

À partir des informations du document et de vos connaissances personnelles, répondez aux questions du tableau.

Grandes parties du plan	Questions soulevées par le sujet	Informations prélevées dans le document
1. Une stratégie d'internationalisation poussée	– Quelles sont les principales étapes du déploiement planétaire de Toyota ? Quelles sont les activités concernées par ce déploiement ? – Le territoire d'action de Toyota couvre-t-il l'ensemble de la planète ?	– .... – ....
2. Un ancrage national fort	– Quelle activité assure à Toyota un ancrage national fort ? – Que représente le marché japonais ?	– .... – ....
3. Un document qui apporte une vision partielle de la mondialisation	– Les modes de représentation choisis sont-ils pertinents ? – Quels autres acteurs de la mondialisation jouent un rôle dans la stratégie d'implantation de Toyota ?	– .... – ....

Étape 3 Exploiter et synthétiser les informations

Sur le modèle proposé ci-dessous pour le 1er paragraphe de l'analyse du document, rédigez les autres paragraphes de votre analyse.

Les logiques d'implantation de Toyota témoignent du rôle majeur des FTN dans la mondialisation. **← Courte phrase introduisant le paragraphe**

La production de Toyota est concentrée sur la Triade et l'Asie. Le Japon, berceau de la FTN, reste la 1re aire de production (près de la moitié de la production de véhicules en 2010). Le reste de l'Asie est la 2e aire de production. **← Prélèvement des informations dans le document**

Entre 1960 et 1980, Toyota développe sa stratégie d'implantation vers les pays à main-d'œuvre à bas coût (Asie du Sud-Est, Brésil) et les marchés de consommation des pays riches (USA, Canada). Depuis 1990, ce sont les marchés émergents, la Russie et l'Europe qui intéressent la FTN. **← Recours aux notions-clés pour analyser le document**

Les stratégies d'implantation de Toyota s'adaptent donc en permanence aux évolutions de la mondialisation. **← Courte phrase concluant le paragraphe**

ENTRAÎNEMENT

SUJET Une FTN actrice majeure de la mondialisation : Nike

À partir de cet exemple, montrez que les FTN développent une stratégie d'internationalisation tout en maintenant un ancrage national. Portez un regard critique sur le document.

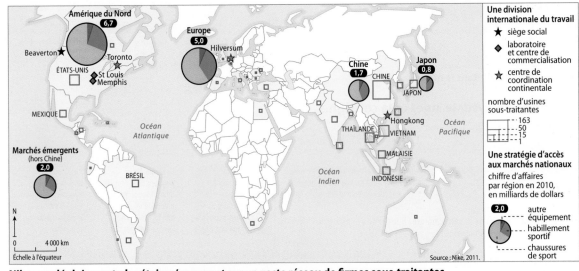

Nike : un déploiement planétaire s'appuyant sur un vaste réseau de firmes sous-traitantes

EXERCICE GUIDÉ

SUJET Les flux touristiques internationaux, des flux mondialisés ?

À partir des informations de la carte, montrez que les flux touristiques sont mondialisés mais restent polarisés.

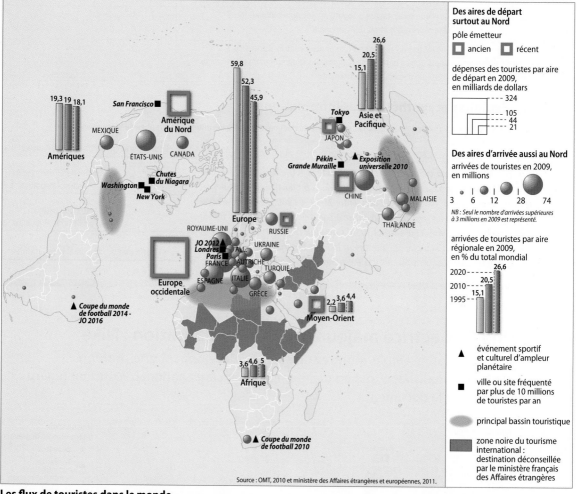

Source : OMT, 2010 et ministère des Affaires étrangères et européennes, 2011.

Les flux de touristes dans le monde

Étape 1 **Analyser le sujet et la consigne**

■ Identifier les mots-clés

Les **flux touristiques** **internationaux**, des **flux mondialisés** ?

D'où partent-ils ? Où vont-ils ? Quels sont les flux majeurs et les flux secondaires ?	Le tourisme est une activité concernant tout visiteur qui passe au moins une nuit (et au plus un an) dans le lieu qu'il visite.	Il faut établir un classement en fonction des directions observées et de la hiérarchie des flux.	Le terme suggère une interdépendance et une mise en relation des territoires à l'échelle planétaire.	Le point d'interrogation appelle une réflexion sur les limites de la mondialisation du tourisme.

À partir des informations de la carte, montrez que les **flux touristiques** sont **mondialisés** mais restent **polarisés**.

■ Délimiter l'espace concerné

Le sujet ne concerne que les flux interétatiques. Pourtant, il y a deux échelles à envisager : les flux régionaux au sein des grandes zones du globe et les flux entre ces zones.

Étape 2 Exploiter et confronter les informations

■ Compléter le tableau suivant

Conseil *Pour observer une évolution, il faut étudier les tendances courtes mais également longues afin de nuancer l'analyse.*

Questions soulevées par le sujet	Procédés cartographiques apportant des réponses	Informations prélevées dans le document
1. Quels sont les espaces émetteurs de touristes ? Quelles sont leurs caractéristiques ?	– La taille des carrés permet d'établir un classement. – La couleur des carrés permet de dater leur ancienneté.	– L'Europe occidentale est le premier foyer émetteur ; .... – La Russie est une nouvelle aire émettrice ; ....
2. Quels sont les espaces récepteurs du tourisme ? Comment évolue leur fréquentation touristique ?	– .... – .... –	– .... – .... – ....
3. Quels sont les espaces en marge des flux touristiques ?	– .... –	– .... – ....

Étape 3 Exploiter et synthétiser les informations

■ Présenter l'analyse de document(s)

Terminez la rédaction de la présentation de l'analyse de document.

Le tourisme international constitue un exemple du fonctionnement de la mondialisation. ◄—— Présentation du sujet et lien avec le thème au programme

La carte permet de montrer .... ◄—— Présentation du document : mise en valeur de son intérêt pour traiter le sujet

ENTRAÎNEMENT

SUJET Les flux de produits agricoles, des flux mondialisés ?

À partir des informations de la carte, montrez que les flux agricoles renforcent la mondialisation mais qu'ils restent polarisés.

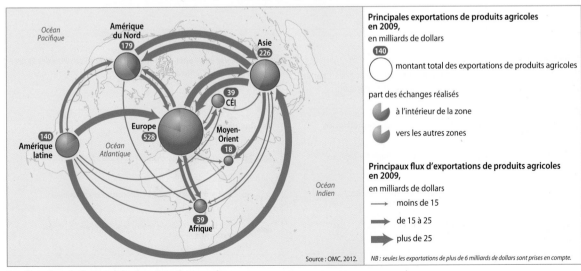

Les flux de produits agricoles dans le monde

EXERCICE GUIDÉ

SUJET Processus, acteurs et flux de la mondialisation

Étape 1 Analyser le sujet

■ Identifier les mots-clés et délimiter l'espace concerné

Processus, acteurs et flux de la mondialisation

Quelles sont les caractéristiques du processus à représenter sur le croquis ?	L'échelle de la carte ne permet pas de représenter tous les acteurs. Quels sont les acteurs majeurs ?	Comment le plan de la légende peut-il faire apparaître les liens entre processus, acteurs et flux de la mondialisation ?	Différencier et hiérarchiser les flux. Quels liens peut-on établir avec les acteurs ?	La « mondialisation » caractérise un processus qui se réalise à l'échelle mondiale.

■ Dégager une problématique

Quels sont les mécanismes de la mondialisation ?

Étape 2 Élaborer la légende

■ Organiser les informations

Rassemblez les idées essentielles en complétant le tableau suivant.

Conseil *Il faut lister en même temps les informations à faire figurer et leur localisation.*

Parties de la légende	Arguments	Localisations
Flux	– trois types de flux : matériels, immatériels et humains – des flux croissants et fortement polarisés – des flux qui s'organisent en réseaux	– Sud : exportation de matières premières et émigration d'une main-d'œuvre peu qualifiée – 80 % des échanges entre la Triade et les BRICS – Nord : émission de flux majeurs de capitaux – émigration d'une main-d'œuvre peu qualifiée vers le Nord et remise de fonds par cette main-d'œuvre vers le Sud
Acteurs	–	– ....
Processus	–	– ....

■ Rédiger la légende

Comparez les deux légendes suivantes, qui correspondent à la 1ʳᵉ partie du croquis final. Laquelle convient le mieux au sujet ? Pourquoi ?

Conseil *Soyez aussi attentif au titre de la partie qu'au choix des figurés et à leurs intitulés.*

Un monde traversé par des flux croissants et asymétriques

➡ flux majeur : marchandises, services, informations, capitaux, main-d'œuvre qualifiée…

➡ flux secondaire : matières premières, produits illicites, main-d'œuvre peu qualifiée…

➡ flux secondaire : capitaux (IDE, remise de fonds, aide au développement), touristes…

Les flux dans le monde

➡ flux matériels : marchandises, matières premières…

➡ flux immatériels : services, informations, capitaux…

➡ flux humains : main-d'œuvre qualifiée et peu qualifiée, touristes…

Étape 3 Choisir les figurés et réaliser le croquis

Complétez la légende du croquis en choisissant des figurés adaptés.

Processus, acteurs et flux de la mondialisation

FICHE À COMPLÉTER
EN TÉLÉCHARGEMENT
SUR LE SITE COMPAGNON

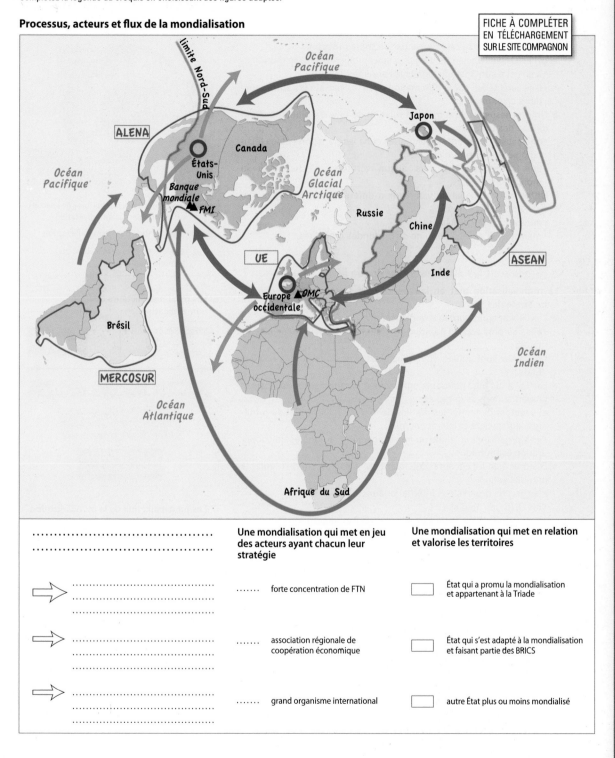

....
....

Une mondialisation qui met en jeu des acteurs ayant chacun leur stratégie

Une mondialisation qui met en relation et valorise les territoires

⇨ ....
....
....

.... forte concentration de FTN

☐ État qui a promu la mondialisation et appartenant à la Triade

⇨ ....
....
....

.... association régionale de coopération économique

☐ État qui s'est adapté à la mondialisation et faisant partie des BRICS

⇨ ....
....
....

.... grand organisme international

☐ autre État plus ou moins mondialisé

L'essentiel

A. Qu'est-ce que la mondialisation ?

La mondialisation se caractérise par un triple processus

➤ Un processus ancien de diffusion du capitalisme dans le monde :
- il en est à son 3e stade depuis les années 1970 ;
- il se caractérise par la domination de la finance sur les autres secteurs économiques.

➤ Un processus total de mise en relation de plus en plus intense et directe des territoires :
- une cause : les progrès techniques dans les transports et les technologies de communications ;
- une conséquence : plus aucun territoire n'échappe à la mondialisation.

➤ Un processus inégal de valorisation différenciée et sélective des territoires par le capital :
- qui est facteur de richesse ;
- mais qui est aussi à l'origine de profondes inégalités.

B. Quels sont les différents acteurs de la mondialisation ?

La mondialisation met en jeu trois types d'acteurs ayant chacun leurs stratégies

➤ Les FTN encouragent la mondialisation :
- elles gèrent l'espace mondial en mettant en concurrence les territoires ;
- certaines sont autant, voire plus, puissantes que la majorité des États.

➤ Les États les plus puissants ont favorisé la mondialisation, mais la plupart tentent de la réguler :
- ils tentent de limiter les dérives de la mondialisation et de protéger leur société et leur économie ;
- ils s'organisent en clubs ou en associations régionales de coopération économique.

➤ D'autres acteurs encouragent autant qu'ils s'efforcent de réguler la mondialisation :
- les grands organismes internationaux ;
- les ONG, les médias ;
- les organisations illicites profitent de la mondialisation.

C. Quels sont les différents flux mondiaux ? Quels réseaux mettent-ils en place ?

La mondialisation est renforcée par trois types de flux qui tissent des réseaux

➤ Les mobilités humaines, de plus en plus complexes, s'accélèrent :
- apparition de nouveaux courants migratoires ;
- apparition de nouveaux types de migrants ;
- des parcours de plus en plus difficiles pour les migrants.

➤ Les flux matériels et immatériels explosent :
- ils sont polarisés par la Triade et les pays émergents ;
- ils dessinent des réseaux de plus en plus complexes ;
- ils s'appuient sur des progrès techniques dans les transports et les technologies de communications.

Schémas cartographiques

A. Le processus de la mondialisation

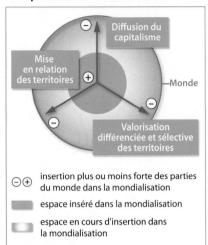

B. Les principaux acteurs de la mondialisation

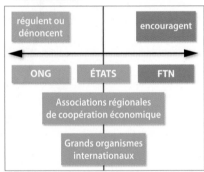

C. Les principaux flux de la mondialisation

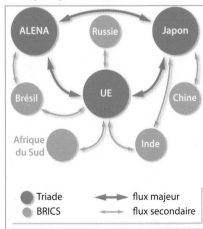

Organigramme de révision

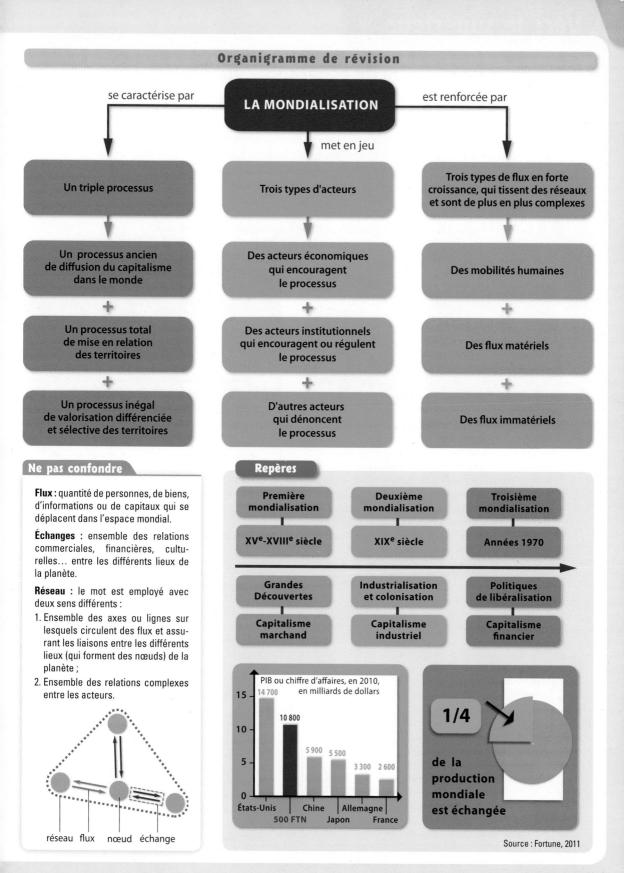

LA MONDIALISATION

se caractérise par → **Un triple processus**

met en jeu → **Trois types d'acteurs**

est renforcée par → **Trois types de flux en forte croissance, qui tissent des réseaux et sont de plus en plus complexes**

Un triple processus
- Un processus ancien de diffusion du capitalisme dans le monde
+
- Un processus total de mise en relation des territoires
+
- Un processus inégal de valorisation différenciée et sélective des territoires

Trois types d'acteurs
- Des acteurs économiques qui encouragent le processus
+
- Des acteurs institutionnels qui encouragent ou régulent le processus
+
- D'autres acteurs qui dénoncent le processus

Trois types de flux
- Des mobilités humaines
+
- Des flux matériels
+
- Des flux immatériels

Ne pas confondre

Flux : quantité de personnes, de biens, d'informations ou de capitaux qui se déplacent dans l'espace mondial.

Échanges : ensemble des relations commerciales, financières, culturelles... entre les différents lieux de la planète.

Réseau : le mot est employé avec deux sens différents :
1. Ensemble des axes ou lignes sur lesquels circulent des flux et assurant les liaisons entre les différents lieux (qui forment des nœuds) de la planète ;
2. Ensemble des relations complexes entre les acteurs.

réseau flux nœud échange

Repères

Première mondialisation	Deuxième mondialisation	Troisième mondialisation
XVe-XVIIIe siècle	XIXe siècle	Années 1970
Grandes Découvertes	Industrialisation et colonisation	Politiques de libéralisation
Capitalisme marchand	Capitalisme industriel	Capitalisme financier

PIB ou chiffre d'affaires, en 2010, en milliards de dollars

14 700 — États-Unis
10 800 — 500 FTN
5 900 — Chine
5 500 — Japon
3 300 — Allemagne
2 600 — France

1/4 de la production mondiale est échangée

Source : Fortune, 2011

Réaliser un exercice de géographie appliquée
Le rôle de la logistique dans les échanges mondiaux

Les régions de Napa en Californie (États-Unis) et de Mâcon en Bourgogne (France) produisent des vins blancs commercialisés dans le monde entier. Le responsable d'un groupe de la grande distribution suisse souhaite acheter environ 90 000 bouteilles de ces vins pour ses entrepôts de Genève. Va-t-il choisir le vin californien ou le vin bourguignon ?

1 **La marchandise à livrer : des bouteilles ; un moyen de transport : le conteneur**

conteneur A

conteneur B

Les bouteilles sont conditionnées en cartons de douze bouteilles, groupés sur des palettes et transportés en conteneur, par camion, train, péniche ou bateau. Le commissionnaire de transport doit d'abord optimiser le remplissage des conteneurs. La dimension des cartons de 12 bouteilles est de 57(L) × 38 (l) × 30 cm (h). Les cartons sont empilés sur une palette de 115 × 115 cm. Une palette peut supporter au maximum 4 rangées de cartons.

Il y a deux possibilités : soit le conteneur de 20 pieds (A), soit celui de 45 (B).

Conteneur 20 pieds	Conteneur 45 pieds
10 palettes de 24 cartons et 10 palettes de 18 cartons	44 palettes de 24 cartons
420 cartons	1 056 cartons
5 040 bouteilles	12 672 bouteilles
Soit .... conteneurs pour ....bouteilles	Soit .... conteneurs pour .... bouteilles

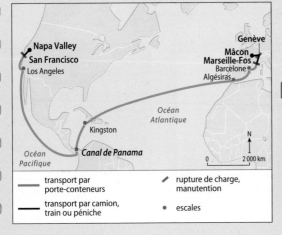

transport par porte-conteneurs

transport par camion, train ou péniche

rupture de charge, manutention

escales

Napa Valley
San Francisco
Los Angeles
Genève
Mâcon
Marseille-Fos
Barcelone
Algésiras
Océan Atlantique
Kingston
Canal de Panama
Océan Pacifique
0   2 000 km
N

2 **Le trajet à effectuer : Napa-Genève ou Mâcon-Genève ?**
Aucun navire porte-conteneurs partant de San Francisco ne va directement à Fos-sur-Mer (port de Marseille). Le navire va s'arrêter plusieurs fois en cours de route pour déposer une partie de son chargement et prendre d'autres conteneurs. Le commissionnaire de transport doit ensuite étudier un itinéraire d'acheminement et calculer le coût du transport.

Le raisonnement géographique a une utilité pratique. Ici, il s'agit de calculer les effets de la distance et du transport sur le prix d'une marchandise pour définir s'il est rentable ou non de l'importer. C'est un des aspects de ce qu'on appelle la logistique.

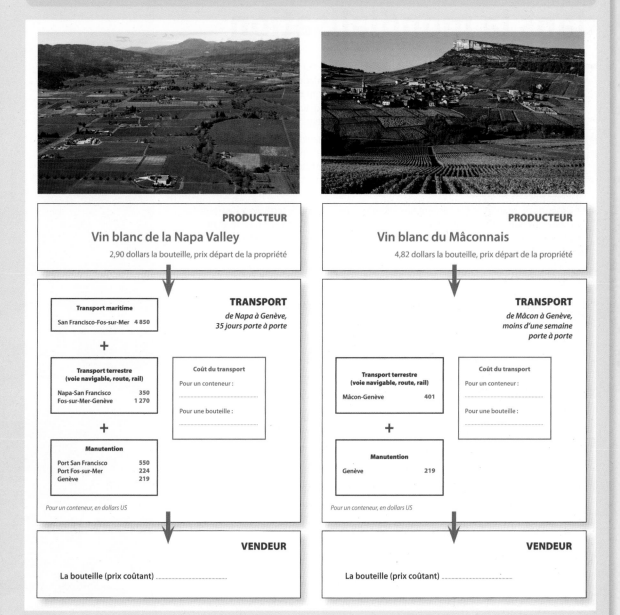

PRODUCTEUR

Vin blanc de la Napa Valley

2,90 dollars la bouteille, prix départ de la propriété

PRODUCTEUR

Vin blanc du Mâconnais

4,82 dollars la bouteille, prix départ de la propriété

TRANSPORT
*de Napa à Genève,
35 jours porte à porte*

Transport maritime	
San Francisco-Fos-sur-Mer	4 850

+

Transport terrestre (voie navigable, route, rail)	
Napa-San Francisco	350
Fos-sur-Mer-Genève	1 270

Coût du transport

Pour un conteneur :
....

Pour une bouteille :
....

+

Manutention	
Port San Francisco	550
Port Fos-sur-Mer	224
Genève	219

Pour un conteneur, en dollars US

TRANSPORT
*de Mâcon à Genève,
moins d'une semaine
porte à porte*

Transport terrestre (voie navigable, route, rail)	
Mâcon-Genève	401

Coût du transport

Pour un conteneur :
....

Pour une bouteille :
....

+

Manutention	
Genève	219

Pour un conteneur, en dollars US

VENDEUR

La bouteille (prix coûtant) ....

VENDEUR

La bouteille (prix coûtant) ....

3 **Les coûts : le vin qui vient de loin est-il plus cher ?**

Démarche

1. Recopiez et complétez les fiches ci-dessus afin de calculer le coût du transport du vin californien et du vin mâconnais.
2. Compte tenu des données que vous avez trouvées, quel type de conteneur a-t-on intérêt à privilégier ?
3. Que constatez-vous en comparant le prix coûtant d'une bouteille venant de Mâcon et le prix de celle venant de Californie ?

CHAPITRE 4

Les territoires dans la mondialisation

 À toutes les échelles, la mondialisation intègre, hiérarchise ou exclut les territoires. Les principaux centres d'impulsion restent les pôles de la Triade grâce au rôle moteur de leurs villes mondiales (New York, Paris, Tokyo...) mais ils sont de plus en plus concurrencés par les pays émergents (Chine, Inde, Afrique du Sud, Brésil…) et leurs métropoles (Shanghai, Johannesburg), qui évoluent très rapidement.

De nombreux territoires et sociétés restent cependant en marge des grands réseaux d'échanges à cause de leur faible développement ou des risques qu'ils représentent pour les investisseurs. Les PMA sont emblématiques de ces territoires marginalisés mais ce phénomène est visible à toutes les échelles (mondiale, régionale et locale), même au sein des pays développés.

Les espaces maritimes constituent une catégorie particulière de territoires suscitant les convoitises. Riches en ressources, ils permettent également la mise en relation des lieux de production et des lieux de consommation à travers le monde. Ils sont au cœur d'enjeux géostratégiques mondiaux.

> **Quel est l'impact de la mondialisation sur l'organisation des territoires ?**

Dubai, un pôle de la mondialisation.

Souvent comparée à Singapour et à Hongkong, Dubai (2,5 millions d'habitants) est devenue
un symbole de la mondialisation. Contrairement aux autres Émirats arabes unis, la cité-État
n'a pas fondé son développement sur le « tout-pétrole » mais sur le commerce et le tourisme
international, exploitant sa localisation de carrefour intercontinental. En 2010, l'inauguration de
la plus haute du tour du monde, la tour Burj Khalifa, témoigne de son insertion fulgurante dans la
mondialisation.

En quoi New York est-elle une ville mondiale ?

Mégapole de 22 millions d'habitants, New York est surtout une **ville mondiale** complète, dotée de toutes les activités assurant à une ville un rayonnement planétaire. Si l'espace new-yorkais porte depuis longtemps la marque de cette vocation mondiale, la mondialisation tend à accentuer les disparités entre des quartiers moteurs et des espaces laissés en marge.

1 Quelle est la place de New York dans le monde ?

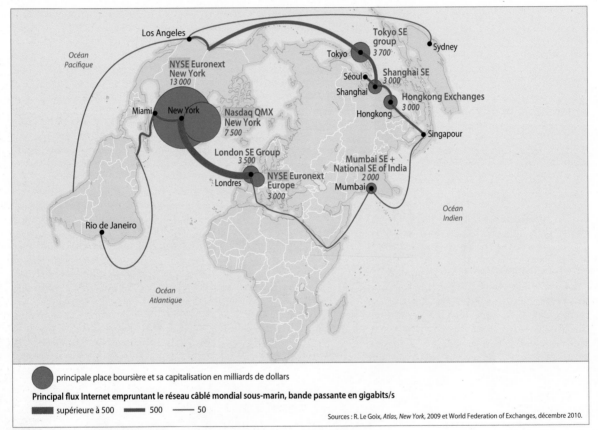

principale place boursière et sa capitalisation en milliards de dollars

Principal flux Internet empruntant le réseau câblé mondial sous-marin, bande passante en gigabits/s

▬ supérieure à 500 ▬ 500 — 50

Sources : R. Le Goix, *Atlas, New York*, 2009 et World Federation of Exchanges, décembre 2010.

1 New York au centre des flux immatériels globaux

2 La première des villes mondiales

Rang mondial global	Économie	Budget recherche et développement	Rayonnement culturel	Qualité de vie	Environnement	Accessibilité
1. New York	2	1	3	28	24	3
2. Londres	4	4	1	15	12	2
3. Paris	7	7	2	1	15	1
4. Tokyo	1	2	5	5	6	4
5. Singapour	5	8	4	25	11	7

Source : Mory Memorial Foundation, 2012.

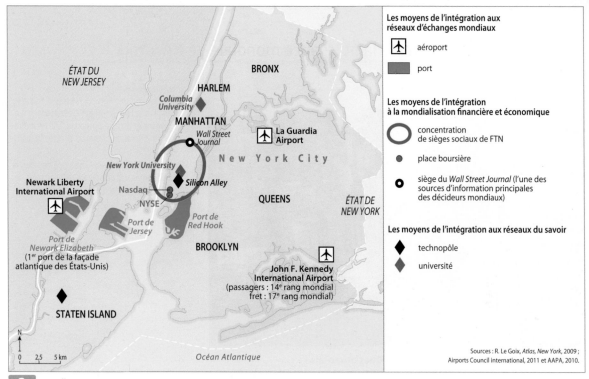

Les moyens de l'intégration aux réseaux d'échanges mondiaux

✈ aéroport

▮ port

Les moyens de l'intégration à la mondialisation financière et économique

◯ concentration de sièges sociaux de FTN

● place boursière

◉ siège du *Wall Street Journal* (l'une des sources d'information principales des décideurs mondiaux)

Les moyens de l'intégration aux réseaux du savoir

◆ technopôle

◆ université

Sources : R. Le Goix, *Atlas, New York*, 2009 ; Airports Council international, 2011 et AAPA, 2010.

3 **Les facteurs de l'intégration mondiale de New York**

Vocabulaire

Mégapole : d'après l'ONU, ville de plus de 10 millions d'habitants.

Nasdaq : National Association of Securities Dealers Automated Quotations system. Indice boursier aux États-Unis représentant environ 5 000 entreprises dans le domaine technologique.

NYSE : New York Stock Exchange. Place boursière qui a fusionné avec Euronext (Bourses de Paris, Bruxelles, Amsterdam et Lisbonne), devenant la plus grande entreprise mondiale de marché financier. Son évolution est mesurée par le Dow Jones Industrial Average, un indicateur boursier.

Ville mondiale : métropole qui concentre des fonctions rares et de très haut niveau et exerce une influence dans l'ensemble ou une partie du monde.

Questions

1. Quels sont les facteurs d'intégration de New York à la mondialisation financière ? (doc.1 et 3)

2. Quels sont les facteurs d'intégration de New York aux réseaux d'échanges mondiaux et aux réseaux d'information mondiaux en particulier ? (doc. 1, 3 et 4)

3. Quelle place New York occupe-t-elle dans le réseau des villes mondiales ? (doc. 1, 2 et 4)

4 **Les universités new-yorkaises contribuent au rayonnement mondial de la ville**

Il existe deux grandes universités privées à New York, la célèbre Columbia University située au nord de Manhattan, et la dynamique New York University, éparpillée dans le Greenwich Village, au sud de la ville. Columbia jouit d'une réputation mondiale en termes d'enseignements, a formé les grandes figures de la politique américaine dont le président Obama et décerne chaque année le prix Pulitzer[1]. Elle appartient à la Ivy League, qui rassemble les universités d'élite de la côte Est, et parmi elles, Harvard, Princeton et Yale.

NYU est une institution plus récente, fondée à la fin du XIXe siècle, au cœur du downtown Manhattan.

La place de NYU a considérablement évolué ces trente dernières années et est passée en une génération du statut de pôle régional à celui d'université nationale dont 90 % des étudiants ne sont pas originaires de New York. Elle accueille aujourd'hui 40 000 étudiants, deux fois plus que Columbia, ce qui fait d'elle la plus grande université privée des États-Unis. [...]

La stratégie de développement de NYU se veut internationale. Son président apparaît comme un ambassadeur qui parcourt le monde pour promouvoir sa vision du monde de demain dans lequel les universités seront les centres culturels et intellectuels de métropoles capables d'attirer la nouvelle classe intellectuelle mondiale. Il envisage NYU comme le centre d'un réseau de « villes mondiales » interconnectées par des branches de NYU.

New York Magazine, 14 novembre 2010.

1. Prix américain créé en 1904 et décerné dans les différentes disciplines (romans, photos, journalisme…). Dans le domaine du journalisme, c'est le prix le plus prestigieux au monde.

2 Comment se manifeste la puissance mondiale de New York ?

Hudson river

East river

5 Manhattan : des fonctions économiques mondiales

Vocabulaire

Interface : lieu privilégié d'échanges entre un espace et le reste du monde. Elle peut être linéaire (littoral, frontière) ou ponctuelle (port, aéroport).

Technopole : ville qui a développé des activités de hautes technologies. Lorsqu'on parle de technopôle, il s'agit d'un parc technologique.

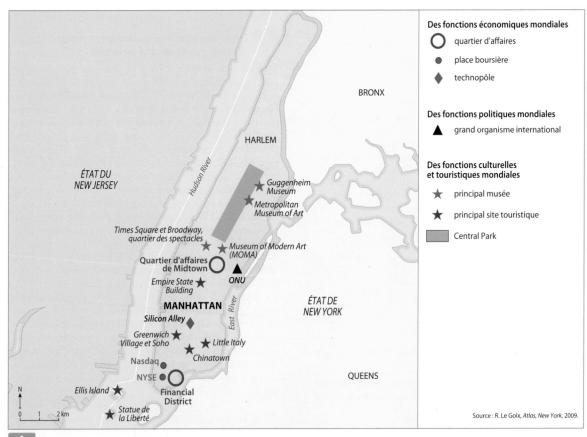

Des fonctions économiques mondiales
- ◯ quartier d'affaires
- ● place boursière
- ◆ technopôle

Des fonctions politiques mondiales
- ▲ grand organisme international

Des fonctions culturelles et touristiques mondiales
- ★ principal musée
- ★ principal site touristique
- ▬ Central Park

BRONX

HARLEM

ÉTAT DU NEW JERSEY

Hudson River

Guggenheim Museum

Metropolitan Museum of Art

Times Square et Broadway, quartier des spectacles

Museum of Modern Art (MOMA)

Quartier d'affaires de Midtown

Empire State Building

ONU

MANHATTAN

Silicon Alley

Greenwich Village et Soho

Little Italy

Chinatown

East River

ÉTAT DE NEW YORK

Nasdaq

NYSE

QUEENS

Ellis Island

Financial District

Statue de la Liberté

N

0 1 2 km

Source : R. Le Goix, *Atlas, New York*, 2009.

6 Une concentration des fonctions mondiales à Manhattan

7 **Times Square : des fonctions culturelles et touristiques mondiales**

8 **New York, une technopole mondiale**

La ville de New York […] affiche son intention de […] « devenir le centre mondial numéro 1 pour l'informatique et les médias sociaux ». « Beaucoup d'entreprises de la côte Ouest comme Facebook se rendent compte qu'il faut être à New York, et nous abritons un nombre croissant d'entreprises qui réussissent et qui sont nées ici », a ajouté le maire, Michael Bloomberg.

Certains gros groupes Internet, comme IAC de Barry Diller, sont installés depuis longtemps à New York, qui a un temps revendiqué l'existence d'une « Silicon Alley » – une allusion à la Silicon Valley, ou vallée du silicium, la région située au sud de San Francisco où sont installés des géants comme Hewlett-Packard, Intel, Apple et Google. Mais, depuis 2005, c'est une prolifération d'entreprises plus modestes qui donnent surtout à New York sa réputation de centre bouillonnant d'innovation : le site de géolocalisation FourSquare, le site de ventes privées Gilt, le site de microblogs Tumblr […]. New York a des atouts : la ville est championne de la mode et de la publicité, thèmes dominants de nombreux nouveaux sites Internet.

Lexpansion.com, 5 décembre 2011.

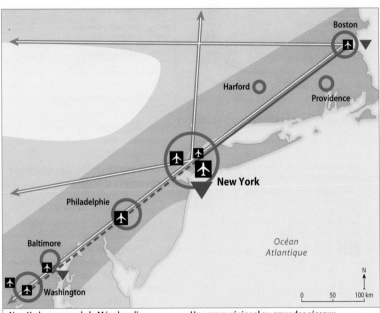

New York, au cœur de la Mégalopolis
Agglomération en 2010, en millions d'habitants
- 19
- 8
- 5
- 1

Densité de population en 2000, habitants / km²

0   50   100   200

Un espace régional au cœur des réseaux d'échanges internationaux
trafic portuaire en 2010, en millions d'EVP

 5   1

trafic aérien en 2011, en millions de passagers

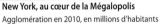 plus de 40   de 30 à 40   de 15 à 30

principal axe routier

principal axe ferroviaire à grande vitesse
existant   ▬ ▬ ▬ prévu en 2015

Sources : R. Le Goix, *Atlas New York*, 2009 et AAPA, 2012.

9 **New York, une interface mondiale et régionale**

Questions

1. Montrez que New York exerce des fonctions de commandement politique et culturel à l'échelle mondiale. (doc. 6, 7, 8 et 9)

2. Quelles autres fonctions mondiales de New York apparaissent dans ces documents ? Où se concentrent-elles ? (doc. 6, 7 et 8)

3. Quelle est la place de New York à l'échelle régionale ? (doc. 9)

3 Quelles sont les conséquences socio-spatiales de l'intégration mondiale de New York ?

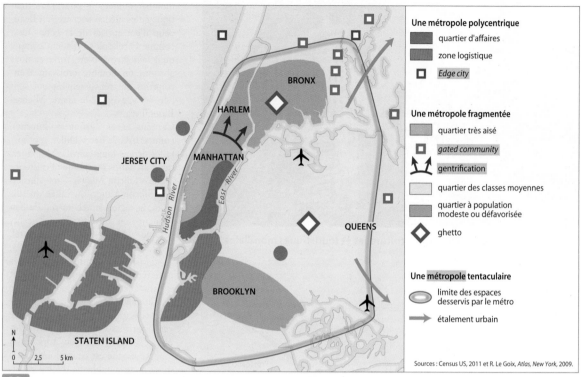

Une métropole polycentrique
- ⬛ quartier d'affaires
- ⬛ zone logistique
- ◻ *Edge city*

Une métropole fragmentée
- ⬛ quartier très aisé
- ◻ *gated community*
- ⬆ gentrification
- ⬜ quartier des classes moyennes
- ⬛ quartier à population modeste ou défavorisée
- ◇ ghetto

Une métropole tentaculaire
- ⬭ limite des espaces desservis par le métro
- ➡ étalement urbain

Sources : Census US, 2011 et R. Le Goix, *Atlas, New York*, 2009.

10 Une ville étalée, polycentrique et marquée par les inégalités socio-spatiales

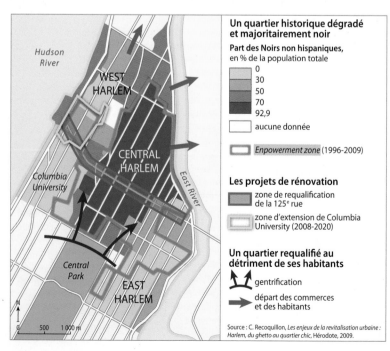

Un quartier historique dégradé et majoritairement noir

Part des Noirs non hispaniques, en % de la population totale
- 0
- 30
- 50
- 70
- 92,9
- ⬜ aucune donnée

◻ *Enpowerment zone* (1996-2009)

Les projets de rénovation
- ⬛ zone de requalification de la 125ᵉ rue
- ◻ zone d'extension de Columbia University (2008-2020)

Un quartier requalifié au détriment de ses habitants
- ⬆ gentrification
- ➡ départ des commerces et des habitants

Source : C. Recoquillon, *Les enjeux de la revitalisation urbaine : Harlem, du ghetto au quartier chic*, Hérodote, 2009.

11 La requalification des **ghettos** : l'exemple d'Harlem

Vocabulaire

Edge city : espace périphérique concentrant des fonctions de commandement.

Enpowerment zone : zone urbaine en grande difficulté qui bénéficie d'un programme de subventions.

Gated community : quartier résidentiel privé dont l'accès est contrôlé.

Gentrification : remplacement de populations modestes par des populations aisées.

Ghetto : quartier dévitalisé, dégradé et enclavé qui concentre des communautés ethniques pauvres.

Métropole : aire urbaine concentrant des fonctions directionnelles et exerçant un pouvoir de commandement sur d'autres territoires, urbains ou ruraux, à l'échelle régionale. ou internationale.

12 **Un paysage urbain contrasté.** Vue de Manhattan depuis le Queens, sur Long Island.

13 **Le quartier d'affaires périphérique de Jersey City.**

Depuis 1990 et surtout 2001, cet *edge city* attire de plus en plus d'emplois et d'entreprises, notamment financières (à gauche, la tour de la banque Goldman Sachs). Jersey City n'appartenant pas à l'État de New York, les taxes y sont plus faibles.

14 **Un écart croissant entre les riches et les pauvres**

En 2006, un New-Yorkais sur cinq était pauvre et 14 % des familles disposant d'un emploi avaient des revenus annuels inférieurs au seuil de pauvreté fédéral : 10 000 dollars pour une seule personne ; 21 000 dollars pour une famille avec deux enfants mineurs. [...] Les 20 % les plus riches gagnent l'équivalent de 50 fois les revenus des 20 % les plus pauvres, le plus grand écart enregistré depuis l'après-guerre.

Il va de soi que le dynamisme économique et les niveaux de rémunération soutiennent le marché immobilier. Devant une demande intense [...] et une offre faible, les loyers sont extravagants et atteignent 50 % des ressources d'un ménage sur quatre. Les constructions neuves – essentiellement de grand luxe – ne permettent pas d'héberger les plus de 35 000 SDF. [...] Bien que la perception de la question raciale ait fortement changé aux États-Unis, les populations noires restent toujours isolées. [...] Alors que le dynamisme de New York réside dans son attractivité migratoire, la ségrégation sociale demeure le problème social majeur, qui se construit tous les jours dans les écoles moins performantes, dans un isolement social toujours aussi fort, avec un taux de chômage record chez les jeunes hommes noirs.

R. Le Goix, *Atlas New York*, 2009.

Questions

1. Montrez que la mondialisation fait de New York une ville de plus en plus polycentrique. (doc. 10 et 13)
2. Pourquoi la mondialisation renforce-t-elle la fragmentation socio-spatiale à New York ? (doc. 10, 11, 12 et 13)
3. Quels sont les territoires et les populations new-yorkais en marge de la mondialisation ? (doc. 10 à 14)

En quoi New York est-elle une ville mondiale ?

L'essentiel

A. Quelle est la place de New York dans le monde ?

Une ville très intégrée dans la mondialisation

➤ **La concentration d'acteurs économiques majeurs est décisive dans l'intégration de New York à la mondialisation :**
New York est d'abord et avant tout dotée des deux premières Bourses mondiales (NYSE et Nasdaq). Elle concentre par ailleurs un grand nombre de FTN. 18 firmes new yorkaises figurent ainsi parmi les 139 FTN étasuniennes (dont American Express, Colgate-Palmolive ou encore Pfizer, premier fabricant mondial de médicaments). Ces donneurs d'ordres permettent à New York d'être une métropole économique de premier plan.

➤ **New York dispose de tous les atouts pour s'intégrer aux réseaux d'échanges mondiaux :**
Disposant de trois aéroports et de plusieurs sites portuaires importants…
Terminez la rédaction de ce paragraphe en dégageant les possibilités offertes par New York en matière d'échanges et de mobilités.

➤ **New York occupe le premier rang mondial en termes de puissance économique et de capacité de recherche**
Rédigez ce paragraphe en présentant les moyens d'intégration de New York aux réseaux des échanges mondiaux.

B. Comment se manifeste la puissance mondiale de NY ?

Une ville mondiale pôle majeur de la mondialisation

➤ **New York est le centre de la mondialisation économique**
Rédigez un paragraphe montrant que New York est un pôle mondial en termes de nouvelles technologies et d'innovation.

➤ **New York reste une ville dotée d'une forte attractivité culturelle et c'est un centre politique mondial**
Rédigez un paragraphe montrant que New York est un centre politique et culturel mondial.

➤ **New York est une interface majeure dans la mondialisation**
Rédigez un paragraphe présentant les espaces que New York peut relier aux échelles régionale et mondiale.

C. Quelles sont les conséquences socio-spatiales de l'intégration mondiale de New York ?

Une ville mondiale marquée par des contrastes sociaux

➤ **Un territoire métropolitain de plus en plus polycentrique**
Rédigez un paragraphe résumant cette idée.

➤ **Un territoire métropolitain de plus en plus étendu**
Rédigez un paragraphe résumant cette idée.

➤ **Un territoire métropolitain de plus en plus fragmenté**
Rédigez un paragraphe résumant cette idée.

Schémas cartographiques

A. Une ville très intégrée dans la mondialisation

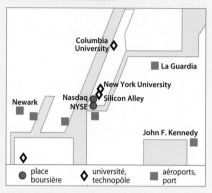

B. Une ville mondiale pôle majeur de la mondialisation

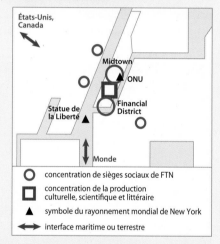

C. Une ville mondiale marquée par des contrastes sociaux

Schéma de synthèse

Titre : ....

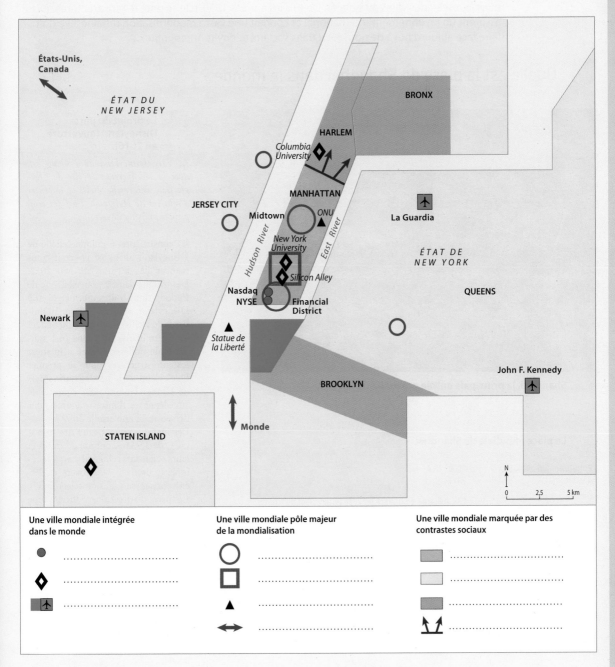

Une ville mondiale intégrée dans le monde

● ....

◆ ....

▨✈ ....

Une ville mondiale pôle majeur de la mondialisation

○ ....

▢ ....

▲ ....

↔ ....

Une ville mondiale marquée par des contrastes sociaux

▨ ....

▨ ....

▨ ....

⤴⤴ ....

> **Questions**

❯ À l'aide des schémas cartographiques A, B, C, complétez la légende du schéma de synthèse et donnez-lui un titre.

En quoi Shanghai est-elle une ville mondiale ?

Première métropole chinoise par son poids démographique et économique, Shanghai s'inscrit dans le réseau des villes mondiales. Depuis les années 1990, elle se dote d'infrastructures qui lui assurent un rayonnement international et connaît une vaste modernisation urbaine. Elle doit faire face aujourd'hui à de nouveaux défis sociaux et environnementaux.

1 Quelle est la place de Shanghai dans le monde ?

1 Shanghai, la principale entrée portuaire de la Chine

2 Le projet du parc Disneyland (ouverture en 2016).

Le parc Disneyland de Pudong est, avec la reconversion du site de l'Exposition universelle 2010 et le centre d'affaires de Hongqiao, l'un des trois projets majeurs de la ville.

La construction à grande échelle de Disneyland Shanghai pourrait commencer dès le mois de mai 2012. Les travaux dans la nouvelle zone de Pudong (huit routes qui mèneront à Disneyland, pour un coût de 10 milliards de yuans) font partie du budget de 40 milliards de yuans (6,1 milliards de dollars) destiné à financer les infrastructures pour le premier Disneyland de la partie continentale de Chine. Une somme équivalente aux dépenses d'infrastructures pour l'Exposition universelle 2010.

Les maisons situées sur l'aire nécessaire, de 3,9 km², ont été détruites et leurs occupants relogés il y a quelques mois (plus de 2 000 foyers et 297 entreprises sur le site sélectionné). Le parc d'attractions couvrira une aire de 1,16 km², les parcs de stationnement et les espaces de restauration occuperont jusqu'à 2,74 km².

Ce nouveau parc Disneyland étant situé au cœur de la station touristique internationale de 20 km² de Shanghai, le gouvernement fera en sorte que sur une zone de 100 km² tout autour du parc, seules les entreprises en conformité avec la fonction touristique du parc fassent l'objet d'une licence.

D'après french.china.org., 6 et 13 janvier 2012.

3 La place mondiale de Shanghai

Population en millions d'habitants	2009 : 18,4 2011 : 23
Produit urbain brut	233 milliards de dollars en 2008 (équivalent du PIB de la Grèce en 2008)
Trafic portuaire	1er port mondial de conteneurs
Trafic aérien	– passagers : 20e rang mondial /4e rang national – fret : 3e rang mondial / 2e rang national
FTN	– 300 sièges régionaux de FTN chinoises et étrangères – 5 sièges sociaux de FTN chinoises
Place boursière	6e rang mondial 2e rang national
IDE	1/3 des IDE mondiaux reçus par la Chine

Fortune, Airports Council International, World Federation of Exchanges, et Port de Rotterdam, 2012.

4 **La gare TGV de l'aéroport international de Hongqiao**

Carte

Île de Chongming

Yangzi

Port de Waigaoqiao

Baoshan

PUXI — Université Fudan

Shanghai Stock Exchange

Suzhou

Université Jiaotong

PUDONG

Hongqiao

Aéroport de Hongqiao

Songjiang

Aéroport de Pudong

Huangpu

Pont Donghai

Jinshanwei

Baie de Hangzhou

Terminal à conteneurs de Yangshan

N

0   10   20 km

Source : T. Sanjuan, *Atlas, Shanghai*, 2009.

Les moyens de l'intégration aux flux économiques et culturels mondiaux

● place boursière

⬭ concentration de sièges sociaux de FTN

◇ université à rayonnement mondial

★ site de l'Exposition universelle de 2010 en reconversion

■ site de Disneyland (2016)

Les moyens de l'intégration aux réseaux mondiaux de communication

✈ aéroport

▮ port

⊢—⊣ Maglev

═══ pont et tunnel

⊦—⊦ TGV

5 **Les facteurs de l'intégration mondiale de Shanghai**

Questions

1. Quels sont les éléments qui permettent de mesurer la puissance économique de Shanghai dans le monde ? (doc. 1, 2, 3 et 5)

2. Quelles infrastructures mettent Shanghai en relation avec le reste du monde ? (doc. 1, 2, 4 et 5)

3. Quels sont les autres facteurs d'intégration de Shanghai aux grands échanges mondiaux ? (doc. 2, 3 et 5)

2 Comment se manifeste la puissance mondiale de Shanghai ?

Tour de la Perle d'Orient

Shangai World Financial Center

Tour Jin Mao

6 **Le quartier des affaires de Pudong.**
Constamment en chantier, la zone de Pudong est le symbole de la croissance économique de la Chine.

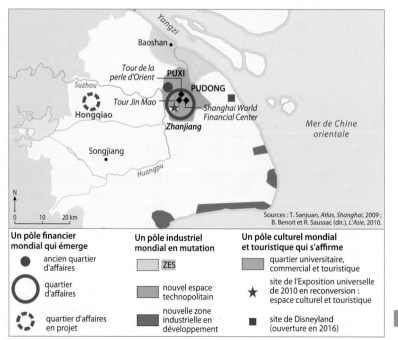

Yangzi

Baoshan

Tour de la perle d'Orient

PUXI

Suzhou

PUDONG

Tour Jin Mao

Hongqiao

Zhanjiang

Shanghai World Financial Center

Mer de Chine orientale

Songjiang

Huangpu

N

0 10 20 km

Sources : T. Sanjuan, *Atlas, Shanghai*, 2009 ; B. Benoit et R. Saussac (dir.), *L'Asie*, 2010.

Un pôle financier mondial qui émerge
- ● ancien quartier d'affaires
- ○ quartier d'affaires
- ◌ quartier d'affaires en projet

Un pôle industriel mondial en mutation
- ZES
- nouvel espace technopolitain
- nouvelle zone industrielle en développement

Un pôle culturel mondial et touristique qui s'affirme
- quartier universitaire, commercial et touristique
- ★ site de l'Exposition universelle de 2010 en reconversion : espace culturel et touristique
- ■ site de Disneyland (ouverture en 2016)

Vocabulaire

Métropole : voir p. 132.
Montée en gamme : voir p. 334.
Technopôle : voir p. 130.
ZES : zone économique spéciale.

7 **Une concentration des fonctions mondiales**

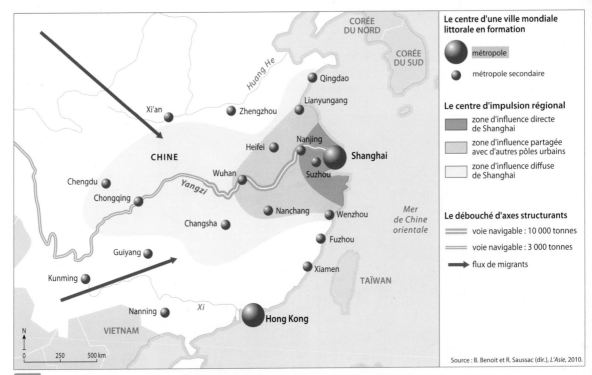

Source : B. Benoit et R. Saussac (dir.), *L'Asie*, 2010.

8 **Shanghai, « tête de pont » du delta du Yangzi,** impulse une forte dynamique régionale à son hinterland.

9 Le **technopôle** de Zhangjiang, à Pudong

Questions

1. Quelles sont les fonctions de commandement assurées par Shanghai à l'échelle mondiale ? (doc. 6, 7, 9 et 10)
2. Quelles mutations économiques caractérisent aujourd'hui Shanghai ? (doc. 6, 7, 9 et 10)
3. Quelle influence Shanghai exerce-t-elle sur son espace régional ? (doc. 8)

10 **Un futur centre financier international**

Vingt ans après le lancement de Pudong, le spectaculaire quartier d'affaires [...], dix ans depuis l'accession de la Chine à l'OMC, qui a fait de Shanghai le premier port du monde, la ville a reçu comme mission de devenir un centre financier international d'ici à 2020 – ce qu'elle n'est pas encore. Au sud du Bund, l'ancien Wall Street d'Asie avec son alignement d'immeubles des années 1920 et 1930, tous d'anciens sièges de banques étrangères, un gigantesque site a été vendu [en mars 2010], pour édifier dès 2011 un nouveau quartier d'affaires consacré à la finance.

Services logistiques, notamment autour des transports maritimes et fluviaux, mais aussi high-tech sont les autres volets de cette montée en gamme. Les usines sont incitées à quitter Shanghai, et les centres de recherche et développement sont accueillis à bras ouverts : quelque 274 centres étrangers de « R&D » ont sauté le pas.

Le Monde, 29 avril 2010.

3 Quelles sont les conséquences socio-spatiales de l'intégration mondiale de Shanghai ?

11 **Un paysage urbain en mutation rapide dans le centre-ville.**

La modernisation de la ville a entraîné la destruction des maisons traditionnelles et le déplacement de 6 millions de Shanghaiens depuis 1992.

12 **Thames Town, dans la ville nouvelle de Songjiang,** est emblématique des quartiers fermés destinés à des populations plutôt aisées. Il a été conçu sur le modèle des Docklands de Londres.

13 **Les problèmes environnementaux de Shanghai**

Vingt années de développement économique ont profondément transformé la ville. Elle s'est développée, équipée, enrichie. Mais tout cela a eu un prix : la forte dégradation de l'environnement. [...] La métropole, comme tout le pays, va devoir inventer un nouveau modèle de développement plus respectueux de l'environnement. Le défi est énorme. [...]. Les habitants subissent la pollution de l'air, les embouteillages, l'urbanisation de zones autrefois rurales. [...] La pollution de l'eau est un autre point noir. La géographie explique une partie du problème. Shanghai s'est développée dans une vaste plaine alluviale à très faible pente. Ces conditions réduisent le débit qui permettrait d'évacuer les polluants [...] Mais la géographie n'explique pas tout, le facteur économique intervient également. La rapide urbanisation et le modèle de développement ont conduit à une dégradation de la qualité de l'eau.

D. Lorrain (dir.), *Métropoles XXL en pays émergents*, 2011.

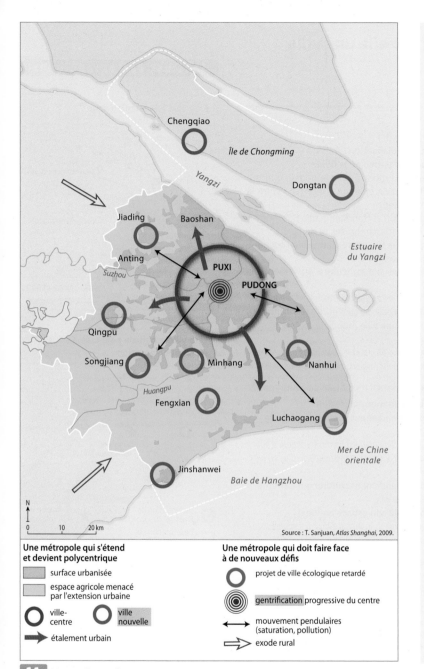

Chengqiao

Île de Chongming

Yangzi

Dongtan

Jiading

Baoshan

Estuaire
du Yangzi

Anting

PUXI

Suzhou

PUDONG

Qingpu

Songjiang

Minhang

Nanhui

Huangpu

Fengxian

Luchaogang

Mer de Chine
orientale

Jinshanwei

Baie de Hangzhou

N

0   10   20 km

Source : T. Sanjuan, *Atlas Shanghai*, 2009.

Une métropole qui s'étend et devient polycentrique

■ surface urbanisée

■ espace agricole menacé par l'extension urbaine

○ ville-centre   ○ ville nouvelle

➡ étalement urbain

Une métropole qui doit faire face à de nouveaux défis

○ projet de ville écologique retardé

◉ gentrification progressive du centre

↔ mouvement pendulaires (saturation, pollution)

⇒ exode rural

14 Une métropole en renouveau

15 Les migrants de Shanghai en marge de la mondialisation

La distance entre le discours plaçant le facteur humain au centre du projet shanghaien et les faits reste [néanmoins] abyssale, comme l'atteste le sort des 7 millions de travailleurs migrants, soit plus de 20 % de la population de la ville – contre 4 millions en 2000.

Majoritairement issus des campagnes, les migrants présents à Shanghai ont entre 20 et 35 ans, sont peu qualifiés et extrêmement mobiles. Ils passent de chantier en chantier, de ville en ville. Exclue de certains emplois, peu payée, sans couverture santé et n'ayant aucun accès aux services publics de la ville, cette population flottante mène une existence des plus précaires. Les hommes sont réquisitionnés pour les travaux lourds (construction, transports, livraison d'eau, etc.) tandis que les femmes sont employées pour le travail à la chaîne ou les services (femmes de ménage, gardes d'enfant, petits commerces, etc.). Leur statut de citoyen de seconde zone est attaché au système du *hukou*[1]. Face à l'afflux des migrants, Shanghai a engagé une série de réformes. [...] La ville a [aussi] décidé de donner au possesseur d'un *hukou* rural un minium de protection sociale [...]. Cependant, les migrants ne bénéficient toujours pas de droits auxquels ont accès les résidents permanents qui possèdent un *hukou* urbain : protection contre le chômage, assurance maternité ou une couverture pour les consultations médicales.

L. Tan, « L'Exposition universelle de Shanghai en 2010, laboratoire d'un urbanisme écologique », *Questions internationales*, 2011.

1. Livret d'enregistrement de résidence, qui permet de contrôler les flux migratoires.

Questions

1. Montrez que, pour s'adapter à son nouveau statut, la ville de Shanghai est plus étendue et plus polycentrique. (doc. 11, 12 et 14)

2. Qui sont les bénéficiaires de ces mutations de Shanghai et qui sont les laissés-pour-compte ? (doc. 11, 12, 14 et 15)

3. Quels défis Shanghai doit-elle relever pour rester une ville mondiale ? (doc. 11, 13, 14 et 15)

Vocabulaire

Gentrification : voir p. 132.

Ville nouvelle : ensemble urbain (habitat, commerce, industrie) créé de toutes pièces pour aménager le territoire.

En quoi Shanghai est-elle une ville mondiale ?

L'essentiel

A. Quelle est la place de Shanghai dans le monde ?

Une ville très intégrée dans la mondialisation

➤ **Shanghai est la principale porte d'entrée de la Chine :**

• Premier port de conteneurs du monde avec le nouveau terminal de Yangshan, Shanghai est en position d'interface entre la Chine et le monde grâce au Yangzi.

• Bien que concurrencée par Pékin et Hongkong, elle possède un puissant hub pour le trafic de marchandises et de passagers.

➤ **Shanghai a aussi les moyens d'être un centre d'impulsion économique et culturel à l'échelle du monde :**

6e place boursière mondiale, la ville concentre également les sièges sociaux des FTN…

Terminez la rédaction de ce paragraphe en dégageant les moyens dont dispose Shanghai pour s'intégrer aux flux économiques et culturels mondiaux.

➤ **Shanghai s'affirme donc comme une ville mondiale, notamment dans le domaine économique**

Terminez la rédaction de ce paragraphe en citant les domaines dans lesquels Shanghai affirme sa puissance dans le réseau des villes mondiales.

B. Comment se manifeste la puissance mondiale de Shanghai ?

Une ville mondiale pôle majeur de la mondialisation

➤ **Shanghai est un centre de commandement économique qui se renforce**

Rédigez un paragraphe montrant que Shanghai est un territoire doté d'activités tertiaires de commandement et d'activités industrielles de plus en plus puissantes.

➤ **Shanghai est un centre de commandement culturel qui s'affirme**

Rédigez un paragraphe résumant cette idée.

➤ **Shanghai est la « tête de pont » de son espace régional**

Rédigez un paragraphe montrant comment Shanghai dynamise son espace régional.

C. Quelles sont les conséquences socio-spatiales de l'intégration mondiale de Shanghai ?

Une ville mondiale marquée par des contrastes sociaux

➤ **Le territoire métropolitain de Shanghai est de plus en plus étendu et polycentrique.**

Rédigez un paragraphe résumant cette idée.

➤ **Le territoire métropolitain de Shanghai est de plus en plus fragmenté.**

Rédigez un paragraphe résumant cette idée.

➤ **Shanghai doit faire face à de nouveaux défis sociaux et environnementaux.**

Rédigez un paragraphe résumant cette idée.

Schémas cartographiques

A. Une ville très intégrée dans la mondialisation

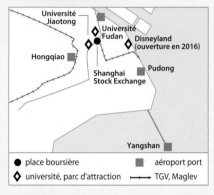

B. Une ville mondiale pôle majeur de la mondialisation

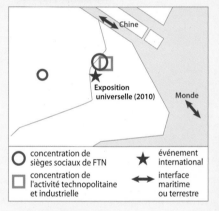

C. Une ville mondiale marquée par des contrastes sociaux

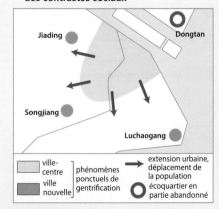

Schéma de synthèse

Titre : ....

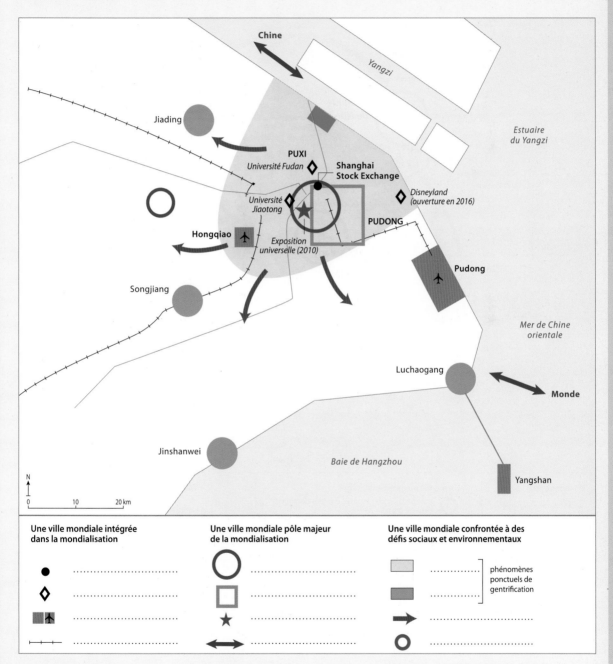

Une ville mondiale intégrée dans la mondialisation

- ● ....
- ◇ ....
- ▪✈ ....
- ┼┼┼ ....

Une ville mondiale pôle majeur de la mondialisation

- ○ ....
- □ ....
- ★ ....
- ↔ ....

Une ville mondiale confrontée à des défis sociaux et environnementaux

- ▢ ....
- ▪ .... } phénomènes ponctuels de gentrification
- → ....
- ○ ....

Questions

❯ À l'aide des schémas cartographiques A, B, C, complétez la légende du schéma de synthèse et donnez-lui un titre.

Les territoires de la mondialisation

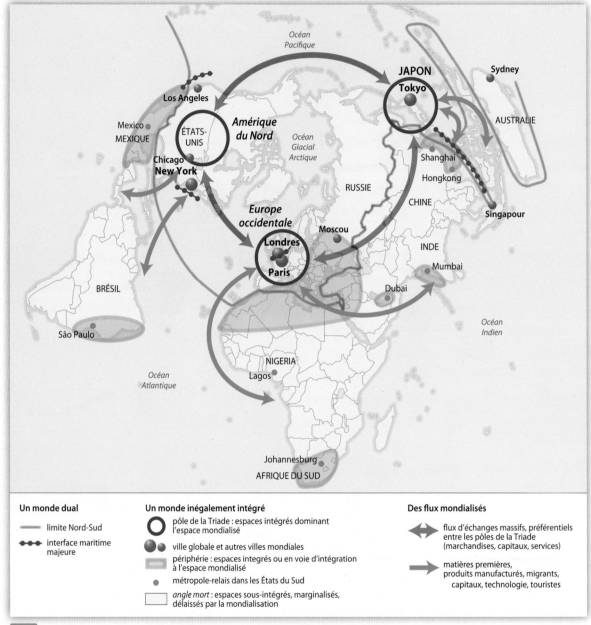

Un monde dual

──── limite Nord-Sud

◆◆◆ interface maritime majeure

Un monde inégalement intégré

⭕ pôle de la Triade : espaces intégrés dominant l'espace mondialisé

⬤⬤ ville globale et autres villes mondiales

▬▬ périphérie : espaces intégrés ou en voie d'intégration à l'espace mondialisé

• métropole-relais dans les États du Sud

☐ *angle mort* : espaces sous-intégrés, marginalisés, délaissés par la mondialisation

Des flux mondialisés

⬌ flux d'échanges massifs, préférentiels entre les pôles de la Triade (marchandises, capitaux, services)

➡ matières premières, produits manufacturés, migrants, capitaux, technologie, touristes

1 **L'inégale intégration des territoires dans la mondialisation**

Questions

1. Quels sont les pôles majeurs de la planète ?
2. Montre que l'organisation de la planète évolue de plus en plus vers le polycentrisme.
3. Montrez que les territoires sont inégalement intégrés à l'échelle des États.

Vocabulaire

Centre d'impulsion : voir p. 146.

Centre / périphérie : opposition entre un centre qui domine un espace et des périphéries qui sont dominées. Ces deux ensembles entretiennent des flux dissymétriques et cette organisation peut se lire à toutes les échelles (ville, région, État et monde).

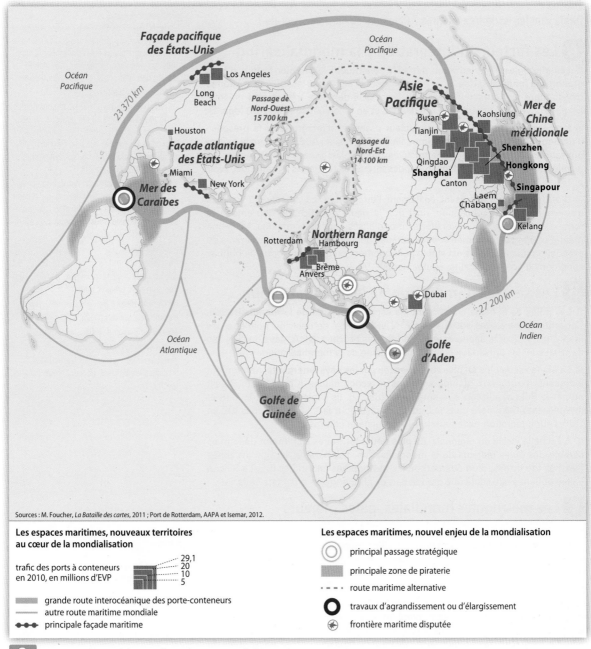

Sources : M. Foucher, *La Bataille des cartes*, 2011 ; Port de Rotterdam, AAPA et Isemar, 2012.

**Les espaces maritimes, nouveaux territoires
au cœur de la mondialisation**

trafic des ports à conteneurs
en 2010, en millions d'EVP
- 29,1
- 20
- 10
- 5

■ grande route interocéanique des porte-conteneurs
— autre route maritime mondiale
●●● principale façade maritime

Les espaces maritimes, nouvel enjeu de la mondialisation

◎ principal passage stratégique

■ principale zone de piraterie

- - - route maritime alternative

⬤ travaux d'agrandissement ou d'élargissement

✈ frontière maritime disputée

2 **Les espaces maritimes : des espaces stratégiques**

Questions

1. À l'aide des doc. 1 et 2, identifiez les territoires de la mondialisation reliés par la principale route maritime.
2. Quels sont les espaces maritimes qui concentrent les enjeux stratégiques ?

Les territoires intégrés à la mondialisation

Quels sont les territoires intégrés ? Comment se caractérisent-ils ?

A Les facteurs d'intégration à la mondialisation

■ **Les stratégies d'implantation des FTN constituent le premier facteur d'intégration à la mondialisation.** Pour être compétitifs et drainer les IDE, les territoires développent leur attractivité. Mais ce processus demeure très sélectif puisque les pays développés émettent 71 % des IDE et en reçoivent 48 % en 2010 (doc. 1).

■ **L'accessibilité est un deuxième facteur essentiel d'intégration :** la présence d'un hub, d'une plate-forme multimodale ou d'un réseau ADSL accélère la métropolisation. Les frontières, très attractives quand elles relient des territoires au développement contrasté, constituent des interfaces terrestres dynamiques (voir p. 182-183).

■ **D'autres facteurs favorisent également l'intégration.** La présence d'activités de recherche et de conception ainsi que la haute qualification des employés formés dans des pôles universitaires mondialisés sont déterminants. Mais une main-d'œuvre peu diplômée et peu coûteuse peut également attirer les unités de production quand le pays est stable politiquement ou qu'il développe de bonnes conditions d'accueil (fiscalité, équipements).

B Les centres d'impulsion de la mondialisation

■ **Les pôles de la Triade constituent les espaces majeurs de la mondialisation.** Concentrant les sièges sociaux des FTN et les lieux de décision politique, les États-Unis, l'UE et le Japon et leurs périphéries proches (NPIA, pays de l'Europe de l'Est) sont les principaux centres d'impulsion de la mondialisation.

■ **La Triade est de plus en plus concurrencée par les pays émergents,** notamment les géants territoriaux, démographiques et économiques (Chine, Inde, Brésil) ou par la Russie, puissance ré-émergente (doc. 2). Ils s'intègrent rapidement et investissent notamment dans le Sud, qui a reçu pour la 1re fois 52 % des IDE en 2010. Leur intégration reste toutefois incomplète et contrastée.

■ **À l'échelle locale ou régionale, de plus petits territoires s'affirment désormais comme des pôles majeurs de la mondialisation.** Les paradis fiscaux, les zones franches (de la taille d'un quartier) ou les technopôles attirent les IDE. La Silicon Valley obtient à elle seule une grande part des IDE entrants aux États-Unis.

C Les métropoles mondiales, pôles majeurs de la mondialisation

■ **Les métropoles, et en particulier les villes mondiales, sont des pôles privilégiés de la mondialisation.** Elles concentrent les pouvoirs de commandement économiques et financiers et offrent des services spécialisés aux entreprises. La présence de hubs témoigne de leur forte accessibilité (Repère).

■ **Les métropoles s'organisent en réseaux à l'échelle régionale (mégalopole) ou mondiale (archipel métropolitain mondial).** Elles sont reliées entre elles et aux principales villes mondiales : New York, Londres, Paris, Tokyo et Shanghai. Elles entretiennent d'intenses relations et intègrent de plus en plus des métropoles du Sud (Johannesburg, Sao Paulo...).

■ **Au sein des métropoles, des lieux symbolisent cette intégration mondiale :** les CBD témoignent de l'uniformisation de l'architecture, tout comme les nouveaux quartiers apparus en périphérie, qui concentrent la puissance économique (technopôles, zones industrielles). Ces métropoles s'étendent et renforcent leur ouverture internationale, en développant les pôles touristiques mondiaux, par exemple.

Vocabulaire

Archipel métropolitain mondial : ensemble des villes mondiales qui, étroitement connectées en réseaux, organisent le monde et nouent des relations privilégiées entre elles.

CBD : quartier d'affaires.

Centre d'impulsion : ville ou région motrice de la mondialisation où les pouvoirs de décision sont très concentrés. Ces pouvoirs sont économiques (sièges sociaux, Bourses), politiques (institutions nationales et internationales), mais aussi culturels.

Hub : en anglais, aéroport ou port où convergent toutes les correspondances du réseau aérien ou maritime à l'échelle mondiale, européenne, nationale sous la forme de rayons (*spokes*) desservis séparément.

IDE : voir p. 106.

Interface : voir p. 173.

Mégalopole : vaste ensemble de villes qui forme un tissu urbain continu.

NPIA : voir Repère B p. 334.

Paradis fiscal : voir p. 178.

Technopôle : voir p. 130.

Ville mondiale : voir p. 129.

Zone franche : espace où les activités économiques bénéficient de conditions fiscales favorables.

Repère

Les principaux aéroports en 2010 (trafic, en millions de passagers)

Atlanta (États-Unis)	89,3
Beijing (Chine)	73,9
Chicago (États-Unis)	66,8
Londres (Royaume-Uni)	65,9
Tokyo (Japon)	59,1

Source : Airports Council International, 2012.

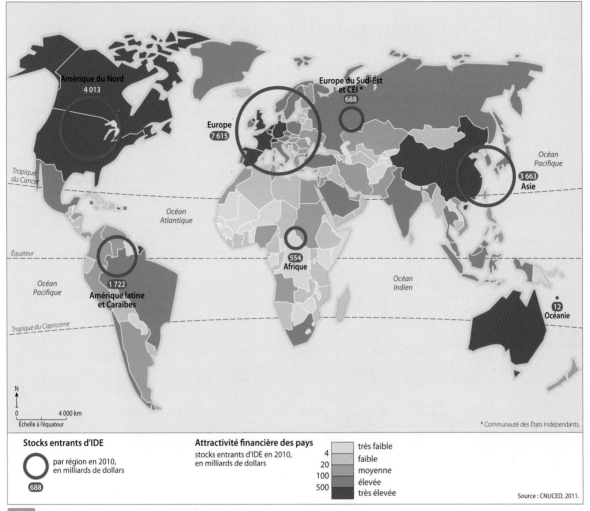

Stocks entrants d'IDE

par région en 2010,
en milliards de dollars

688

Attractivité financière des pays

stocks entrants d'IDE en 2010,
en milliards de dollars

4
20
100
500

très faible
faible
moyenne
élevée
très élevée

* Communauté des États Indépendants.

Source : CNUCED, 2011.

1 Les IDE, révélateurs de l'inégale attractivité des territoires

1. Quels pays reçoivent le plus d'IDE ?

2 La Triade face aux BRICS

Pays	Pays de la Triade			BRICS				
	États-Unis	UE à 27	Japon	Chine	Russie	Inde	Brésil	Afrique du Sud
Population en millions d'hab. en 2011	311,7	502	128,1	1 353,6	142,8	1 241,3	196,7	50,5
Population en 2050 (projection) en millions d'hab.	422,6	513	95,2	1 322,8	126,2	1 691,7	222,8	56,8
PIB en 2011, en milliards de dollars	15 064,8	17 960,2	5 855,4	6 988,5	1 884,9	1 843,4	2 518	422
Croissance en 2012 (projection), en %	+ 1,8 %	+ 1,4 %	+ 2,3 %	+ 9,0 %	+ 4,1 %	+ 7,5 %	+ 3,6 %	+ 3,6 %
PIB/hab. en ppa 2010, en dollars	48 147,2	31 548	45 773,7	5 183,9	13 235,6	1 527,3	12 916,9	8 342,2

Sources : Population Reference Bureau et FMI, 2012.

1. Sur quels plans les BRICS concurrencent-ils la Triade ?

En quoi Singapour est-il un pôle majeur de la mondialisation ?

Au débouché du détroit de Malacca, Singapour occupe une place essentielle dans les réseaux d'échanges mondiaux depuis le XIXᵉ siècle. Aujourd'hui, cette cité-État de 5,2 millions d'habitants est un pôle majeur de la mondialisation dont le territoire s'adapte constamment, jusqu'à « déborder » sur l'espace régional.

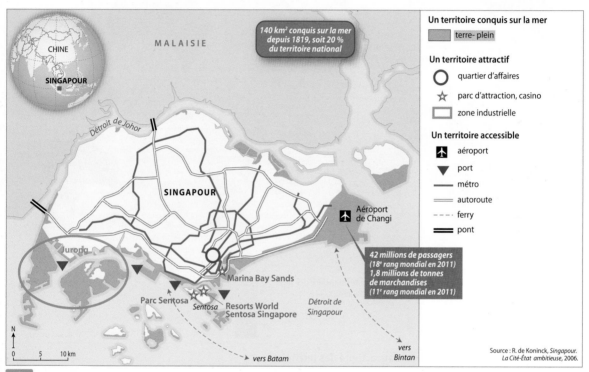

1 **Un territoire qui s'adapte constamment à la mondialisation**

2 Une révolution du territoire

D'après le géographe R. de Koninck, le territoire national s'adapte constamment aux exigences du marché mondial en se transformant à la demande et rapidement.

La géographie même de Singapour est en transformation permanente. Cette transformation concerne [...] la dimension et la forme de l'île. [...] Ce remaniement du territoire est à mettre au compte du projet national singapourien. Un projet [...] qui comprend une adaptation des assises spatiales du pays aux ambitions mondiales. [...] Ainsi, au cours des quatre dernières décennies, la totalité du littoral méridional de l'île a considérablement progressé aux dépens de la mer. [...]

Alors qu'à la fin des années 1970 le centre des affaires donnait encore directement sur la mer, c'est maintenant une large baie enserrée par des polders qui s'étend au pied du centre-ville. La

rivière Singapour, encore dangereusement polluée en 1981, a été totalement assainie depuis et se jette désormais dans cette Marina Bay bordée de jardins, d'un immense centre culturel et de grands complexes hôteliers érigés sur des terres conquises sur la mer.

À l'ouest, du côté de Jurong, qui correspond au versant industriel du pays, les remaniements sont tels que des îles disparaissent, suite à des regroupements, en quelque sorte, et que d'autres sont créées de toutes pièces. À l'est, qui correspond au versant aéroportuaire, là aussi la progression de l'île dans le détroit de Singapour est étonnante. Depuis son lancement en 1981, le « porte-avions » Changi a gagné près de 20 km2 sur la mer, le remplissage des rives étant appelé à se continuer.

R. de Koninck, *Singapour, la cité-État ambitieuse*, 2006.

148

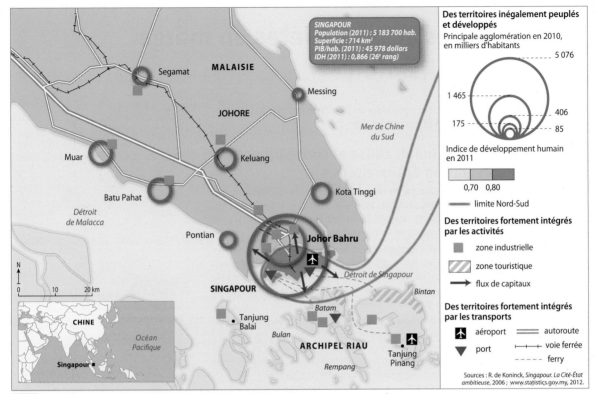

Des territoires inégalement peuplés et développés

SINGAPOUR
Population (2011) : 5 183 700 hab.
Superficie : 714 km²
PIB/hab. (2011) : 45 978 dollars
IDH (2011) : 0,866 (26ᵉ rang)

Principale agglomération en 2010, en milliers d'habitants

5 076
1 465
406
175
85

Indice de développement humain en 2011

0,70   0,80

limite Nord-Sud

Des territoires fortement intégrés par les activités

zone industrielle
zone touristique
flux de capitaux

Des territoires fortement intégrés par les transports

aéroport   autoroute
port   voie ferrée
                  ferry

Sources : R. de Koninck, *Singapour. La Cité-État ambitieuse*, 2006 ; www.statistics.gov.my, 2012.

3 Un territoire intégré dans son environnement régional

4 Le quartier d'affaires de Singapour.

Le quartier colonial, le quartier d'affaires et les activités portuaires illustrent l'ouverture constante de Singapour sur le monde.

Vocabulaire

Terre-plein : étendue de terre gagnée sur la mer. À la différence du polder, essentiellement agricole, le terre-plein a une vocation industrielle et tertiaire.

Questions

1. Quels sont les facteurs d'intégration de Singapour aux grands échanges économiques mondiaux (économiques, touristiques) ? Quelles activités sont les moteurs du développement de cette cité-État ? (doc. 1, 3 et 4)

2. À l'échelle locale, comment le territoire urbain s'est-il transformé pour s'adapter à la mondialisation ? (doc. 1, 2 et 4)

3. Montrez que la stratégie de développement de la cité-État a constamment évolué et que Singapour « déborde » sur ses voisins. (doc.1 et 3)

Les territoires et les sociétés en marge de la mondialisation

Quelles sont les raisons et les conséquences de l'inégale intégration des territoires et des sociétés à la mondialisation ?

A Le mal-développement, cause et conséquence de la faible intégration des territoires

■ **Le mal-développement est un frein à l'intégration dans la mondialisation.** Les États mal développés cumulent les facteurs répulsifs (manque d'équipements, instabilité politique, extrême pauvreté : **Repère B**). Ils représentent trop de risques pour les FTN en quête de sécurité pour leurs investissements.

■ **La faible intégration à la mondialisation est un frein au développement.** Les PMA, majoritaires en Afrique, sont aujourd'hui les États les moins développés mais aussi les plus évités (2 % des IDE en 2010), contrairement à d'autres États du Sud qui ont joué la carte de l'ouverture. Au Cambodge, 28 % de la population vit avec moins d'1,25 dollar par jour en 2010 **(Repère A, doc. 1)**.

■ **Localement, des dynamiques d'intégration sont en cours.** De nombreux territoires accueillent les délocalisations ou, comme le Laos et le Vanuatu, les touristes internationaux. Mais ce sont des périphéries dominées et cette intégration n'impulse qu'un développement inégal. L'exploitation pétrolière dans le golfe de Guinée se fait ainsi sans retombées économiques pour les populations locales.

B Des territoires inégalement intégrés

■ **La mondialisation renforce les disparités spatiales dans les pays du Nord comme dans ceux du Sud.** Les interfaces maritimes et continentales reçoivent les IDE, marginalisant des territoires entiers. Enclavés, ces « angles morts » de la mondialisation présentant peu d'intérêt stratégique ne sont pas mis en valeur.

■ **La mondialisation organise les territoires en « archipels »,** où seules les grandes villes et certains espaces frontaliers, plaques tournantes des flux migratoires (Istanbul, Dakar) s'intègrent aux flux mondialisés. De petites régions peuvent bénéficier du tourisme, alors que le reste du pays en est exclu (les îles Nocibé à Madagascar).

■ **La mondialisation favorise les métropoles macrocéphaliques.** Cela accentue les inégalités : entre ruraux exclus ou subissant l'internationalisation des échanges, et urbains au contact des flux. Au Bangladesh, l'intégration industrielle par le textile à Dacca, s'est faite au détriment de l'agriculture.

C Des sociétés inégalement intégrées

■ **La mondialisation renforce les inégalités sociales même si, à long terme, elle permet l'apparition d'une classe moyenne.** Les sociétés des pays émergents se sont globalement enrichies, mais de façon très inégalitaire. Les révoltes des plus pauvres (ouvriers chinois, paysans sans terre au Brésil) **(doc. 3)** en témoignent.

■ **Dans les pays du Sud, une part de la société reste en marge de la mondialisation** : le nombre de personnes vivant de l'économie informelle a augmenté (776 millions en 2000, 827 millions en 2010). Dans le même temps, les plus riches se sont enrichis : la Chine compte ainsi 31% de millionnaires de plus qu'en 2009 et se situe au 3e rang mondial, derrière les États-Unis et le Japon.

■ **Les métropoles du Nord ne sont pas épargnées par la montée des inégalités socio-spatiales** : les banlieues des grandes villes concentrent les exclus et les petits revenus. C'est aussi le cas des quartiers centraux des villes des États-Unis traditionnellement défavorisés (ghettos) **(doc. 2 et 3)**.

Repère A

Les États en marge de la mondialisation

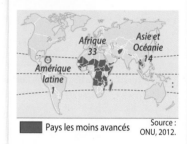

Pays les moins avancés

Source : ONU, 2012.

Repère B

Population vivant avec moins de 1,25 $ par jour* entre 1981 et 2005, en millions

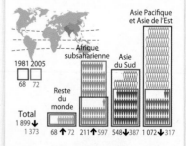

Chaque personnage représente 10 millions d'hab. Chaque couleur symbolise une aire géographique.

* Le seuil de pauvreté est aujourd'hui fixé à 2 dollars par jour.

Source : Banque mondiale, 2011.

1 **Un quartier en marge de la mondialisation à Phnom Penh (Cambodge).**

Malgré la transformation rapide de la capitale du Cambodge, les quartiers informels sont nombreux à Pnom Penh, conséquence de la privatisation de la terre et de la forte augmentation des loyers.

1. Quelles sont ici les manifestations du mal-développement ?

2 **Downtown Detroit.**

L'ancienne ville industrielle de Detroit (Michigan, États-Unis) est touchée par l'exode de sa population – surtout des jeunes – et un effondrement des prix de l'immobilier. Certains quartiers de la ville sont aujourd'hui presque entièrement abandonnés.

3 **Les oubliés de la mondialisation**

Aujourd'hui, les manifestations [ne] se déroulent [pas dans les capitales de nations développées mais] dans les mégapoles surpeuplées du monde en développement ou de pays pauvres d'Europe. Au Caire et à Bangkok, les manifestants sont dans leur majorité des petits paysans victimes du déclin de l'agriculture ou issus d'une sous-classe urbaine qui se démènent pour survivre dans l'économie informelle. Nombre des actions de protestation se déroulent dans les centres commerçants des villes. Pas dans les villages, ni dans les banlieues. Pas non plus sur les campus des universités ou dans les quartiers des ministères comme en 1968. [...]

En une génération, des villes comme Le Caire, Bangkok et Katmandou ont complètement changé de visage. Elles ont grossi de façon spectaculaire. Né de la mondialisation, leur centre ne se distingue plus guère des riches villes d'Occident. Leurs classes moyennes ont désormais le sentiment d'appartenir à une classe moyenne planétaire. Elles achètent les mêmes marques, voient les mêmes films, ont les mêmes idées. Pour le paysan qui vivait dans le tiers-monde il y a une génération, une richesse aussi étincelante était non seulement hors de portée mais tout bonnement inimaginable. Maintenant que la mondialisation a réduit l'espace et le temps, cette opulence envahit le quotidien, que ce soit dans la rue ou dans le monde virtuel de la télévision et d'Internet. Le sentiment d'injustice [éprouvé par les manifestants] est un mélange d'aspiration, de frustration et de comparaison. La fracture au sein de ces sociétés n'épouse pas le sens ancien de « classes », mais repose sur le clivage entre ceux que la mondialisation a choyés et ceux qui ont souffert d'elle. Dans tous les pays, le mot d'ordre n'est pas la révolution mais une meilleure redistribution, moins d'injustice.

« Une révolte des oubliés de la mondialisation »,
Courrier International, 20 mai 2010.

1. D'après ce texte, quelles sont les sociétés intégrées à la mondialisation ? Quelles sont les sociétés en marge ?

Les espaces maritimes : approche géostratégique

En quoi les espaces maritimes deviennent-ils de plus en plus un enjeu de la mondialisation ?

A Des espaces maritimes de plus en plus valorisés

■ **Les espaces maritimes, qui couvrent 70 % de la surface terrestre, permettent la mise en relation du monde.** 90 % des échanges économiques mondiaux se font par la mer (produits manufacturés, denrées agricoles, énergie). Ce processus s'accompagne d'une utilisation accrue du porte-conteneurs dont le trafic a été multiplié par 7 en vingt ans.

■ **La mondialisation renforce la littoralisation des hommes et des activités.** Elle permet l'émergence de façades maritimes qui concentrent ports, grandes métropoles et ZES. Les plus puissantes s'affirment comme de véritables interfaces à l'échelle mondiale (Northern Range, façade pacifique américaine et façade de l'Asie pacifique) et intègrent localement les pavillons de complaisance. Les terre-pleins japonais témoignent de cette avancée sur la mer (doc. 2).

■ **La mondialisation sélectionne et hiérarchise les littoraux et les espaces maritimes.** À l'échelle mondiale, on constate le déplacement du centre de gravité du commerce maritime mondial de l'Atlantique vers le Pacifique. Les plus grands ports se situent dans la Triade ou sa périphérie alors que la majorité des ports du Sud sont insuffisamment équipés et mal reliés à leur arrière-pays.

B Des espaces maritimes de plus en plus disputés

■ **Ces échanges sont réalisés entre un petit nombre de ports et les routes maritimes (principalement est/ouest car reliant la Triade) deviennent concurrentiel.** L'économie d'archipel ne cesse de concentrer les *feederings* qui exigent des ports de plus en plus perfectionnés et spécialisés (Repère B).

■ **Les espaces maritimes sont aussi des espaces de souveraineté nationale.** Chaque pays protège sa zone économique exclusive (ZEE) où il dispose de l'usage exclusif des ressources (pêche, pétrole) depuis la conférence de Montego Bay en 1982. Ces ressources nationales sont souvent convoitées par de grandes FTN (zone de pêche en Afrique de l'Est) (Repère A).

■ **Les espaces maritimes recèlent de nombreuses ressources halieutiques, minérales et énergétiques (productions off-shore).** On estime que plus du tiers des hydrocarbures sera extrait des fonds océaniques au XXᵉ siècle soit l'équivalent de trente à quarante ans de consommation (doc. 1).

C Des espaces maritimes, sources de tensions

■ **La concentration des routes maritimes explique la multiplication des risques :** explosion de la piraterie (Corne de l'Afrique), multiplication des trafics illicites et de l'immigration clandestine, tensions autour des détroits (Ormuz, Malacca) (doc. 3). Cela explique la volonté de trouver de nouvelles routes comme le passage du Nord-Ouest résultant du réchauffement de l'Arctique (voir p. 154-155).

■ **Le contrôle et la sécurisation des routes sont assurés par les États les plus impliqués dans la mondialisation.** Ils reflètent la hiérarchie des puissances, entretenant les tensions voire les conflits et la militarisation de certaines zones. Les archipels disputés en mer de Chine (les Paracel et les Spratleys) s'expliquent par la volonté de contrôler la route qui relie le Moyen-Orient au Japon.

■ **Enfin, l'utilisation croissante voire la surexploitation des espaces maritimes pose la question de leur durabilité.** L'extraction d'énergies, la pêche et la pollution semblent difficilement conciliables et attisent les tensions entre les ONG environnementales, les riverains et l'ensemble des usagers et pollueurs.

Vocabulaire

Façade maritime : voir p. 173.

Feedering : système de transfert de conteneurs. Les porte-conteneurs transocéaniques déchargent sur des petits porte-conteneurs à partir d'un hub où les porte-conteneurs doivent faire escale vers des ports secondaires.

Interface : voir p. 173.

Pavillon de complaisance : adresse d'un navire dans un État qui propose aux propriétaires des avantages fiscaux et une réglementation plus souple.

ZEE : zone économique exclusive), espace maritime de 200 miles marins autour des côtes sur lequel un État exerce sa souveraineté.

ZES : voir p. 138.

Repère A

Le partage des espaces maritimes

Repère B

Les principaux ports en 2010 (trafic conteneurs en EVP)

Port	2010
Shanghai (Chine)	29
Singapour (Singapour)	28,4
Hong Kong (Chine)	23,5
Shenzhen (Chine)	22,5
Busan (Corée du Sud)	14,2
Ningbo & Zhoustan (Chine)	13,1
Guangzhou (Chine)	12,5
Qingdao (Chine)	12
Dubai (EAU)	11,6
Rotterdam (Pays-Bas)	11,1

Source : www.portofrotterdam.com

1 **Terre-pleins à Nagoya (Japon) : une littoralisation des hommes et des activités**

1. Quels éléments sur la photographie montrent l'intégration des terre-pleins à la mondialisation ?

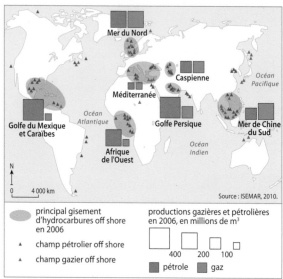

Source : ISEMAR, 2010.

principal gisement d'hydrocarbures off shore en 2006

▲ champ pétrolier off shore

▲ champ gazier off shore

productions gazières et pétrolières en 2006, en millions de m³

400 200 100

■ pétrole □ gaz

2 **Les productions gazières et pétrolières dans le monde**

1. Localisez les principaux gisements d'hydrocarbures off-shore.

2. Expliquez le lien entre le thème de la carte et le titre du cours.

3 **La piraterie, enjeu des espaces maritimes contemporains**

Au cours de la dernière décennie, on observe une montée en puissance de la piraterie. Il y a trois zones où les actes de piraterie sont récurrents : le détroit de Malacca, le golfe d'Aden et le golfe de Guinée. Ce phénomène trouve souvent son origine dans des situations locales instables. Mais ses formes divergent : attaques de navires marchands en haute mer dans le détroit de Malacca et dans le golfe d'Aden, attaques de navires de ravitaillement et de remorqueurs dans le golfe de Guinée. Les États de la zone du détroit de Malacca (Singapour, Indonésie, Japon, Cambodge, Inde) ont conclu en 2004 un accord sur la lutte contre la piraterie. Depuis cet accord, la fréquence des attaques contre les navires marchands dans cette zone a considérablement baissé. Dans le golfe d'Aden et dans l'océan Indien, l'instabilité politique en Somalie conduit une partie de la population côtière à multiplier les attaques. Les cibles sont diverses : pétroliers, cargos, navires de pêche ou de plaisance. Les pirates attaquent souvent très loin des côtes. Les navires attaqués sont déroutés avec leurs équipages vers des ports de la Somalie et libérés contre rançon.

Ministère de l'Écologie, du Développement durable, des Transports et du Logement, 2010.

1. Pourquoi la piraterie préoccupe-t-elle les grandes puissances mondiales ?

En quoi l'océan Arctique représente-t-il un enjeu géostratégique mondial ?

La fonte accélérée de la banquise en Arctique relance les convoitises sur cet océan de 14 millions de km². La présence de ressources minières énergétiques et de nouvelles routes maritimes potentielles n'ont pas engagé une nouvelle « bataille de l'Arctique » depuis 2007. La coopération entre les États riverains progresse, mais les tensions entre les intérêts nationaux et ceux de la communauté internationale sont au cœur de la géopolitique mondiale.

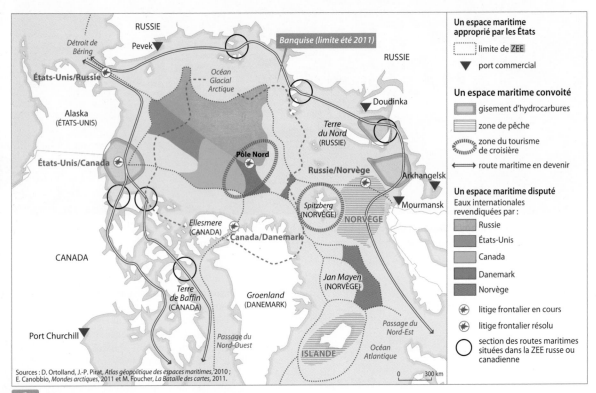

Sources : D. Ortolland, J.-P. Pirat, *Atlas géopolitique des espaces maritimes*, 2010 ; E. Canobbio, *Mondes arctiques*, 2011 et M. Foucher, *La Bataille des cartes*, 2011.

1 L'Arctique, un espace maritime géostratégique

2 De nouveaux passages maritimes au cœur de la mondialisation

Distance entre les ports selon la route maritime, en km			
Itinéraire par	Londres-Yokohama	New York-Yokohama	Hambourg-Vancouver
Panama	23 300	18 560	17 310
Suez et Malacca	21 200	25 120	29 880
Cap Horn	32 289	31 639	27 200
Passage du Nord-Ouest	15 930	15 220	14 970
Passage du Nord-Est	14 062	18 190	13 770

Source : F. Lasserre, « Géopolitiques arctiques », *Critique internationale*, 2010.

Questions

1. Quelles sont les nouvelles perspectives offertes par la fonte des glaces de l'Arctique ? En quoi sont-elles synonymes d'intégration mondiale pour cet océan ? (doc. 1, 2 et 4)

2. Quelles sont cependant les limites de ces nouvelles opportunités ? (doc. 1, 3, 4 et 5)

3. Quels sont les États concernés directement ou indirectement par ces nouvelles perspectives ? Montrez que cette mise en valeur de l'Arctique entraîne des tensions entre les intérêts nationaux et ceux de la communauté internationale (passage maritime, durabilité) (doc. 1, 2, 4 et 5).

3 Des passages maritimes risqués pour le trafic des conteneurs

Le transport par conteneurs est le secteur qui semble le moins intéressé par les routes arctiques. La présence de glace dérivante, d'icebergs, de bans de brouillards épais rend le respect des horaires difficile. En particulier, la glace dérivante peut obstruer temporairement certains détroits, rendant très délicat le passage, ce qui provoquerait des retards, voire obligerait le navire à faire demi-tour pour transiter par Panama, avec des retards désastreux. Compte tenu du coût d'exploitation de navires à coque renforcée, d'un éventuel péage (déjà en vigueur sur le passage du Nord-Est du fait de l'escorte obligatoire en Russie) et des primes d'assurance plus élevées, il n'est pas certain que le coût réel de lignes de transit par les routes arctiques soit intéressant. Il n'y a aucun marché intermédiaire et aucun port équipé pour les conteneurs à desservir en chemin, ce qui réduit l'intérêt commercial de ces routes [polaires] par opposition aux multiples chargements/déchargements possibles le long des routes classiques de Suez ou Panama. Le trafic arctique semble effectivement augmenter, mais ce n'est ni une explosion, ni une circulation de transition, mais bien de destination. Ce sont surtout la desserte de communautés locales et le trafic lié à l'exploitation des ressources naturelles qui constituent le moteur de cette croissance. Les passages arctiques ne deviendront pas de nouveau Panama.

F. Lasserre, « Des autoroutes maritimes polaires ? Analyse des stratégies des transporteurs maritimes dans l'Arctique », *Espace, société et territoire*, 2011.

Vocabulaire

ZEE : voir p. 152.

4 L'Arctique : entre recherche de profit et durabilité.

L'ONG Greenpeace, en se positionnant près de cette plate-forme de forage pétrolier, tente de dénoncer les risques qui pèsent sur la durabilité de cet océan. Une marée noire y aurait des conséquences plus importantes qu'ailleurs (conditions climatiques extrêmes, éloignement géographique).

5 Les revendications canadiennes de la souveraineté de l'Arctique.
Caricature de Cardow dans *The Ottawa Citizen*, 31 août 2010.

Traduction : « Écoutez bien… Ah, voilà le moment où il [Stephen Harper, Premier ministre du Canada] proclame la souveraineté du Canada sur l'Arctique. »

Avec la fonte des glaces, le Canada tente de s'approprier le plateau continental et le contrôle du passage du Nord-Ouest. Il se heurte aux intérêts de la Russie (sous-marin russe sur le dessin) et à l'opposition des États-Unis et de l'Union européenne, qui œuvrent pour la libre circulation dans les détroits internationaux.

EXERCICE GUIDÉ

SUJET L'inégale intégration des territoires dans la mondialisation

Étape 1 Analyser le sujet

> À quels territoires fait-on référence ici ? Relevez, au brouillon, les territoires qui seront étudiés. N'oubliez pas de réfléchir à différentes échelles.

■ Délimiter l'espace concerné

et identifier les mots-clés

L'inégale intégration des territoires dans la mondialisation

> Trouvez un synonyme au terme « intégration ». Quels sont les enjeux pour les pays ?

> Le terme évoque un processus, une dynamique. Il faut donc insister sur les évolutions.

Conseil *Dans l'intitulé d'un sujet, l'utilisation du pluriel n'est jamais anodine et est à prendre en considération.*

■ Dégager une problématique

Quelle problématique convient le mieux ? Pourquoi ?

Problématique 1 : *Comment la mondialisation hiérarchise-t-elle les territoires à différentes échelles ?*

Problématique 2 : *Quelles sont les conséquences territoriales de la mondialisation ?*

Étape 2 Élaborer le plan

Conseil *Lister les informations sous forme de tableau permet de mieux organiser ses idées.*

Complétez le tableau suivant. Quel plan convient le mieux au sujet ? Pourquoi ?

Plan 1 Plan 2	Des territoires intégrés à la mondialisation	Des territoires en voie d'intégration	Des territoires en marge de la mondialisation
De quels territoires parle-t-on ?	– façades/interfaces maritimes majeures (façade atlantique des États-Unis, mégalopole japonaise…) – métropoles mondiales –	– puissances émergentes (Brésil, Chine…) – territoires d'accueil des délocalisations (usines Foxconn à Shenzhen, en Chine) – territoires d'accueil des touristes internationaux	– États mal développés – régions désertées (rurales en déclin, industrielles en difficile reconversion…) – quartiers centraux défavorisés (ghettos aux États-Unis)
Comment s'insèrent-ils dans l'économie mondiale ?	– échanges anciens et intenses (entre les pôles de la Triade) –	– explosion récente des échanges –	– réseaux de transport embryonnaires (régions montagneuses de l'ouest de la Chine) – ....
Comment participent-ils à la gouvernance mondiale ?	– .... –	– .... –	– acteurs politiques absents sur la scène internationale (au Kenya, tensions politiques internes qui ne permettent pas au pays de s'affirmer à l'international)
Comment sont-ils assimilés à la culture (sport, alimentation, art, mode de vie, tourisme…) mondiale ?	– des modèles culturels qui s'imposent (l'*American way of life*) –	– des modèles culturels qui émergent (Bollywood) –	– peu ou pas de mobilité internationale des populations (des déplacements restreints à l'échelle du quartier, dans les favelas de Sao Paulo)

Étape 3 Rédiger la composition

Terminez l'introduction en définissant les termes du sujet, en posant la problématique et en annonçant le plan.

En septembre 2011, l'ouverture de la Coupe du monde de rugby, en Nouvelle-Zélande, a passionné plus de 4 milliards de spectateurs et téléspectateurs du monde entier.

> Amorce à partir d'un fait d'actualité

EXERCICE GUIDÉ

SUJET À partir de l'étude de cas menée en classe, caractérisez une ville mondiale

Étape 1 Analyser le sujet

À partir de l'étude de cas menée en classe, **caractérisez une** ville mondiale

■ Délimiter l'espace concerné et identifier les mots-clés

L'étude de Shanghai ou de New York permet d'illustrer les spécificités des villes mondiales. Le sujet précise de ne présenter que le cas étudié en classe.

Le terme imbrique deux échelles. Lesquelles ? Donnez une première définition de «ville mondiale».

■ Dégager une problématique

Proposition de formulation : *Quelles sont les spécificités d'une ville mondiale ?*

Étape 2 Élaborer le plan

Classez dans l'organigramme les informations et exemples extraits de l'étude de cas de référence.

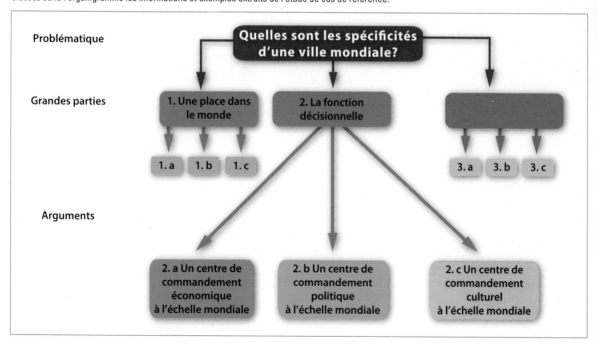

Étape 3 Rédiger la composition

À l'aide de l'organigramme et du début donné ci-dessous (paragraphe 1), rédigez le reste de la composition.

La deuxième spécificité des villes mondiales est de concentrer de nombreuses forces décisionnelles. Cette puissance mondiale se lit aux niveaux économique, culturel et politique. D'abord, la puissance d'une ville mondiale se manifeste par la présence d'un centre de commandement économique. Une ville mondiale dispose d'un centre d'affaires de taille volumineuse et en constante évolution, véritable vitrine économique de la ville et du pays. Ainsi, le quartier de Manhattan, à New York, première place économique du monde, construit un nouveau World Trade Center, tandis que le quartier de Pudong, à Shanghai, est constamment en chantier pour faire de la ville, d'ici 2020, un centre financier international.

EXERCICE GUIDÉ

SUJET **Les espaces maritimes : approche géostratégique**

Étape 1   Analyser le sujet

■ Délimiter l'espace concerné

                              Les espaces maritimes : approche géostratégique

et identifier les mots-clés

Définissez les espaces maritimes en les abordant sous l'angle de la mondialisation, ce qui donne une unité à ces espaces.	L'approche choisie pour étudier les espaces maritimes est « géostratégique » : pensez à leur contrôle, leur exploitation et aux tensions qu'ils génèrent.

Conseil *Utilisez le vocabulaire spécifique acquis dans le chapitre (façade maritime, interface…).*

■ Dégager une problématique

La problématique la plus simple est : *En quoi les espaces maritimes sont-ils des espaces géostratégiques ?*

Vous pouvez cependant formuler une problématique qui ne se contente pas de recopier les termes du sujet.

Proposition de formulation :

       En quoi les espaces maritimes **sont-ils** de plus en plus au cœur d'enjeux stratégiques de la mondialisation **?**

Définissez les espaces maritimes.	La formule met en évidence une évolution, une dynamique : les espaces maritimes sont de nouveaux territoires de la mondialisation.	Le terme insiste sur le rôle central des espaces maritimes dans la mondialisation.	L'expression permet de reformuler plus clairement « l'approche géostratégique », pour montrer la bonne compréhension du sujet.	Cette précision permet d'orienter le sujet dans le cadre global du chapitre : les territoires dans la mondialisation.

Étape 2   Élaborer le plan   **Conseil** *Aidez vous de l'organigramme de synthèse p. 173.*

Complétez-le tableau ci-dessous, en puisant vos exemples dans le cours, les documents du chapitre et vos connaissances propres.

Grandes parties *(Adjectifs à utiliser pour formuler les grandes parties : disputés, valorisés, convoités)*	Arguments	Exemples
1. Des espaces maritimes de plus en plus………	a. Des espaces au cœur de la mondialisation économique b……………………………… c………………………………	a………………………………… b. Rôle des terre-pleins japonais dans la mondialisation c………………………………
2. Des espaces maritimes de plus en plus………	a………………………………… b. Des territoires riches en ressources variées c………………………………	a. Extension de l'avant-port de Shanghai (à 30 km du littoral) b………………………………… c………………………………
3. Des espaces maritimes de plus en plus………	a………………………………… b. Des espaces de tension entre les États c………………………………	a. Explosion de la piraterie dans le golfe d'Aden b………………………………… c………………………………

Étape 3 Rédiger la composition

■ Illustrer la composition par des exemples rédigés ou cartographiques (schémas)

Complétez le schéma et la légende en vous aidant du doc. 1 p. 154.

Conseil *Les exemples sont nécessaires pour développer la composition. Ils doivent être variés (sujets, échelles, formes…)
et précis (valeurs chiffrées, localisation…).*

Schéma 1 L'Arctique : un espace maritime convoité et disputé

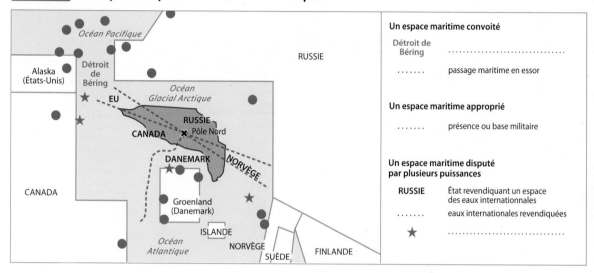

Un espace maritime convoité

Détroit de Béring ....

.... passage maritime en essor

Un espace maritime approprié

.... présence ou base militaire

Un espace maritime disputé par plusieurs puissances

RUSSIE État revendiquant un espace des eaux internationnales

.... eaux internationales revendiquées

★ ....

Réalisez le schéma introduit dans le paragraphe ci-dessous (argument 2.b dans le tableau de l'étape 2).

Enfin, les espaces maritimes sont des espaces convoités parce qu'ils recèlent de nombreuses ressources énergétiques, minérales, etc. que les États se partagent. Chaque pays protège ainsi sa ZEE (dans laquelle il dispose de l'usage exclusif des ressources), qui est aussi disputée par des FTN. Par exemple, inégalement réparties sur le globe et mobiles comme le montre le schéma 2, les ressources halieutiques (poissons, crustacés, mollusques) sont l'objet de toutes les convoitises et connaissent une demande accrue depuis les années 1950.

Complétez le paragraphe (argument 3.b dans le tableau de l'étape 2) en développant les apports du schéma 1. (Le schéma est introduit mais n'est pas décrit : inutile de répéter les informations cartographiées.)

Les espaces maritimes sont sources de tensions et génèrent des risques. De plus, ils sont à l'origine de conflits entre les États, qui cherchent à défendre leurs ressources (au sein des ZEE) et à contrôler les routes maritimes et les points de passage stratégiques, essentiels dans la mondialisation économique. Ainsi, la maîtrise de l'Arctique, et notamment du passage du Nord-Ouest, est, comme le montre le schéma 1, l'objet de tensions entre les puissances riveraines. Ces conflits révèlent d'ailleurs la hiérarchie des puissances : les États les plus impliqués dans la mondialisation sont aussi ceux qui sécurisent le plus leurs espaces maritimes, et certaines zones sont même militarisées. L'Arctique est donc un espace
....

Schéma 2 Des ressources halieutiques inégalement réparties dans le monde

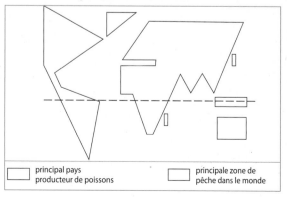

principal pays producteur de poissons

principale zone de pêche dans le monde

EXERCICE GUIDÉ

SUJET Les villes mondiales, des pôles majeurs de la mondialisation

Montrez que les villes mondiales sont des pôles majeurs de la mondialisation et présentez leurs facteurs d'intégration. Vous porterez un regard critique sur le document.

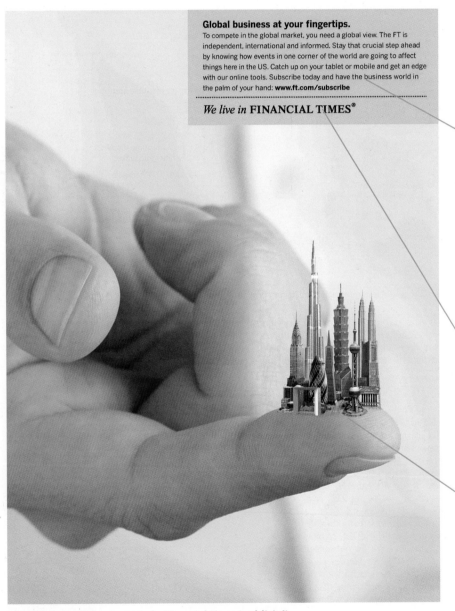

Global business at your fingertips.
To compete in the global market, you need a global view. The FT is independent, international and informed. Stay that crucial step ahead by knowing how events in one corner of the world are going to affect things here in the US. Catch up on your tablet or mobile and get an edge with our online tools. Subscribe today and have the business world in the palm of your hand: **www.ft.com/subscribe**

We live in **FINANCIAL TIMES**®

« Les affaires internationales aux bouts de vos doigts. Pour le marché mondial, vous avez besoin d'une vue mondiale. Le *Financial Times* est indépendant, international et informé. Gardez cette longueur d'avance décisive en sachant comment des événements dans un coin de la planète vont affecter les choses dans un autre. Retrouvez-nous sur votre tablette ou votre mobile et restez à la pointe avec nos outils en ligne. Souscrivez aujourd'hui et tenez le monde des affaires dans la paume de votre main. »

Le *Financial Times* est un quotidien économique et financier britannique. Référence dans le monde des affaires, il est imprimé simultanément dans 24 villes du monde. L'édition en ligne compte plus de 3,6 millions de lecteurs abonnés.

Principaux bâtiments illustrés :
– Chrysler building (319 m), New York
– Grande Arche de la Défense (110 m.), Paris
– Burj Khalifa (828 m), Dubai.
– Swiss Re Tower (180 m), Londres.
– Taipei 101 (509 m), Taïwan
– Oriental Pearl Tower (468 m), Shanghai
– Tours Pétronas (452 m), Kuala Lumpur

Les villes mondiales vues par le *Financial Times* (publicité)

Étape 1 Analyser le sujet et la consigne

À partir de l'analyse du document, montrez que les villes mondiales sont des **pôles majeurs** de la **mondialisation** et présentez leurs **facteurs d'intégration**. Vous porterez un regard critique sur le document.

Les villes mondiales, des pôles majeurs de la mondialisation

Qu'est-ce qu'une ville mondiale ? Comment l'affiche en représente-t-elle ?

Un pôle majeur de la mondialisation est un lieu caractérisé par la forte concentration des pouvoirs de décision et par l'intensité des échanges qu'il réalise avec les autres centres d'impulsion.

Le sujet invite à s'interroger sur l'insertion des villes mondiales à l'échelle globale mais n'exclut pas une réflexion à d'autres échelles : pourquoi choisir des tours pour symboliser les villes mondiales ?

■ Délimiter l'espace concerné et identifier les mots-clés

Étape 2 Exploiter et confronter les informations

Complétez et classez les informations suivantes dans le tableau en distinguant informations fournies par le document, notions géographiques associées et analyse critique.

Conseil *Pour analyser une affiche, il faut s'interroger sur l'émetteur, le message et son destinataire et les moyens graphiques utilisés pour mettre en valeur le message.*

Édition en ligne du Financial Times *; centre d'affaires ; archipel métropolitain mondial ; surreprésentation des villes mondiales américaines ; puissances émergentes ; globalisation financière ; quotidien économique à diffusion internationale ; montée en puissance de certaines régions…*

	Prélèvement des informations	Notions-clés à associer	Analyse critique
Image	– Tours des quartiers d'affaires, symboles de la puissance des entreprises. – …………………………………	– Sièges sociaux des FTN – …………………………………	– Seul le pouvoir économique est évoqué. – …………………………………
Texte	– ………………………………… – …………………………………	– ………………………………… – …………………………………	– ………………………………… – …………………………………

Étape 3 Organiser et synthétiser les informations

■ Bâtir le plan de l'analyse de document

Conseil *Lisez attentivement la consigne car des pistes pour organiser la réflexion sont souvent proposées.*

1re partie

À partir de l'analyse du document, montrez que les villes mondiales sont des **pôles majeurs de la mondialisation** et quels sont leurs facteurs d'intégration dans la mondialisation. Vous porterez **un regard critique** sur ce document.

2e partie
3e partie

■ Porter un regard critique sur le document

Sur le modèle proposé ci-dessous (paragraphe 1 de la partie 3), terminez la rédaction du paragraphe 2.

Le document montre l'importance des villes mondiales comme centres d'impulsion de la mondialisation et le rôle des NTIC dans le processus de mise en réseau de ces villes. Cependant, il présente une vision partielle de l'organisation du monde. Des régions entières sont oubliées et les périphéries marginalisées sont occultées. L'Amérique latine, l'Afrique ne sont pas représentées alors que la Triade et les pays émergents d'Asie sont surreprésentés. De plus, la vision positive du rôle d'Internet comme facteur d'intégration à la mondialisation masque la réalité de la fracture numérique, facteur de marginalisation.

Critique positive : mise en valeur de l'intérêt du document pour traiter le sujet

Critique négative : omission d'une idée, subjectivité, représentation inadaptée…

De même, le document souligne l'importance prise par le monde des affaires dans la mondialisation et le processus de globalisation financière par l'interconnexion des places financières mondiales. Mais il occulte …………

ENTRAÎNEMENT

Les villes mondiales, pôles majeurs de la mondialisation

Dégagez les facteurs et les aspects qui font de la métropole de Londres un territoire majeur de la mondialisation et une ville mondiale. Portez un regard critique sur les documents.

1   Londres, une ville globale

La City [...] est depuis des lustres le synonyme de la place financière londonienne. [...] C'est cependant la coexistence d'un large éventail de services qui fait de Londres un centre décisif de l'expansion économique mondiale. Au-delà de la banque et de la finance, des services professionnels comme l'assurance, la comptabilité, l'assistance juridique, la publicité et le conseil en management sont en effet essentiels au capitalisme contemporain. L'intensité des interactions entre ces services internationaux constitue la marque de fabrique de Londres, tout en contribuant à l'atmosphère électrique de la ville. La multiculturalité souvent évoquée de la capitale britannique s'avère également un trait décisif. Elle reflète pour une grande part le fait que la ville attire en nombre des professionnels hautement qualifiés et spécialisés [...]. Les activités de services ont désormais débordé l'espace confiné de la City, pour investir d'autres territoires de la ville [...] jusqu'au quartier d'affaires de Canary Warf, situé sur une presqu'île de la Tamise dans l'Est londonien. [...] De nombreuses firmes sont installées simultanément à Londres et à New York, de sorte que ces deux villes sont interconnectées par une infinité d'échanges et de transactions. [...] Le nombre élevé des firmes globales représentées à Londres incite à considérer la ville comme un site dominant dans la hiérarchie des villes.

« Villes mondiales, les nouveaux lieux de pouvoir », *Sciences humaines* n° 17, déc. 2009-janv.-fév. 2010.

2   Canary Warf, nouveau centre des affaires de Londres.
Le quartier est issu de la rénovation des anciens docks à l'est de Londres à partir de 1988. Il abrite le siège européen ou mondial de nombreuses banques et cabinets de services.

1. Banque Crédit Suisse. **2.** Hôtel Marriot. **3.** Banque Morgan Stanley (États-Unis). **4.** Bank of America Merryl Lynch. **5.** Moddy Analytics et Bank of New York. **6.** Banque HSBC (R.-U.). **7.** Banque JP Morgan (États-Unis).

ENTRAÎNEMENT

SUJET **L'inégale intégration des territoires dans la mondialisation**

À travers l'exemple de la production industrielle, montrez que la mondialisation conduit à une hiérarchisation des territoires en fonction de leur niveau d'intégration dans la mondialisation. Portez un regard critique sur les documents.

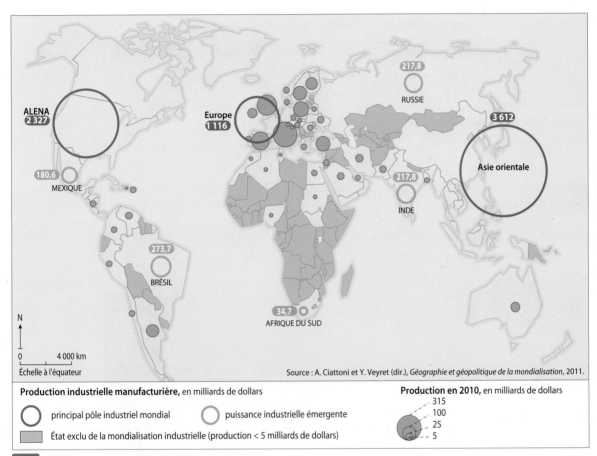

Source : A. Ciattoni et Y. Veyret (dir.), *Géographie et géopolitique de la mondialisation*, 2011.

Production industrielle manufacturière, en milliards de dollars

⭕ principal pôle industriel mondial   ⭕ puissance industrielle émergente

▨ État exclu de la mondialisation industrielle (production < 5 milliards de dollars)

Production en 2010, en milliards de dollars
- 315
- 100
- 25
- 5

1 Des territoires inégalement industrialisés

2 Apple, un symbole de l'intégration des territoires par la division internationale du travail

La firme californienne Apple est devenue un des symboles mondiaux de l'innovation en accélérant la sortie de nouveaux produits (ordinateurs puis ordinateurs portables MacBook Pro, iPod, iPhone…). […] Comme de nombreuses entreprises informatiques et électroniques dans les années 1980-1990, elle a décidé de se concentrer sur les fonctions de direction, conception, organisation et vente en externalisant toute la production matérielle à des firmes sous-traitantes. Celles-ci en retour ont très largement délocalisé leurs usines dans les pays à bas salaires, en particulier en Asie du Sud-Est et en Chine. Aujourd'hui, le prix d'un iPad se décompose en quatre grands postes : 25 % pour Apple et 24 % pour le distributeur d'un côté, 40 % pour les équipementiers (coréens Samsung et LG, japonais Toshiba, américains Broadcom, Qualcomm ou Intel) qui fournissent écrans, mémoires et processeurs, batteries, modems, caméras, réalisés aussi en partie en Chine, et 10 % seulement pour le montage final, lui aussi réalisé en Chine.

A. Ciattoni et Y. Veyret (dir.), *Géographie et géopolitique de la mondialisation*, 2011.

ENTRAÎNEMENT

SUJET **Les territoires et sociétés en marge de la mondialisation**

Dégagez les facteurs et les aspects de la faible intégration dans la mondialisation des îles Kiribati. Montrez qu'elles sont représentatives des territoires et sociétés en marge de la mondialisation. Portez un regard critique sur les documents.

1 **Des indicateurs révélateurs de la faible insertion dans la mondialisation**

	Kiribati	Rang mondial sur 210 États
Population en 2011	100 743	194
IDH (2011)	0,624	122
Superficie émergée	811 km²	187
Zone économique exclusive, en millions de km²	3,5	12
Utilisateurs d'Internet en 2010 en milliers en % de la population	8 959 9 %	180
Nombre de téléphones portables en 2010	10 000	199
Nombre de stations de TV * *Programmation de programmes locaux 1h/j du lundi au vendredi	1	–
Importations de marchandises en 2010, en millions de dollars	73	210
Exportations de marchandises en 2010, en millions de dollars	15	199

2 **Les îles Kiritimati, à plus de 3 000 km de Tarawa-sud, la capitale de l'archipel de Kiribati.**

Situé dans l'océan Pacifique, entre Hawaï et l'Australie, l'archipel des Kiribati s'étire au niveau de l'Équateur, sur plus de 3 200 km d'est en ouest et sur 1 000 km du nord au sud. La quasi-totalité des terres, composées de 33 îlots (dont 22 inhabités), sont des atolls (îles coralliennes comprenant souvent un lagon) situés au niveau de la mer et menacés par le réchauffement climatique. Les ressources de ce PMA proviennent essentiellement de droits de pêche et de l'aide internationale (15,5 % du RNB en 2009).

ENTRAÎNEMENT

SUJET Les territoires intégrés à la mondialisation

Montrez que la mégalopole japonaise est représentative des territoires intégrés de la mondialisation. Portez un regard critique sur les documents.

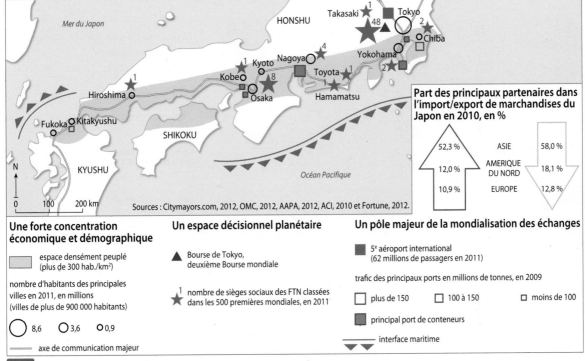

Part des principaux partenaires dans l'import/export de marchandises du Japon en 2010, en %

52,3 %	ASIE	58,0 %
12,0 %	AMERIQUE DU NORD	18,1 %
10,9 %	EUROPE	12,8 %

Sources : Citymayors.com, 2012, OMC, 2012, AAPA, 2012, ACI, 2010 et Fortune, 2012.

Une forte concentration économique et démographique

- espace densément peuplé (plus de 300 hab./km²)
- nombre d'habitants des principales villes en 2011, en millions (villes de plus de 900 000 habitants)
  - 8,6   3,6   0,9
- axe de communication majeur

Un espace décisionnel planétaire

- ▲ Bourse de Tokyo, deuxième Bourse mondiale
- ★¹ nombre de sièges sociaux des FTN classées dans les 500 premières mondiales, en 2011

Un pôle majeur de la mondialisation des échanges

- 5ᵉ aéroport international (62 millions de passagers en 2011)
- trafic des principaux ports en millions de tonnes, en 2009
  - plus de 150   100 à 150   moins de 100
- principal port de conteneurs
- interface maritime

1 **La mégalopole japonaise, un territoire ouvert sur le monde**

2 **Tokyo, pôle majeur de la mondialisation.** Shinjuku est un des huit centres d'affaires de Tokyo. 3,5 millions de personnes transitent chaque jour par sa gare pour travailler dans le CBD.

1. Sanctuaire impérial Meiji dans le parc Yoyogi. **2.** Tokyo Metropolitan Gymnasium, lieu de compétitions internationales comme l'Open de tennis de Tokyo. **3.** Tour de NTT DoCoMo, 1ᵉʳ opérateur de téléphonie mobile au Japon. **4.** Hôtel de ville de Tokyo. **5.** Nouveau théâtre national. **6.** Gare de Shinjuku.

EXERCICE GUIDÉ

SUJET L'Arctique : un espace maritime géostratégique

En utilisant les informations de la carte et du texte, montrez les différents enjeux qui font de l'Arctique, espace maritime géostratégique, un nouveau territoire de la mondialisation. Portez un regard critique sur les documents.

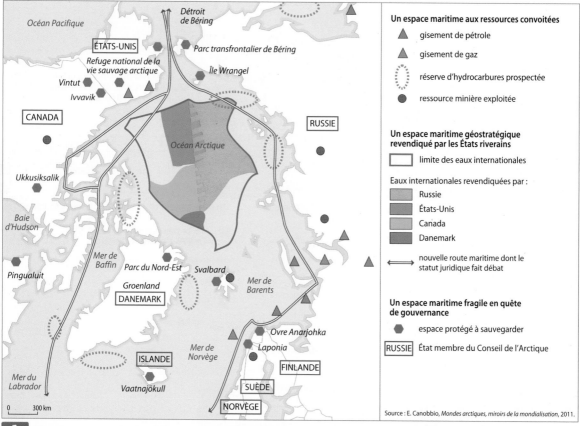

1 L'Arctique, un espace maritime aux multiples enjeux

2 Le passage du Nord-Ouest : une route maritime stratégique de la mondialisation des échanges

[Un] litige oppose Canadiens et Américains sur le statut du passage du Nord-Ouest, qui pourrait devenir une nouvelle route maritime internationale sous l'effet conjugué de l'exploitation des ressources minières et du développement de la navigation autour de l'Arctique en raison de la diminution de la banquise l'été. L'utilisation du passage du Nord-Ouest permettrait de réduire le trajet entre l'ouest de l'Europe et l'est de l'Asie par rapport au passage par Panama ou Suez. L'itinéraire via le nord canadien ne compte que 15 700 km, contre 21 200 km par Suez et 23 300 par Panama. Alors que le Canada considère ce passage comme partie intégrante de ses eaux territoriales, les États-Unis voudraient le voir qualifier de détroit international, au titre de l'article 37 de la Convention sur le droit de la mer, qui assure à tout navire la liberté de circulation. [...] Or Ottawa craint qu'un libre passage favorise la transformation du passage en véritable route maritime, faisant peser des risques sur l'environnement.

M. Gérardot et P. Lemarchand (dir.), *Géographie des conflits*, 2011.

Étape 1 — Analyser le sujet et la consigne

En utilisant les informations de la carte et du texte, montrez les différents enjeux qui font de l'**Arctique, espace maritime géostratégique**, un **nouveau territoire** de la **mondialisation**.

Quel intérêt présente l'Arctique dans le cadre de la mondialisation ? La consigne invite à éclairer la nature des enjeux autour de l'Arctique. Le classement de ces enjeux peut suggérer un plan pour rédiger l'étape 3.

L'**Arctique : un espace maritime géostratégique**.

■ Délimiter l'espace concerné et identifier les mots-clés

Rappelez la définition de « territoire ». Pourquoi le terme « nouveau » est-il employé ?

L'Arctique ne se limite pas à l'océan Arctique. Le terme englobe les États riverains. Nommez-les.

Un espace géostratégique se caractérise par ses potentialités géographiques, économiques ou politiques et les tensions ou compétitions entre les États qu'elles entraînent.

Étape 2 — Exploiter et confronter les informations

Complétez le tableau suivant. Le plan 1 et le plan 2 conviennent-ils ? Pourquoi ?

Conseil *Souvent les deux documents proposés se complètent. Il faut donc croiser les informations mais il faut aussi utiliser les notions géographiques pour les développer.*

Plan 1 / Plan 2	Les enjeux	Les enjeux	Les enjeux ....
Un espace géostratégique à l'échelle mondiale	– Le statut juridique du passage du Nord-Ouest en débat : quel impact aurait le statut de détroit voulu par les USA ?	– Quel intérêt présentent les routes maritimes de l'Arctique dans le cadre de la mondialisation ?	– Quel est l'impact du réchauffement climatique sur l'Arctique ?
Un espace géostratégique à l'échelle régionale	– Le Conseil de l'Arctique : combien de membres ? Quel rôle ? – Des eaux internationales revendiquées. – Le Canada revendique la souveraineté sur le passage du Nord-Ouest.	– Quelles sont les ressources de l'Arctique ? – Quel lien établir avec la production et la consommation d'énergie dans le monde ? – Quel intérêt présente pour un État la souveraineté maritime ?	– Quels sont les risques pour les espaces protégés ? – Pourquoi le Canada revendique-t-il sa souveraineté sur le passage du Nord-Ouest ?

Étape 3 — Organiser et synthétiser les informations

■ Présenter l'étude critique de documents

L'Arctique est une région couverte par un océan en partie gelé et bordé par huit États. La carte et le texte permettent de montrer les enjeux géopolitiques, économiques et environnementaux de cette région dans un contexte de mondialisation des échanges.

■ Rédiger l'étude critique de document

Sur le modèle proposé pour la partie 1, rédigez les parties 2 et 3 de l'étude critique des documents.

Les enjeux géopolitiques dans la région de l'Arctique se cristallisent tout d'abord sur les limites de souveraineté maritime des États (tracé de la ZEE). D'une part, le passage du Nord-Ouest, une route maritime beaucoup plus courte pour le commerce international, est l'objet d'un litige entre le Canada (qui considère ce passage sous sa souveraineté, lui permettant ainsi d'en limiter le trafic) et les États-Unis qui souhaitent un statut de détroit ouvert à tous. Cette question prend une dimension exceptionnelle dans un contexte de mondialisation et d'explosion des échanges. D'autre part, les eaux internationales sont disputées par la Russie, le Canada, les USA et le Danemark, ce qui atteste l'importance majeure accordée par les États à leurs espaces maritimes.

Prélèvement des informations dans les documents

Recours aux notions clés pour analyser les documents

EXERCICE GUIDÉ

SUJET L'inégale intégration des territoires dans la mondialisation

Étape 1 Analyser le sujet

L'inégale intégration **des** territoires **dans la** mondialisation

■ Délimiter l'espace concerné et identifier les mots-clés

Comment mesurer l'intégration à la mondialisation ? Quels sont les centres et les périphéries de la mondialisation ?

Tout espace mis en valeur par une société est un territoire. Le pluriel invite à considérer ces espaces à différentes échelles.

Quelles sont les grandes caractéristiques de ce processus ?

■ Dégager une problématique

Formulez une problématique qui suscite un débat.

Conseil *La problématique n'est pas une simple paraphrase du sujet avec un point d'interrogation à la fin. Elle doit permettre une démonstration.*

Étape 2 Élaborer la légende et choisir les figurés

■ Déterminer le sens des figurés

Les trois schémas suivants représentent exactement le même découpage du monde. Pourtant, par les choix cartographiques opérés, ils répondent à des sujets différents.

Attribuez un titre à chacun de ces schémas :

– L'inégale intégration des territoires dans la mondialisation
– Les inégalités de développement dans le monde
– Un espace mondial dominé par quelques puissances

Puis complétez la légende et la nomenclature de chaque schéma et justifiez leurs choix cartographiques.

Schéma 1 ....

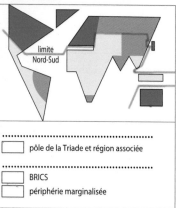

limite Nord-Sud

....
☐ pôle de la Triade et région associée

....
☐ BRICS
☐ périphérie marginalisée

Schéma 2 ....

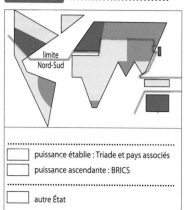

limite Nord-Sud

....
☐ puissance établie : Triade et pays associés
☐ puissance ascendante : BRICS

....
☐ autre État

Schéma 3 ....

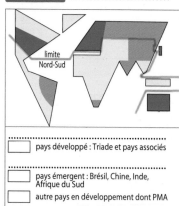

limite Nord-Sud

....
☐ pays développé : Triade et pays associés

....
☐ pays émergent : Brésil, Chine, Inde, Afrique du Sud
☐ autre pays en développement dont PMA

■ Choisir les figurés et construire la légende

Remplissez le tableau p. 169 en associant à chaque figuré proposé une information.

Conseil *La clarté d'un croquis est essentielle. Le nombre et les formes de figurés doivent faire l'objet d'une réflexion minutieuse.*

Liste des informations à faire figurer dans la légende :

Flux majeur : capitaux, marchandises, informations, services, main-d'œuvre qualifiée ; périphérie dominée ; façade littorale majeure ; pays émergent : nouveau centre d'impulsion de la mondialisation ; territoire de la Triade : centre d'impulsion de la mondialisation ; flux secondaire : capitaux, tourisme ; ville mondiale ; périphérie intégrée ; flux secondaire : matières premières, main-d'œuvre peu qualifiée, produits illicites ; périphérie marginalisée (PMA) ; périphérie marginalisée (marge en réserve) ; puissance ascendante.

Information		Figuré	
Ville mondiale		Ponctuel	●
....			▲
....		Linéaire	◄►
....			→
....			→
....			••••
....		De surface	▢
....			▢
....			▢
....			▢

Étape 3   Réaliser le croquis

Complétez la légende et le titre de la carte.

Titre : ....

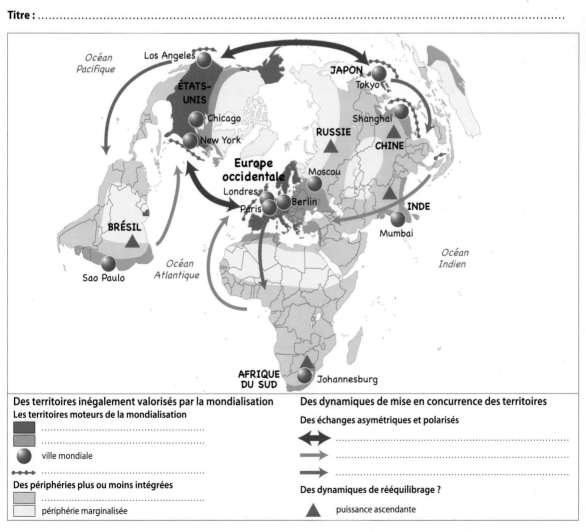

Des territoires inégalement valorisés par la mondialisation
Les territoires moteurs de la mondialisation

▮ ....
▮ ....
● ville mondiale
•••• ....

Des périphéries plus ou moins intégrées

▢ ....
▢ périphérie marginalisée

Des dynamiques de mise en concurrence des territoires

Des échanges asymétriques et polarisés

◄► ....
→ ....
→ ....

Des dynamiques de rééquilibrage ?

▲ puissance ascendante

EXERCICE GUIDÉ

SUJET Les espaces maritimes : approche géostratégique

Étape 1 Analyser le sujet

■ Délimiter l'espace concerné
et identifier les mots-clés

Les espaces maritimes : approche géostratégique

Quels sont les espaces concernés ? À quelle échelle sont-ils étudiés ?

L'approche géostratégique pose la question de la place de ces espaces dans la mondialisation : en quoi sont-ils au cœur de la mondialisation ?

■ Dégager une problématique

Quelle problématique convient le mieux ? Pourquoi ?

Problématique 1 : *En quoi les espaces maritimes sont-ils de plus en plus au cœur d'enjeux stratégiques de la mondialisation ?*

Problématique 2 : *En quoi les espaces maritimes sont-ils des espaces géostratégiques ?*

Problématique 3 : *Pourquoi les espaces maritimes sont-ils de nouveaux territoires de la mondialisation ?*

Étape 2 Élaborer la légende et choisir les figurés

■ Sélectionner les informations relatives au sujet

Classez ces éléments de légende en trois parties et donnez un titre à chaque partie.

Point de passage (détroit, canal) ; ZEE ; les 20 premiers ports mondiaux ; frontière maritime disputée ; principale façade maritime ; ressource maritime ; principale zone de piraterie ; principale voie de l'immigration clandestine ; principale route maritime.

Associez chaque élément de la légende à un figuré.

Conseil *Selon le sujet, une information a plus ou moins d'importance, il faut donc adapter le figuré choisi.*

■ Orienter la formulation de la légende dans le cadre du sujet

Complétez le tableau sur le modèle proposé.

Conseil *La légende doit formuler les informations en les mettant en relation avec le sujet.*

Informations à cartographier	Formulation dans le cadre du sujet
– détroit, canal – les 20 premiers ports mondiaux – ressource maritime –	– point de passage stratégique (détroit, canal) – principal hub portuaire, au coeur de la mondialisation économique – .... – ....

■ Choisir la nomenclature

La nomenclature dépend du sujet. Ici, les océans et mers doivent être mis en valeur. Lequel (ou lesquels) des croquis suivants convien(nen)t le mieux du point de vue de la nomenclature ? Pourquoi ?

Croquis 1 ....

Croquis 2 ....

Croquis 3 ....

Étape 3 Réaliser un croquis

■ Choisir la nomenclature

Complétez la nomenclature, la légende et le croquis suivants.

Titre : ....

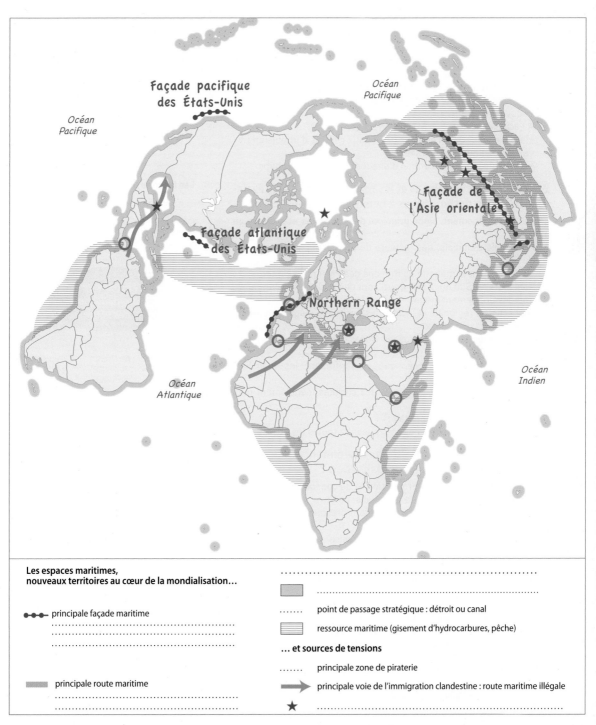

Les espaces maritimes, nouveaux territoires au cœur de la mondialisation...

●━●━● principale façade maritime

....

....

▬▬▬ principale route maritime

....

....

....

□ ....

.... point de passage stratégique : détroit ou canal

▨ ressource maritime (gisement d'hydrocarbures, pêche)

... et sources de tensions

.... principale zone de piraterie

➜ principale voie de l'immigration clandestine : route maritime illégale

★ ....

L'essentiel

A. Quels sont les différents territoires intégrés ? Comment se caractérisent-ils ?

Les centres d'impulsion sont les moteurs de la mondialisation

➤ Plusieurs facteurs expliquent l'intégration des territoires :
- leur capacité à attirer ou à émettre des IDE ;
- leur accessibilité, l'offre de services et leur main-d'œuvre.

➤ À l'échelle mondiale :
- la Triade regroupe les territoires les plus intégrés ;
- les BRICS et d'autres pays émergents s'affirment comme de nouveaux centres.

➤ À l'échelle locale :
- les villes mondiales sont les principaux centres d'impulsion ;
- elles fonctionnent en réseau ;
- elles concentrent les centres d'affaires, technopôles et hubs.

B. Quelles sont les raisons et les conséquences de l'inégale intégration des territoires à la mondialisation ?

Le mal-développement, signe principal des territoires et sociétés en marge

➤ À l'échelle mondiale, des facteurs de marginalisation regroupés au Sud :
- enclavement et manque de moyens des PMA pour s'intégrer ;
- les États du Sud qui s'intègrent sont des périphéries dominées, au développement inégal.

➤ Aux échelles régionale et locale, des territoires inégalement intégrés :
- les grandes villes, les espaces frontaliers et touristiques sont intégrés aux flux ;
- les métropoles macrocéphaliques renforcent les inégalités régionales.

➤ Aux échelles régionale et locale, des sociétés inégalement intégrées :
- une classe moyenne apparaît ;
- mais les inégalités sociales se creusent à toutes les échelles.

C. En quoi les espaces maritimes deviennent-ils de plus en plus un enjeu de la mondialisation ?

Un lien entre les espaces de production et de consommation

➤ Des espaces valorisés par la mondialisation :
- les échanges de marchandises se font presque essentiellement par la mer ;
- la mondialisation renforce et hiérarchise les littoraux et les espaces maritimes mondiaux.

➤ Des espaces convoités par :
- les grands ports, peu nombreux, qui se partagent les flux maritimes ;
- les États qui s'approprient et se partagent une partie des espaces maritimes grâce à leur ZEE ;
- les États et les FTN qui exploitent les ressources maritimes.

➤ Des espaces sources de tensions à cause :
- de la multiplication des risques ;
- de l'enjeu stratégique du contrôle des routes, donc des approvisionnements ;
- des conflits d'usage qui posent la question de la durabilité.

A. Les centres d'impulsion

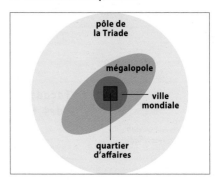

B. Les facteurs de marginalisation des PMA

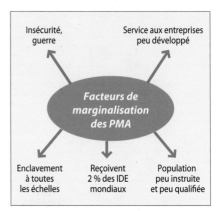

C. Le fonctionnement d'une interface

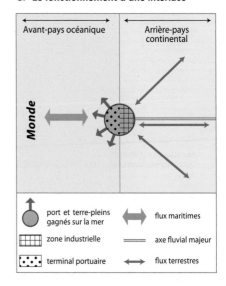

Organigramme de révision

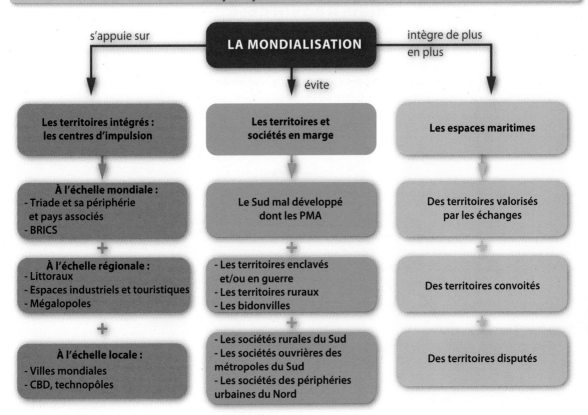

LA MONDIALISATION

s'appuie sur

**Les territoires intégrés :
les centres d'impulsion**

À l'échelle mondiale :
- Triade et sa périphérie
  et pays associés
- BRICS

À l'échelle régionale :
- Littoraux
- Espaces industriels et touristiques
- Mégalopoles

À l'échelle locale :
- Villes mondiales
- CBD, technopôles

évite

**Les territoires et
sociétés en marge**

**Le Sud mal développé
dont les PMA**

- **Les territoires enclavés
  et/ou en guerre**
- **Les territoires ruraux**
- **Les bidonvilles**

- **Les sociétés rurales du Sud**
- **Les sociétés ouvrières des
  métropoles du Sud**
- **Les sociétés des périphéries
  urbaines du Nord**

intègre de plus
en plus

Les espaces maritimes

**Des territoires valorisés
par les échanges**

Des territoires convoités

Des territoires disputés

Ne pas confondre

**Périphérie dominée
et périphérie en marge**

Une **périphérie dominée** est une région intégrée à la mondialisation (exportation de matières premières, accueil de touristes) mais dépendante des centres d'impulsion (prix, demande).

Une **périphérie en marge** est une région évitée par les FTN et les investisseurs.

Façade maritime et interface

Une **façade maritime** est un littoral qui concentre un grand nombre de villes portuaires ouvertes aux échanges mondiaux et en liaison avec un même arrière-pays.

Une **interface** est un lieu privilégié d'échanges entre un espace et le reste du monde. Elle peut être linéaire (littoral, frontière), ponctuelle (port, aéroport), continentale ou maritime.

Repères

Schéma de l'archipel mégalopolitain mondial

San Francisco · Chicago · Toronto · Londres · Berlin · Moscou · New York · Paris · Milan · Séoul · Beijing · Los Angeles · Washington · Madras · Shanghai · Tokyo · Osaka · Dubai · Bombay · Bangkok · Taipei · Mexico · Hongkong · Singapour · Lagos · Bangalore · Rio de Janeiro · Sao Paulo · Buenos Aires · Johannesburg · Sydney

- ▣ les 4 « global cities »
- métropole de l'AMM (« île ») plus ou moins importante
- mégalopole des pôles de la Triade
- mégalopole en formation
- mise en réseau plus ou moins dense

Commenter un croquis de synthèse
Une planète mondialisée

Faire un croquis de synthèse implique des choix cartographiques pour faire passer un message. Commenter ce croquis consiste donc à décrypter ces choix pour à la fois expliquer ce que l'auteur a voulu signifier et critiquer éventuellement ses non-dits ou ses partis pris.

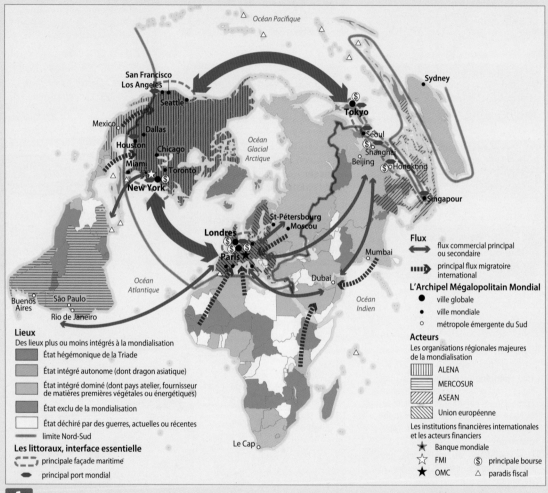

1 Croquis de synthèse dessiné par V. Moriniaux : « Une planète mondialisée : lieux, flux et acteurs »

2 Les enjeux de la cartographie

Cette sélection d'objets et d'événements, comme d'ailleurs le choix des représentations visuelles qui les symbolisent, relève exclusivement de la responsabilité des producteurs de la carte, qui voient s'ouvrir devant eux les portes de l'imagination et de la créativité, mais aussi celles du mensonge et de la manipulation. Oui, le cartographe est parfaitement libre de transcrire le monde comme il l'entend sur le petit bout de papier qui donnera naissance à la carte. Sur le chemin qui le mènera du territoire à sa représentation, il n'évitera pas les pièges, supprimera ou dissimulera les objets qui le gênent et en caricaturera d'autres susceptibles de servir son message.

P. Rekacewicz, « La cartographie, entre science, art et manipulation », www.monde-diplomatique.fr, 2006.

Les variables visuelles

1. Représenter les données quantitatives

a. La taille

La variation de taille montre un ordre (l'œil classe du plus petit au plus grand) et une quantité (si je sais que le plus petit signe vaut 1, alors je peux calculer combien vaut le plus grand).

b. La valeur

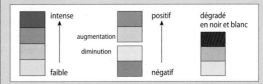

La valeur montre un ordre, mais ne permet pas de calculer une quantité.

2. Représenter les données qualitatives

a. La couleur

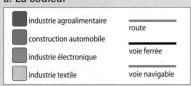

Les couleurs ont une forte valeur évocatrice et symbolique.
Le rouge, par exemple, peut montrer la puissance, le bleu la paix.

b. La forme

Souvent combinée à la couleur, la forme permet une grande variété de signes. On préfère les formes géométriques, plus faciles à reproduire.

c. L'orientation

Les 4 modalités de l'orientation (horizontal, vertical, incliné à droite, incliné à gauche) sont utiles pour superposer une information à une autre (en couleur ou valeur).

Source des variables visuelles : Anne Le Fur, *Pratiques de la cartographie*, A. Colin, coll. « 128 », 2007.

Démarche

À l'aide du doc. 2 et de l'encadré ci-dessus sur les variables visuelles, répondez aux questions suivantes concernant le doc. 1.

1. Quel fond le cartographe a-t-il choisi ? Pourquoi ?
2. Que pensez-vous du choix du cartographe en ce qui concerne les flux représentés ?
3. Quel est le sens du choix des variables visuelles pour représenter les États ?
4. Pourquoi peut-on dire que les villes sont aussi des acteurs de la mondialisation ?
5. Que veut dire l'auteur lorsqu'il érige les paradis fiscaux au rang d'acteurs de la mondialisation, au même titre que les grands organismes internationaux ?
6. Rédigez un commentaire du croquis de synthèse qui porte aussi bien sur les informations qu'il contient que sur sa réalisation.

La mondialisation en débat

▬ La mondialisation entraîne une ouverture des frontières. Pourtant, le nombre d'États n'a cessé d'augmenter depuis la fin du XXᵉ siècle, inscrivant les peuples entre les échelles locale et globale. Mais on peut observer que, si les frontières sont ouvertes aux flux économiques, elles se ferment aux flux migratoires, devenant alors des espaces de conflits.

▬ La mondialisation provoque de nombreux débats. Bien qu'elle crée de la richesse pour les États, des inégalités s'observent à toutes les échelles, au Nord comme au Sud. En outre, les effets néfastes de la mondialisation sur l'environnement sont une préoccupation largement partagée aujourd'hui. Et une uniformisation culturelle est dénoncée.

▬ La mondialisation est donc finalement contestée par une nébuleuse d'acteurs, regroupés sans être unis au sein du mouvement altermondialiste. Des alternatives sont proposées, mais elles semblent difficiles à mettre en œuvre et un plus grand besoin de régulation s'impose.

> **Quelles questions les effets de la mondialisation soulèvent-ils ?**

Manifestation lors du forum social mondial de Dakar (Sénégal) en 2011.

Le forum social mondial est un espace de réflexion et de débats sur les alternatives possibles
à la mondialisation libérale. Longtemps organisé à Porto Alegre au Brésil, il se délocalise depuis
2005 vers d'autres continents comme l'Afrique afin de donner la parole à ceux qui souffrent de
la pauvreté et non à ceux qui la théorisent. Parmi les participants, des collectifs qui se mobilisent
contre le durcissement du contrôle des frontières, un phénomène lié à la mondialisation.
Ce FSM de Dakar était aussi axé sur le développement durable.

Quels sont les effets de la mondialisation qui font débat ?

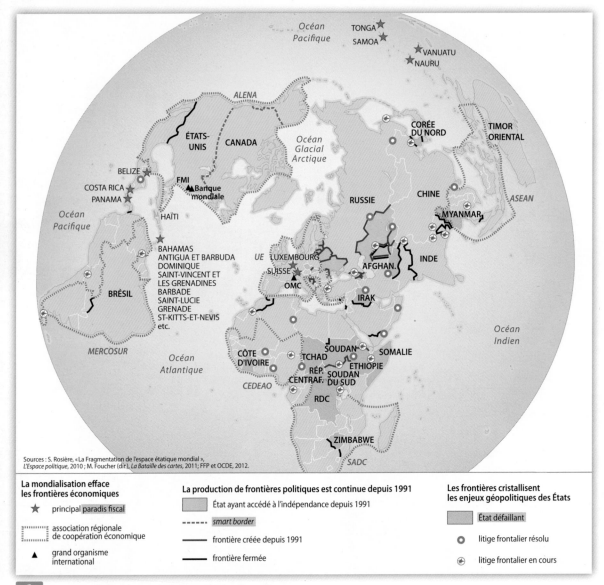

Sources : S. Rosière, « La Fragmentation de l'espace étatique mondial »,
L'Espace politique, 2010 ; M. Foucher (dir.), *La Bataille des cartes*, 2011; FFP et OCDE, 2012.

La mondialisation efface les frontières économiques

★ principal paradis fiscal

[⋯⋯] association régionale de coopération économique

▲ grand organisme international

La production de frontières politiques est continue depuis 1991

▫ État ayant accédé à l'indépendance depuis 1991

----- *smart border*

—— frontière créée depuis 1991

━━ frontière fermée

Les frontières cristallisent les enjeux géopolitiques des États

▫ État défaillant

◎ litige frontalier résolu

⊛ litige frontalier en cours

1 **Une mondialisation qui n'efface pas les frontières**

Vocabulaire

État défaillant : État classé (par l'ONG Fundforpeace) en fonction de sa « vulnérabilité aux conflits internets violents et de la détérioration sociale » (voir aussi Repère B, p. 180).

Paradis fiscal : territoire où le régime fiscal est particulièrement avantageux pour les capitaux étrangers.

Smart border (« frontière intelligente ») : frontière équipée de manière suffisamment sophistiquée pour rester ouverte. L'identification biométrique des passagers, la vidéosurveillance permanente et le passage au scanner des conteneurs de marchandises sont des techniques électroniques permettant de retenir les éléments indésirables tout en laissant passer les éléments désirés.

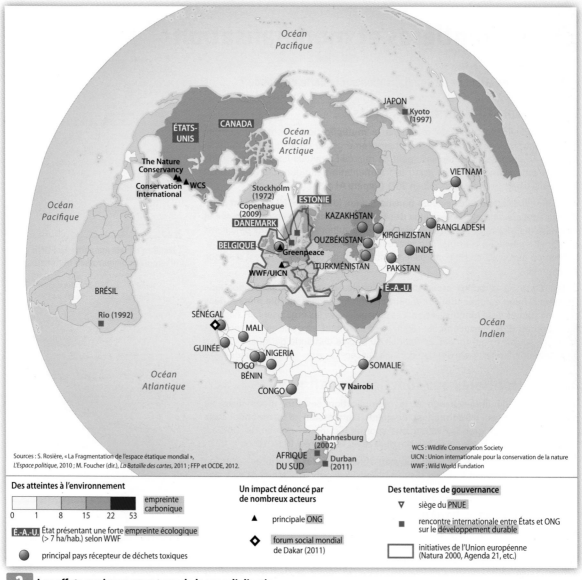

Sources : S. Rosière, « La Fragmentation de l'espace étatique mondial »,
L'Espace politique, 2010 ; M. Foucher (dir.), *La Bataille des cartes*, 2011 ; FFP et OCDE, 2012.

WCS : Wildlife Conservation Society
UICN : Union internationale pour la conservation de la nature
WWF : Wild World Fundation

Des atteintes à l'environnement

| 0 | 1 | 8 | 15 | 22 | 53 |

empreinte
carbonique

É.-A.-U. État présentant une forte empreinte écologique
(> 7 ha/hab.) selon WWF

🔴 principal pays récepteur de déchets toxiques

**Un impact dénoncé par
de nombreux acteurs**

▲ principale ONG

◆ forum social mondial
de Dakar (2011)

Des tentatives de gouvernance

▽ siège du PNUE

■ rencontre internationale entre États et ONG
sur le développement durable

☐ initiatives de l'Union européenne
(Natura 2000, Agenda 21, etc.)

2 **Les effets environnementaux de la mondialisation**

Vocabulaire

Développement durable : voir p. 37.

Empreinte carbonique : émissions de CO_2 en tonnes/hab.

Empreinte écologique : voir p. 36.

Forum social mondial : rassemblement annuel organisé par le mouvement altermondialiste pour débattre des problèmes liés à la mondialisation et proposer des solutions non libérales.

Gouvernance : voir p. 26.

ONG : voir p. 188.

PNUE : Programme des Nations Unies pour l'environnement. Organisme international auteur de rapports sur l'environnement et détenant des fonds de soutien financier et technique accessibles aux États.

Questions

1. Montrez que les États et les frontières augmentent malgré la mondialisation. (doc. 1)

2. Pourquoi les États s'unissent-ils en associations de coopération économique et règlent-ils leurs litiges frontaliers ? (doc. 1)

3. Quels sont les pays où l'empreinte carbonique est la plus forte ? Ceux dont l'empreinte écologique est forte ? (doc. 2)

4. Quels sont les acteurs qui luttent contre les effets environnementaux de la mondialisation ? (doc. 2)

États, frontières et mondialisation

> **Quels sont les effets de la mondialisation sur la carte du monde ?**

A Une multiplication des États

■ **La mondialisation joue un rôle dans la multiplication récente du nombre d'États.** En provoquant dans certains pays l'émergence de sentiments nationalistes et en permettant l'enrichissement de micros-États (tels les paradis fiscaux antillais ou pacifiques), elle a accru la fragmentation étatique. L'ONU comptait 51 membres en 1945, ils sont 193 en 2011 **(Repère A)**.

■ **La mondialisation et les acteurs transnationaux (dont les FTN) semblent fragiliser la souveraineté et les décisions des États, en les mettant en concurrence et en multipliant les règles internationales.** Les plus vulnérables, les États défaillants **(Repère B)**, peinent à contrôler leur territoire et à imposer leur administration. L'intervention de l'ONU en Haïti, après le tremblement de terre de 2010, est devenue structurelle.

■ **Les États ou certaines associations régionales de coopération économique (comme l'Union européenne) continuent cependant à jouer un rôle moteur dans les dynamiques de la mondialisation.** Les plus puissants les organisent en siégeant au G8 ou au G20 ; beaucoup les régulent en affirmant leur rôle de garant de la cohésion sociale et territoriale. Le Soudan du Sud se demande par quelles routes exporter son pétrole : via le Soudan dont il a fait sécession ou via le Kenya **(doc. 2)** ?

B Des frontières aux fonctions redéfinies

■ **La logique du libre-échange et la multiplication des flux mondialisés de communication et d'information donnent l'impression d'un monde sans barrières.** Ainsi, les grands événements sportifs (Coupe du monde de football, Jeux olympiques) sont aujourd'hui médiatisés en temps réel **(doc. 1)**.

■ **Les frontières ont acquis un nouveau rôle.** Véritables interfaces, elles ne servent plus seulement à borner les territoires. Elles doivent réguler et gérer les flux mondialisés. C'est pourquoi les postes frontières s'équipent de plus en plus de systèmes de surveillance vidéo et biométrique, comme entre les États-Unis et le Canada **(Exemple 1, p. 182-183)**.

■ **Les frontières deviennent asymétriques.** Perméables aux flux commerciaux et financiers, elles se ferment aux flux migratoires, autorisant les sorties mais sélectionnant les entrées. En 2002, par exemple, l'Afrique du Sud, devenue un pôle migratoire attractif, a durci sa législation contre l'immigration clandestine tout en ouvrant son territoire aux étudiants africains.

C Une matérialisation des enjeux des frontières

■ **La mondialisation accentue la crispation des États sur leurs territoires.** Privés d'une partie de leurs fonctions par les acteurs transnationaux, en concurrence avec d'autres États pour la maîtrise des ressources, ils veulent garder le contrôle de leurs frontières.

■ **Dans ce contexte, certains États font le choix de régler leurs litiges frontaliers.** Depuis 1991, la signature d'accords de délimitation a concerné 24 000 km. Par exemple, la Chine a rouvert certains points de passage avec l'Inde (col de Nathu-La) dans la perspective de développer les relations avec son voisin et de mieux contrôler les ressources de cet espace périphérique.

■ **Mais certaines tensions frontalières persistent et cela conduit parfois à la construction de murs de séparation.** 18 000 km de barrières électroniques ou métalliques ont ainsi été planifiés dans le monde en 2009 **(doc. 3)**. Cette « barriérisation » souligne que les contrôles des flux migratoires et des réseaux de terrorisme international sont devenus des préoccupations primordiales.

Vocabulaire

État défaillant : voir p. 178.
Paradis fiscal : voir p. 178.
G8 : voir p. 16.
G20 : voir p. 16

Repère A

Nombre d'États membres de l'ONU et d'accords commerciaux régionaux

Sources : ONU et OMC, 2012.

Repère B

Principaux États défaillants en 2011

Rang	États	Indice*
177	Somalie	113,4
176	Tchad	110,3
175	Soudan	108,7
174	République démocratique du Congo	108,2
173	Haïti	108,0
172	Zimbabwe	107,9
171	Afghanistan	107,5
170	République centrafricaine	105,0
169	Irak	104,8
168	Côte-d'Ivoire	102,8

Source : www.fundforpeace.org, 2012.

* L'« indice des États défaillants » se mesure de 0 à 120. L'ONG Fundforpeace classe 177 États dans cette catégorie, en se basant sur 12 indicateurs sociaux (dont la démographie et le nombre de réfugiés), économiques et politiques (criminalisation ou délégitimation de l'État, dégradation des services publics...).

1 **Les Jeux olympiques : un événement sportif mondialement médiatisé.** 204 délégations étaient présentes aux Jeux d'été de Pékin en 2008 et l'événement a été couvert par 40 000 journalistes, dont 26 000 accrédités.

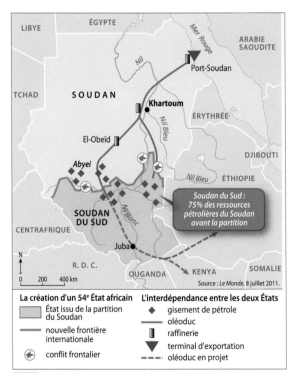

Source : *Le Monde*, 8 juillet 2011.

La création d'un 54e État africain

- ▨ État issu de la partition du Soudan
- ── nouvelle frontière internationale
- ✺ conflit frontalier

L'interdépendance entre les deux États

- ◆ gisement de pétrole
- ── oléoduc
- ▯ raffinerie
- ▼ terminal d'exportation
- ---- oléoduc en projet

2 **Le Soudan du Sud : un nouvel État qui cherche à s'insérer dans la mondialisation**

1. Expliquez la complexité de l'insertion de ce nouvel État dans la mondialisation.

3 **Vers un durcissement physique et sécuritaire des frontières**

Nous recensons 39 692 km de frontières [...] « fermées » ou dont la fermeture est prévue. [...] La localisation de ces frontières résulte de plusieurs phénomènes : globaux (essentiellement corrélés à la mondialisation) ou régionaux (tensions régionales spécifiques). [...]

[Parmi ces frontières fermées,] les plus nombreuses séparent des États dépourvus de contentieux majeurs, sur des frontières caractérisées par des flux migratoires causés par de fortes discontinuités de niveau de vie. [...] Les discontinuités de niveau de vie les plus fortes sont bien soulignées par des murs (différentiels de PIB de 1 à 16 entre le Maroc et les *Presidios* espagnols[1] et de 1 à 6 entre le Mexique et les États-Unis), la fracture Nord/Sud est donc de plus en plus soulignée par un mur qui tend à devenir global. [...] Des différentiels moins élevés peuvent générer des « murs ». Ainsi, le gouvernement du Bostwana a érigé, lui aussi, [...] une clôture électrifiée haute de 2,40 m sur les 810 km de frontière commune [avec le Zimbabwe]. [...]

Un des points communs les plus évidents entre ces barrières migratoires est la lutte contre l'immigration clandestine, ou plus globalement le « risque migratoire ». On est là au cœur du paradoxe de la mondialisation. En effet, si « société ouverte » il y a, l'ouverture concerne les capitaux et les flux financiers ou de marchandises, mais certainement pas les individus.

S. Rosière, www.diploweb.com, 2009.

1. Ceuta et Melilla.

Comment les frontières de l'Amérique du Nord évoluent-elles dans le contexte de mondialisation ?

Les limites du territoire étasunien présentent deux tendances contradictoires :
– une désactivation des frontières dans le cadre de l'Association de libre-échange nord-américain (ALENA), qui a renforcé l'intégration économique des États-Unis, du Canada et du Mexique depuis 1992 ;
– un durcissement du contrôle des frontières face aux préoccupations de sécurité et aux flux migratoires, qui a donné naissance aux *smart borders*.

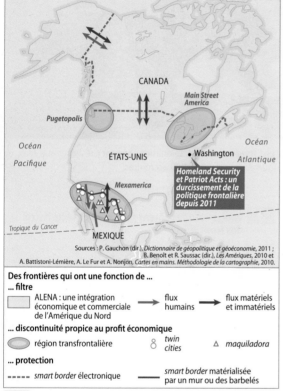

Sources : P. Gauchon (dir.), *Dictionnaire de géopolitique et géoéconomie*, 2011 ;
B. Benoît et R. Saussac (dir.), *Les Amériques*, 2010 et
A. Battistoni-Lémière, A. Le Fur et A. Nonjon, *Cartes en mains. Méthodologie de la cartographie*, 2010.

Des frontières qui ont une fonction de ...

... filtre

ALENA : une intégration économique et commerciale de l'Amérique du Nord → flux humains → flux matériels et immatériels

... discontinuité propice au profit économique

région transfrontalière   ⚲ twin cities   △ maquiladora

... protection

- - - - *smart border* électronique   —— *smart border* matérialisée par un mur ou des barbelés

1 **Des frontières terrestres dynamisées par l'ALENA**

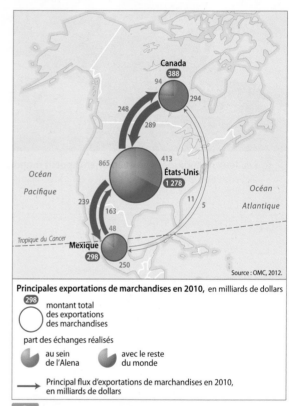

Source : OMC, 2012.

Principales exportations de marchandises en 2010, en milliards de dollars

(298) montant total des exportations des marchandises

part des échanges réalisés

au sein de l'Alena   avec le reste du monde

→ Principal flux d'exportations de marchandises en 2010, en milliards de dollars

2 **Les flux de marchandises en Amérique du Nord**

---

3 **États-Unis/Mexique : la frontière la plus traversée au monde**

Au Mexique, les maquiladoras réalisent environ 40 % du commerce extérieur du pays. Des bourgades qui végétaient sont devenues de véritables agglomérations, comme Mexicali, qui dépasse 850 000 habitants. Les envois de fonds des travailleurs mexicains, installés dans les villes jumelles du côté des États-Unis, soutiennent des familles entières dans la zone mexicaine. Des dizaines de millions de touristes nord-américains font vivre les petits commerces des villes mexicaines de la frontière, tandis que trois millions de « Latinos » tentent chaque année de s'installer aux États-Unis. [...]
Les États-Unis redoutent l'arrivée massive d'immigrants. [...]

Ils ont entamé, en 2006, l'édification d'un mur de 1 132 km de long (la *barda*) aux endroits les plus sensibles (béton, clôture en métal, fils de fer barbelés). [...] Tous ces moyens ne peuvent cependant contenir le flot humain. [...] Chaque année, 1,5 million de personnes sont arrêtées et renvoyées dans leurs pays, mais 500 000 environ parviennent à franchir l'obstacle malgré les dangers et les prix exorbitants demandés par les passeurs. Les migrants inventent régulièrement de nouvelles stratégies – ils creusent des tunnels sous la *barda* – et contournent la barrière dans les zones les plus difficiles à surveiller.

B. Benoît et R. Saussac (dir.), *Les Amériques*, 2010.

4 La frontière États-Unis/Mexique à Nogales : une *smart border* matérialisée par un mur

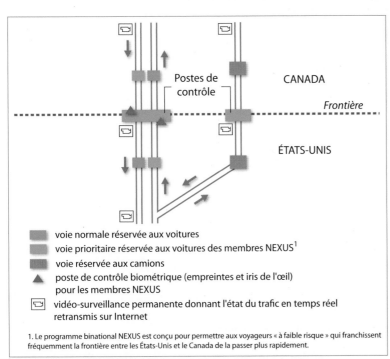

- ■ voie normale réservée aux voitures
- ■ voie prioritaire réservée aux voitures des membres NEXUS[1]
- ■ voie réservée aux camions
- ▲ poste de contrôle biométrique (empreintes et iris de l'œil) pour les membres NEXUS
- ▭ vidéo-surveillance permanente donnant l'état du trafic en temps réel retransmis sur Internet

1. Le programme binational NEXUS est conçu pour permettre aux voyageurs « à faible risque » qui franchissent fréquemment la frontière entre les États-Unis et le Canada de la passer plus rapidement.

5 États-Unis/Canada : une *smart border* équipée de techniques électroniques

Vocabulaire

Maquiladora : usine de sous-traitance installée au Mexique, le long de la frontière des États-Unis, et financée par des investisseurs étatsuniens qui tirent avantage des différences entre les deux États en matière de rémunération de la main-d'œuvre et de législation (droit du travail et fiscalité).

Smart border (« frontière intelligente ») : voir p. 178.

Questions

1. Identifiez les différents types de flux traversant les frontières en Amérique du Nord. (doc. 1, 2 et 3)

2. Montrez que les frontières terrestres des États-Unis n'ont pas le même degré d'ouverture. (doc. 1, 3, 4 et 5)

3. Expliquez l'évolution actuelle des frontières États-Unis/Canada et États-Unis/Mexique. (doc. 1, 4 et 5)

Les débats sur la mondialisation

> **Quels effets de la mondialisation font débat ?**

A Les effets sociaux et économiques

■ **La mondialisation entraîne le développement et un recul de la pauvreté.** En permettant le décollage économique des nouveaux pays industrialisés d'Asie (NPIA), puis des BRICS, elle a créé une classe moyenne dans ces pays. Dans le monde, la proportion de personnes subsistant avec moins de 1,25 dollar/jour est passée de 46 % en 1990 à 27 % en 2005, et elle devrait descendre à 15 % en 2015, selon l'ONU.

■ **Pour autant, la mondialisation aggrave les inégalités à toutes les échelles** en favorisant le développement de certaines régions ou de certains groupes sociaux. Par exemple, si le Panama a gagné quatre rangs dans le classement de l'IDH entre 2005 et 2010, le Tchad a régressé de huit places.

■ **Enfin, la mondialisation ne semble pas impulser un développement durable.** D'un point de vue socio-économique, notamment avec les délocalisations, elle est souvent accusée de détruire les emplois peu qualifiés, d'abaisser les salaires et de créer de nouveaux pauvres (travailleurs précaires, SDF) (doc. 2).

B Les effets environnementaux

■ **Bien que génératrice de progrès scientifiques et techniques, la mondialisation est fondée sur un modèle de croissance fortement consommateur d'espaces et de ressources naturelles.** Or la pression sur les ressources n'a jamais été aussi forte. Le découplage pourrait être une mesure à développer pour freiner les atteintes à l'environnement (Repère A).

■ **La mondialisation a accéléré la rupture de l'équilibre environnemental de la planète.** Elle accentue les risques sanitaires, la densité des flux aériens favorisant la propagation des virus. Le modèle de consommation de masse largement diffusé et l'urbanisation accrue ont multiplié la production de déchets polluants et les « kilomètres alimentaires » (doc. 1).

■ **Même si la mondialisation a permis l'émergence d'une conscience écologique planétaire, de nombreux débats persistent sur la gestion de ces risques et des ressources à l'échelle mondiale.** Il est aujourd'hui très difficile de trouver un indicateur ou des statistiques qui fassent consensus, l'empreinte écologique créée par l'organisation non gouvernementale WWF étant critiquée (voir p. 36-37).

C Les effets culturels

■ **Conséquence de l'explosion des flux et du développement des médias, une culture mondialisée se développe**, avec la diffusion d'images, d'objets de consommation et de modes de vie identiques. Cela résulte de l'influence du modèle culturel occidental, américain en particulier. Par exemple, les États-Unis exportent à eux seuls autant de séries télévisées que le reste du monde réuni.

■ **Cependant, la mondialisation n'efface pas la diversité culturelle du monde.** Même si elle renforce la domination de l'anglais, langue la plus utilisée sur Internet (Repère B), elle ne menace pas la variété linguistique puisqu'on recense encore 6 700 langues parlées dans le monde. Les FTN, qui cherchent à toucher le plus grand nombre de consommateurs, adaptent leurs produits aux goûts locaux des marchés visés et participent à l'uniformisation culturelle.

■ **Le tourisme de masse est aussi accusé d'être un vecteur de cette uniformisation culturelle et ses effets restent controversés.** Aujourd'hui, aucun espace de la planète n'échappe au tourisme. Si la mondialisation touristique a permis d'impulser un certain développement, elle a toutefois généré un phénomène d'acculturation qualifié de « baléarisation » ou de « disneylandisation » (doc. 3).

Repère A

Le principe du découplage

Extraction des ressources, en milliards de tonnes — PIB, en milliards de dollars

- Minerais industriels
- Énergies fossiles
- Minerais de construction
- Biomasse
- PIB

Source : PNUE, 2012.

Repère B

Les langues les plus utilisées sur Internet en 2011

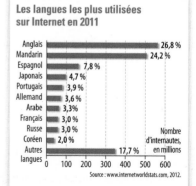

Langue	%
Anglais	26,8 %
Mandarin	24,2 %
Espagnol	7,8 %
Japonais	4,7 %
Portugais	3,9 %
Allemand	3,6 %
Arabe	3,3 %
Français	3,0 %
Russe	3,0 %
Coréen	2,0 %
Autres langues	17,7 %

Nombre d'internautes, en millions

Source : www.internetworldstats.com, 2012.

1 **Les kilomètres alimentaires, un effet environnemental de la mondialisation.**

Affiche de l'ONG allemande BUND, 2008. Traduction : « Les fruits qui voyagent menacent le climat. » « Penser global. Acheter des produits régionaux. »

1. Comment cette affiche permet-elle de comprendre la notion de « kilomètre alimentaire » ?

2. Pourquoi les flux de produits alimentaires portent-ils atteinte à l'environnement ?

2 **Les effets sociaux et économiques de la mondialisation.** Caricature de Seppo, avril 1997.

1. Quel est le but des délocalisations ? Quelles en sont les conséquences ?

2. Comparez cette vision des délocalisations avec celle du doc. 2 p. 190.

3 **Brassage culturel ou culture mondialisée ?**

Dans l'État de l'Himachal Pradesh (Inde), le village de Vashisht doit sa renommée à ses sources d'eau chaude et ses *guest houses* (pensions) bon marché.

1. Quels signes de la mondialisation touristique cette photo montre-t-elle ?

Quels effets de la mondialisation font débat dans un territoire comme Dubai ?

Dubai est le territoire de la mondialisation par excellence : sa stratégie de diversification économique, sa fonction de hub mondial, ses constructions futuristes, la démesure et la surenchère de ses équipements placent cet émirat au cœur du jeu global des échanges. Mais le coût social de ce modèle de développement et les interrogations sur sa durabilité font débat depuis la crise financière de 2007-2010.

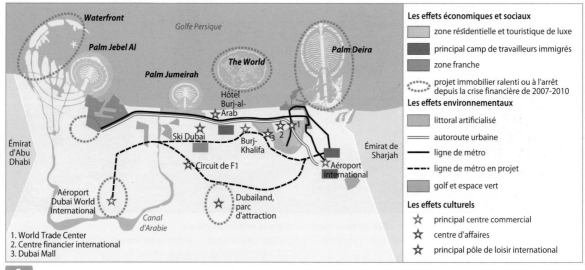

Les effets économiques et sociaux
- zone résidentielle et touristique de luxe
- principal camp de travailleurs immigrés
- zone franche
- projet immobilier ralenti ou à l'arrêt depuis la crise financière de 2007-2010

Les effets environnementaux
- littoral artificialisé
- autoroute urbaine
- ligne de métro
- ligne de métro en projet
- golf et espace vert

Les effets culturels
- ☆ principal centre commercial
- ☆ centre d'affaires
- ☆ principal pôle de loisir international

1. World Trade Center
2. Centre financier international
3. Dubai Mall

1 **Les effets sociaux, économiques, environnementaux et culturels de la mondialisation**

2 **Ski Dubai : une des plus grandes attractions touristiques.**

Donnant sur les cinq pistes de ski longues de 400 m de Ski Dubai, un mall avec espaces de restauration propose des pizzas, des fondues et des menus chinois.

3 **Une réussite économique fondée sur l'exploitation de travailleurs immigrés**

À Dubai [...], qui n'a aboli l'esclavage qu'en 1963, les syndicats, les grèves et les agitateurs sont généralement hors-la-loi, et 99 % des salariés du secteur privé sont des étrangers expulsables sur-le-champ. [...] La grande masse de la population y est constituée de travailleurs sous contrat venus d'Asie du Sud, étroitement dépendants d'un unique employeur et soumis à un contrôle social de type totalitaire. Une myriade de domestiques philippines, srilankaises et indiennes veillent au bien-être fastueux des élites, tandis que le boom immobilier (qui emploie un quart de la main-d'œuvre) repose sur une armée de Pakistanais et d'Indiens sous-payés [...] travaillant douze heures par jour, six jours et demi par semaine, par des températures infernales. [...] [D'après le quotidien britannique *The Independant*, les droits de ces travailleurs] « *s'évanouissent à leur arrivée à l'aéroport lorsque les recruteurs confisquent leur passeport et leur visa.* »

De même, « *les travailleurs asiatiques n'ont pas accès aux rutilants centres commerciaux* ». Et les sordides baraquements de la périphérie où ils s'entassent à 6, 8, voire 12 dans une seule pièce, souvent sans climatisation ni toilettes décentes, sont inconnus des circuits touristiques officiels, qui vantent une oasis de luxe.

M. Davis, *Le stade Dubai du capitalisme*, 2007.

4 **Sheikh Zayed Road : la principale artère de Dubai.**

a. Quartier d'affaires ; **b.** Sheikh Zayed Road : autoroute urbaine de 2 × 5 voies ; **c.** Métro (voir doc. 1) : 52,1 km de long, 21 stations ouvertes sur les 29 programmées. D'autres lignes sont en construction et en projet.

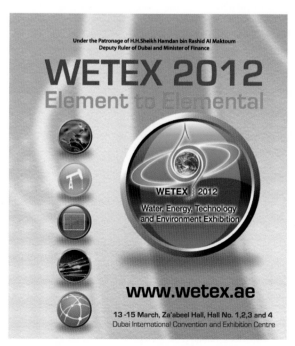

5 **Une communication sur les efforts en matière d'environnement.**

Dubai affirme s'inscrire dans une stratégie de développement durable en préparant sa conversion aux énergies renouvelables : en 2012, l'émirat organise une exposition internationale autour de celles-ci. Le choix des énergies renouvelables s'explique par le fait que Dubai, pourtant situé dans le golfe Persique, ne dispose pas de ressources pétrolières.

> **Vocabulaire**
>
> **Développement durable :** voir p. 37.

> **Questions**
>
> 1. Montrez que Dubai connaît une démesure et une surenchère de ses équipements. (doc. 1, 2 et 4)
> 2. Quels sont les effets sociaux, environnementaux et culturels de la mondialisation visibles à Dubai ? (doc. 1, 2 et 3)
> 3. Comment Dubai affirme-t-elle son intention de s'inscrire dans une stratégie de développement durable ? (doc. 4 et 5)

Les contestations de la mondialisation

> **> Par qui et comment la mondialisation est-elle contestée ?**

A Les acteurs de la contestation

■ **Depuis les années 1990, la contestation de la mondialisation est portée par le mouvement altermondialiste.** Il est constitué d'ONG (Greenpeace, Oxfam, etc.), d'associations politiques et syndicales (Attac, par exemple) et d'autres acteurs recherchant des alternatives à la mondialisation libérale (**doc. 1, 2 et 3**).

■ **Les idées défendues par l'altermondialisme sont d'une infinie diversité, de la rupture complète avec le capitalisme à des aménagements plus ou moins profonds de sa gestion.** Si les préoccupations d'ONG telles que WWF et Les Amis de la Terre sont essentiellement environnementales, celles du mouvement des indignés parti d'Espagne en 2011 dénoncent le creusement des inégalités sociales (**doc. 1 p. 190**).

■ **Malgré cette hétérogénéité, le mouvement altermondialiste est un acteur important de la mondialisation qui cherche à faire pression sur les grands organismes internationaux, les États et les FTN.** Il peut jouer un rôle non négligeable en rendant publiques les pratiques condamnables de quelques FTN (recours au travail forcé ou au travail des enfants), même si ses campagnes de presse et ses appels au boycott n'ont qu'une efficacité relative.

B Leurs modes d'action

■ **Pour diffuser ses idées, le mouvement altermondialiste utilise massivement les médias et les nouvelles technologies de l'information et de la communication (NTIC).** Dans une société où l'information a une valeur stratégique, ces outils (Internet, les téléphones mobiles et les réseaux sociaux Twitter, Facebook, etc.) permettent une diffusion planétaire des débats, un impact fort sur l'opinion publique, une rapidité des réactions et une coordination des actions (**doc. 4**).

■ **À partir de 2001, le mouvement altermondialiste se donne un espace de réflexion et de débats.** Ce sont les forums sociaux mondiaux (FSM) (**Repère**). Conçus à l'initiative du *Monde diplomatique*, d'Attac et de la gauche brésilienne, ils sont le support de débats (« Un autre monde est possible », leur slogan).

■ **Le mouvement altermondialiste a produit ses propres icônes médiatiques.** Le paysan français José Bové, les grands leaders de la gauche latino-américaine morts (Che Guevara) ou vivants (Lula et Chávez), le cinéaste américain Michael Moore sont des personnalités qui ont incarné diverses tendances de cette contestation.

C Leurs revendications

■ **À l'échelle mondiale, une nouvelle gouvernance semble indispensable aux acteurs de la contestation.** Celle-ci passerait par une plus grande coordination et une meilleure représentativité des pays émergents dans les grands organismes internationaux (ONU, FMI et OMC). Sans aller jusqu'à la démondialisation, l'idée d'une taxation des flux financiers et l'interdiction des paradis fiscaux est de plus en plus partagée.

■ **Cependant, les freins sont nombreux à la mise en place de cette gouvernance.** Même si les États-Unis refusent la signature du protocole de Kyoto, l'espoir d'un accord global sur le développement durable est relancé par l'organisation du sommet de la Terre « Rio + 20 » en 2012.

■ **À l'échelle locale, la société civile développe des stratégies alternatives.** Les territoires et les producteurs locaux (en France, l'Association pour le maintien de l'agriculture paysanne, au Japon les Teikis) sont privilégiés pour des raisons éthiques, environnementales et sociales (qualité, traçabilité des produits).

Vocabulaire

Altermondialisme : voir p. 209.
Démondialisation : voir p. 209.
Forum social mondial : voir. p. 179.
Gouvernance : voir p. 26.
ONG (organisation non gouvernementale) : les ONG sont des acteurs de la société civile aux divers domaines d'intervention (environnement, humanitaire, droits de l'homme).
Réseau social : plate-forme virtuelle de socialisation sur laquelle les internautes peuvent se construire des profils, accéder à ceux des autres et communiquer avec eux.

Repère

Les forums sociaux mondiaux : une contestation qui se mondialise

Davos depuis 1971
Dakar 2001
Karachi 2006
Caracas 2006
Mumbai 2004
Bamako 2006
Bélem 2009
Nairobi 2007
Porto Alegre, 2001, 2002, 2003, 2005 et 2010
0   8 000 km

Des rassemblements altermondialistes périodiques...

■ siège des forums sociaux mondiaux

... en alternative aux rassemblements promondialistes annuels

■ siège des forums économiques mondiaux

Source : Fórum Social Mundial, 2012.

1972	Rapport Meadow « Halte à la croissance »
1984	Premier contre-sommet *(The Other Economic Summit)* en marge du G7 de Londres
1989	Film *Roger et moi* (M. Moore)
1992	Premier sommet de la Terre au Brésil
1997	Campagne internationale de dénonciation contre les pratiques illégales de Nike
1998	• Création d'Attac en France • Élection d'H. Chávez à la présidence du Venezuela • A. Sen Prix Nobel d'économie
1999	Échec du sommet de l'OMC suite à des manifestations de syndicats et d'ONG et aux revendications des dirigeants de pays du Sud
2001	• J. Stiglitz Prix Nobel d'économie • Premier forum social mondial au Brésil
2004	Film *Fahrenheit 9/11* (M. Moore) Palme d'or à Cannes
2005	Film *Le Cauchemar de Darwin* (H. Sauper)
2006	• Film *Bamako* (A. Sissako) • Forum social mondial « polycentrique » en Inde, au Venezuela et au Mali

Source : P. Gauchon (dir.), *Dictionnaire de géopolitique et géo-économie*, 2011.

3 **Affiche d'une campagne
européenne d'Attac**

(Association pour la taxation
des transactions financières
et pour l'action citoyenne).

2 **Manifestation de Greenpeace à Vienne (Autriche) en 2010** dénonçant la marée noire du golfe du Mexique provoquée par la défaillance d'une plate-forme BP.

Forte de 3 millions d'adhérents à travers le monde, Greenpeace inscrit ses actions à l'échelle mondiale en prenant pour cible les FTN ou les grands organismes internationaux tels que l'OMC.

1. Que signifie l'expression écrite au sol ? Quel est le but des manifestants ?

4 **L'altermondialisme, force de contestation et de proposition**

Une contestation de la mondialisation libérale	Une recherche d'alternatives à la mondialisation libérale
Dans le domaine politique	
• Contre l'absence de démocratie au sein des grands organismes internationaux, qui sont aux mains des États-Unis	• Pour une gouvernance mondiale (régulation économique et sociale) • Pour la création d'une opinion publique mondiale, contre-pouvoir aux pouvoirs publics
Dans le domaine économique	
• Contre la financiarisation de l'économie • Contre la domination des FTN sur les sociétés et les gouvernements • Contre la marchandisation des biens communs mondiaux	• Pour l'encadrement, voire le contrôle des marchés • Pour la création d'un code de bonne conduite, notamment dans le domaine du travail
Dans le domaine social	
• Contre l'accroissement des inégalités sociales à toutes les échelles, au Nord comme au Sud	• Pour un développement fondé sur des valeurs de justice et de solidarité (taxe Tobin) • Pour la réduction, voire l'annulation, de la dette des pays les plus pauvres
Dans le domaine environnemental	
• Contre la dégradation de l'environnement (réchauffement climatique, pollution, risques sanitaires)	• Pour le respect de l'environnement dans le cadre du développement durable • Pour la protection de la faune et de la flore, l'interdiction des OGM et du nucléaire

Sources : P. Gauchon (dir.), *Le monde. Manuel de géopolitique et de géoéconomie*, 2008 ;
L. Carroué, D. Collet et C. Ruiz, *La mondialisation. Genèse, acteurs et enjeux*, 2009.

Comment et par qui la mondialisation du travail est-elle contestée ?

Pour une partie de l'opinion publique, la mondialisation est la cause majeure du chômage dans les pays du Nord. Cette conviction s'appuie sur la médiatisation des fermetures d'usines qui seraient une conséquence des délocalisations, mais aussi sur le vaste travail d'analyse de la mondialisation libérale réalisé par le mouvement altermondialiste.

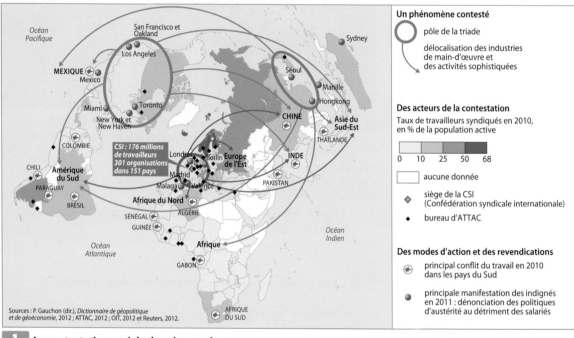

Un phénomène contesté

○ pôle de la triade

délocalisation des industries de main-d'œuvre et des activités sophistiquées

Des acteurs de la contestation

Taux de travailleurs syndiqués en 2010, en % de la population active

0   10   25   50   68

☐ aucune donnée

◇ siège de la CSI (Confédération syndicale internationale)

◆ bureau d'ATTAC

Des modes d'action et des revendications

⊕ principal conflit du travail en 2010 dans les pays du Sud

● principale manifestation des indignés en 2011 : dénonciation des politiques d'austérité au détriment des salariés

Sources : P. Gauchon (dir.), *Dictionnaire de géopolitique et de géoéconomie*, 2012 ; ATTAC, 2012 ; OIT, 2012 et Reuters, 2012.

CSI : 176 millions de travailleurs 301 organisations dans 151 pays

1 **La contestation sociale dans le monde**

2 **La délocalisation vue par Chappatte.**
Caricature de Chappatte, *L'Hebdo* (Lausanne), 2 mai 1996.

Vocabulaire

Altermondialisme : voir p. 209.
Délocalisation : voir p. 209.
Relocalisation : retour dans son pays d'origine d'une unité de production antérieurement délocalisée dans un pays à faibles coûts salariaux.

3 Manifestation du mouvement des Indignés Occupy Wall Street dans les rues de New York, octobre 2011.

Traduction : « Rendez-nous nos emplois ! », « Notre liberté est en jeu ».

4 Éthique sur l'étiquette : un collectif utilisant massivement les NTIC.

Le collectif Éthique sur l'étiquette lutte contre le recours à la technique du sablage dans la fabrication des jeans vintage. Pour leur donner un aspect usé, certaines marques y font appel, mais les poussières inhalées sont toxiques et provoquent chez les ouvriers des maladies respiratoires aiguës.

Questions

1. Montrez la diversité des acteurs qui contestent la mondialisation du travail. (doc. 1, 2, 3 et 4)
2. Quels sont les modes d'action de la contestation ? (doc. 1, 2, 3 et 4)
3. À partir de l'ensemble des documents, identifiez les aspects de la contestation sur lesquels se focalisent ces revendications, puis les éléments du débat qui ne sont pas cités chez les contestataires.

---

5 **L'inquiétude suscitée par les délocalisations**

L'inquiétude est-elle excessive ? Trois arguments sont avancés pour le démontrer : les délocalisations toucheraient un nombre de travailleurs peu important, elles se feraient avant tout entre pays du Nord et elles seraient toujours réversibles.

Selon le Bureau of Labor Statistics américain, 4 % seulement des licenciements étaient dus chaque année à des délocalisations *stricto sensu* au début des années 2000. Mais ce chiffre ne comprend pas le recours à la sous-traitance internationale ni la décision d'ouvrir une unité à l'étranger plutôt que sur place. [...]

Même sous-estimation en ce qui concerne les délocalisations vers les pays à bas salaires. Bien sûr, les pays du Nord attirent de nombreuses délocalisations : beaucoup de laboratoires de recherche pharmaceutique sont partis vers les États-Unis pour être plus proches de la Food and Drug Administration qui autorise la vente sur le marché américain, le premier du monde. Le Sud n'attire donc pas toutes les entreprises du Nord comme un aimant. [...]

Enfin, les relocalisations sont possibles. De nombreuses raisons l'expliquent : des coûts de coordination et de communication plus élevés que prévu [...], la médiocre qualité de la main-d'œuvre et des produits [...], le médiocre respect de la propriété intellectuelle en Inde ou en Chine, sans oublier la hausse des salaires rapide [...] – il est vrai qu'il est toujours possible de partir alors vers des pays encore moins chers.

En fait, délocaliser présente toujours un risque pour l'entreprise. En même temps, surtout dans un contexte de crise, elle risque de heurter l'opinion de son pays d'origine. Les crises auraient [pourtant] tendance à accélérer le phénomène, car elles provoquent une baisse du pouvoir d'achat qui force les entreprises du Nord à réduire leurs prix et leurs coûts.

P. Gauchon (dir.), *Dictionnaire de géopolitique et géoéconomie*, 2011.

EXERCICE GUIDÉ

SUJET États, frontières et mondialisation

Étape 1 Analyser le sujet

■ Délimiter l'espace concerné

États, **frontières** et **mondialisation**

Les États sont délimités par des frontières à l'intérieur desquelles s'exerce une forme d'organisation politique et juridique spécifique. À quelle autre échelle le sujet doit-il également se traiter ?

Quels paradoxes entraîne la mondialisation pour les frontières des États ?

Le « et » insiste sur les liens de causalité entre les différents termes du sujet.

■ Identifier les mots-clés

Conseil *Il faut repérer le terme central du sujet, et réfléchir aux définitions des autres termes en fonction de celui-ci.*

Ce terme est central et sa définition va évoluer au cours du développement. Tentez une première définition en questionnant le rôle des frontières.

■ Dégager la problématique

La problématique suivante convient-elle au sujet ? Pourquoi ?

La mondialisation efface-t-elle les frontières étatiques ?

Étape 2 Élaborer le plan

Complétez le tableau à partir des exemples donnés.

Conseil *Lister les informations sous la forme d'un tableau permet de mieux organiser ses idées.*

Exemple extrait des connaissances personnelles →

Exemple extrait du cours (chap. 1, 3, 4 et 6) →

Exemples	Arguments	Grandes parties du plan
– UE, Alena, Asean, Mercosur – Flux de produits illicites (drogues…) – Intervention militaire de l'ONU en Libye en mars 2011	– Multiplication des accords économiques entre les États – ………………………………	**1. La mondialisation abaisse les frontières…**
– Renforcement des contrôles migratoires en Australie – « Guerre de la banane » en 2009 entre l'UE et l'Amérique latine – Édification d'un mur (*la barda*) de 132 km par les États-Unis à leur frontière avec le Mexique	– …………………………… – ……………………………	**2. ……………………………....**
– Depuis 1991, création de 26 000 km de nouvelles frontières internationales – 18 000 km de barrières créées dans le monde en 2009 – Frontière militarisée entre la Corée du Nord et la Corée du Sud – Délimitation des ZEE dans l'Arctique	– …………………………… – …………………………… – ……………………………	**3. La mondialisation accentue les tensions aux frontières**

Étape 3 Rédiger la composition

■ Illustrer la composition par des schémas

Les schémas suivants correspondent aux parties 1 et 2 de la composition. Complétez-les, ainsi que leurs légendes, donnez-leur un titre et associez-les à l'une des parties de la composition.

Conseil *Dans la mesure du possible, variez les échelles de vos schémas.*

Schéma 1 ....

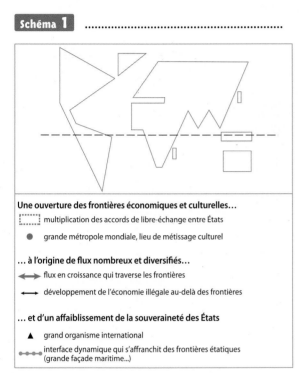

Une ouverture des frontières économiques et culturelles…

┈┈┈ multiplication des accords de libre-échange entre États

● grande métropole mondiale, lieu de métissage culturel

… à l'origine de flux nombreux et diversifiés…

⟷ flux en croissance qui traverse les frontières

⟵ développement de l'économie illégale au-delà des frontières

… et d'un affaiblissement de la souveraineté des États

▲ grand organisme international

⋯⋯ interface dynamique qui s'affranchit des frontières étatiques (grande façade maritime…)

Schéma 2 ....

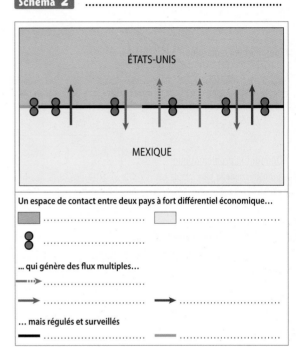

Un espace de contact entre deux pays à fort différentiel économique…

▭ .... ▭ ....

⦿ ....

… qui génère des flux multiples…

⟼⟶ ....

⟶ .... ⟶ ....

… mais régulés et surveillés

▬▬ .... ▬▬ ....

■ Réaliser un schéma sagittal

Un schéma sagittal sert à illustrer une idée. On le construit à partir de flèches représentant des relations, comme dans l'exemple ci-dessous.

Schéma 3 Les flux illicites se jouent des frontières

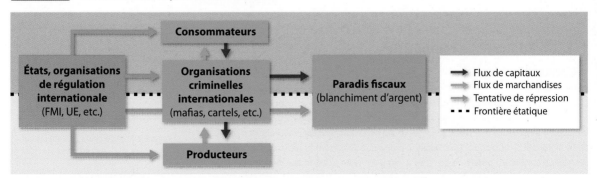

Repérez, dans la fiche de révision du chapitre, un autre schéma sagittal sur les frontières.
Proposez un schéma sagittal illustrant la troisième partie de la composition.

EXERCICE GUIDÉ

SUJET   Débats et contestations de la mondialisation

Étape 1   Analyser le sujet

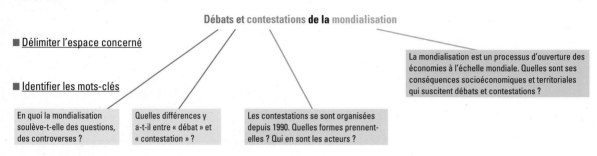

Débats et contestations **de la** mondialisation

■ Délimiter l'espace concerné

■ Identifier les mots-clés

En quoi la mondialisation soulève-t-elle des questions, des controverses ?

Quelles différences y a-t-il entre « débat » et « contestation » ?

Les contestations se sont organisées depuis 1990. Quelles formes prennent-elles ? Qui en sont les acteurs ?

La mondialisation est un processus d'ouverture des économies à l'échelle mondiale. Quelles sont ses conséquences socioéconomiques et territoriales qui suscitent débats et contestations ?

■ Dégager la problématique

La problématique la plus simple est : *Quels sont les débats et les contestations que soulève la mondialisation ?* Sur le modèle proposé dans le chap. 4 p. 158, formulez une problématique qui ne se contente pas de recopier les termes du sujet mais qui développe des pistes de réflexion.

Étape 2   Élaborer le plan

Plusieurs plans sont souvent possibles pour répondre au sujet. Proposez une alternative au plan du cours en organisant les arguments dans chacune des grandes parties du plan suivant.

Plan
1. La mondialisation économique en question
a. *La progression du niveau de vie général à l'échelle mondiale*
b. *Le creusement des inégalités à toutes les échelles*
c.
2. La mondialisation culturelle en question
a.
b.
c.
3. La mondialisation politique en question
a.
b.
c.

– *Les résistances au modèle politique dominant*
– *La crainte de l'uniformisation culturelle*
– *La construction progressive d'une citoyenneté planétaire*
– *L'apparition d'un « village planétaire » et de nouvelles formes de solidarités*
– *Le modèle productiviste : une menace pour l'environnement*
– *Des résistances identitaires multiples*
– *L'invention de nouveaux modèles, portés par des acteurs divers (les altermondialistes)*

Étape 3   Rédiger la composition

■ Rédiger le développement

Paragraphe 1

D'abord, la mondialisation économique suscite des interrogations et engendre des résistances. Certes, dans un premier temps, elle a permis à de nombreux pays de se développer, participant ainsi à la progression du niveau de vie général à l'échelle mondiale, et a contribué à un fort recul de la pauvreté absolue : la proportion de personnes subsistant avec moins de 1,25 dollar/jour est passée de 46 % en 1990 à 27 % en 2005 et elle devrait plafonner à 15 % en 2015, selon l'ONU. Cette progression repose essentiellement sur le décollage économique de quelques pays, les BRICS. Ainsi, en vingt-cinq ans, la pauvreté de la Chine a reculé d'environ 60 % et le salaire brésilien minimum a été augmenté de 13 % en 2006.

Argument du paragraphe : la progression du niveau de vie général à l'échelle mondiale

Exemple extrait du cours : il s'appuie sur des données précises

Exemple extrait des autres chapitres : il permet de valoriser ses connaissances personnelles

Selon le modèle proposé pour le paragraphe 1 de la partie 1, repérez dans le paragraphe ci-dessous l'argument et les exemples.

Cependant, cette croissance a aussi fortement accentué les disparités entre les riches et les pauvres. Ces inégalités, qui se creusent à toutes les échelles (au Nord comme au Sud), génèrent des frustrations et des tensions. À Dubai, par exemple, les nouveaux riches côtoient des dizaines de milliers d'ouvriers immigrés aux conditions de vie difficiles. Dans les pôles de la Triade, un sentiment d'insé-curité économique semble s'installer, avec l'apparition de contrats de travail précaires et l'infléchissement des salaires. Ces inégalités remettent en question ce modèle de mondialisation économique, et des modèles alternatifs se développent. Ainsi, le développement du commerce équitable tente de pallier les différences de revenus entre les agriculteurs du monde.

Rédigez le reste de la composition en accordant une attention particulière aux exemples.

■ Illustrer la composition par des schémas

Classez les informations ci-dessous dans les deux grandes parties de la légende du schéma 1 et complétez ce schéma.

Siège de l'OMC (Genève) ; sommet de la Terre pour le développement durable ; siège de l'ONU (New York) ; forum social mondial, expression de nouvelles solidarités ; mouvement régionaliste ou nationaliste ; siège de la CPI (La Haye).

Complétez la légende et le titre du schéma 2.

Schéma 2 ....

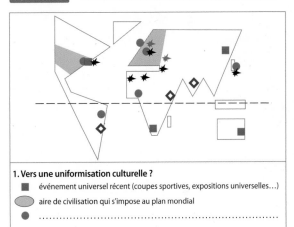

1. Vers une uniformisation culturelle ?
- ■ événement universel récent (coupes sportives, expositions universelles…)
- ⬭ aire de civilisation qui s'impose au plan mondial
- ● ....

2....
- ✦ mouvement régionaliste ou nationaliste
- ✹ acte de terrorisme international (depuis 2001)

3. La mise en place de nouvelles formes de solidarité
- ◇ forum social mondial récent

Schéma 1 — **Un modèle politique mondial et l'existence d'oppositions**

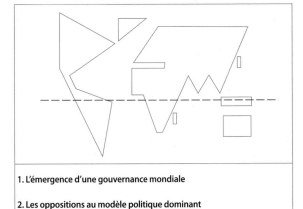

1. L'émergence d'une gouvernance mondiale

2. Les oppositions au modèle politique dominant

■ Réaliser un schéma sagittal

D'après le modèle proposé ci-dessous, construisez un schéma sagittal sur la gouvernance mondiale et sa difficile mise en place.

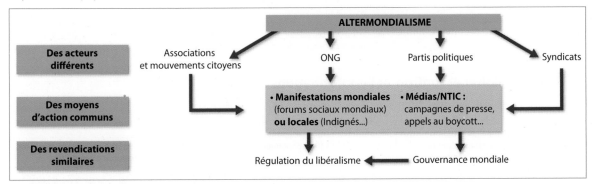

L'altermondialisme, acteur principal de la contestation de la mondialisation

EXERCICE GUIDÉ

SUJET États, frontières et mondialisation : vers un monde sans frontières ?

Montrez que la mondialisation se traduit par une certaine ouverture des frontières mais qu'elle n'abolit pas la souveraineté des États.

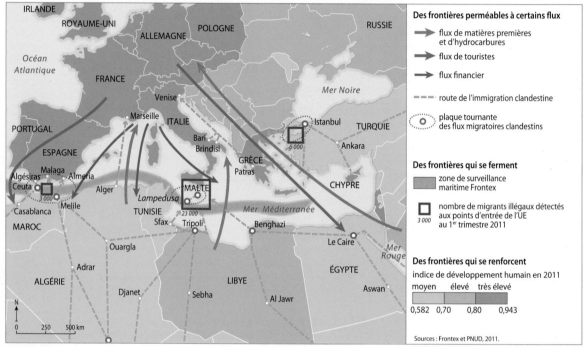

Les frontières en Méditerranée : entre logiques de mondialisation et de souveraineté

Étape 1 Analyser le sujet et la consigne

■ Délimiter l'espace concerné et identifier les mots-clés

Le sujet s'appuie sur la carte à l'échelle régionale de la Méditerranée. Pourquoi cet exemple est-il représentatif du sujet ?

États, frontières **et** mondialisation : vers un monde sans frontières ?

Montrez que **la mondialisation se** traduit par **une certaine ouverture des frontières** mais **qu'elle n'abolit pas la** souveraineté des États.

Les frontières sont le symbole de la souveraineté d'un État. Par le contrôle de ses frontières, il affirme son pouvoir sur un territoire. Comment s'exerce ce contrôle ?

Quels aspects de la mondialisation accréditent l'idée d'un monde sans frontière ?

Comment se manifeste l'ouverture des frontières dans le cadre de la mondialisation ?

Étape 2 Exploiter et confronter les informations

Complétez la liste d'informations suivantes puis classez-les selon le plan suivant (tableau à compléter).

Les routes de l'immigration clandestine traversent de nombreux pays ; les frontières de l'UE sont contrôlées par un système de surveillance policier.

1. Des frontières ouvertes par la mondialisation des échanges	2. Des frontières fermées	3. Des frontières qui se renforcent, symboles de la souveraineté des États
– Les routes de l'immigration clandestine traversent de nombreux pays…	–	– ....

Étape 3 Organiser et synthétiser les informations

■ Développer l'étude critique du document

À la suite du paragraphe 1 présenté ci-dessous, rédigez les paragraphes 2 et 3 de l'étude critique en vous appuyant sur les points forts et les points faibles explicités.

Points forts :
– Courte phrase introduisant le paragraphe
– Prélèvement adroit des informations dans le document

Paragraphe 1

L'intensification des échanges mondiaux donne l'illusion d'une absence de frontières. Les inégalités territoriales (dans le cas du bassin méditerranéen, les inégalités de développement) sont à l'origine de flux de toute nature. Les marchandises franchissent les frontières facilement : le pétrole du Moyen-Orient et d'Afrique du Nord traverse sans contrainte la Méditerranée vers les centres de consommation de l'Union européenne. Les flux de capitaux en provenance des pays les plus riches (Union européenne), eux aussi, ignorent les frontières. Les flux humains, qu'ils soient légaux (tourisme) ou illégaux, se sont mondialisés et les filières clandestines des migrants du Sud vers le Nord se font sur des distances de plus en plus longues (détroit de Gibraltar, frontière gréco-turque).

Points faibles :
– Pas de recours aux connaissances personnelles ou aux notions du programme
– Pas de regard critique sur les documents
– Pas de phrase concluant l'idée générale du paragraphe

ENTRAÎNEMENT

SUJET États, frontières et mondialisation : vers un monde de plus en plus fragmenté ?

Montrez que les frontières socioéconomiques persistent malgré la mondialisation. Portez un regard critique sur le procédé cartographique utilisé.

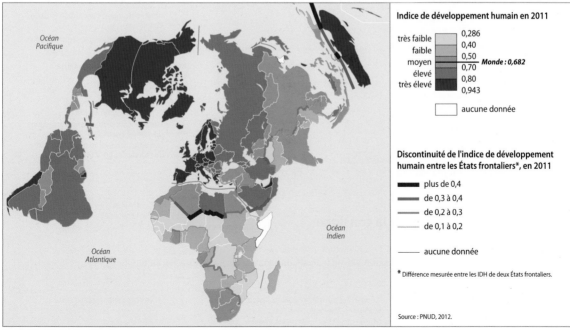

Les inégalités de développement dans le monde en 2011

EXERCICE GUIDÉ

SUJET La pratique du football, un exemple de mondialisation culturelle ?

Montrez que la pratique du football est mondialisée mais qu'il existe des limites à sa diffusion. Portez un regard critique sur la représentation cartographique.

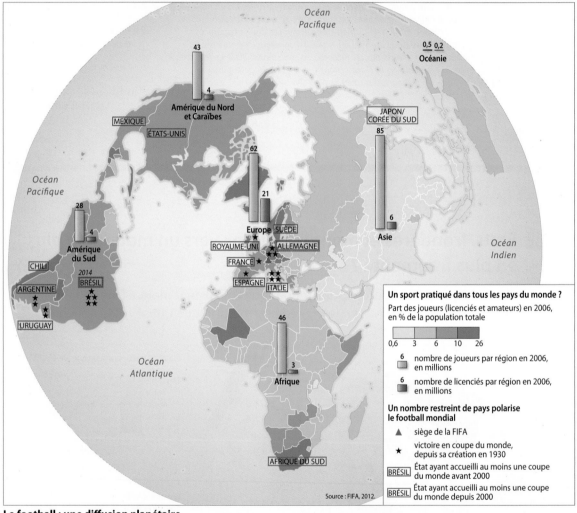

Le football : une diffusion planétaire

Étape 1 **Analyser le sujet et la consigne**

■ Délimiter l'espace concerné

■ Identifier les mots-clés

Montrez que la **pratique du football** est **mondialisée** mais qu'il existe des **limites** à sa diffusion.

La **pratique du football**, **un exemple de mondialisation culturelle** ?

Le sujet n'est pas seulement à envisager à l'échelle mondiale : il faut aussi penser à l'échelle régionale et à l'échelle nationale. Pourquoi ?

Le sujet porte sur la pratique du football comme révélateur de l'uniformisation du monde. Il faut donc envisager le sujet sous un angle culturel et non économique.

Le point d'interrogation invite à nuancer la mondialisation du phénomène.

Étape 2 Exploiter et confronter les informations

■ Lire et exploiter les valeurs chiffrées d'un document

Complétez le tableau.

Conseil *La réflexion sur la nature des valeurs chiffrées permet de comparer mais aussi de relativiser les informations.*

Questions soulevées par le sujet	Localisation	Preuve chiffrée
Quelles sont les 3 régions du monde qui pratiquent le plus le football ?	• Amérique du Nord, Europe occidentale et Amérique du Sud	• Entre 6 et 26 % de la population pratiquent ce sport dans ces régions du monde.
Quelles sont les régions du monde qui pratiquent le moins le football ?	•	• ....
Quelle est la région du monde qui compte le plus de joueurs de football ?	•	• ....
Quelles sont les régions qui comptent le plus de licenciés ?	•	• ....

■ Porter un regard critique sur la représentation cartographique

– Quelles informations de la carte présentent des valeurs absolues ? Quelles sont celles qui présentent des valeurs relatives ?
– En quoi les histogrammes placés sur la carte apportent-ils une nuance à l'image donnée par les figurés de surface (part des joueurs de football dans la population totale) ?
– En quoi la confrontation des valeurs relatives et absolues permet-elle une vision complète d'un phénomène géographique ?
– Quelle perspective apportent les informations sur le nombre de coupes du monde gagnées dans un pays ? Et la localisation des coupes du monde récentes ?

Étape 3 Organiser et synthétiser les informations

■ Développer l'étude critique de document

Sur le modèle proposé pour le paragraphe 3, rédigez les deux premiers paragraphes de l'étude selon le plan suivant :

1. Un sport universel ;

2. … mais inégalement pratiqué ;

3. ….et polarisé par un nombre restreint de pays.

Conseil *Souvent, le plan de la légende d'une carte peut être utilisé pour mener la réflexion sur le sujet.*

Paragraphe 3

*Enfin, le football reste polarisé par un nombre restreint de pays. Les instances dirigeantes du football à l'échelle mondiale se situent au Nord : le siège de la FIFA est à Genève. Les pays ayant remporté la Coupe du monde de football forment un club très fermé en Amérique latine (Brésil, Uruguay et Argentine) et en Europe occidentale (France, Allemagne, Italie, Espagne, Royaume-Uni) et comptent parmi les clubs les plus riches de la planète. Sur ces 8 pays ayant remporté la coupe du monde depuis sa création en 1930, 5 cumulent plusieurs fois le trophée. Moins visibles que les aplats de couleur, ces informations sont figurées par des signes ponctuels sur la carte, ce qui contribue à les secondariser.
De plus, la diffusion du football reste finalement limitée en Afrique (moins de 6 % de la population en moyenne) et en Asie (moins de 3% de la population en moyenne) où d'autres sports sont plus populaires (cricket en Asie du Sud). La mondialisation du football est donc relative.*

Courte phrase introduisant ou concluant le paragraphe

Prélèvement des informations dans le document

Regard critique sur le document

Explication des informations prélevées à l'aide des connaissances personnelles

EXERCICE GUIDÉ

SUJET **Les effets environnementaux de la mondialisation en débat**

À travers l'exemple du protocole de Kyoto, montrez les liens entre mondialisation et menaces sur l'environnement, et les résistances à la mise en place d'une gouvernance environnementale.

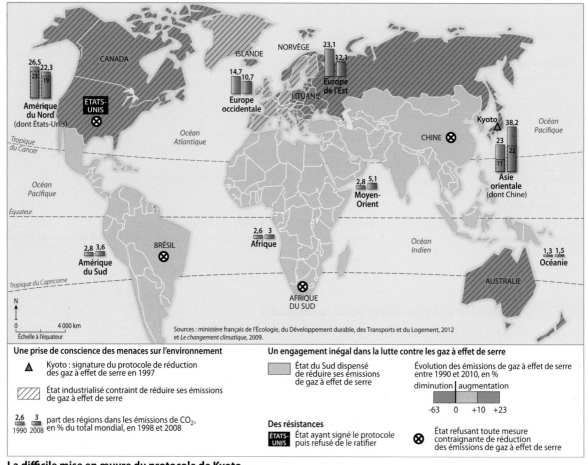

Sources : ministère français de l'Écologie, du Développement durable, des Transports et du Logement, 2012 et *Le changement climatique*, 2009.

Une prise de conscience des menaces sur l'environnement

▲ Kyoto : signature du protocole de réduction des gaz à effet de serre en 1997

▨ État industrialisé contraint de réduire ses émissions de gaz à effet de serre

2,6 / 1990 3 / 2008 part des régions dans les émissions de CO$_2$, en % du total mondial, en 1998 et 2008

Un engagement inégal dans la lutte contre les gaz à effet de serre

État du Sud dispensé de réduire ses émissions de gaz à effet de serre

Évolution des émissions de gaz à effet de serre entre 1990 et 2010, en %

diminution | augmentation

-63   0   +10   +23

Des résistances

ÉTATS-UNIS État ayant signé le protocole puis refusé de le ratifier

⊗ État refusant toute mesure contraignante de réduction des émissions de gaz à effet de serre

La difficile mise en œuvre du protocole de Kyoto

Étape 1 **Analyser le sujet et la consigne**

■ Identifier les mots-clés

Les effets environnementaux de la mondialisation en débat

Montrez, à travers l'exemple du protocole de Kyoto, les liens entre mondialisation et menaces sur l'environnement, et les résistances à la mise en place d'une gouvernance environnementale.

L'environnement englobe à la fois un milieu et les sociétés qui y vivent. Le sujet invite à identifier un problème majeur, résultant du processus de mondialisation, affectant à la fois la planète et les sociétés humaines dans leur ensemble.

Pourquoi la mondialisation a-t-elle un impact sur l'environnement ?

Adopté par 184 pays en 1997 et entré en vigueur en 2005, le protocole de Kyoto a suscité des résistances. Lesquelles ?

■ Délimiter l'espace concerné

Quelles sont les deux échelles visibles dans le document ? À quelle échelle la gouvernance peut-elle se réaliser ?

Étape 2 — Exploiter et confronter les informations

■ Lire et exploiter les valeurs chiffrées d'un document

Complétez le tableau suivant.

Conseil *Pour établir des comparaisons et quantifier une évolution, les valeurs relatives sont plus pertinentes que les valeurs absolues.*

	Informations prélevées dans le document	Explications à l'aide des connaissances personnelles
Émissions de CO_2 en 2008	Quels États émettent le plus de CO_2 ?	
	– La Chine et les États-Unis sont les plus gros pollueurs :	....
	Quelles régions du monde émettent le moins de CO_2 ?	
	– Afrique :	– Nombreux PMA en Afrique : part de l'industrie encore faible ....
Évolution des émissions de CO_2 entre 1990 et 2008	Quelle région du monde a fortement augmenté ses émissions ?	
	....	....
	Quelle région a réduit fortement ses émissions de CO_2 ?	
	....	....
	Quelles régions/pays ont connu proportionnellement les plus fortes hausses ?	
	....	....

Étape 3 — Organiser et synthétiser les informations

■ Présenter l'étude critique de document

Rédigez la présentation du sujet.

La mondialisation se traduit par .... La carte montre l'augmentation des gaz à effet de serre dans le monde et, à travers le protocole de Kyoto, la mise en œuvre difficile d'une gouvernance mondiale visant à réguler les émissions de ces gaz accusés d'être à l'origine du réchauffement climatique.

> Présentation du sujet et lien avec la question au programme

> Présentation et mise en valeur des documents pour traiter le sujet

■ Développer l'étude critique de document

Rédigez le paragraphe 1 à partir des réponses du tableau ci-dessus.

Paragraphe 1 *Les émissions de CO_2 sont en fait très inégales selon les régions ou les États du monde. Les États-Unis et la Chine sont les plus gros pollueurs...................................*

Terminez la rédaction des paragraphes 2 et 3.

Paragraphe 2 *À l'échelle mondiale, le protocole de Kyoto montre la volonté de mettre en place une gouvernance pour réduire les gaz à effet de serre.......................................*

Paragraphe 3 *Mais à l'échelle régionale, des pays sont réticents à toute mesure contraignante. ....*

■ Conclure l'étude critique de document

Le protocole de Kyoto illustre, à travers la lutte contre le réchauffement climatique, la nécessité de solutions à l'échelle mondiale pour répondre aux problèmes posés par la mondialisation. Mais il montre également ....
....

> Réponse à la problématique soulevée par le sujet

> Réponse nuancée (limites) au sujet

EXERCICE GUIDÉ

SUJET **La mondialisation de l'agriculture est-elle compatible avec un développement durable ?**

Montrez que la mondialisation de l'agriculture s'accompagne de contradictions dans la mise en pratique d'un développement durable.

1 Les paradoxes de la culture du soja au Brésil

Depuis le début des années 1990, la spectaculaire croissance de la production mondiale de soja est largement stimulée par l'essor de la consommation de fourrage de soja. L'augmentation de la demande mondiale de viande, et plus particulièrement l'explosion de la demande chinoise[1], a accru les besoins en nourriture pour bétail. [...] La majeure partie du biodiesel produit au Brésil est issue du soja[2], dont le marché est contrôlé par les multinationales, et la production aux mains des grands propriétaires terriens. Jusqu'à présent, les actions du gouvernement visant à inverser la tendance se sont révélées très insuffisantes et la « durabilité » du secteur agro-énergétique reste encore à prouver. [...] Le soja est, sans aucun doute, central pour l'économie brésilienne, mais il appartient [...] à un secteur qui engendre de graves problèmes au point de vue social et environnemental. Le renforcement de l'agriculture familiale et de l'exploitation durable du territoire, prévu par le Plan national pour la production et l'usage du biodiesel, est lié à la diversification des cultures, et plus particulièrement à la promotion de celles qui sont plus adaptées à la petite production [...] mais les conditions très favorables à l'industrie du soja au Brésil ont encouragé la production de biodiesel à partir de cette seule culture. Sans rééquilibrage, les aspects positifs de la production de biodiesel passeront au second plan.

Nieves López Izquierdo, www.cartografareilpresente.org, 2010.

1. Entre 1994 et 2004, le commerce mondial de soja a doublé. 70 % de l'augmentation des exportations étaient destinés à la Chine, où la production totale de viande passait de 45 millions à 74 millions de tonnes dans le même temps, générant une expansion rapide de la demande en fourrages.

2. En 2009, le soja représente à lui seul 81 % du biodiesel produit au Brésil.

2 Une plantation de palmiers à huile en Malaisie

La Malaisie est le 2e producteur mondial d'huile de palme (38 % de la production mondiale) après l'Indonésie (46 %). Accusée d'accélérer la déforestation et de profiter aux FTN de l'agroalimentaire, sa forte productivité à l'hectare (10 fois plus que le soja) et ses usages multiples (agro-industrie (80 %), oléochimie (19 %), biodiesel (1 %) en font cependant une culture attractive capable de répondre à la forte demande mondiale en corps gras.

Étape 1 — Analyser le sujet et la consigne

■ Délimiter l'espace concerné

> Les documents choisis sont à une échelle nationale mais les problèmes qu'ils abordent se situent à une échelle globale.

■ Identifier les mots-clés

La mondialisation est-elle compatible avec un développement durable ?

Montrez que la mondialisation de l'agriculture s'accompagne de contradictions dans la mise en pratique d'un développement durable.

> La mondialisation de l'agriculture implique à la fois celle des modes de production, de transformation et de commercialisation. En quoi la production de l'huile de palme et celle des agrocarburants sont-elles concernées ?

> Rappelez les 3 piliers du développement durable. Relevez dans les documents la présence ou l'absence de ces trois composantes.

Étape 2 — Exploiter et confronter les informations

Retrouvez les arguments du texte correspondant à chaque partie du plan suivant. Ce travail vous aidera à préparer le développement de l'étude critique des documents.

1. Des cultures mondialisées : *l'augmentation de la production de soja au Brésil est liée à la progression de viande en Chine* ; ....

2. Des cultures qui ont une dimension durable : *biodiesels (énergie renouvelable)* ; ....

3. Les limites de la durabilité de cette mondialisation agricole : *profite surtout aux grands propriétaires terriens* ; ....

Étape 3 — Organiser et synthétiser les informations

■ Présenter l'étude critique et rédiger l'introduction

> Présentation du sujet et lien avec la question au programme

La mondialisation suscite débats et contestations. Elle est souvent jugée incompatible avec le développement durable. À travers l'exemple de l'agriculture de plantation, largement mondialisée, on peut s'interroger..................................

> Présentation et mise en valeur des documents pour traiter le sujet

■ Conclure l'étude critique de documents

> **Point fort :** Une réponse à la problématique soulevée par le sujet

Ces exemples montrent que ces cultures ont des avantages en termes de durabilité et peuvent permettre de répondre à la croissance de la demande mondiale tant énergétique qu'alimentaire.

> **Point faible :** pas de réponse nuancée (limites) au sujet

D'après le modèle ci-dessus, terminez la conclusion en expliquant les points forts et les points faibles de chacune des propositions suivantes :

– Ces cultures appellent des critiques mais leur pratique ne doit pas être totalement remise en cause.

– Les agrocarburants comme l'huile de palme montrent les paradoxes entre la mondialisation des échanges qui a permis à des pays de se développer et la durabilité de ce développement pour tous.

– La mondialisation, par l'intensité des échanges et le modèle de développement qu'elle impulse, conduit à des critiques sur la durabilité.

– La production d'agrocarburants et d'huile de palme n'est pas compatible avec le développement durable.

EXERCICE GUIDÉ

SUJET États, frontières et mondialisation

Étape 1 Analyser le sujet

■ Délimiter l'espace concerné

> L'espace concerné est le monde, mais le sujet se traduit, en fait, à trois échelles. Lesquelles ?

■ Identifier les mots-clés

États, frontières et mondialisation

> Les États sont des espaces circonscrits par des frontières où s'exerce une autorité. En quoi cette autorité est-elle remise en cause par la mondialisation ?

> La frontière peut être de nature différente : politique, sociale, économique, naturelle... Quelle est la plus pertinente pour réaliser ce croquis ?

> Quelles relations peut-on établir entre «États », « frontières » et « mondialisation » ?

■ Dégager une problématique

La mondialisation = ouverture/frontières = limites.

Formulez une problématique qui reprend ce paradoxe.

Conseil *Recherchez le paradoxe que sous-entend le sujet.*

Étape 2 Élaborer la légende

Dans la liste suivante, distinguez les mots-clés des arguments précis.

État créé depuis 2000 ; souveraineté étatique ; organisme supranational ; association régionale de coopération économique ; ouverture ; frontière fermée (mur ou clôture) ; flux mondialisés ; « pays ennemi d'Internet » ; fragmentation ; interface maritime ; politique migratoire restrictive ; fermeture ; barrière de protection des pays du Nord contre l'immigration des pays du Sud.

Exemple de mot-clé

Exemple d'information précise

■ Organiser les informations

Rédigez le titre de la partie 3 en employant les mots-clés sélectionnés.
Puis complétez le tableau à l'aide des arguments.

Conseil *Les titres doivent être problématisés ; les formuler ainsi permet de construire la démonstration du sujet.*

Grandes parties du plan	1. La mondialisation abaisse les frontières	2. Les États affirment leur souveraineté face à la mondialisation	3. ....
Arguments	– .... –	– « pays ennemi d'Internet » –	– barrière de protection contre l'immigration – ....

Étape 3 Choisir les figurés et réaliser le croquis

Conseil *Choisissez la couleur et la taille des figurés en fonction de l'importance que vous souhaitez donner à l'information cartographiée.*

■ Utiliser les figurés pour répondre au sujet

Le schéma 1 met en évidence l'effacement des frontières en Océanie.

Terminez le schéma 2 en mettant en évidence la fragmentation de cet espace.

Schéma 1 L'ouverture des frontières en Australasie

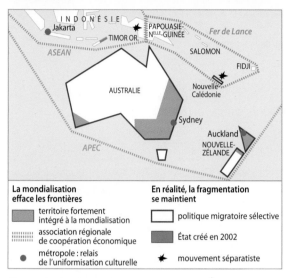

La mondialisation efface les frontières

▨ territoire fortement intégré à la mondialisation

⸬⸬ association régionale de coopération économique

● métropole : relais de l'uniformisation culturelle

En réalité, la fragmentation se maintient

☐ politique migratoire sélective

▨ État créé en 2002

★ mouvement séparatiste

Schéma 2 La fragmentation de l'Australasie

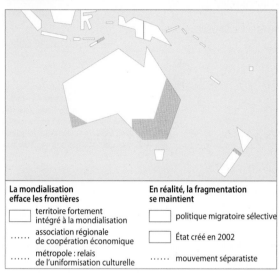

La mondialisation efface les frontières

☐ territoire fortement intégré à la mondialisation

⋯⋯ association régionale de coopération économique

⋯⋯ métropole : relais de l'uniformisation culturelle

En réalité, la fragmentation se maintient

☐ politique migratoire sélective

☐ État créé en 2002

⋯⋯ mouvement séparatiste

Observez les figurés choisis dans le croquis suivant. À quoi correspondent les couleurs chaudes et les couleurs froides ? Mettent-elles davantage en évidence l'effacement des frontières ou la fragmentation du monde ? D'autres choix étaient-ils possibles ?

Complétez la légende et le titre du croquis ci-dessous.

Titre : ....

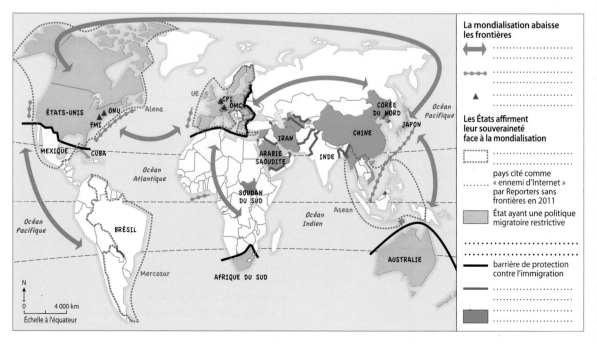

La mondialisation abaisse les frontières

⟷ ....

●–●–● ....

▲ ....

Les États affirment leur souveraineté face à la mondialisation

▢ pays cité comme « ennemi d'Internet » par Reporters sans frontières en 2011

▨ État ayant une politique migratoire restrictive

....

— barrière de protection contre l'immigration

....

▨ ....

EXERCICE GUIDÉ

SUJET Débats et contestations de la mondialisation

Étape 1 Analyser le sujet

■ Délimiter le sujet

■ Identifier les mots-clés

L'échelle d'étude est mondiale mais n'exclut pas des exemples à différentes échelles. Lesquelles ?
Quelles sont les caractéristiques de la mondialisation qui font l'objet de débats et de contestations ?

Débats et contestations de la mondialisation

Les termes « débats » et « contestations » sont apparemment proches. Pour les définir, il est pertinent de les comparer (noter les points communs et les différences) ou de chercher des synonymes. Le pluriel de ces deux noms doit aussi être pris en considération.

Ce terme invite à étudier les relations entre les phénomènes qu'il associe.

■ Dégager une problématique

Conseil La problématique doit couvrir l'ensemble du sujet.

Laquelle des problématiques suivantes convient le mieux ? Pourquoi ?

Problématique 1 : *Quels sont les débats et les contestations de la mondialisation ?*

Problématique 2 : *Quels sont les caractères de la mondialisation qui soulèvent des contestations, les acteurs et les alternatives proposées par les débats qu'elle suscite ?*

Problématique 3 : *La mondialisation est-elle contestée et objet de débats ?*

Étape 2 Élaborer la légende

■ Lister des informations

Dans la liste suivante, supprimez les informations hors sujet ou difficilement cartographiables sur un croquis.

Limite Nord/Sud : maintien des inégalités ; métropole (concentration croissante des pouvoirs, des hommes et des richesses) ; conflits ethniques ; principaux pollueurs (émission de CO_2) ; pandémies ; uniformisation culturelle vécue comme une américanisation ; litiges frontaliers ; grand organisme international (OMC, ONU, CPI) ; sommet de la Terre ; OGM ; forum social mondial ; bolivarisme ; Greenpeace ; attentats du 11 septembre 2001.

Conseil *Sur un croquis, il faut simplifier la représentation. Seules les informations essentielles sont retenues.*

■ Organiser les informations

Lequel des plans ci-dessous convient le mieux ? Pourquoi ?
Organisez les informations retenues dans le plan choisi.

Conseil *La légende doit être ordonnée et présenter un plan démonstratif qui met en valeur les enjeux du sujet.*

Plan 1

1. La mondialisation, un processus inégal

2. Des débats nombreux autour de la mondialisation

3. Les mouvements violents de contestation de la mondialisation

Plan 2

1. La mondialisation

2. Les débats autour de la mondialisation

3. Les contestations de la mondialisation

Plan 3

1. La mondialisation, objet de débats

2. Les acteurs de la contestation du modèle dominant

3. Les tentatives de régulation de la mondialisation

Étape 3 **Choisir les figurés et réaliser le croquis**   **Conseil** *Avant de réaliser le croquis, réfléchissez aux figurés en vous aidant d'un tableau.*

Complétez le tableau suivant en fonction du plan retenu
et à l'aide du croquis fourni ci-dessous.

Grandes parties du plan	Arguments	Figurés
1..............................	– uniformisation culturelle vécue comme une américanisation	
	–	
	–	
	–	
2..............................	– forum social mondial	
	–	
	–	
3..............................	–	
	–	
	–	

Compétez le titre, la légende et le croquis.

Titre : ....

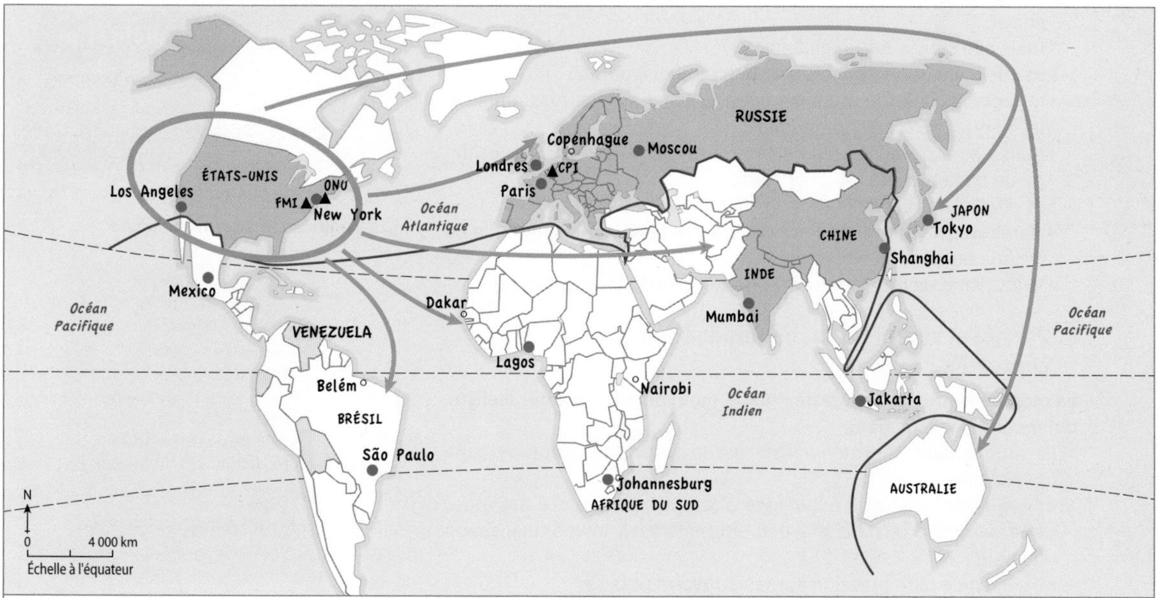

1. ....

——— ....

● ....

▢ ....

······ uniformisation culturelle

2. ....

······ forum social mondial

▢ ....

▢ ....

3. ....

▲ grand organisme international

■ ....

L'essentiel

A. Quels sont les effets de la mondialisation sur la carte du monde ?

La mondialisation ne crée pas de « monde sans frontière »

➤ Un nombre croissant d'États :
- la mondialisation joue un rôle dans la multiplication récente des États ;
- les États veulent rester des régulateurs et se regroupent en associations régionales de coopération économique pour peser dans la mondialisation.

➤ Des frontières qui se différencient :
- la fonction des frontières évolue ;
- certaines deviennent des espaces de régulation des flux.

➤ Des frontières qui se matérialisent :
- les États, dont la marge d'action se réduit, se replient sur leurs territoires pour mieux contrôler leurs ressources ;
- certains États font le choix de régler leurs litiges frontaliers ;
- d'autres matérialisent leurs frontières par des murs de séparation.

B. Quels effets de la mondialisation font débat ?

La mondialisation génère trois effets qui font débat

➤ Les effets sociaux et économiques de la mondialisation :
- la mondialisation favorise le développement économique et social ;
- mais elle creuse les inégalités.

➤ Les effets environnementaux de la mondialisation :
- la mondialisation a multiplié les pressions sur les ressources et les risques à l'échelle mondiale ;
- mais elle a aussi permis de faire émerger la conscience écologique de la planète.

➤ Les effets culturels de la mondialisation :
- si une culture mondialisée se développe, la diversité culturelle du monde persiste ;
- le tourisme de masse crée un phénomène d'acculturation.

C. Par qui et comment la mondialisation est-elle contestée ?

La mondialisation est contestée par le mouvement altermondialiste, qui médiatise ses actions

➤ Le mouvement altermondialiste est le principal acteur de cette contestation :
- il regroupe une vaste nébuleuse d'acteurs qui, malgré des idées très diverses, recherchent des alternatives à la mondialisation libérale ;
- il cherche à faire pression sur les pouvoirs publics.

➤ Les principaux modes d'action du mouvement altermondialistes sont :
- l'utilisation massive des NTIC et des médias ;
- l'organisation régulière de forums sociaux, déclinés à différentes échelles.

➤ Les altermondialistes cherchent à promouvoir un autre monde en :
- régulant le capitalisme ;
- réformant la gouvernance mondiale.

Schémas cartographiques

A. L'impact de la mondialisation sur les frontières

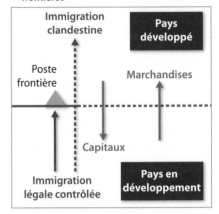

B. La mondialisation en débat

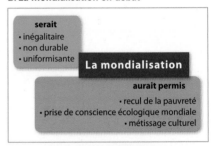

C. La nébuleuse altermondialiste

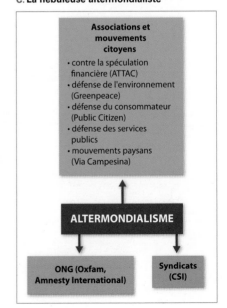

La mondialisation

génère → **Une évolution de la carte du monde**

suscite → **Des débats contradictoires**

provoque → **Des contestations sur son fonctionnement**

Une évolution de la carte du monde

Une remarquable augmentation du nombre des États depuis 1945

+

Une production continue des frontières politiques depuis 1991

+

Une multiplication des accords frontaliers depuis 1991

Des débats contradictoires

1er débat : la mondialisation est accusée d'accroître les inégalités sociales

+

2e débat : la mondialisation est accusée de porter atteinte à l'environnement

+

3e débat : la mondialisation est accusée d'uniformiser les pratiques culturelles

---

Des contestations sur son fonctionnement

Une dénonciation de ses effets par le mouvement altermondialiste (de nombreux acteurs, dont des ONG)

+

Sous forme de forums sociaux mondiaux **et via** l'utilisation massive des NTIC et des médias

+

Dans le but de rechercher des alternatives à la mondialisation libérale

---

Ne pas confondre

Altermondialisme / démondialisation

Altermondialisme : courant de pensée qui recherche des alternatives à la mondialisation libérale surtout fondées sur la réduction des inégalités et la protection de l'environnement.

Démondialisation : processus visant à limiter le libre-échange, à travers la relocalisation de la production et des emplois et le retour à un protectionnisme ciblé via des droits de douanes.

Développement de filiales à l'étranger / délocalisation

Développement de filiales à l'étranger : installation d'une activité dans un pays étranger pour produire sur place, mais également vendre sur place. Même si pour cela on ferme une unité de production d'origine.

Délocalisation : Transfert d'une unité de production dans des pays bénéficiant d'avantages comparatifs (main-d'œuvre moins chère, matières premières, zones défiscalisées...).

Repères

3 800

ONG

reconnues en 2010 par le Conseil économique et social de l'ONU

26

conflits frontaliers en 2011

sur 322 frontières interétatiques terrestres

SUBWAY

33 749*

restaurants dans

95

pays

McDonald's

32 737*

restaurants dans

117

pays

* Au 1er janvier 2010.

Organiser un débat
Les enjeux des délocalisations

Le but de ce débat est d'amener à réfléchir aux objectifs recherchés à travers la délocalisation d'une activité de production. Il s'agit ici d'organiser un débat contradictoire. Les documents servent de point de départ au débat. Ils peuvent être complétés par une recherche personnelle au CDI ou sur Internet.

Comment organiser un débat ?

Les rôles à attribuer

> Modérateur (le rôle peut être partagé entre plusieurs élèves)

Il est celui qui organise le débat. Il doit :
• présenter les intervenants ;
• veiller au respect du temps de parole de chacun et à la bonne tenue du dialogue ;
• poser des questions qui permettent à tous les points de vue de s'exprimer et de dégager les grands thèmes de la question. Pour cela, il lui faut bien connaître le sujet abordé ;
• inciter chaque participant à clarifier sa position ;
• souligner les contradictions et les non-dits pour relancer le débat, sans prendre position lui-même.

> P-DG des entreprises A, B, C en France (trois branches différentes)

Ils défendent leur entreprise et sa stratégie industrielle et commerciale. Ils connaissent bien les marchés et leurs concurrents. Leur objectif premier est la pérennité et la prospérité de leur entreprise.

> Sous-traitants A, B, C (de trois pays ou dans trois branches différentes)

Ils désirent faire affaire avec les entreprises européennes qui leur ouvrent les marchés occidentaux et souhaitent favoriser le développement de leur pays.

> Consommateurs français : le reste de la classe

Le public a été choisi (on dit aujourd'hui « panélisé ») pour être représentatif de toutes les sensibilités politiques, de toutes les catégories sociales et de tous les âges.

On pourra prendre le point de vue du consommateur qui recherche des prix toujours plus bas, celui qui veut n'acheter que des produits français, celui qui vient de perdre son emploi à la suite d'une délocalisation, etc.

1 **Renault inaugure son usine à Tanger (Maroc) pour produire des monospaces Dacia à prix cassés**

Sans les salaires locaux de 240 euros par mois et une ribambelle d'aides étatiques, Renault n'aurait sans doute pas ouvert son usine à Tanger. En quelques années, PSA et Renault ont très sensiblement augmenté la production hors de l'Hexagone. Si dans certains cas comme le Brésil, la Russie ou la Chine, il s'agit de s'implanter pour assurer la desserte des marchés locaux, dans le cas de l'Europe orientale et maintenant du Maroc, le souci est bien plus d'approvisionner à moindre coût le marché français. Aujourd'hui, Renault et PSA fabriquent en France seulement 31 % de leur production mondiale, alors que cette proportion atteignait encore 50 % en 2005.

D'après www.lesechos.fr, 8 février 2012.

CHEZ RENAULT ON PENSE À TOUT

2 **La délocalisation de Renault au Maroc en 2012.** Dessins parus dans *Le Canard enchaîné*, 15 février 2012.

Démarche

L'assistant du modérateur donne la parole aux personnes du public qui souhaitent témoigner, réagir ou interpeller les intervenants.

Principaux facteurs invoqués par les entreprises qui délocalisent :

- Coût de la main-d'œuvre
- Charges sociales
- Entraves administratives et réglementaires
- Perspectives de croissance
- Conquête de nouveaux marchés
- Poids de la concurrence

On peut classer les raisons qui motivent les entreprises et les consommateurs en trois ensembles : les aspects sociaux, économiques et écologiques, et c'est le triptyque du développement durable qui se dessine.

金砖国家领导人第三

BRICS Leaders Me

2011年4月14日 中国 三亚   14 April 2011   Sa

ÉTATS-UNIS

Océan Atlantique

Bassin caraïbe

AMÉRIQUE

Océan Pacifique

BRÉSIL

Sahara

AFRIQUE

Océan Atlantique

Océan Indien

AFRIQUE DU SUD

des grandes aires continentales

Sommet des BRICS à Sanya (Chine) en 2011.

Le Brésil, la Russie, l'Inde, la Chine et l'Afrique du Sud, qui cherchent à transformer leur forte croissance en atout géopolitique, se réunissent en sommets depuis 2009. Leur entrée sur la scène mondiale et leur reclassement dans la hiérarchie des puissances symbolisent les principales dynamiques qui animent les grandes aires continentales.

THÈME 3

Dynamiques géographiques des grandes aires continentales

> ❯ **Quelles dynamiques liées à la mondialisation animent les grandes aires continentales ?**

Étude d'une aire continentale qui est une zone de contact entre le Nord et le Sud

Chapitre 6
L'Amérique : puissance du Nord, affirmation du Sud

Étude d'une aire continentale qui se développe en faisant face à la mondialisation

trois problématiques spécifiques

Chapitre 7
L'Afrique : les défis du développement

Étude d'une aire continentale à forte croissance et à la recherche d'un véritable développement

Chapitre 8
L'Asie du Sud et de l'Est : les enjeux de la croissance

ASIE

CHINE   JAPON

Mumbai

Océan Pacifique

Océan Indien

Asie du Sud et de l'Est

- aire continentale
- aire régionale
- État
- • ville

CHAPITRE 6

L'Amérique : puissance du Nord, affirmation du Sud

 Le continent américain offre un contraste fort entre le Nord (Canada, États-Unis), riche et développé, et le Sud (Amérique latine) en développement. Cette opposition se reflète dans le bassin caraïbe, qui est certes une interface mondiale par sa part dans les flux internationaux mais aussi une interface américaine par la densité des échanges entre ses rives sud et nord.

 Les nombreuses associations régionales de coopération font du continent américain un espace d'intégration régionale. Mais cette multiplication d'organisations constitue aussi un frein à une véritable intégration continentale et ne permet pas de dépasser les tensions inter et intra étatiques, qui restent multiples.

 Les États-Unis et le Brésil apparaissent comme deux géants au rôle mondial majeur mais différent, qui illustrent les nouveaux rapports de force internationaux. L'entrée en scène régionale et mondiale du Brésil lui permet, comme le font les États-Unis depuis longtemps, d'orienter la politique d'intégration continentale et de défendre ses intérêts à l'échelle planétaire. Les dynamiques régionales des deux États reflètent leur puissance respective.

> **En quoi le continent américain est-il révélateur de la puissance du Nord et de l'affirmation du Sud ?**

AMÉRIQUE
DU NORD
Océan
Atlantique

AMÉRIQUE
CENTRALE

Canal
de Panama

AMÉRIQUE
DU SUD

Océan
Pacifique

N

0   4 000 km
à l'équateur

Le canal de Panama, une liaison majeure de l'interface caraïbe.

Petit État d'Amérique centrale, le Panama incarne à la fois une passerelle entre le continent américain et le reste du monde et le paradoxal réseau de transport des Caraïbes. Grâce à des ouvrages d'art spectaculaires (ici, écluses de Miraflores), son canal permet aux navires du monde entier de relier les océans Atlantique et Pacifique (à l'horizon de la photographie). Mais les flux américains nord-sud, eux, sont interrompus par l'absence, au sud du pays, d'un tronçon de 96 km de la route panaméricaine.

En quoi le bassin caraïbe est-il une interface américaine et mondiale ?

Le bassin caraïbe comprend l'ensemble des littoraux riverains de la mer des Caraïbes. Ce bassin constitue un espace majeur de la mondialisation, mais il apparaît comme une interface américaine où les tensions sont nombreuses et les tentatives d'intégration régionale, le plus souvent inefficaces.

1 Quelles relations le bassin caraïbe entretient-il avec le reste de l'Amérique ?

1 **Le port de Miami (États-Unis) : un hub majeur**

Vocabulaire

Bassin : espace créé autour d'un lieu commun (bassin hydrographique, bassin d'emploi, etc.). Ici, il désigne l'espace bordant la mer des Caraïbes.

Hub : voir p. 146.

Interface : lieu privilégié d'échanges entre un espace et le reste du monde. Elle peut être linéaire (littoral, frontière) ou ponctuelle (port, aéroport).

Intégration régionale : voir p. 226.

Méditerranée : expression désignant une mer intercontinentale, à l'exemple de la mer Méditerranée, séparée de l'océan par un détroit (Gibraltar) ou un arc insulaire (mer des Caraïbes).

2 Les migrations caraïbes en mutation

Aujourd'hui, la diversité des groupes qui composent [la société caribéenne] est surprenante. [...] C'est là précisément le résultat de cet ample processus migratoire qui n'a pas cessé durant cinq siècles. [...] La migration caribéenne du XXIe siècle se déroule dans le contexte nouveau de la société mondialisée. [...] Ce qui a changé, c'est la direction que prennent les différentes nationalités, puisque ni ceux qui émigrent, ni les pays d'accueil ne sont nécessairement les mêmes. Cela équivaut, même pour certains pays d'accueil, à devenir des pays émetteurs, comme le montre le cas de la République dominicaine face aux Antilles de langue anglaise, ou de Porto Rico face à la République dominicaine [...]. Une autre particularité de l'émigration actuelle est que les pays de la Grande Caraïbe[1] ont produit une diaspora nombreuse située dans les principaux lieux de destination [...] Cette caractéristique fait que les pays de la Caraïbe ont des frontières culturelles, économiques, voire parfois politiques, à l'intérieur des sociétés d'accueil.

1. Ensemble des régions riveraines de la mer des Caraïbes.

R.S. Valdez, « Un bassin du monde », www.atlas-caraibe.unicaen.fr, juin 2010.

3 Des contrastes économiques, culturels et politiques

	États-Unis	Mexique	Haïti	Trinidad-et-Tobago
RNB par habitant, en ppa en 2011, en dollars	43 017	13 245	1 123	23 439
Espérance de vie à la naissance en 2011, en années	78,5	77	62,1	70,1
Langues officielles	anglais ; espagnol au Nouveau Mexique	espagnol + 67 langues indigènes	français ; créole	anglais
Régime politique	démocratie présidentielle	démocratie présidentielle	démocratie sous contrôle de l'ONU (Minustah)	démocratie présidentielle
Part d'homicides pour 100 000 personnes en 2010, en %	5,2	11,6	NC	39,7

Source : PNUD 2010 et 2011.

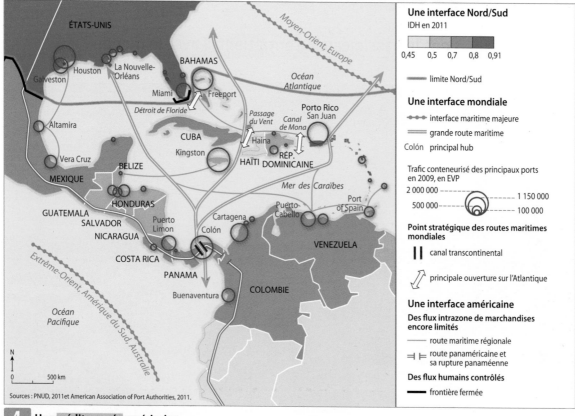

Une interface Nord/Sud
IDH en 2011

0,45 0,5 0,7 0,8 0,91

──── limite Nord/Sud

Une interface mondiale

●━━━● interface maritime majeure

═══ grande route maritime

Colón principal hub

Trafic conteneurisé des principaux ports
en 2009, en EVP

2 000 000 ─────────────── 1 150 000
500 000 ───────── 100 000

Point stratégique des routes maritimes mondiales

‖ canal transcontinental

⇗ principale ouverture sur l'Atlantique

Une interface américaine

Des flux intrazone de marchandises encore limités

──── route maritime régionale

=╢ ╟═ route panaméricaine et sa rupture panaméenne

Des flux humains contrôlés

━━━ frontière fermée

Sources : PNUD, 2011 et American Association of Port Authorities, 2011.

4 Une **méditerranée** américaine

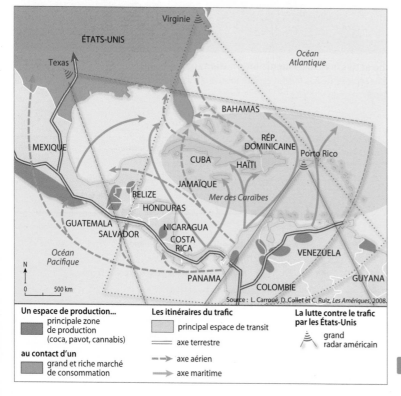

Un espace de production...

█ principale zone de production (coca, pavot, cannabis)

au contact d'un

█ grand et riche marché de consommation

Les itinéraires du trafic

░ principal espace de transit

═══ axe terrestre

- - -▷ axe aérien

───▷ axe maritime

La lutte contre le trafic par les États-Unis

⋏ grand radar américain

Source : L. Carroué, D. Collet et C. Ruiz, *Les Amériques*, 2008.

5 Une interface du trafic de drogue

Questions

1. Identifiez et expliquez les contrastes marquant l'interface Nord-Sud. (doc 3 et 4)

2. Quels sont les principaux flux ? À quelles échelles s'organisent-ils ? (doc 1, 2, 4 et 5)

3. Montrez que les contrastes de développement et de richesse contribuent à l'intensité des échanges régionaux mais aussi à leur inégalité. (doc 3, 4 et 5)

2 Quelles relations le bassin caraïbe entretient-il avec le monde ?

6 **Anguilla, un pôle caraïbe du tourisme et des investissements internationaux.**

Anguilla est un PTOM britannique de l'UE. Cette île représente à la fois un espace touristique (112 000 touristes en 2009 pour une population de 13 000 habitants) et un paradis fiscal.

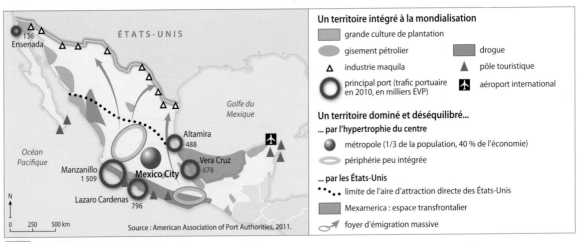

7 **Le Mexique, un territoire inégalement intégré à la mondialisation**

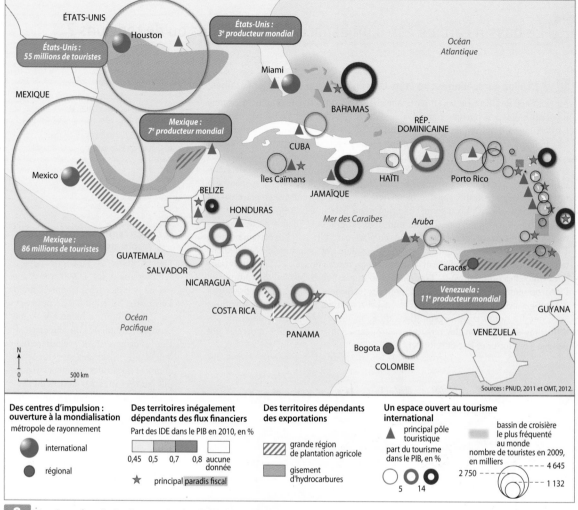

ÉTATS-UNIS

États-Unis :
55 millions de touristes

Houston

États-Unis :
3ᵉ producteur mondial

Océan
Atlantique

Miami

MEXIQUE

Mexique :
7ᵉ producteur mondial

BAHAMAS

RÉP.
DOMINICAINE

CUBA

Mexico

Îles Caïmans

HAÏTI

Porto Rico

BELIZE

JAMAÏQUE

Mexique :
86 millions de touristes

HONDURAS

Mer des Caraïbes

Aruba

GUATEMALA

SALVADOR

Caracas

NICARAGUA

Venezuela :
11ᵉ producteur mondial

GUYANA

COSTA RICA

Océan
Pacifique

PANAMA

VENEZUELA

Bogota

N

0   500 km

COLOMBIE

Sources : PNUD, 2011 et OMT, 2012.

**Des centres d'impulsion :
ouverture à la mondialisation**
métropole de rayonnement

○ international

● régional

**Des territoires inégalement
dépendants des flux financiers**
Part des IDE dans le PIB en 2010, en %

0,45 0,5 0,7 0,8 aucune
                        donnée

★ principal paradis fiscal

**Des territoires dépendants
des exportations**

▨ grande région
de plantation agricole

▨ gisement
d'hydrocarbures

**Un espace ouvert au tourisme
international**

▲ principal pôle
touristique

part du tourisme
dans le PIB, en %

○ ◎ ◉
5   14

bassin de croisière
le plus fréquenté
au monde

nombre de touristes en 2009,
en milliers

4 645

2 750

1 132

8   Une interface inégalement intégrée et dépendante

9   Des États aux économies extraverties ?

	États-Unis	Mexique	Colombie	Haïti
Part des IDE dans le PIB en 2009, en %	21,3	30,8	26,1	6,8
Part des produits primaires dans les exportations en 2009, en %	20,6	23	71,2	11,2
Part des transferts financiers des migrants en 2009, en % du PIB	0	12,9	2,2	18,2
Nombre de restaurants McDonald's en 2011	14 027	220	104	0

Sources : PNUD, 2011 ; ONU, OMC et McDonald's, 2012.

Vocabulaire

Économie extravertie : économie dont une grande part des activités est destinée à l'exportation.

Paradis fiscal : voir p. 178.

PTOM : pays et territoires d'outre-mer, associés par des conventions à l'Union européenne.

Questions

1. Identifiez les éléments d'intégration du bassin caraïbe à la mondialisation. (doc. 6 à 9)
2. Montrez qu'à toutes les échelles cette intégration est inégale. (doc. 7, 8 et 9)
3. Apportez un regard critique en montrant que cette intégration à la mondialisation entraîne une forme de dépendance des États. (doc. 6 à 9)

3 Le bassin caraïbe est-il un espace d'intégrations ou de tensions ?

10 L'Union européenne et les États-Unis en concurrence dans les Caraïbes

La présence de l'Europe, et en particulier de l'UE, est souvent présentée comme un contrepoids à la puissance américaine dans la Caraïbe. [...] Le monde caribéen [...] est aujourd'hui largement américanisé, [...] les Antilles françaises faisant dès lors figure d'exception. Les intérêts économiques européens se limitent en effet à quelques secteurs comme le tourisme en République dominicaine ou à Cuba (sous embargo américain) où le groupe [hôtelier] espagnol Sol Melia a investi de façon importante. [...] La présence militaire française [...] dont l'une des activités est la lutte contre le narcotrafic, apparaît bien faible au vu des moyens mis en place par les Américains. Les États-Unis contribuent pour leur part au développement des États de la Caraïbe par l'intermédiaire de multiples programmes [d'aide au développement] qui concurrencent parfois ceux mis en place par l'UE. [...] Un certain nombre d'obstacles socio-économiques (barrières douanières et commerciales réglementaires ou non, différentiel du coût du travail et du niveau de vie), [...] culturels (langues officielles différentes) [...] ou encore politiques (visas, instabilité politique de l'environnement régional) réduisent [pour les territoires européens] les possibilités d'échanges avec le reste de la Caraïbe. [...]. En somme, la diversité des situations ainsi que les nombreuses organisations de coopération existantes témoignent des difficultés d'intégration des territoires européens dans une Caraïbe morcelée qui peine à s'organiser et à se développer.

Y. Bertin, « L'Europe dans la Caraïbe », www.atlas-caraibe.unicaen.fr, 2010.

12 En Jamaïque, les tensions sont aussi internes

Depuis 2005, la Jamaïque dépasse régulièrement les 1 600 assassinats par an – concentrés essentiellement à Kingston –, ce qui fait du petit pays de 2,8 millions d'habitants « une capitale mondiale du meurtre ». Les journaux font régulièrement leur « une » sur des règlements de comptes ou sur des policiers corrompus par les gangs, les maîtres du pays. À la télé, sur la chaîne nationale, des publicités tentent d'interpeller les gens : « Qu'est-ce qui tue le plus ? La maladie ? Les catastrophes naturelles ? Non, le crime. » [...] La classe moyenne vit autour du centre ville, dans des résidences constamment surveillées par des caméras ou par des hommes armés en faction. Le cœur de Kingston est un immense bidonville, à l'architecture coloniale britannique épuisée. [...] Selon les Nations Unies, « plus de 50 % de la population active (près de 1,3 million de personnes) de la Jamaïque a une activité informelle ». Plus de 10 % des Jamaïquains sont au chômage. Les magasins sont rachetés un par un par... les Chinois. Sans oublier un trafic de drogue (cocaïne et cannabis) qui aiguise davantage cette violence. Plus globalement, selon un rapport de 2007 de la Banque mondiale, la région des Caraïbes est la plus violente du monde. Avec un taux d'homicides de 30 pour 100 000 habitants, les Caraïbes devançant l'Afrique du Sud et de l'Ouest (29), l'Amérique du Sud (26) et l'Amérique centrale (22).

M. Kessous, *Le Monde*, 19 mai 2010.

11 L'ingérence américaine vue par un journal cubain de Miami.

Caricature de C. Latuff, *Progreso Weekly*, mars 2011. Depuis 1962, les États-Unis maintiennent un embargo commercial et financier autour de Cuba. Cette limitation des importations de l'île épargne les produits alimentaires et n'empêche pas les États-Unis de demeurer le premier fournisseur de Cuba en produits agricoles.

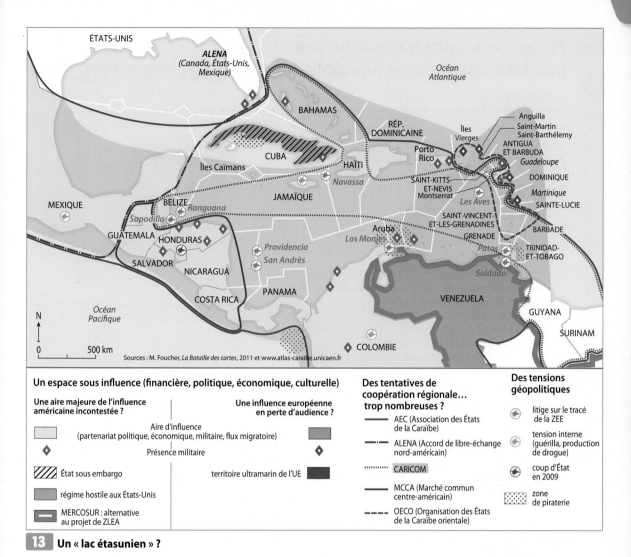

Sources : M. Foucher, *La Bataille des cartes*, 2011 et www.atlas-caraibe.unicaen.fr

Un espace sous influence (financière, politique, économique, culturelle)

Une aire majeure de l'influence américaine incontestée ?

Aire d'influence
(partenariat politique, économique, militaire, flux migratoire)

◆ Présence militaire

▨ État sous embargo

▨ régime hostile aux États-Unis

▭ MERCOSUR : alternative au projet de ZLEA

Une influence européenne en perte d'audience ?

■ territoire ultramarin de l'UE

Des tentatives de coopération régionale… trop nombreuses ?

— AEC (Association des États de la Caraïbe)

— ALENA (Accord de libre-échange nord-américain)

········· CARICOM

— MCCA (Marché commun centre-américain)

---- OECO (Organisation des États de la Caraïbe orientale)

Des tensions géopolitiques

✈ litige sur le tracé de la ZEE

✈ tension interne (guérilla, production de drogue)

✈ coup d'État en 2009

▨ zone de piraterie

13 **Un « lac étasunien » ?**

14 **La disparition de Bermeja a agrandi la ZEE des États-Unis.** L'existence de l'île fantôme de Bermeja est attestée depuis le XIXᵉ siècle et sa disparition mystérieuse en 1997 a donné lieu à de multiples explications plus ou moins fantaisistes (montée des eaux, dynamitage par la CIA). Elle a aussi conduit à l'annexion par les États-Unis d'une zone pétrolière très importante qui n'est pas encore exploitée.

Questions

1. Comment les influences américaine et européenne s'exercent-elles sur le bassin caraïbe ? Quelles sont les aires respectives ? Quelles sont les formes d'adhésion et de résistance à cette double influence ? (doc. 10 à 14)

2. Quelles sont les autres formes de tensions dans le bassin caraïbe ? (doc. 12 à 14)

3. Montrez que les tentatives de coopération régionale sont nombreuses et concurrentes. (doc. 10 et 13)

Source : www.atlas-caraibe.unicaen.fr

---- limites des eaux territoriales

✈ tracé contesté

▨ enclave de haute mer sans appartenance

En quoi le bassin caraïbe est-il une interface américaine et mondiale ?

L'essentiel

A. Pourquoi le bassin caraïbe est-il une interface ?

Un des plus forts différentiels de développement au monde

➤ Le bassin caraïbe oppose un État du Nord et des États du Sud.
Rédigez un paragraphe résumant cette idée.

➤ Le bassin caraïbe est une interface mondiale car il est un carrefour des échanges internationaux.
Rédigez un paragraphe résumant cette idée.

➤ Le bassin caraïbe est une interface américaine aux échanges régionaux inégaux.
Rédigez un paragraphe résumant cette idée.

B. Comment le bassin caraïbe s'intègre-t-il dans la mondialisation ?

Une inégale intégration des territoires dans la mondialisation

➤ Le bassin caraïbe est intégré à la mondialisation.
Rédigez un paragraphe résumant cette idée.

➤ Mais sa forte ouverture sur le monde entraîne une dépendance.
Rédigez un paragraphe résumant cette idée.

➤ Les territoires du bassin caraïbe sont inégalement intégrés.
Rédigez un paragraphe résumant cette idée.

C. Le bassin caraïbe est-il un espace d'intégration ou de tensions ?

Un espace entre tensions et intégration régionale

➤ Le bassin caraïbe est sous influence des États-Unis et de l'Europe.
Rédigez un paragraphe résumant cette idée.

➤ Le bassin caraïbe est un espace de tensions.
Rédigez un paragraphe résumant cette idée.

➤ Les tentatives de coopération sont trop nombreuses pour être efficaces.
Rédigez un paragraphe résumant cette idée.

Notions-clés

Mémorisez les notions-clés suivantes en synthétisant leurs définitions et en les illustrant par des exemples du bassin caraïbe.

➤ **Économie extravertie :** ....
....
....
....

➤ **Intégration régionale :** ....
....
....
....

➤ **Interface :** ....
....
....
....

A. Un des plus forts différentiels de développement au monde

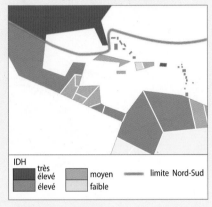

IDH : très élevé, élevé, moyen, faible — limite Nord-Sud

B. Une inégale intégration des territoires dans la mondialisation

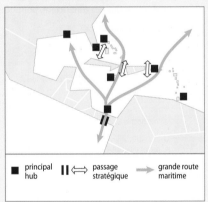

■ principal hub — ‖⇔ passage stratégique — ➡ grande route maritime

C. Un espace entre tensions et intégrations régionales

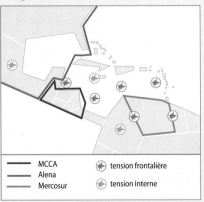

MCCA — Alena — Mercosur — ✳ tension frontalière — ✳ tension interne

Croquis de synthèse

Titre : ....

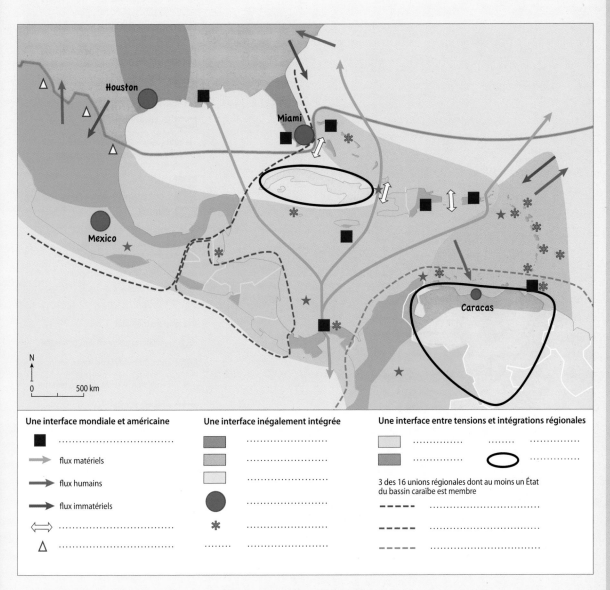

Une interface mondiale et américaine

■ ....

→ flux matériels

→ flux humains

→ flux immatériels

⇔ ....

△ ....

Une interface inégalement intégrée

▨ ....

▨ ....

☐ ....

● ....

✳ ....

Une interface entre tensions et intégrations régionales

☐ ....

▨ ....

◯ ....

3 des 16 unions régionales dont au moins un État du bassin caraïbe est membre

----- ....

----- ....

----- ....

N
0   500 km

Question

❯ À partir des schémas cartographiques A, B et C, reportez les informations dans le croquis de synthèse. Donnez un titre à ce croquis.

Quels sont les contrastes et les dynamiques du continent américain ?

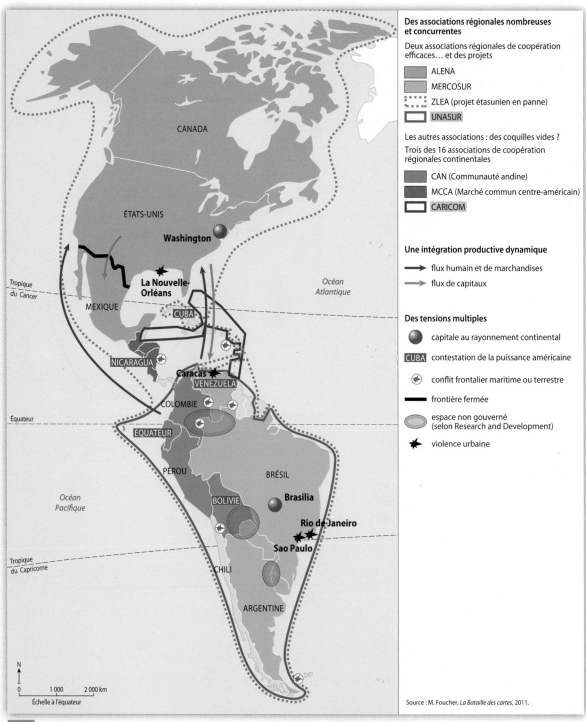

1 Le continent américain : entre tensions et intégrations régionales

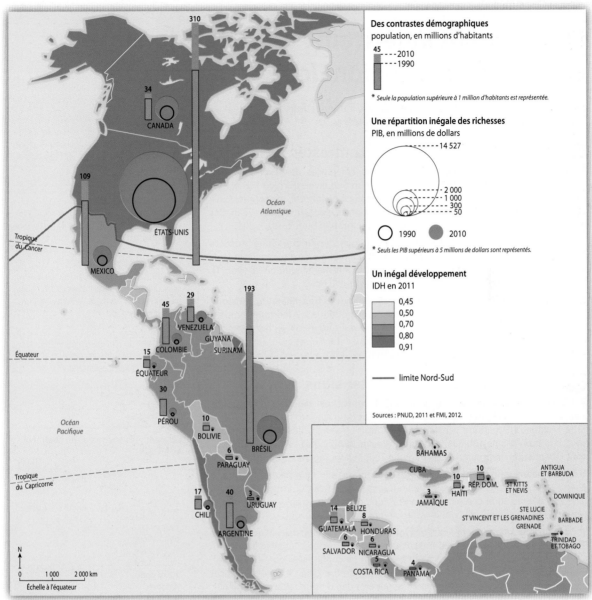

Des contrastes démographiques
population, en millions d'habitants

45 ----2010
---- 1990

*Seule la population supérieure à 1 million d'habitants est représentée.

Une répartition inégale des richesses
PIB, en millions de dollars

---- 14 527
---- 2 000
---- 1 000
---- 300
---- 50

○ 1990   ● 2010

*Seuls les PIB supérieurs à 5 millions de dollars sont représentés.

Un inégal développement
IDH en 2011

0,45
0,50
0,70
0,80
0,91

—— limite Nord-Sud

Sources : PNUD, 2011 et FMI, 2012.

2 **Le continent américain : de profondes inégalités**

Questions

1. Quelles sont les formes d'intégration régionale et de tensions du continent américain ? (doc. 1)
2. Quel rôle les grandes puissances continentales (États-Unis, Brésil) jouent-elles dans cette intégration et dans ces tensions ?
3. Quels contrastes continentaux la carte présente-t-elle ? Les évolutions présentées tendent-elles à un rééquilibrage ? (doc. 2)
4. Dans quelle mesure le bassin caraïbe représente-t-il un exemple de l'ensemble des dynamiques continentales ?

Le continent américain : entre tensions et intégrations régionales

> Comment les différentes tensions et formes d'intégrations régionales s'expriment-elles sur le continent américain ?

A Un continent aux multiples contrastes

■ **Le continent américain présente de grandes différences de développement**, entre un Nord développé (États-Unis, Canada) et un Sud diversifié (voir IDH p. 225) mais aussi entre les espaces intégrés à la mondialisation (littoral, métropole, CBD) et les périphéries délaissées (intérieur des continents, espace rural, bidonville). Ces inégalités génèrent des migrations (exode rural, migration Sud-Nord).

■ **Les contrastes culturels sont également marqués.** L'Amérique latine présente une relative unité culturelle qui s'oppose au modèle anglo-saxon des États-Unis et du Canada. Cependant, des minorités indiennes affirment leur identité (doc. 1), tandis que le multiculturalisme est prégnant aux États-Unis.

■ **Le continent américain oppose des régimes politiques très différents.** L'histoire (dictatures, guérillas) explique le morcellement politique d'Amérique centrale mais aussi l'unification des États-Unis, du Brésil ou du Canada. Si les démocraties sont majoritaires, les oppositions idéologiques perdurent entre les régimes socialistes (Cuba, Venezuela) et libéraux (Colombie, Mexique).

B Un continent aux multiples tensions

■ **L'hégémonie américaine est la première source de tensions.** Longtemps « arrière-cour » des États-Unis, l'Amérique latine prend aujourd'hui ses distances. Si le Mexique, l'Amérique centrale et les Caraïbes restent liés à leur puissant voisin, le bolivarisme (Bolivie, Venezuela, **voir p. 228-229**) et l'attitude du président Obama (gel du projet de ZLEA depuis 2009) encouragent l'émancipation.

■ **Les tensions entre États sont nombreuses** même s'il n'y a pas eu de guerre depuis 1995. Les oppositions sont idéologiques (Venezuela/Colombie) et/ou frontalières : démarcation contestée de la ZEE, des réserves pétrolières (Surinam et Guyana), débordement du conflit colombien (Équateur, Venezuela).

■ **Les tensions internes sont aussi très fortes (doc. 2) et la violence est généralisée (Repère).** Elle s'explique par les inégalités sociales (Brésil) et les activités criminelles (drogue), source et moyen de financement de conflit (Mexique, Colombie). Elle se concentre dans les bidonvilles, espaces de non-droit (doc. 4). Les revendications des peuples indigènes peuvent aussi générer des tensions (Canada, Bolivie).

C Un continent entre intégration et cloisonnement

■ **Deux unions dominent : l'Alena et le Mercosur.** La première a accéléré le développement du Mexique, mais elle a accru sa dépendance économique à l'égard des États-Unis, qui bloquent les flux migratoires. Conçu comme alternative à la ZLEA, le Mercosur peine à dépasser la défense des intérêts nationaux (doc. 1).

■ **Les autres associations régionales sont trop nombreuses pour être efficaces.** Les disparités entre États membres et la superposition des unions freinent la coopération : les échanges intrazone du Caricom ne représentent que 15 % des exportations totales. Les réseaux de communication sont mal connectés (doc. 3) et les espaces transfrontaliers dynamisés sont rares (Mexamerica).

■ **L'intégration productive est une réalité.** Sous la pression des institutions internationales (FMI, OMC), les États ouvrent leur frontière. Malgré leurs différends, les États-Unis sont le 1er client et 1er fournisseur du Venezuela. Mais cette intégration privilégie surtout les États-Unis (accords bilatéraux) : en 2010, les échanges intrarégionaux d'Amérique latine ne couvrent que 19 % du commerce total.

Vocabulaire

ALENA (Accord de libre-échange nord-américain) : communauté économique créée en 1994 groupant le Canada, les États-Unis et le Mexique.

Amérique latine : voir p. 271.

CARICOM : voir p. 220.

Intégration régionale : pour un État, processus visant l'insérer dans les échanges à l'échelle d'une région. Elle peut être plus ou moins avancée (Mercosur) et s'élargir au domaine politique (Alba).

MERCOSUR (Marché commun du Sud) : communauté économique créée en 1991 groupant l'Argentine, le Brésil, le Paraguay, l'Uruguay et le Venezuela.

ZEE : voir p. 220.

ZLEA (Zone de libre-échange nord-américaine) : projet d'extension de l'ALENA à l'ensemble du continent américain.

Repère

Les multiples contrastes du continent américain

	États-Unis	Brésil	Honduras
PIB/hab. en 2010, en $	47 184	10 710	2 026
Part de la population vivant avec moins de 1,25 $ ppa par jour (2000-2009), en %	0	3,8	23,3
Nombre mensuel d'homicides pour 100 000 personnes entre 2003 et 2008	5,2	22	60,9
Nombre d'organisations régionales intégrées en 2011	3	4	6

Sources : PNUD, 2011 et Banque mondiale, 2012.

1 Le Mercosur, un marché commun imparfait

La construction du Mercosur s'est faite sur la base de la mise en place d'une union douanière : il s'agit de se défendre contre une mondialisation excessive en forte progression [...]. Dans la réalité, [...] seuls les échanges de produits sont concernés par le tarif extérieur commun. Celui-ci ne couvre en 2010 que les deux tiers des produits échangés dans l'espace du Mercosur. Les demandes de dérogation à la règle commune se multiplient [...]. En interne, les grandes asymétries constituent toujours un véritable frein à ce processus. Le différentiel dans les échanges est flagrant entre les petits pays (Paraguay et Uruguay) et les deux grands du Mercosur : Brésil, Argentine, mais aussi entre ces derniers. Cette tendance se renforce avec l'arrivée d'un nouveau membre, le Venezuela, qui apporte de nouvelles possibilités, mais aussi de nouvelles complexités. À la différence de l'Union européenne, le stade du marché commun n'est pas atteint [...] et encore moins celui de l'union économique qui exige un début d'harmonisation des politiques monétaires, économiques et sociales.

M. Gérardot et P. Lemarchand, *Géographie des conflits*, 2011.

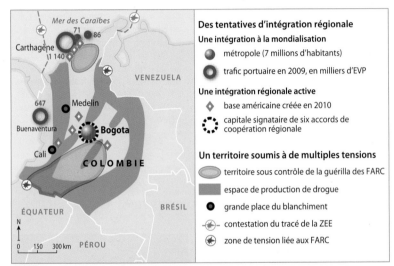

Des tentatives d'intégration régionale

Une intégration à la mondialisation
- métropole (7 millions d'habitants)
- trafic portuaire en 2009, en milliers d'EVP

Une intégration régionale active
- base américaine créée en 2010
- capitale signataire de six accords de coopération régionale

Un territoire soumis à de multiples tensions
- territoire sous contrôle de la guérilla des FARC
- espace de production de drogue
- grande place du blanchiment
- contestation du tracé de la ZEE
- zone de tension liée aux FARC

2 La Colombie : entre tensions et intégrations régionales

1. En quoi la Colombie est-elle représentative des tensions et des tentatives d'intégration du continent américain ?
2. Comparez cette carte avec le doc. 3 p. 229. Quels sont les points communs et les différences entre la Colombie et son voisin vénézuélien ?

4 Interventions des forces armées dans les favelas de Rio de Janeiro en novembre 2011.
Avant l'accueil des Jeux olympiques de 2016, la municipalité de Rio (Brésil) a fait appel à l'armée pour reprendre le contrôle des bidonvilles de la mégapole, contrôlés par les trafiquants.

3 L'Unasur projette la création d'une agence spatiale

Le 11 novembre 2011 à Lima, [...] les pays membres de l'Union des nations sud-américaines (Unasur[1]) ont annoncé leur volonté de créer une agence spatiale sud-américaine. « L'idée est d'accéder à l'espace le plus rapidement possible, avec un lanceur et des satellites de fabrication sud-américaine », a déclaré le ministre argentin de la Défense. [...] « Nous devons faire converger nos efforts pour diminuer les coûts », a ajouté le ministre, soulignant que la future agence aurait des fins « foncièrement pacifiques ». [...] Disposer de radars dans l'espace aérien civil devient de plus un impératif pour ne pas dépendre d'États disposant déjà de cette technologie. En outre, les nombreuses ressources que la région possède et doit protéger, notamment la production alimentaire, les ressources énergétiques et l'Amazonie, rendent nécessaire la création de cette agence. [...] Le gouvernement colombien aimerait utiliser ce satellite pour [...] lutter plus efficacement contre le narcotrafic et la contrebande près des zones frontalières, en plus de mesurer l'impact des changements climatiques sur son territoire.

A. Mandil, unasur.fr, décembre 2011.

1. Association de coopération de tous les pays d'Amérique du Sud (hors Guyane française), née en 2008 en opposition au projet américain de ZLEA.

1. Quelles sont les raisons qui justifient le projet de création d'une agence spatiale par l'Unasur ? En quoi cela témoigne-t-il d'une volonté d'intégration régionale ?
2. Pourquoi cette agence spatiale peut-elle devenir un moyen d'éviter les tensions sur le continent ?

En quoi le Venezuela est-il représentatif des tensions et tentatives d'intégrations américaines ?

Dirigé depuis 1998 par Hugo Chavez, le Venezuela incarne les contradictions des relations entre les États américains. En effet, grâce à ses exceptionnelles réserves pétrolières, ce pays peut développer une politique indépendante à l'égard des puissances continentales (États-Unis, Brésil), ce qui ne l'empêche pas de nouer des relations diverses avec ses voisins. On y observe également un raccourci des différentes tensions continentales.

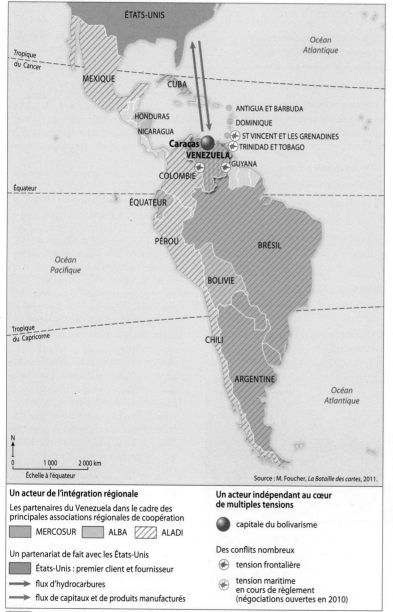

Source : M. Foucher, *La Bataille des cartes*, 2011.

Un acteur de l'intégration régionale

Les partenaires du Venezuela dans le cadre des principales associations régionales de coopération

- ▭ MERCOSUR
- ▭ ALBA
- ▨ ALADI

Un partenariat de fait avec les États-Unis

- ▭ États-Unis : premier client et fournisseur
- → flux d'hydrocarbures
- → flux de capitaux et de produits manufacturés

Un acteur indépendant au cœur de multiples tensions

- ⬤ capitale du bolivarisme

Des conflits nombreux

- ✦ tension frontalière
- ✦ tension maritime en cours de règlement (négociations ouvertes en 2010)

1 **Le Venezuela sur le continent américain : entre intégrations et tensions régionales**

Vocabulaire

ALBA : « aube » en espagnol. Alternative bolivarienne pour les Amériques.

Bolivarisme : courant politique d'Amérique du Sud se référant au Vénézuélien Simon Bolivar (1783-1830) et incarné aujourd'hui par Hugo Chavez. Il prône l'unification des peuples d'Amérique latine, considérés comme « dominés », et la lutte contre l'hégémonie étasunienne.

2 **Le bolivarisme du président Hugo Chavez.**

En 2006, le président Chavez, dans un geste de provocation, brandit à la tribune des Nations Unies l'ouvrage du philosophe anarchiste Chomsky dénonçant l'impérialisme américain.

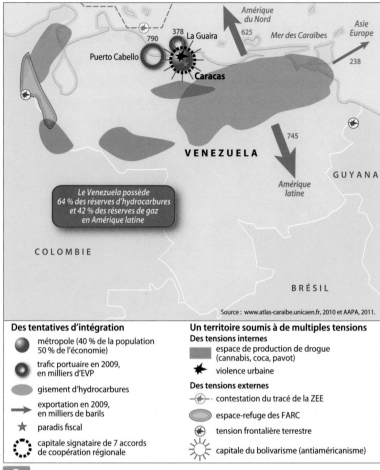

Le Venezuela possède 64 % des réserves d'hydrocarbures et 42 % des réserves de gaz en Amérique latine

Source : www.atlas-caraibe.unicaen.fr, 2010 et AAPA, 2011.

Des tentatives d'intégration

- métropole (40 % de la population 50 % de l'économie)
- trafic portuaire en 2009, en milliers d'EVP
- gisement d'hydrocarbures
- exportation en 2009, en milliers de barils
- paradis fiscal
- capitale signataire de 7 accords de coopération régionale

Un territoire soumis à de multiples tensions

Des tensions internes

- espace de production de drogue (cannabis, coca, pavot)
- violence urbaine

Des tensions externes

- contestation du tracé de la ZEE
- espace-refuge des FARC
- tension frontalière terrestre
- capitale du bolivarisme (antiaméricanisme)

3 **Le territoire du Venezuela : entre tensions et intégrations régionales**

4 **Le Venezuela, un acteur majeur de l'intégration régionale**

Lorsqu'Hugo Chavez est élu président du Venezuela en décembre 1998, la négociation proposée par les États-Unis d'une Zone de libre-échange des Amériques (ZLEA) est lancée. [...] Chavez ne tarde pas à critiquer ce projet et propose une Alternative bolivarienne pour les Amériques (Alba) en 2001. Désireux de promouvoir une intégration régionale sur des bases non commerciales, il s'emploie à construire une alliance de coopération. L'Alba comprend un important volet énergétique, grâce auquel le Venezuela fait profiter les autres pays latino-américains de ses ressources pétrolières.

L'Alba ne parvient guère à intéresser [...] que Cuba, la Bolivie, le Nicaragua, le Honduras, l'Équateur et les îles de la Dominique, mais il a le mérite de relancer le débat sur le modèle d'intégration désirable pour l'Amérique latine. Alors que la négociation pour la ZLEA est paralysée, en 2008, un nouveau projet voit le jour, l'Union des nations sud-américaines (Unasur), qui réunit tous les pays d'Amérique du Sud [...]. Le Marché commun du Sud (Mercosur) compte cinq membres [...]. Le Venezuela a rejoint le bloc en 2005.

O. Dabène (dir.), *Atlas de l'Amérique latine*, 2009.

5 **Petare, le bidonville le plus violent du continent américain.**

Petare, sur les hauteurs de Caracas, est l'un des plus grands bidonvilles d'Amérique du Sud. C'est dans ce barrio que la majorité des homicides ont lieu, mettant la capitale du Venezuela au 3e rang mondial pour le nombre d'homicides par habitant. Sur le mur : Jésus et la Vierge de Coromoto, la patronne du Venezuela, armés de fusils d'assaut. La Piedrita est le nom d'un collectif armé qui combat pour la révolution.

Questions

1. Quelles sont les tensions existant entre le Venezuela et les autres États du continent américain. (doc. 1 à 4)

2. Montrez que ces tensions s'observent à différentes échelles. (doc. 1 à 5)

3. Quelles sont les formes d'intégration régionale auxquelles le Venezuela participe ? Montrez qu'il y joue un rôle majeur (doc. 1, 3 et 4)

Quel est le rôle mondial des États-Unis et du Brésil ?

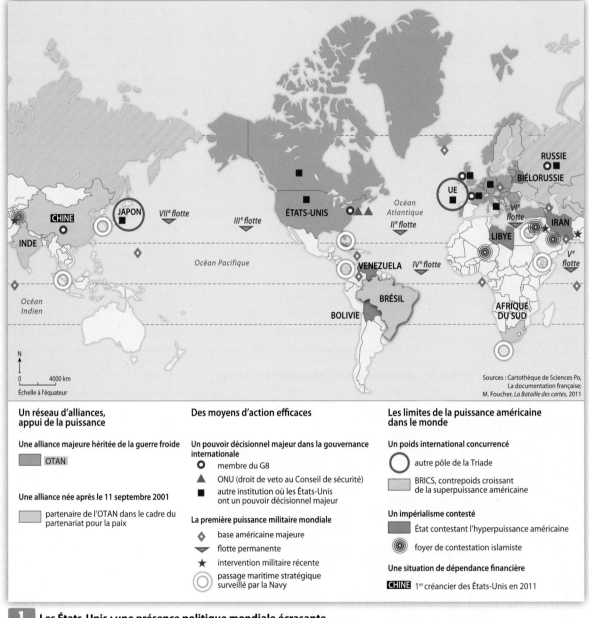

1 Les États-Unis : une présence politique mondiale écrasante

Un réseau d'alliances, appui de la puissance

Une alliance majeure héritée de la guerre froide

OTAN

Une alliance née après le 11 septembre 2001

partenaire de l'OTAN dans le cadre du partenariat pour la paix

Des moyens d'action efficaces

Un pouvoir décisionnel majeur dans la gouvernance internationale

○ membre du G8

▲ ONU (droit de veto au Conseil de sécurité)

■ autre institution où les États-Unis ont un pouvoir décisionnel majeur

La première puissance militaire mondiale

◇ base américaine majeure

▽ flotte permanente

★ intervention militaire récente

◎ passage maritime stratégique surveillé par la Navy

Les limites de la puissance américaine dans le monde

Un poids international concurrencé

○ autre pôle de la Triade

BRICS, contrepoids croissant de la superpuissance américaine

Un impérialisme contesté

État contestant l'hyperpuissance américaine

◎ foyer de contestation islamiste

Une situation de dépendance financière

CHINE 1er créancier des États-Unis en 2011

Sources : Cartothèque de Sciences Po,
La documentation française;
M. Foucher, *La Bataille des cartes*, 2011

Vocabulaire

OTAN (Organisation du Traité de l'Atlantique Nord) : pacte militaire, créé en 1949 dans le cadre de la guerre froide, rassemblant les alliés européens (+ le Canada) des États-Unis.

IBAS ou G3 : forum de discussion trilatérale (Inde, Brésil, Afrique du Sud).
ASPA (Amérique du Sud-Pays arabes) : forum de discussion né en 2005 entre les 22 pays de la Ligue arabe et 12 pays sud-américains.

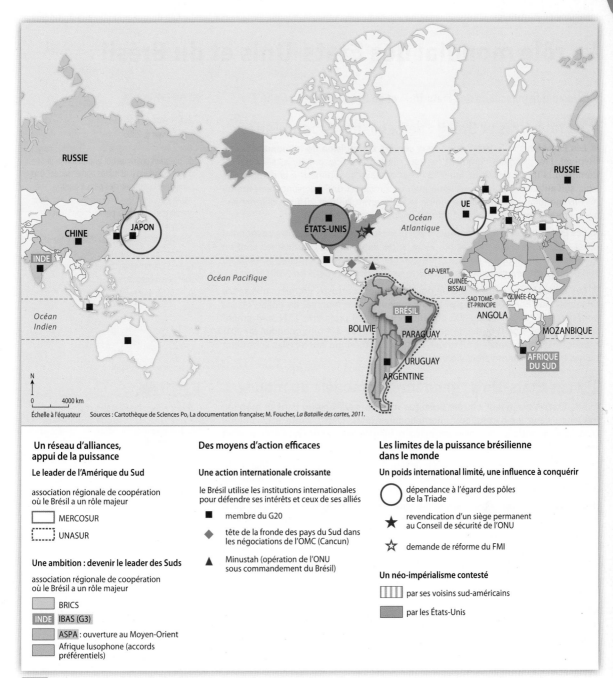

Échelle à l'équateur   Sources : Cartothèque de Sciences Po, La documentation française; M. Foucher, *La Bataille des cartes*, 2011.

Un réseau d'alliances, appui de la puissance

Le leader de l'Amérique du Sud

association régionale de coopération où le Brésil a un rôle majeur

☐ MERCOSUR

⬚ UNASUR

Une ambition : devenir le leader des Suds

association régionale de coopération où le Brésil a un rôle majeur

▢ BRICS

INDE IBAS (G3)

▢ ASPA : ouverture au Moyen-Orient

▢ Afrique lusophone (accords préférentiels)

Des moyens d'action efficaces

Une action internationale croissante

le Brésil utilise les institutions internationales pour défendre ses intérêts et ceux de ses alliés

■ membre du G20

◆ tête de la fronde des pays du Sud dans les négociations de l'OMC (Cancun)

▲ Minustah (opération de l'ONU sous commandement du Brésil)

Les limites de la puissance brésilienne dans le monde

Un poids international limité, une influence à conquérir

◯ dépendance à l'égard des pôles de la Triade

★ revendication d'un siège permanent au Conseil de sécurité de l'ONU

☆ demande de réforme du FMI

Un néo-impérialisme contesté

▥ par ses voisins sud-américains

▤ par les États-Unis

2 **Le Brésil : une audience politique mondiale grandissante**

Questions

1. Quelles sont les caractéristiques de la présence géopolitique étasunienne et brésilienne dans le monde ? (doc. 1 et 2)

2. Sur quels moyens s'appuie cette audience internationale ?

3. Quelles sont les limites de cette présence planétaire ?

Le rôle mondial des États-Unis et du Brésil

> Comment la puissance des États-Unis et du Brésil s'affirme-t-elle ?

A États-Unis et Brésil : deux géants économiques

■ **Les États-Unis et le Brésil sont deux centres d'impulsion de la mondialisation** (Repère). Les premiers cumulent les records (agriculture, industrie, services) et dominent la Triade : en 2010, leur PIB (1er mondial) est supérieur à la somme des trois suivants (Chine, Japon, Allemagne). Le Brésil est une puissance émergente (6e PIB mondial) à la croissance rapide (+ 53 % entre 2000 et 2010) et diversifiée : agriculture (soja, café), énergie (pétrole), industrie (aéronautique).

■ **Les États-Unis et le Brésil occupent une place inégale dans le commerce mondial** (2e et 22e exportateurs mondiaux). Mais, si les exportations brésiliennes sont en forte hausse (multipliées par 3,6 entre 2000 et 2010) et excédentaires (+ 14 % en 2009), le déficit commercial des États-Unis est immense (– 54 % en 2010).

■ **Les États-Unis et le Brésil ont un poids financier contrasté.** Première puissance financière, les États-Unis ont des atouts majeurs : rôle mondial du dollar, places boursières (NYSE, Chicago), IDE sortants (29 des 100 premières FTN sont américaines). La Bovespa (Bourse de Sao Paulo) n'est qu'au 44e rang mondial en 2011 mais les FTN brésiliennes s'affirment, surtout en Amérique latine : elles contrôlent plus d'$1/5^e$ de l'économie bolivienne.

B Les États-Unis : gendarme et modèle du monde ?

■ **Les États-Unis jouent un rôle politique majeur (*hard power*) dans le monde** : influence dans les institutions internationales (FMI, OMC), arme économique (*food power*, pétrole), déploiement militaire inégalé (mers, continents, espace) et réseau d'alliances hérité (OTAN).

■ **Les États-Unis restent un modèle attractif (*soft power*) (doc. 2).** Malgré la crise, leur modèle libéral attire toujours les capitaux (11 % des IDE mondiaux en 2009) et les hommes (élites). La force médiatique des États-Unis et leur maîtrise des NTIC (*net power*) expliquent la diffusion de l'*american way of life* : en 2011, McDonald's est présent dans 117 pays (doc. 1).

■ **L'hyperpuissance planétaire des États-Unis est contestée.** Elle provoque des réactions de rejet, parfois extrêmes (Alba, Al-Qaïda). Les puissances émergentes apparaissent comme des menaces pour le leadership économique mais la dépendance extérieure est forte (énergie, dette). Elle est aussi menacée par des fragilités internes (inégalités sociales, vieillissement de la population).

C Le Brésil, un géant en devenir

■ **Le Brésil, deuxième puissance continentale, apparaît comme un contrepoids à la domination étasunienne** : politique étrangère indépendante (ouverture à l'Iran), critique de l'impérialisme (dénonciation en 2010 de l'implantation de bases en Colombie), promotion d'une intégration latino-américaine (Unasur), programme d'armement nucléaire (doc. 3).

■ **Le Brésil est aussi un leader des puissances émergentes.** Tête de la fronde des pays du Sud contre les pays riches au sommet de l'OMC en 2003, il se rapproche des autres puissances émergentes (BRICS, IBAS). Aujourd'hui, le Brésil maintient son intérêt pour le Sud (sommets de l'Aspa, ouverture à l'Afrique lusophone).

■ **Le rôle mondial du Brésil a cependant ses limites.** Bien que membre du G20, il œuvre pour une plus large audience internationale en réclamant un siège permanent au Conseil de sécurité de l'ONU et une réforme du FMI. Au niveau continental, ses voisins (Argentine, Bolivie) dénoncent le néo-impérialisme brésilien (doc. 4 p. 235).

Vocabulaire

ALBA : voir p. 228.
ASPA : voir p. 230.
Food power (« arme alimentaire ») : moyen de pression politique qui entraîne une dépendance culturelle (habitudes alimentaires), économique et politique des pays clients.
Hard power (« puissance forte ») : domination qui s'exprime par la force militaire et stratégique.
Net power : puissance du réseau Internet.
Soft power (« puissance douce ») : domination qui s'exprime par la persuasion culturelle, politique ou économique.
UNASUR : voir p. 225.

Repère

Deux puissances majeures

Les greniers du monde, rang	États-Unis	Brésil
Soja	1er	2^e
Maïs	1er	3^e
Blé	3^e	18^e
Bovins	1er	2^e
Nombre de FTN parmi les 500 premières, en 2011	133	7
IDE sortants en 2010, en millions de $	328 905 (1er)	11 519 (25e)
IDE entrants en 2010, en millions de $	228 249 (1er)	48 438 (5e)
Forces armées en 2010 (nombre d'hommes)	1 579 955 (2e)	287 000 (18e)

Sources : FAO, 2012, PNUD, 2011, *Fortune*, 2012 et B. Benoit et R. Saussac (dir.), *Les Amériques en fiches*, 2010.

1 **McDonald's, une chaîne alimentaire américaine mondialisée.**

Ici, un restaurant à Koweit City (Koweit).

1. En quoi cette photographie illustre-t-elle le rayonnement économique et culturel des États-Unis dans le monde ?

3 **Le Brésil, une puissance militaire en devenir.**

Le pays cherche à se doter de sous-marins nucléaires d'ici à 2047 pour sécuriser ses gisements d'hydrocarbures off-shore. Dilma Rousseff présente ici la maquette d'un sous-marin construit en partenariat avec la France.

1. Comment le Brésil cherche-t-il à renforcer sa puissance ?

2. À l'aide du **doc. 2**, dites en quoi sa puissance n'est pas comparable à celle des États-Unis.

2 Les États-Unis, hyperpuissance multiforme

Les États-Unis ont été et restent un acteur central de la sécurité européenne, d'abord de l'Europe démocratique avant 1989, à l'époque de la guerre froide, puis pour l'ensemble des pays qui ont rejoint l'OTAN à la faveur de l'implosion de l'URSS après 1991. [...] Cette doctrine de sécurité [...] marque un retour aux fondamentaux de la politique extérieure des États-Unis. [...] D'où l'emploi répété de la notion de smart power par Hillary Clinton, synthèse du *hard* et du *soft power*, de la puissance militaire et de la puissance attractive. [...] Les États-Unis gardent la prééminence dans les trois domaines qui fondent la puissance : la prospérité matérielle [...], la capacité stratégique de projection externe et l'intention géopolitique du maniement des affaires internationales, à travers la capacité d'attraction d'un modèle socioculturel, l'exemple et la domination du marché des idées. [...]

Les États-Unis se réservent un pouvoir d'arbitrage sur les grands sujets internationaux. [...] Un accent particulier est mis par les responsables américains de la politique extérieure sur le rôle structurant des nouvelles technologies de communication. [...] L'enjeu est alors d'être reconnu comme l'acteur central (*global player*) dans un monde intégré plutôt que de se laisser confiner dans une rivalité avec les autres grandes puissances. [...] Ni splendide isolement ni domination hégémonique mais un rôle de chef d'orchestre des réseaux de communication et d'information.

M. Foucher (dir.), *La Bataille des cartes*, 2011.

1. Quelle définition le texte apporte-t-il au *hard* et au *soft power* ? Quels éléments du Repère p. 232 illustrent ces deux aspects de la puissance étasunienne ?

2. Par quels moyens les États-Unis entendent-ils rester un *global player* ?

Le Brésil, une puissance mondiale ?

Le Brésil, 6ᵉ puissance économique et membre des BRICS, affirme un rôle international croissant, à l'échelle continentale et, de plus en plus, à l'échelle mondiale. Il joue désormais un rôle stratégique dans les relations internationales en tant que membre du G20, mais surtout par la place qu'il occupe au sein des puissances émergentes.

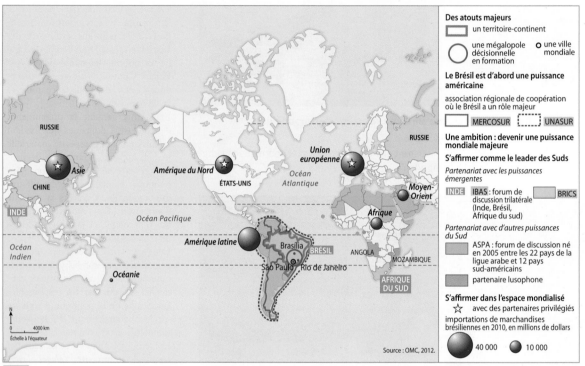

1 Le Brésil, un centre majeur de la mondialisation ?

2 L'affirmation des FTN brésiliennes

Les 5 premières FTN brésiliennes[1]	Domaine d'activité	Chiffre d'affaires en 2010, en milliards de dollars	Rang mondial	
			En 2005	En 2011
Petrobas	Énergie (hydrocarbures)	120	125	34
Banco do Brasil	Finances	62,8	419	117
Banco Bradesco	Finances	53	376	156
Vale	Extraction minière	45,3	(> 500)	186
JBS	Agroalimentaire	31,3	(> 500)	307

Source : *Fortune*, 2012.

1. En 2005, le Brésil comptait 3 FTN parmi les 500 premières mondiales ; en 2011, elle en compte 7.

Vocabulaire

ASPA : voir p. 230.
IBAS : voir p. 230.
MERCOSUR : voir p. 226.
UNASUR : voir p. 225.

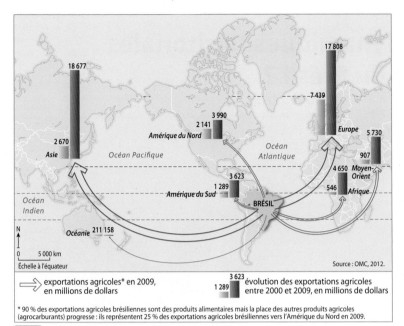

exportations agricoles* en 2009, en millions de dollars

3 623
1 289
évolution des exportations agricoles entre 2000 et 2009, en millions de dollars

Source : OMC, 2012.

* 90 % des exportations agricoles brésiliennes sont des produits alimentaires mais la place des autres produits agricoles (agrocarburants) progresse : ils représentent 25 % des exportations agricoles brésiliennes vers l'Amérique du Nord en 2009.

3 Le Brésil, futur grenier du monde ?

5 La Minustah, mission des Nations Unies en Haïti commandée par le Brésil. Casque bleu brésilien veillant au bon déroulement des élections présidentielles à Port-au-Prince en mars 2011.

1. Quel statut international le mandat confié par l'ONU confère-t-il au Brésil ?
2. Quelle mission spécifique la photographie illustre-t-elle ?

4 L'impérialisme brésilien en Amérique latine et dans le monde

Longtemps les Latino-Américains ont fustigé les États-Unis. Mais c'est au tour du Brésil, devenu une puissance économique globale, d'inquiéter ses voisins. [...] Dans plusieurs pays, les ambitions brésiliennes sont accueillies avec défiance. Un projet de route à travers la jungle de la Guyana a été suspendu, de crainte que le Brésil ne submerge son modeste voisin sous des flux migratoires et commerciaux. [...] C'est toutefois en Bolivie que les ambitions du Brésil ont provoqué les réactions les plus violentes. Grâce au financement de la Banque brésilienne de développement, l'objectif était de construire une route traversant un territoire indien bolivien isolé. C'était compter sans la révolte qui allait s'élever : des centaines de manifestants indiens sont arrivés dans la capitale bolivienne après une marche éreintante de plus de deux mois à travers l'Amazonie et les Andes. Ils reprochaient au président Evo Morales, autrefois leur champion, de soutenir ce projet. [...] Des centaines de milliers d'émigrants brésiliens se sont installés au Paraguay et ont acheté des terres destinées à l'agriculture à grande échelle dans ce pays bien moins densément peuplé. [...] Le pays s'appuie sur un corps diplomatique sophistiqué, des aides étrangères croissantes et les poches pleines de sa banque de développement, qui finance des projets non seulement en Amérique latine, mais également en Afrique. [...] Selon un ancien haut fonctionnaire bolivien [...], « tout comme la Chine en Asie, le Brésil veut asseoir son hégémonie régionale sur toute l'Amérique latine ».

The New York Times, cité par Courrier international, 24-30 novembre 2011.

Questions

1. Dans quels domaines le rayonnement brésilien dans le monde s'exprime-t-il ? Sur quels atouts repose-t-il ? (doc. 1 à 5)
2. Quels sont les espaces internationaux particulièrement concernés par l'ouverture brésilienne ? Pourquoi ? (doc. 1, 3, 4 et 5)
3. Quelles sont les limites de la puissance mondiale du Brésil ? (doc. 1, 4 et 5) Portez un regard critique sur les limites que ces documents ne permettent pas d'étudier.

Cartes 3

Quelles sont les dynamiques territoriales des États-Unis et du Brésil ?

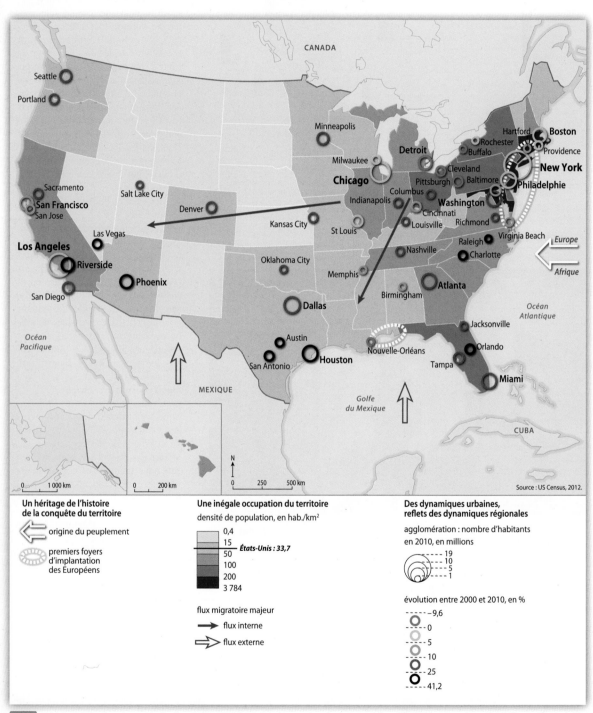

1 Les dynamiques de peuplement des États-Unis

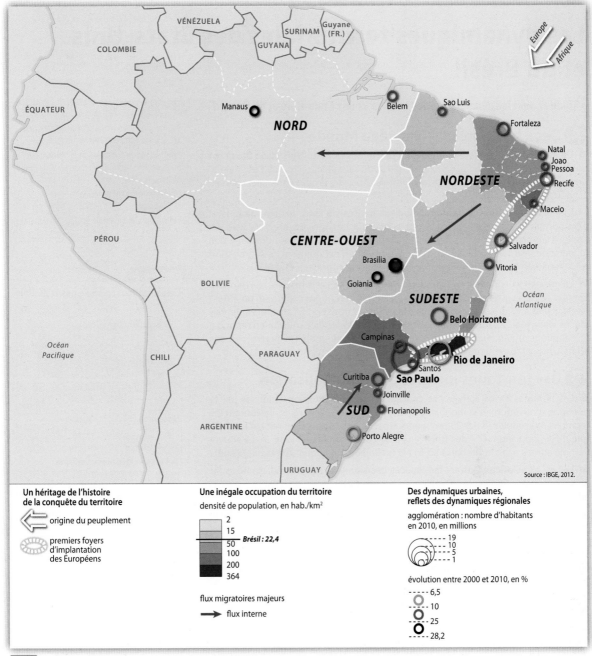

Un héritage de l'histoire de la conquête du territoire

⇐ origine du peuplement

premiers foyers d'implantation des Européens

Une inégale occupation du territoire

densité de population, en hab./km²

2
15
50 — *Brésil : 22,4*
100
200
364

flux migratoires majeurs

→ flux interne

Des dynamiques urbaines, reflets des dynamiques régionales

agglomération : nombre d'habitants en 2010, en millions

19
10
5
1

évolution entre 2000 et 2010, en %

6,5
10
25
28,2

Source : IBGE, 2012.

2 Les dynamiques de peuplement du Brésil

Questions

1. Quelles sont les étapes du peuplement des États-Unis et du Brésil ? Pourquoi peut-on parler d'histoire similaire ? (doc. 1 et 2)

2. Quels liens peut-on établir entre l'histoire du peuplement et la répartition actuelle de la population ?

3. Quelles dynamiques actuelles perpétuent cette mentalité pionnière ?

4. Où sont situées les grandes métropoles ? Comment leur population évolue-t-elle ?

Les dynamiques territoriales des États-Unis et du Brésil

> Quelles sont les dynamiques des territoires des États-Unis et du Brésil ?

A Deux territoires du Nouveau Monde

■ **L'histoire de la conquête pionnière du territoire des États-Unis et du Brésil est similaire** : population indigène exterminée et/ou reléguée, recours à l'esclavage, colonisation progressive à partir du littoral, choix de productions spéculatives (canne à sucre, coton).

■ **L'inégale répartition de la population est héritée de cette histoire pionnière**. D'importants flux migratoires internes subsistent des régions en crise vers les régions attractives (Sud des États-Unis, Sudeste, Amazonie). Si le brassage des populations est fort au Brésil (43 % de la population est métisse), la ségrégation socio-spatiale entre les différentes communautés perdure aux États-Unis.

■ **La mise en valeur extensive du territoire est issue de cette histoire** : développement d'espaces productifs agricoles (café, soja), énergétiques (pétrole) ou industriels visant à valoriser les ressources, les axes de transport (Transamazonienne) ou les villes **(doc. 2)**. Aujourd'hui, l'avancée du front pionnier amazonien répond à des intérêts stratégiques, économiques et sociaux. Néanmoins, si le territoire des États-Unis est fortement maîtrisé, celui du Brésil reste à maîtriser.

B Des territoires intégrés à la mondialisation

■ **Les hommes et les activités se concentrent sur les littoraux**. Valorisés par la tradition d'ouverture et la mondialisation croissante des échanges, ils abritent les grandes métropoles (8 des 10 premières étasuniennes et brésiliennes) et la majorité de la population (4/5e des Brésiliens et 2/3 des Étasuniens) **(doc. 3)**. La souveraineté sur les eaux territoriales (ZEE) est un enjeu stratégique (Amazonie bleue).

■ **Les métropoles concentrent les espaces décisionnels**. Les plus puissantes sont des mégapoles : Sao Paulo (20 millions d'hab. en 2010), New York (19,5) sont au 3e et 6e rang mondial. Elles forment de vastes mégalopoles (ex : Mégalopolis).

■ **Les espaces transfrontaliers sont inégalement valorisés**. Favorisés par l'Alena, ceux des États-Unis (Mexamerica) **(voir p. 182-183)** représentent des espaces moteurs de leur économie aux échanges nombreux (marchandises, capitaux, main-d'œuvre) mais inégaux (flux migratoires). Le Brésil découvre aujourd'hui l'intérêt stratégique et économique d'intégrer ses marges amazoniennes longtemps délaissées et de valoriser son intégration au Mercosur.

C De forts déséquilibres territoriaux

■ **Le centre des États-Unis reste au nord-est mais le croissant périphérique est l'espace le plus dynamique**. Le Nord-Est est structuré par deux pôles majeurs, la mégalopolis, centre décisionnel planétaire, et les Grands Lacs en reconversion (crise industrielle). Composée de pôles isolés (Floride, Texas), la ceinture périphérique connaît un fort essor démographique et économique.

■ **Le Sudeste est le centre du Brésil** (70 % de la production industrielle) tandis que le Nordeste souffre de mal-développement (analphabétisme à 22 % contre 4,7 % à Brasilia). Le Nord et surtout le Centre-Ouest (Mato Grosso) sont dynamisés par la politique volontariste de conquête du territoire (Brasilia, front pionnier).

■ **Les marges sont des réserves de puissance**. L'intérieur du territoire des États-Unis (Grandes Plaines, Rocheuses) est une périphérie peu peuplée qui, comme l'Alaska ou Hawaï, offre des ressources naturelles (pétrole, terres agricoles). L'Amazonie couvre 54 % du territoire brésilien et sa mise en valeur, prédatrice pour l'environnement, cède localement la place à un développement durable (Acre).

Vocabulaire

Amazonie bleue : zone économique exclusive brésilienne riche en réserves pétrolières.

Front pionnier : espace en cours de peuplement dans le cadre d'une mise en valeur agricole ou minière.

Mégalopole : voir p. 146.

Mégalopolis : mégalopole du Nord-Est des États-Unis s'étendant de Boston à Richmond.

Repère A

L'organisation régionale des États-Unis

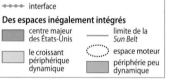

Un territoire ouvert et dynamique
- ● ville mondiale
- •••• interface
- → flux migratoire interne

Des espaces inégalement intégrés
- ▨ centre majeur des États-Unis
- — limite de la *Sun Belt*
- ▨ le croissant périphérique dynamique
- ⬭ espace moteur
- ▨ périphérie peu dynamique

Repère B

L'organisation régionale du Brésil

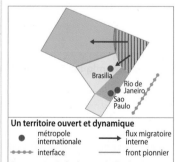

Un territoire ouvert et dynamique
- ● métropole internationale
- •••• interface
- → flux migratoire interne
- — front pionnier

Des espaces inégalement intégrés
- ▨ centre majeur du Brésil
- ▨ marge en réserve
- ▨ périphérie en cours d'intégration
- ▥ ancien centre, aujourd'hui en crise

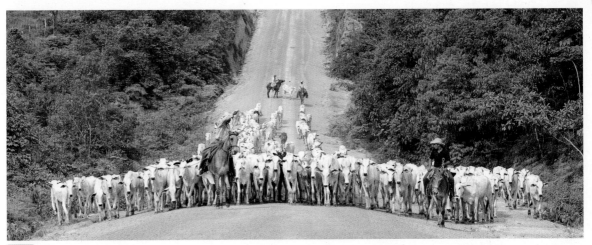

1 **La conquête de l'Amazonie par l'élevage extensif.** Afin de satisfaire les besoins alimentaires continentaux et mondiaux, l'élevage extensif et les cultures associées (soja) progressent en Amazonie, contribuant à la déforestation.

2 **Brasilia, la capitale symbole des dynamiques territoriales brésiliennes**

Rêvée dans les années 1950 par Juscelino Kubitschek, le chef d'État [...] qui voulait faire avancer le Brésil de cinquante ans en cinq ans, Brasilia est un miracle. Née au milieu de nulle part, à 1 000 km à l'intérieur des terres, au centre d'étendues désertiques, elle est le symbole d'un pays qui parviendrait enfin à concilier le littoral peuplé avec les grands espaces vides de l'Ouest. [...] Brasilia s'articule autour de constructions majeures [...] le long de l'« axe monumental » – bordé dans sa partie basse par les ministères, le théâtre et la cathédrale – qui mène à la place des Trois-Pouvoirs [...] : au centre, le Congrès national [...] et sur les deux rives, ici le Tribunal suprême et là, le Palais de la présidence. [...] Quatre ans après le début des travaux, Brasilia est inaugurée le 21 avril 1960. [...] Elle attire les Brésiliens des quatre coins du pays [...]. La démographie s'embrase : la ville compte 140 000 habitants en 1960, [...] 2,5 millions en 2008 [...] (4ᵉ ville du Brésil). Brasilia est aussi la ville où le revenu moyen des habitants est le plus élevé du pays.

L. Oualalou, *Brésil*, 2009.

1. En quoi la croissance spectaculaire de Brasilia illustre-t-elle les dynamiques territoriales du Brésil ?

2. Quelles sont les conséquences de la concentration des pouvoirs ?

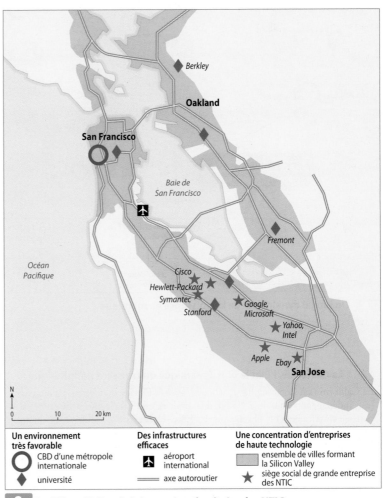

Un environnement très favorable
- ⬤ CBD d'une métropole internationale
- ◆ université

Des infrastructures efficaces
- ✈ aéroport international
- ═ axe autoroutier

Une concentration d'entreprises de haute technologie
- ▢ ensemble de villes formant la Silicon Valley
- ★ siège social de grande entreprise des NTIC

3 **La Silicon Valley, le laboratoire planétaire des NTIC**

1. Comment peut-on expliquer le dynamisme de la Silicon Valley ?

2. Montrez que ce document d'échelle locale illustre aussi les dynamiques économiques nationales et mondiales des États-Unis.

Quelles sont les dynamiques du territoire des États-Unis ?

L'organisation du territoire des États-Unis est héritée de l'histoire de son peuplement, mais également des dynamiques économiques. En effet, le centre de la puissance américaine est toujours le Nord-Est, terre d'arrivée des premiers colons, mais de nouveaux espaces s'imposent aujourd'hui, modifiant l'organisation du territoire.

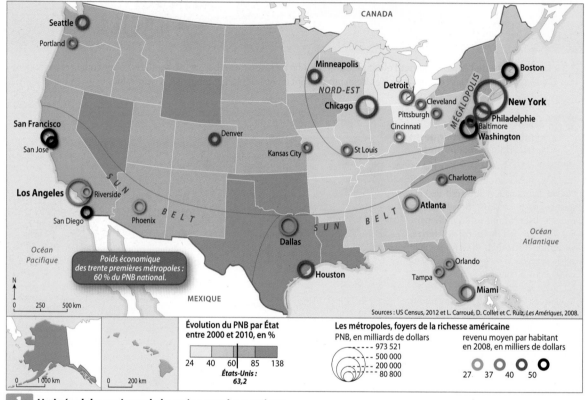

Sources : US Census, 2012 et L. Carroué, D. Collet et C. Ruiz, *Les Amériques*, 2008.

Poids économique des trente premières métropoles : 60 % du PNB national.

Évolution du PNB par État entre 2000 et 2010, en %

24   40   60   85   138

États-Unis : 63,2

Les métropoles, foyers de la richesse américaine

PNB, en milliards de dollars

973 521
500 000
200 000
80 800

revenu moyen par habitant en 2008, en milliers de dollars

27   37   40   50

1 **Un inégal dynamisme de la croissance économique**

2 **La Californie, l'État le plus dynamique du croissant périphérique**

La Californie est l'État le plus dynamique, avec la Floride et le Texas, de la *sun belt* […]. Indépendant, il aurait le 8e PNB du monde : c'est l'État le plus riche (10 % de la richesse américaine) et le plus peuplé des États-Unis avec 36,7 millions d'habitants, soit 12 % de la population américaine. Il attire hommes, capital, entreprises et, face au Pacifique, s'intègre parfaitement à la mondialisation. C'est le premier État industriel de l'Union, d'abord avec le pétrole, puis avec l'aérospatiale […], l'électronique et l'informatique (Silicon Valley). C'est aussi le premier État agricole […] (10 % de la production, 90 % du vin américain) fondé sur l'irrigation et sur une organisation très capitaliste. La réputation de la Californie repose aussi sur ses universités prestigieuses (Berkeley) et ses instituts de recherche avancée. Ses actifs sont aussi bien d'un niveau élevé que des immigrés nombreux et à faible salaire.

B. Benoît et R. Saussac (dir.), *Les Amériques en fiches*, 2010.

Vocabulaire

CBD *(Central Business District)* : voir p. 146.

Edge city : voir p. 132.

Gated community : voir p. 132.

Gentrification : voir p. 132.

Ghetto : voir p. 132.

Mégalopolis : voir p. 238.

Sun belt : espace groupant les États périphériques de la Californie à la Floride, bénéficiant d'un climat ensoleillé.

Suburbs : banlieue pavillonnaire devenue la principale structure de peuplement aux États-Unis par l'étendue et par la population.

3 **L'Alaska, une périphérie lointaine exploitée (ici Nikiski Beach).**

Bien que cumulant les handicaps (éloignement, conditions climatiques difficiles), l'Alaska reste un État stratégique pour la production d'hydrocarbures américaine (17 % de la production nationale).

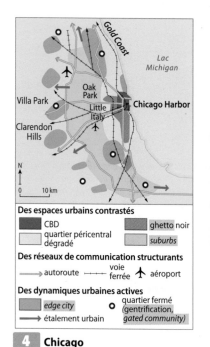

Des espaces urbains contrastés

| CBD | ghetto noir |
| quartier péricentral dégradé | suburbs |

Des réseaux de communication structurants

→ autoroute   ┄┄ voie ferrée   ✈ aéroport

Des dynamiques urbaines actives

▭ *edge city*   ○ quartier fermé (gentrification, *gated community*)
→ étalement urbain

4 **Chicago**

a. CBD   b. *Suburbs*

c. Zone industrielle

5 **Dallas (Texas), une métropole dynamique.**

La population de l'agglomération de Dallas a augmenté de 23 % entre 2000 et 2010. Cette explosion urbaine est liée au pouvoir d'attraction de cette métropole de la *sun belt* (pétrole, télécommunications).

Questions

1. Quels sont les espaces régionaux moteurs de la puissance américaine ? Quels sont les espaces en marge ? Comment expliquez-vous ces inégalités ? (doc. 1 à 5)
2. Montrez que ces inégalités spatiales s'observent à différentes échelles.
3. Quelles sont les dynamiques territoriales des États-Unis observables dans ces documents ?

EXERCICE GUIDÉ

SUJET Le bassin caraïbe : interface américaine, interface mondiale

Étape 1 Analyser le sujet

Le bassin caraïbe : interface américaine, interface mondiale

■ Délimiter l'espace concerné

Qu'entend-on par « bassin » ? Quelles sont les limites du bassin caraïbe ? S'agit-il de réfléchir uniquement sur les îles et archipels de la mer des Caraïbes ? (voir p. 216-221)

Qu'est-ce qu'une interface ? Quelle est la position géographique du bassin caraïbe dans le continent américain ?

Ces deux adjectifs invitent à étudier la situation du bassin caraïbe à deux échelles : continentale et mondiale.

■ Identifier les mots-clés

■ Dégager la problématique

Quelle problématique convient le mieux au sujet ? Pourquoi ?

Conseil *La problématique doit couvrir la totalité du sujet. Il faut éliminer toutes les propositions qui n'en traitent qu'une partie.*

Problématique 1 : *En quoi le bassin caraïbe est-il à la fois une interface américaine et mondiale ?*

Problématique 2 : *En quoi le bassin caraïbe est-il une interface qui fonctionne aux échelles continentale et mondiale ?*

Problématique 3 : *Quelles sont les conséquences de la situation d'interface du bassin caraïbe ?*

Étape 2 Élaborer le plan

Complétez la liste d'informations suivantes afin de remplir la 1re colonne du tableau ci-dessous.

Densité exceptionnelle de flux de marchandises, de capitaux… ; l'un des plus forts différentiels de développement au monde (États-Unis/Amérique latine) ; plaque tournante mondiale du trafic de drogue ; constante domination étatsunienne (IDE, dollar…) ; 16 associations différentes de coopération régionale ; espaces inégalement intégrés (littoraux ouverts, arrière-pays marginalisés) ; un des espaces les plus violents au monde ; littoralisation des populations et activités ; considérables gisements off shore d'hydrocarbures ; espace de rencontre, de brassage et de métissage ; présence de territoires européens (France, Pays-Bas, Royaume-Uni) ; importantes voies maritimes interconnectant de grands ports et le canal de Panama ; vaste espace maritime (4,3 millions de km²) ; importantes activités touristiques balnéaires et de croisières ; méditerranée américaine ; lac étasunien ; flux migratoires complexes ; nombreux litiges sur le tracé de la ZEE ; transferts des migrants, facteur de développement pour certaines régions (sud du Mexique) ; économies extraverties (plantations, exportations d'énergie) ; Venezuela : leader du bolivarisme ; etc.

Informations	Grandes parties du plan
– Densité exceptionnelle de flux de marchandises, de capitaux –	1. Un espace dynamisé par d'importants flux
– L'un des plus forts différentiels de développement au monde (États-Unis/Amérique latine) –	2. Une zone de contact vive entre l'Amérique du Nord et l'Amérique du Sud
– Plaque tournante mondiale du trafic de drogue –	3. Une zone de contact intégrée dans la mondialisation ?

Organisez chaque grande partie du plan en deux ou trois sous-parties auxquelles vous donnerez un titre significatif.

Étape 3 — Rédiger la composition

■ Illustrer la composition par des exemples

À l'image du paragraphe ci-dessous, rédigez les autres paragraphes de la composition en accordant une attention particulière aux exemples.

Conseil *Pensez à valoriser toutes les connaissances des autres cours ou chapitres.*

Partie 3, paragraphe 3 : *Enfin, le bassin caraïbe est aussi un espace où le contact génère des tensions. Ces tensions sont d'abord liées à l'influence qu'exercent les États-Unis dans la région : le bassin caraïbe est parfois qualifié de lac étasunien. Cette domination suscite des protestations plus ou moins virulentes (Hugo Chavez au Venezuela, Fidel Castro à Cuba) mais relativement limitées : seuls parmi les pays des Caraïbes, Cuba et le Venezuela appartiennent à l'Alba (Alternative bolivarienne pour les Amériques). L'autre motif de tensions géopolitiques relève du tracé des frontières, en particulier maritimes. La forte insularité et la fragmentation de l'espace en de multiples États accroissent le risque d'oppositions (litige sur le tracé de la ZEE entre le Guatemala et le Belize, la Colombie et le Nicaragua) : le moindre îlot prend alors une importance stratégique (la disparition de l'îlot de Bermeja a permis aux États-Unis de disposer d'un gisement pétrolier supplémentaire). Enfin, les tensions sont internes aux États : la Colombie est un exemple exacerbé des violences (guérilla, trafic de drogue) qui règnent dans les Caraïbes, région la plus violente au monde.*

Exemple emprunté au cours

Exemple inspiré d'un document de l'étude de cas

■ Illustrer la composition par des schémas

Conseil *Pour illustrer la composition, il n'est pas attendu un schéma complet sur le sujet.*

Complétez la légende de ces schémas et donnez un titre à chacun d'eux.
Associez chaque schéma à l'une des sous-parties de la composition.

Schéma 1 ....

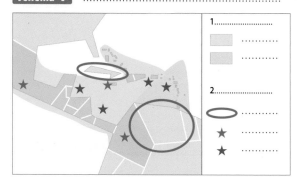

Schéma 2 ....

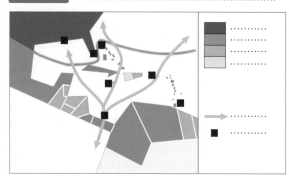

Schéma 3 ....

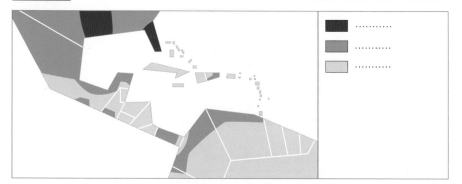

EXERCICE GUIDÉ

SUJET **Le continent américain : entre tensions et intégrations régionales**

Étape 1 Analyser le sujet

Le continent américain : entre tensions et intégrations régionales

■ Délimiter l'espace concerné

À quelle(s) échelle(s) doit-on se placer pour traiter le sujet ?

Le continent américain n'a pas connu de guerre depuis 1995 (Équateur) mais reste un territoire soumis à de multiples tensions. De quelle nature sont ces tensions ?

Le sujet invite à traiter des associations régionales de coopération économique. Quelles sont les autres formes d'intégration régionale ?

■ Identifier les mots-clés

■ Dégager la problématique

À partir des termes « tensions » et « intégrations », formulez une problématique qui répond au sujet.

Conseil *Lorsque les deux termes principaux du sujet s'opposent, vous devez exprimer le paradoxe qui existe entre eux.*

Étape 2 Élaborer le plan

Associez chaque information à son exemple et complétez le tableau.

Informations	Exemples
– Contraste des régimes politiques – Différence de développement – Diversité religieuse – Tracé de la ZEE – Espaces inégalement intégrés à la mondialisation – ALENA – Peu d'espaces transfrontaliers dynamiques – Contraste de superficie des États – Revendication des peuples indigènes – Rôle des institutions internationales qui encouragent l'ouverture des frontières – Activités criminelles – Mercosur – « Arrière-cour » des États-Unis – Débordement de conflit interne – Des associations régionales globalement inefficaces – Antiaméricanisme – Variété linguistique – Grande violence urbaine – Revendication de ressources pétrolières – États-Unis : principal acteur de l'intégration productive – Une multitude d'associations régionales	– Peu d'échanges intrazone (15 % seulement des échanges du Caricom) – Opposition frontalière Surinam et Guyana – Accueil de bases militaires américaines en Colombie – Population métissée du Brésil – Importance des échanges commerciaux intrazone mais frein aux flux migratoires – Cartel de la drogue colombien – Amérique protestante/Amérique catholique – Favelas brésiliennes, espaces de non-droit – Alba/bolivarisme – Evo Morales, porte-parole des Indiens boliviens – Régimes socialistes (Venezuela, Cuba)/régimes libéraux (Colombie) – Littoraux ouverts (ports, infrastructures touristiques)/Intérieur délaissés (agriculture vivrière) – Unasur – Mexamérique (twin cities : Ciudad Juarez/El Paso) – Micro-État (Belize, Sainte-Lucie)/État-continent (États-Unis, Brésil) – Tensions entre les partenaires (Argentine, Brésil) – Mexique, membre de l'Alena – IDH en 2011 : États-Unis (0,910 : 4e rang mondial)/Haïti (0,454 : 158e rang mondial) – Projet de ZLEA gelé – Eaux territoriales du Belize et du Honduras – Amérique hispanique/Amérique anglo-saxonne – OMC, FMI – Démocratie (États-Unis, Mexique)/régimes forts (Chavez au Venezuela, Castro à Cuba)

Donnée statistique appuyant la démonstration

Personnage emblématique

Exemple de lieu précis

Complétez le tableau en classant les informations et leur ou leurs exemple(s).

1. Des contrastes marqués, source de tensions ou facteurs d'intégration ?	2. Des formes d'intégration multiples et trop nombreuses pour être efficaces ?	3. Des tensions à toutes les échelles
a. L'un des plus forts différentiels socio-économiques au monde – .... –	a. Un nombre record d'associations régionales de coopération économique – .... –	a. Au niveau continental, la domination étasunienne est source de tension – .... – ....
b. Des contrastes politiques marqués – .... –	b. Seules deux associations sont efficaces – .... –	b. Au niveau international, les tensions frontalières sont nombreuses – .... – ....
c. Des différences culturelles qui scindent le continent en deux – .... –	c. Des formes d'intégration effective existent – .... –	c. Au niveau local, les tensions internes sont également très fortes – .... – ....

Étape 3 Rédiger la composition

■ Rédiger l'annonce du plan dans l'introduction

Parmi les trois annonces de plan suivantes, laquelle (lesquelles) convien(nen)t le mieux au sujet ? Pourquoi ?

Annonce 1 : *Pour répondre à cette question, dans une première partie, nous montrerons que le continent américain est marqué par des contrastes, puis nous présenterons les tensions présentes sur le continent à toutes les échelles, et enfin, nous montrerons que les formes d'intégration sont nombreuses mais pas toujours efficaces.*

Annonce 2 : *Nous répondrons à cette question en trois parties avant de conclure.*

Annonce 3 : *Le continent américain est d'abord un espace marqué par des contrastes exceptionnels qui sont autant de sources de conflits que des facteurs d'intégration. De ce fait, les tensions, visibles à toutes les échelles, sont aussi variées que les formes d'intégration, prolifiques mais rarement efficaces.*

■ Illustrer la composition par des schémas

Complétez la légende du schéma ci-dessous.

La domination étasunienne et sa contestation sur le continent américain

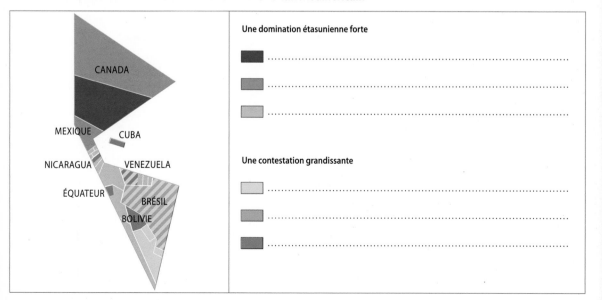

Une domination étasunienne forte

■ ....

■ ....

■ ....

Une contestation grandissante

■ ....

■ ....

■ ....

EXERCICE GUIDÉ

SUJET Le rôle mondial des États-Unis

Étape 1 Analyser le sujet

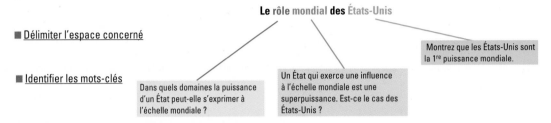

Le rôle mondial des États-Unis

Montrez que les États-Unis sont la 1re puissance mondiale.

■ Délimiter l'espace concerné

■ Identifier les mots-clés

Dans quels domaines la puissance d'un État peut-elle s'exprimer à l'échelle mondiale ?

Un État qui exerce une influence à l'échelle mondiale est une superpuissance. Est-ce le cas des États-Unis ?

■ Dégager la problématique

Mettez au brouillon les questions qui doivent être abordées pour répondre au sujet. Elles peuvent aider à la construction du plan et à la formulation de la problématique.

– Quels sont les aspects du rôle mondial des États-Unis ?

– Quelles sont les spécificités de la puissance mondiale des États-Unis ?

– Faut-il parler de superpuissance ou d'hyperpuissance ?

– La superpuissance américaine a-t-elle des limites ?

Proposition de formulation : *Quelles sont les manifestations et les limites de la superpuissance américaine dans le monde ?*

Étape 2 Élaborer le plan

Organisez chaque partie en deux ou trois sous-parties auxquelles vous donnerez un titre significatif.

1. La première puissance économique mondiale : a/............ b/............... c/.......................
2. Une superpuissance politique et culturelle : a/........... b/............... c/...........................
3. Une puissance contestée : a/............ b/............... c/...

■ Rédiger les transitions

En vous aidant de l'exemple ci-dessous (transition entre les parties 1 et 2), rédigez une transition reliant les parties 2 et 3.

Conseil *Utilisez des mots de liaison (cependant, néanmoins, d'autre part…) pour mettre en valeur les transitions.*

En définitive, à travers tous les caractères présentés dans cette première partie, les États-Unis s'affirment donc comme une puissance économique sans égale. Mais ils affichent également l'ambition de s'imposer comme la seule superpuissance planétaire.

■ Illustrer la composition par des schémas

En vous aidant de l'exemple du schéma de la Composition 12 (p. 248), proposez un schéma sur les échanges commerciaux des États-Unis.

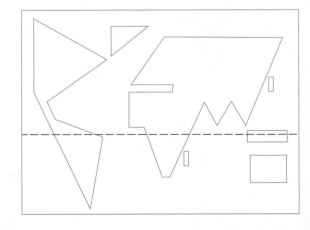

EXERCICE GUIDÉ

SUJET Le rôle mondial du Brésil

Étape 1 Analyser le sujet

Le rôle mondial du Brésil

■ Délimiter l'espace concerné

> Dans quels domaines la puissance d'un État peut-elle s'exprimer ?

> Un État qui exerce une influence à l'échelle mondiale est une superpuissance. Est-ce le cas du Brésil ?

> Montrez que le Brésil est une puissance ascendante.

■ Identifier les mots-clés

■ Dégager la problématique

En vous aidant de l'exemple du sujet p. 246, formulez une problématique.

Conseil *La problématique repose souvent sur la question des limites (à la puissance d'un État, à l'intégration d'un espace…).*

Étape 2 Élaborer le plan

Complétez le tableau suivant.

1. La 6ᵉ puissance économique mondiale	2.	3. Les limites du rôle mondial du Brésil
a. .... b. .... c.	a. Un leader d'Amérique latine b. Un leader des pays du Sud (BRICS, IBAS, partenariat avec l'Afrique lusophone ou le Moyen-Orient…)	a. .... b. .... c. ....

Étape 3 Rédiger la composition

■ Rédiger l'introduction

Sur le modèle proposé, expliquez les points forts et points faibles des amorces d'introduction 2 et 3.

Amorce 1 : *En accueillant la Coupe du monde de football en 2014 et les Jeux olympiques en 2016, le Brésil affirme un rayonnement sportif international croissant. Pourtant, du point de vue économique, il est surtout une puissance émergente.*

> Courte phrase introduisant le paragraphe

> Point faible : la définition du sujet est beaucoup trop sélective : car le rôle mondial est limité au domaine économique

Amorce 2 : *Ancienne colonie portugaise jusqu'au début du XIXᵉ siècle, le Brésil affirme aujourd'hui un rôle mondial croissant d'un point de vue tant économique que politique. Il est désormais une puissance qui participe à la gouvernance planétaire.*

Amorce 3 : *Le rôle international du Brésil, 6ᵉ puissance économique mondiale et porte-parole des États du Sud, est aujourd'hui incontournable et ne cesse de se conforter dans les domaines économiques, politiques ou culturels.*

Donnez un titre au schéma ci-contre.

Titre : ....

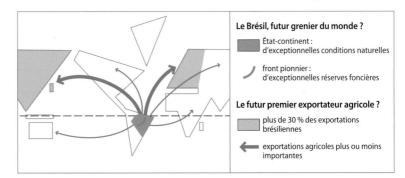

Le Brésil, futur grenier du monde ?

■ État-continent : d'exceptionnelles conditions naturelles

front pionnier : d'exceptionnelles réserves foncières

Le futur premier exportateur agricole ?

plus de 30 % des exportations brésiliennes

exportations agricoles plus ou moins importantes

EXERCICE GUIDÉ

SUJET Les dynamiques territoriales des États-Unis

Étape 1 Analyser le sujet

■ Délimiter l'espace concerné

Les dynamiques territoriales des États-Unis

Le terme « dynamiques » désigne les grandes évolutions observées sur un territoire. Quels sont les grands ensembles régionaux du territoire étasunien ? Comment cette organisation évolue-t-elle ?

Qu'est-ce qu'un territoire ? Est-ce synonyme d'espace ou d'État ?

Quelles sont les limites du territoire étasunien ? Le sujet comprend-il l'Alaska et Hawaï ?

■ Identifier les mots-clés

■ Dégager la problématique

La problématique la plus simple est : quelles sont les dynamiques territoriales des États-Unis ? Sur le modèle proposé dans la composition 5 p. 158, formulez une problématique qui ne se contente pas de recopier les termes du sujet.

Étape 2 Élaborer le plan

Complétez le tableau suivant.

Exemples	Arguments	Grandes parties du plan
– Twin cities : El paso/Ciudad Juarez – L'Alaska produit 600 000 barils de pétrole par jour. – 51 villes millionnaires en 2010 – Pittsburgh a perdu 3 % d'habitants entre 2000 et 2010	a. .... b. Dynamisation des espaces transfrontaliers c.	1. Les dynamiques territoriales d'un espace mondialisé
	a. .... b. Région des Grands Lacs en difficulté	2. ....
	a. Le croissant périphérique est l'espace le plus dynamique b.	3. Vers un rééquilibrage du territoire ?

Étape 3 Rédiger la composition

■ Illustrer la composition par des exemples

Sur le modèle du paragraphe proposé ci-dessous pour la *rust belt*, rédigez un paragraphe sur la Floride, un des pôles dynamiques du croissant périphérique, en utilisant les chiffres des documents du cours pour enrichir votre propos.

La rust belt cumule tous les signes d'une région en crise. Alors que la population nationale progressait de 10 % entre 2000 et 2010, celle de la Rust Belt peine à se maintenir (– 0,6 % pour le Michigan). De même, le taux de pauvreté y est important : plus du quart de la population de Detroit vit sous le seuil de pauvreté (contre 14 % au niveau national).

Données statistiques appuyant la démonstration

Données générales (mondiales, ou ici nationales) servant d'élément de comparaison

■ Illustrer la composition par des schémas

Complétez la légende du schéma ci-contre.

Les dynamiques migratoires

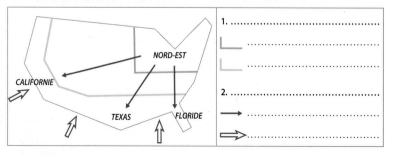

1. ....
   ....
   ....

2. ....
   ....
   ....

EXERCICE GUIDÉ

SUJET Les dynamiques territoriales du Brésil

Étape 1 Analyser le sujet

Les dynamiques territoriales du Brésil

Définissez les termes du sujet en vous aidant de l'analyse du sujet p. 249.

Conseil *La définition apportée doit être précise et géographique. Ex. : le terme « dynamiques » est ici un nom (et non un adjectif) qui a une signification propre en géographie.*

■ Dégager la problématique

La problématique suivante convient-elle au sujet ? Pourquoi ?
Quelles sont les grandes évolutions en cours sur le territoire brésilien et leurs conséquences spatiales ?

Étape 2 Élaborer le plan

Complétez la liste d'informations suivantes :

Sao Paulo, métropole décisionnelle ; grande pauvreté du Nordeste ; front pionnier amazonien ; valorisation des marges frontalières ; littoralisation des activités et des hommes ; inégalités intra-urbaines ; création de Brasilia en 1960 ; Amazonie bleue ; triangle d'activités du Sudeste ; exode rural ; route transamazonienne ; création de hubs portuaires (Sepetiba, Super Açu port) ; gisements d'hydrocarbures ; Sud, périphérie intégrée ; moins de 2 habitants/km² en Amazonie ; Nordeste, cœur historique du Brésil ; valorisation extensive du territoire.

Groupez ces informations en trois thèmes pour lesquels vous formulerez des titres en utilisant les termes « dynamiques », « déséquilibre », « rééquilibrage ».
1. ....
2. ....
3. ....

Étape 3 Illustrer la composition par des schémas

Complétez le schéma 1 et la légende du schéma 2.

Conseil *Soignez la réalisation des croquis de la composition (coloriage, écriture, tracé).*

Schéma 1 Les dynamiques migratoires au Brésil

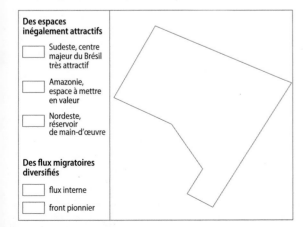

Schéma 2 Les grands ensembles du territoire brésilien

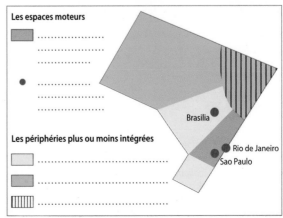

EXERCICE GUIDÉ

SUJET Le rôle mondial des États-Unis et du Brésil

Étape 1 Analyser le sujet

■ Délimiter l'espace concerné

Le rôle mondial des États-Unis et du Brésil

■ Identifier les mots-clés

Dans quels domaines la puissance de ces États s'exprime-t-elle à l'échelle mondiale ?	L'échelle est mondiale.	Le sujet met ici en relation les États-Unis et le Brésil : leur influence mondiale est-elle comparable ?	Quelles sont les spécificités de chacune de ces puissances ? Sur quels atouts les États-Unis et le Brésil s'appuient-ils ?

■ Dégager la problématique

Comment les États-Unis et le Brésil affirment-ils leur rôle mondial et quelles en sont les limites ?

Cette problématique convient-elle au sujet ? Pourquoi ?

Étape 2 Élaborer le plan

Organisez les informations dans le tableau suivant. Quel plan convient le mieux au sujet ? Pourquoi ?

Plan 1	Plan 2	1. Le rôle mondial des États-Unis	2. Le rôle mondial du Brésil
1. Un rayonnement économique majeur			
2. Un rôle politique important			
3. Des limites au rayonnement mondial			

Étape 3 Rédiger la composition

■ Illustrer la composition par des schémas

Complétez la légende du schéma ci-dessous et dites quelle partie de la composition il illustre.

Des réseaux d'alliance concurrentiels

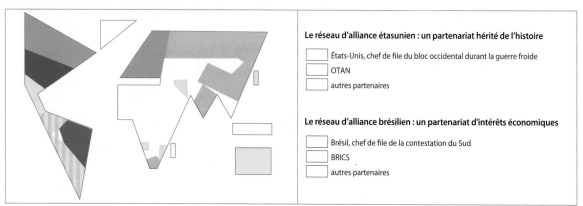

Le réseau d'alliance étasunien : un partenariat hérité de l'histoire

☐ États-Unis, chef de file du bloc occidental durant la guerre froide
☐ OTAN
☐ autres partenaires

Le réseau d'alliance brésilien : un partenariat d'intérêts économiques

☐ Brésil, chef de file de la contestation du Sud
☐ BRICS
☐ autres partenaires

■ Rédiger la conclusion

Proposez une ouverture à la fin de la conclusion suivante.

Les rayonnements économiques et politiques des États-Unis et du Brésil ne sont donc pas comparables dans leur ampleur, les premiers influen-çant largement les décisions planétaires alors que le second commence seulement à se forger une place sur la scène internationale. Pourtant, ces deux géants sont devenus aujourd'hui des acteurs incontournables de la mondialisation et de la gouvernance mondiale. Ce rayonnement rencontre cependant de nombreux obstacles (limites économiques et politiques), internes à leur territoire et à leur société, et externes...

EXERCICE GUIDÉ

SUJET **Les dynamiques territoriales des États-Unis et du Brésil**

Étape 1 **Analyser le sujet**

■ Identifier les mots-clés

Les dynamiques territoriales **des** États-Unis **et du** Brésil

Recherchez la définition de « dynamiques » territoriales. À quelle(s) échelle(s) doit-on les étudier ?

Le terme « et » invite à comparer les territoires de ces deux États.

Quels sont les points communs entre les territoires du Brésil et des États-Unis ? Quelles sont leurs différences ?

■ Dégager la problématique

Proposition de formulation :

Quels sont les points communs et les différences entre les dynamiques territoriales du Brésil et des États-Unis ?

Étape 2 **Élaborer le plan**

Complétez la liste des grands thèmes à aborder et groupez-les en deux ou trois parties.

Conseil *Un plan comparatif est construit par grands thèmes de confrontation. On ne peut en aucun cas proposer un plan tel que : 1/ les dynamiques territoriales des États-Unis ; 2/ les dynamiques territoriales du Brésil.*

Peuplement inégal ; absence de tradition foncière ; métropolisation ; centre décisionnel ; région en crise ; marge délaissée ; périphérie, réserve de la puissance ; mégalopole ; flux migratoires ; mise en valeur extensive ; territoire du Nouveau Continent ; façade maritime ; ressources abondantes...

Étape 3 **Rédiger la composition**

■ Rédiger en comparant les deux États

La comparaison met en valeur les points communs et les différences entre les deux États étudiés

Partie 1, paragraphe 3 : *Les dynamiques métropolitaines sont comparables, bien que différentes. En effet, aux États-Unis comme au Brésil, les hommes et les activités se concentrent dans les métropoles (New York, Los Angeles, Sao Paulo) qui accumulent le pouvoir décisionnel dans les domaines politique (Washington, Brasilia), économique (centres d'affaires de New York ou Sao Paulo), financier (NYSE de New York, Bovespa de Sao Paulo) culturel (Broadway à New York, Christ Corcovado à Rio de Janeiro). Cependant, si, aux États-Unis, de nombreuses villes peuvent être considérées comme des métropoles, au Brésil, le rayonnement est plus concentré (Sao Paulo, Brasilia essentiellement).*

Pour comparer, il faut étudier parallèlement les deux États, en multipliant les exemples précis de l'un et l'autre

Rédigez le reste de la composition.

■ Illustrer la composition par des schémas

Complétez les schémas des dynamiques de peuplement des États-Unis et du Brésil, ainsi que la légende à l'aide des cartes p. 236-237.

Schéma 1 ....

Schéma 2 ....

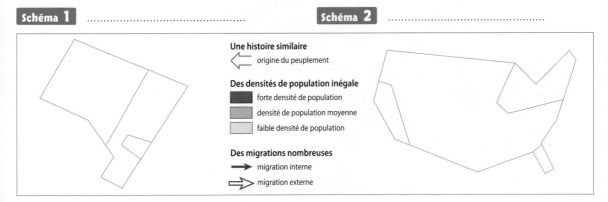

Une histoire similaire

origine du peuplement

Des densités de population inégale

forte densité de population

densité de population moyenne

faible densité de population

Des migrations nombreuses

migration interne

migration externe

ENTRAÎNEMENT

SUJET Le bassin caraïbe : interface américaine, interface mondiale

À partir des documents suivants, montrez que le bassin caraïbe est un espace de contact aux échelles mondiale et continentale.

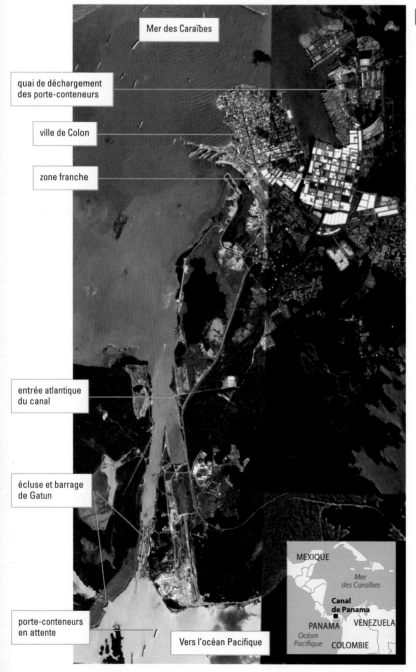

1 Colon et l'entrée du canal de Panama

- Mer des Caraïbes
- quai de déchargement des porte-conteneurs
- ville de Colon
- zone franche
- entrée atlantique du canal
- écluse et barrage de Gatun
- porte-conteneurs en attente
- Vers l'océan Pacifique

Carte : MEXIQUE — Mer des Caraïbes — Canal de Panama — PANAMA — VENEZUELA — Océan Pacifique — COLOMBIE

2 Le bassin caraïbe, un carrefour d'échanges

L'étude des trafics de marchandises circulant dans la région [...] met en exergue [...] le déséquilibre des flux au profit des importations [...], l'importance des produits de base dans les exportations alors que les achats régionaux sont très diversifiés. Ce cadre général, hérité de l'ancienne division internationale du travail, subit cependant depuis les dernières décennies d'importantes modifications. L'augmentation de la consommation, la délocalisation d'activités industrielles par les firmes multinationales étrangères, surtout nord-américaines, sont à l'origine de nouveaux flux [...]. Ainsi, la gamme des ventes en provenance du Bassin s'enrichit de nouveaux produits [...] (assemblage de produits finis ou semi-finis pour l'industrie textile, de la maroquinerie, de l'électronique ou de l'informatique). Les trafics de matières premières et de sources d'énergie, et en particulier les hydrocarbures, sont cependant en volume encore prépondérants dans la circulation maritime caraïbe. [...] Le bassin caraïbe entretient plus particulièrement des échanges maritimes avec deux ensembles continentaux : l'Amérique du Nord et l'Europe. Cette polarisation géographique traditionnelle s'explique d'une part par la présence hégémonique des États-Unis dans cette région surnommée le « lac américain », et d'autre part par les liens tissés de longue date entre ces territoires et leurs anciennes métropoles européennes.

C. Ranély Vergé-Dépré, *Les littoraux de la Caraïbe*, 2009.

ENTRAÎNEMENT

SUJET Le bassin caraïbe : interface américaine, interface mondiale

À partir des documents suivants, montrez que le bassin caraïbe est un espace ouvert sur le monde. Portez un regard critique sur la représentation cartographique.

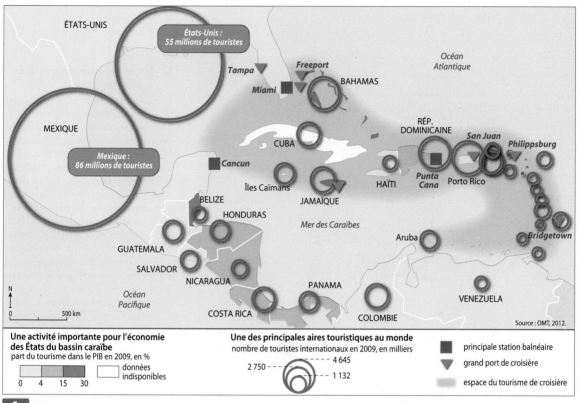

1 Le bassin caraïbe, un espace touristique international

2 Les Bahamas, un paradis touristique et fiscal

Ancienne colonie britannique située près des Grandes Antilles, le Commonwealth des Bahamas (de son nom officiel) a long-temps été reconnu comme étant un paradis fiscal. [...] Cet État étant composé de 700 îles et peuplé de 340 000 habitants, le développement d'une économie basée sur l'industrie ou l'agri-culture était fortement limité. La situation économique s'est donc organisée autour du tourisme et des investissements étrangers. Conséquemment, la fiscalité en vigueur aux Baha-mas reste très faible. L'État a également toléré durant de nom-breuses années les activités fiscales peu transparentes. En outre, il se montrait peu coopératif avec les autres pays demandant d'obtenir des renseignements. [...] Sensibles à la pression de la communauté internationale en raison de leur dépendance aux revenus touristiques, ils s'engagent à améliorer leur réputation. Ils prennent des mesures concrètes afin de diminuer le nombre de sociétés utilisant leur territoire à des fins d'évasion fiscale. [...] Toutefois, même la signature d'un accord bilatéral avec les États-Unis ne fut pas suffisante pour éviter au pays d'être [...] identifié sur la liste grise de l'OCDE en avril 2009. Il pour-suit néanmoins ses efforts et est finalement blanchi en mars 2010 après avoir « signé 18 accords d'échange d'informations fiscales ».

M. Beauchemin, « Les Bahamas, la fin d'un paradis fiscal », www.perspective. usherbrooke.ca, 2011.

EXERCICE GUIDÉ

SUJET Le continent américain : entre tensions et intégrations régionales

À partir des documents suivants, montrez que les frontières du continent américain s'effacent localement pour permettre l'intégration régionale, mais demeurent des espaces de tensions.

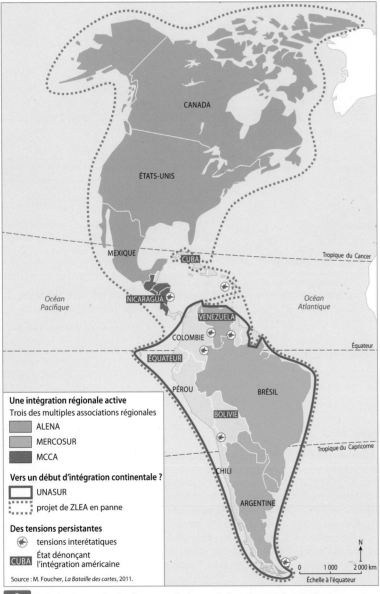

Source : M. Foucher, *La Bataille des cartes*, 2011.

1 Tensions et principales associations régionales sur le continent américain

2 Les frontières américaines, lieux de tensions

Depuis quelques années, la problématique de la frontière resurgit [...]. La maîtrise de cet espace périphérique devient primordiale à un moment où les échanges commerciaux et de personnes s'accroissent très rapidement. À l'intérieur d'un même espace d'intégration régionale, les différents gouvernements tentent de se réapproprier les espaces frontaliers qui semblent leur échapper. Actuellement, le redéploiement des forces de sécurité est général, avec parfois des législations particulières comme l'interdiction aux non-Argentins d'acheter des terres dans les zones des frontières. [...] La Colombie tente de se réapproprier la région frontière avec l'Équateur en multipliant les épandages d'herbicides sur les champs de coca des FARC, y compris dans le pays voisin. [...] Dans beaucoup de pays latino-américains, les régions périphériques ont été tardivement mises en valeur : elles demeurent souvent sous-peuplées voire très pauvres. [...] Depuis peu, le Brésil a comme objectif d'intégrer ses propres marges amazoniennes occidentales et les espaces nationaux voisins, c'est-à-dire les régions amazoniennes des pays andins, dans son espace économique. Les dernières réalisations de routes transandines, financées par le Brésil [...], tentacules brésiliennes, sont souvent perçues comme les éléments du nouvel impérialisme brésilien, suscitant de plus en plus de tensions.

M. Gérardot et P. Lemarchand (dir.), *Géographie des conflits*, 2011.

Étape 1 Analyser le sujet et la consigne

À partir des documents suivants, montrez que les **frontières** du **continent américain** s'effacent localement pour permettre l'**intégration régionale** mais demeurent des **espaces de tensions**.

Pourquoi la frontière est-elle un espace privilégié pour étudier les différentes formes d'intégration et de tensions ?

Le continent américain : **entre** tensions **et** intégrations régionales

L'espace étudié est le continent américain dans son ensemble, ce qui n'exclut pas le changement d'échelles.
À quelles échelles le sujet doit-il être traité ?

Quelles sont les formes de tension présentes sur le continent américain (voir cours 1) ? De quelle nature sont les tensions présentées dans le document ?

L'intégration régionale est un processus de mise en commun d'une partie des pouvoirs des États dans le cadre d'une organisation régionale. Plus la mise en commun est large, plus l'intégration régionale est forte.

■ Délimiter l'espace concerné et identifier les mots-clés

Conseil *En géographie, il est primordial de changer d'échelle pour apprécier totalement un phénomène.*

Étape 2 Exploiter et confronter les informations

À l'aide des documents, complétez la liste suivante d'informations et expliquez-les dans un tableau.
– ALENA *(États-Unis, Mexique, Canada)*
– *État dénonçant l'impérialisme américain*
– MERCOSUR
– *Intégration des marges amazoniennes du Brésil*
– *Tension frontalière entre la Colombie et ses voisins*
– ………………………………………

	Prélèvement des informations dans les documents	**Explication à l'aide des connaissances personnelles**
Intégrations	– ALENA	– Association régionale la plus active du continent, dominée par les États-Unis (flux de marchandises et de capitaux libres, flux humains contrôlés)
	– Intégration des marges amazoniennes du Brésil	– …………………………...………………………………
	– …………………………...………………………………	– …………………………...………………………………
Tensions	– État dénonçant l'impérialisme américain – Tension frontalière entre la Colombie et ses voisins	– Réunis dans l'ALBA, des États unis par le bolivarisme
	– …………………………...………………………………	– …………………………...………………………………

Étape 3 Organiser et synthétiser les informations

■ Porter un regard critique sur la représentation cartographique

Terminez la rédaction du paragraphe suivant en critiquant les lacunes des documents sur le thème de l'intégration.

Conseil *Les documents proposés à l'étude sont rarement exhaustifs. Il faut relever un éventuel oubli majeur relevant du sujet.*

Dernier paragraphe de l'étude critique
Ces deux documents ont permis de montrer quelques-unes des tensions géopolitiques cristallisées par les frontières du continent américain. Pourtant, les frontières sont également le théâtre d'autres tensions, non évoquées ici. C'est le cas de celles liées aux migrations (frontière Mexique/États-Unis), au néo-impérialisme économique (échanges inégaux entre les États, y compris partenaires d'une association régionale comme le Mercosur) ou bien des tensions sur les frontières internes aux États (entre quartiers riches et pauvres comme dans les métropoles brésiliennes, entre régions intégrées et marges à conquérir). De même, les migrations sont bien présentées dans les documents……………………………………

Critique positive : mise en valeur de l'intérêt des documents pour traiter le sujet

Critique négative : omission d'une idée, subjectivité, représentation inadaptée…

EXERCICE GUIDÉ

SUJET Le rôle mondial du Brésil

Après avoir montré que le Brésil est un centre d'impulsion de la mondialisation, portez un regard critique sur le document en insistant sur ce qu'il ne montre pas.

LULA DANS LE TEXTE

LES ATOUTS D'UN PAYS-CONTINENT

LES DIAGNOSTICS DE CARLOS GHOSN ET DE FERNANDO HENRIQUE CARDOSO

Un lieu du tourisme international : le Christ du Corcovado, symbole de Rio et du Brésil.

Des ressources énergétiques : 2 millions de barils de pétrole par jour ; technologies de forage off shore très avancées.

Une puissance industrielle : 40 % de PIB brésilien ; 8e puissance sidérurgique et automobile mondiale en 2011 ; 4e constructeur automobile mondial.

La maîtrise des technologies nucléaires : 2 réacteurs nucléaires ; 6 % des réserves mondiales d'uranium.

Un constructeur aéronautique : 4e puissance aéronautique, en particulier grâce à Embraer, 2e exportateur brésilien.

ORDEM E PROGRESSO

BRÉSIL
UN GÉANT S'IMPOSE

Le Monde, hors-série, septembre 2010.

Étape 1 — Analyser le sujet et la consigne

Après avoir montré que le Brésil est un centre d'impulsion de la mondialisation, portez un regard critique sur le document en insistant sur ce qu'il ne montre pas.

La consigne appelle à nuancer le point de vue du document. L'utilisation des connaissances est alors primordiale.

Un État peut jouer un rôle international s'il a des atouts. Ils peuvent relever du territoire, de l'histoire, des stratégies de développement, etc. Dans quels domaines la puissance brésilienne s'exerce-t-elle ?

Le rôle mondial du Brésil.

Le Brésil est une puissance émergente et ambitionne de jouer un rôle mondial.

■ Identifier les mots-clés

■ Délimiter l'espace concerné

Étape 2 — Exploiter et confronter les informations

Selon le modèle proposé, classez les informations prélevées dans le document en les illustrant par un exemple.

Conseil *Sur une affiche ou une page de magazine, il faut décrypter les informations du texte et de l'image en utilisant le cours.*

Prélèvement des informations dans le document	Recours aux notions-clés pour analyser le document	Exemple extrait des connaissances personnelles
– épi de blé –	– Un géant agricole (un grand producteur ; un grand exportateur) –	– 2e producteur mondial de soja et de bovins – ....

Étape 3 — Organiser et synthétiser les informations

■ Développer l'analyse de document

Parmi les propositions suivantes, choisissez les trois qui sont les plus appropriées pour construire les parties du plan et ordonnez-les.

– Les limites de la puissance brésilienne dans le monde

– Les aspects de la présence brésilienne dans le monde

– Les atouts lui permettant d'affirmer son rôle mondial

– Les échelles du rôle mondial du Brésil

– Les moyens d'action du Brésil pour affirmer son rôle mondial

– Les limites du document pour traiter le sujet

■ Porter un regard critique sur le document

En utilisant le cours, complétez la partie 3.

Le document présente le Brésil comme une puissance capable de rivaliser avec les autres puissances à l'échelle mondiale et permet, par l'image, de synthétiser les nombreux atouts sur lesquels cette puissance repose. Cependant, ce document ne montre pas les points faibles du Brésil. Si du point de vue économique, son PIB le place au 6e rang mondial, il se classe au 84e rang pour l'IDH et sa puissance financière est loin d'égaler celle des membres de la Triade (Bourse de Sao Paulo : 44e rang en 2011). Du point de vue scientifique, ... Enfin, du point de vue politique, ...

Critique positive : mise en valeur de l'intérêt du document pour traiter le sujet

Critique négative : omission d'une idée, subjectivité, représentation inadaptée, etc.

Utilisation des documents du cours pour illustrer la réponse

Ce document est d'abord un document d'accroche d'un magazine et, à ce titre, il simplifie une réalité beaucoup plus complexe.

■ Conclure l'analyse de document

Le Brésil s'affirme comme un géant en devenir. Son rôle s'affirme à l'échelle du continent américain et, de plus en plus, à l'échelle planétaire (puissance émergente). Cependant, ce rayonnement n'est pas sans limites ....

Réponse à la problématique soulevée par le sujet

Réponse nuancée au sujet

ENTRAÎNEMENT

SUJET Le rôle mondial des États-Unis

À partir du document, présentez le rôle mondial des États-Unis en distinguant *hard power* et *soft power*.

Microsoft : FTN américaine exerçant un quasi-monopole informatique grâce au système d'exploitation Windows.

McDonald's : chaîne de restauration rapide présente dans 117 pays en 2011.

Texaco : compagnie pétrolière américaine, intégrée à la FTN Chevron (10e rang mondial) selon le chiffre d'affaires.

Nike : FTN américains sans usines directes mais faisant travailler des sous-traitants (84 % en Asie) et une main-d'œuvre féminine à 80 %.

La superpuissance américaine : *soft power* ou *hard power* ? Dessin d'A. B. Singer, 1998.

ENTRAÎNEMENT

SUJET ## Le rôle mondial des États-Unis

À partir du document, présentez le rôle mondial des États-Unis. Portez un regard critique sur la représentation cartographique.

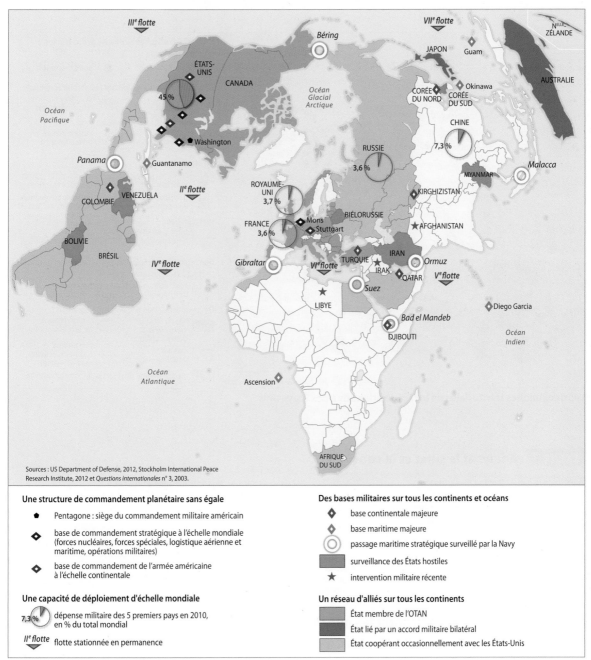

Sources : US Department of Defense, 2012, Stockholm International Peace Research Institute, 2012 et *Questions internationales* n° 3, 2003.

Une structure de commandement planétaire sans égale

⬟ Pentagone : siège du commandement militaire américain

◆ base de commandement stratégique à l'échelle mondiale (forces nucléaires, forces spéciales, logistique aérienne et maritime, opérations militaires)

◇ base de commandement de l'armée américaine à l'échelle continentale

Une capacité de déploiement d'échelle mondiale

7,3 % dépense militaire des 5 premiers pays en 2010, en % du total mondial

▽ *IIe flotte* flotte stationnée en permanence

Des bases militaires sur tous les continents et océans

◆ base continentale majeure

◇ base maritime majeure

◎ passage maritime stratégique surveillé par la Navy

▢ surveillance des États hostiles

★ intervention militaire récente

Un réseau d'alliés sur tous les continents

▢ État membre de l'OTAN

▢ État lié par un accord militaire bilatéral

▢ État coopérant occasionnellement avec les États-Unis

La puissance militaire des États-Unis

EXERCICE GUIDÉ

SUJET Les dynamiques territoriales des États-Unis

À partir de la carte, identifiez l'organisation et les dynamiques territoriales de la façade atlantique des États-Unis. Montrez que cette portion du territoire est représentative de l'ensemble de l'espace étasunien.

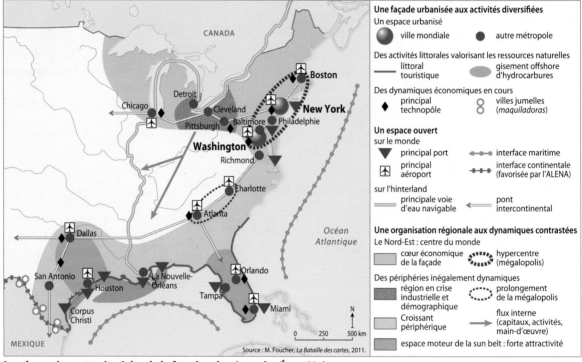

Les dynamiques territoriales de la façade atlantique des États-Unis

Source : M. Foucher, *La Bataille des cartes*, 2011.

Étape 1 Analyser le sujet et la consigne

À partir de la carte, identifiez l'organisation et les dynamiques territoriales de la façade atlantique des États-Unis. Montrez que cette portion du territoire est représentative de l'ensemble de l'espace étasunien.

■ Délimiter l'espace concerné

■ Identifier les mots-clés

Les dynamiques territoriales **des** États-Unis

Les termes « organisation » et « dynamiques » du territoire se complètent. Pourquoi ?

Le document proposé est limité à la façade atlantique des États-Unis. La consigne invite à traiter cette portion du territoire comme un concentré des dynamiques du territoire national.

Étape 2 Exploiter et confronter les informations

Listez les informations fournies par la carte et organisez-les dans le plan suivant :

1. Les dynamiques d'un territoire mondialisé
2. De forts contrastes régionaux
3. Des dynamiques de rééquilibrage ?

Étape 3   Organiser et synthétiser les informations

■ Dégager la représentativité de l'exemple étudié

Complétez le texte suivant.

Conseil *Même si les exemples proposés sont le plus souvent représentatifs du sujet, il faut mettre en évidence leurs spécificités.*

Dernier paragraphe de l'étude critique

La façade atlantique présente des particularismes : exceptionnelle interface maritime, ancienneté de la mise en valeur, ... Ces éléments sont inégalés sur le reste du territoire étasunien. Cependant, la façade atlantique offre également un concentré des grandes composantes de l'organisation et des dynamiques territoriales : valorisation de l'interface continentale (Main Street), dynamisation du croissant périphérique, ...

Spécificité de l'exemple étudié

Représentativité de l'exemple étudié

ENTRAÎNEMENT

SUJET Les dynamiques territoriales du Brésil

À partir des documents suivants, identifiez l'organisation et les dynamiques du territoire brésilien en adoptant une démarche de changement d'échelle. Portez un regard critique sur les documents.

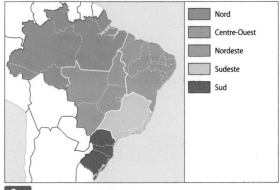

	Nord
	Centre-Ouest
	Nordeste
	Sudeste
	Sud

1a Les régions du Brésil

2 Sao Paulo, une ville mondiale aux forts contrastes

1b Le Brésil, un État aux dynamiques contrastées

	Nord	Nordeste	Sudeste	Sud	Centre-Ouest	Brésil
Part du PIB en 2009	5	13,5	55,4	16,5	9,6	
Taux annuel de variation du PIB entre 2002 et 2009, en %	3,9	3,3	2,6	2	3,7	2,8
Part de la population nationale en 2010, en %	8,3	27,9	42,1	14,3	7,4	
Taux annuel de variation de la population entre 2000 et 2010, en %	2,3	1,1	1,1	0,9	2,1	1

Source : IBGE, 2012.

ENTRAÎNEMENT

SUJET Le bassin Caraïbes : interface américaine, interface mondiale

Étape 1 Analyser le sujet

Le bassin caraïbe : interface **américaine** , interface **mondiale**

■ Délimiter l'espace concerné

■ Identifier les mots-clés

> Quelles sont les limites du bassin caraïbe ? Quelle confusion évite-t-on lorsqu'on précise qu'il s'agit de la Grande Caraïbe ?

> Listez les éléments qui font de cet espace une interface.

> Pourquoi cette interface doit-elle être étudiée à l'échelle américaine et à l'échelle mondiale ?

■ Dégager la problématique

Formulez une problématique en insistant sur les deux échelles du sujet : américaine et mondiale.

Étape 2 Élaborer la légende

Complétez le tableau suivant en formulant les informations dans le cadre du sujet.

	Information	Formulation dans le cadre du sujet
1. Une interface américaine	– Grand port –	– Principal hub – ....
2. Une interface mondiale	– Métropole –	-Métropole internationale – ....
3. Une interface entre tensions et intégrations régionales	–	— ....

Étape 3 Choisir les figurés et réaliser le croquis

■ Choisir la nomenclature

Conseil *Sur le croquis, la nomenclature ne peut pas être exhaustive mais doit être choisie avec soin et hiérarchisée pour localiser les informations essentielles du sujet.*

Lequel des croquis suivants convient le mieux du point de vue de la nomenclature ? Pourquoi ?

Croquis 1

Croquis 2

Croquis 3

Sur le modèle proposé pour le croquis 4 ci-dessous, expliquez les points forts et les points faibles du croquis 5.

Conseil *L'utilisation des hachures doit être limitée et évitée si l'aplat de couleurs est possible.*

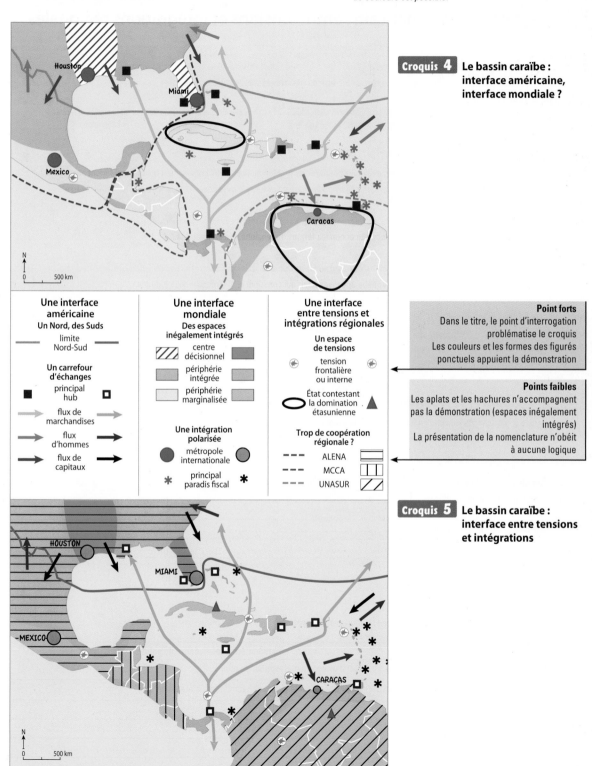

Croquis 4 **Le bassin caraïbe : interface américaine, interface mondiale ?**

Point forts
Dans le titre, le point d'interrogation problématise le croquis
Les couleurs et les formes des figurés ponctuels appuient la démonstration

Points faibles
Les aplats et les hachures n'accompagnent pas la démonstration (espaces inégalement intégrés)
La présentation de la nomenclature n'obéit à aucune logique

Croquis 5 **Le bassin caraïbe : interface entre tensions et intégrations**

Légende

Une interface américaine
Un Nord, des Suds

— limite Nord-Sud

Un carrefour d'échanges
■ principal hub □
→ flux de marchandises →
→ flux d'hommes →
→ flux de capitaux →

Une interface mondiale
Des espaces inégalement intégrés
▨ centre décisionnel
▨ périphérie intégrée
▢ périphérie marginalisée

Une intégration polarisée
● métropole internationale ●
* principal paradis fiscal *

Une interface entre tensions et intégrations régionales
Un espace de tensions
⊛ tension frontalière ou interne ⊛
⬭ État contestant la domination étasunienne ▲

Trop de coopération régionale ?
--- ALENA
--- MCCA
--- UNASUR

EXERCICE GUIDÉ

SUJET **Le continent américain : entre tensions et intégrations régionales**

Étape 1 **Analyser le sujet**

Le continent américain : entre tensions et intégrations régionales

■ Délimiter l'espace concerné

■ Identifier les mots-clés

Plus qu'aucun autre, le continent américain est marqué par des contrastes. Lesquels ?	À quelle échelle les tensions sont-elles visibles ?	Que signifie le terme « intégration » ?

■ Dégager la problématique

Sur le modèle proposé pour les problématiques 1 et 2, expliquez pourquoi les problématiques 3 et 4 conviennent ou ne conviennent pas.

Conseil *Lorsque c'est possible, efforcez-vous de formuler la problématique en une seule question.*

Problématique 1 : *Quelles sont les conséquences des tensions et intégrations du continent américain ?*
Trop ciblée : seules les conséquences sont prises en compte et non les formes de tensions et d'intégrations.

Problématique 2 : *Pourquoi peut-on dire que le continent américain est à la fois un lieu de tensions et d'intégrations régionales ?*
Tous les aspects sont pris en compte. La formulation appelle une discussion qui constitue le fil directeur de la légende.

Problématique 3 : *Y a-t-il davantage de tensions ou d'intégrations sur le continent américain ?*

Problématique 4 : *Comment les différentes formes de tensions et d'intégrations s'expriment-elles sur le continent américain et quelles en sont les conséquences ?*

Étape 2 **Élaborer la légende**

Complétez la liste d'informations suivante en fonction du plan de légende ci-dessous (tableau).
Conflit frontalier ; Mercosur ; flux humains et de marchandises ; violence urbaine ; ZLEA....

Puis sélectionnez et organisez les informations dans le tableau.

Grandes parties du plan	Informations	Figurés
1. Des associations régionales multiples : une intégration régionale active ?	....	....
2. Une intégration productive dynamique	....	....
3. Des tensions nombreuses	....	....

■ Rédiger la légende dans le cadre du sujet

Complétez le tableau sur le modèle proposé.

Conseil *La légende doit formuler les informations en relation avec le sujet.*

Information à cartographier	Formulation dans le cadre du sujet
ZLEA	ZLEA, un projet d'intégration étasunien en panne
UNASUR	UNASUR, un contrepoids à la puissance continentale étasunienne ?
Frontière fermée	....
Alba	....
....	....

Étape 3 Choisir les figurés et réaliser le schéma

Le continent américain détient un nombre record d'associations régionales. Leur enchevêtrement rend leur représentation ardue. Sélectionnez les associations qui vous semblent importantes et hiérarchisez-les.

Conseil *Pour être clair, un croquis doit être synthétique. L'exhaustivité n'est souvent pas possible.*

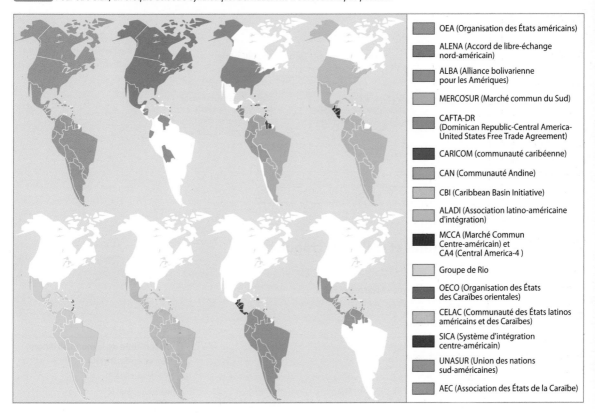

- OEA (Organisation des États américains)
- ALENA (Accord de libre-échange nord-américain)
- ALBA (Alliance bolivarienne pour les Amériques)
- MERCOSUR (Marché commun du Sud)
- CAFTA-DR (Dominican Republic-Central America-United States Free Trade Agreement)
- CARICOM (communauté caribéenne)
- CAN (Communauté Andine)
- CBI (Caribbean Basin Initiative)
- ALADI (Association latino-américaine d'intégration)
- MCCA (Marché Commun Centre-américain) et CA4 (Central America-4)
- Groupe de Rio
- OECO (Organisation des États des Caraïbes orientales)
- CELAC (Communauté des États latinos américains et des Caraïbes)
- SICA (Système d'intégration centre-américain)
- UNASUR (Union des nations sud-américaines)
- AEC (Association des États de la Caraïbe)

Étape 4 Réaliser le croquis

Complétez la légende et le croquis suivants.

Titre : Le continent américain, entre tensions et intégrations régionales

1. Des associations régionales multiples : une intégration régionale active ?

Deux associations régionales efficaces
- ☐ ....
- ☐ ....

Des projets concurrents
- ☐ ....
- ☐ ....

Les autres associations : des coquilles vides ?
- ☐ ....
- ☐ ....
- ☐ ....

2. Une intégration productive dynamique

- ·········· flux humains et de marchandises
- ·········· flux de capitaux

3. Des tensions nombreuses

Des tensions liées à la puissance des États dominants
- ☐ ....
- ☐ ....

Des tensions frontalières nombreuses
- ☐ ....
- ☐ ....

Des tensions internes
- ☐ ....
- ☐ ....

EXERCICE GUIDÉ

SUJET Les dynamiques territoriales du Brésil

Étape 1 Analyser le sujet

■ Délimiter l'espace concerné

Les **dynamiques territoriales du** Brésil

> Le fond fourni pour le croquis guide mais ne gomme pas la réflexion à mener à propos de l'échelle du sujet.

■ Identifier les mots-clés

> Quelles dynamiques territoriales ont été identifiées dans l'analyse du sujet p. 249.

> Un territoire est un espace approprié par les hommes et aménagé par un État. Comment cela apparaît-il sur un croquis ?

■ Dégager la problématique

La problématique suivante convient-elle ? Pourquoi ?

Quelles sont les grandes évolutions en cours sur le territoire brésilien ?

Étape 2 Choisir les figurés et réaliser le croquis

Complétez le croquis suivant.

Conseil *Attention au choix des figurés : le croquis doit rester lisible.*

Titre : ....

Un territoire de la mondialisation
valorisation des littoraux
●◆●◆● interface
métropolisation
● ville mondiale
○ autre métropole
valorisation des espaces transfrontaliers
⬭ marge en cours d'intégration

Des contrastes spatiaux persistants
Le centre, riche et dynamique
▢ cœur économique du Brésil
▼ triangle industriel
▼ triangle décisionnel
Les périphéries plus ou moins intégrées
▢ périphérie intégrée au centre
▨ périphérie marginalisée en crise
▢ périphérie, réserve de puissance

Des dynamiques de rééquilibrage ?
■ capitale créée en 1962
→ attractivité du Sudeste
▪▪▪▪▪ front pionnier

ENTRAÎNEMENT

SUJET Les dynamiques territoriales des États-Unis

Étape 1 Analyser le sujet

Les dynamiques territoriales **du** États-Unis

Définissez les termes du sujet en vous aidant du travail d'analyse du sujet p. 249 et du cours p. 238.

Conseil *La définition apportée doit tenir compte de la nature cartographique de l'exercice.*

■ Délimiter l'espace concerné

> *Complétez cette rubrique.*

■ Identifier les mots-clés

> *Analysez le mot « dynamiques ».*

> *Analysez le mot « territoriales ».*

■ Dégager la problématique

Formulez une problématique qui prend en compte la définition de « dynamiques territoriales ».

Étape 2 Élaborer la légende

Complétez la légende du croquis.

Les dynamiques territoriales des États-Unis

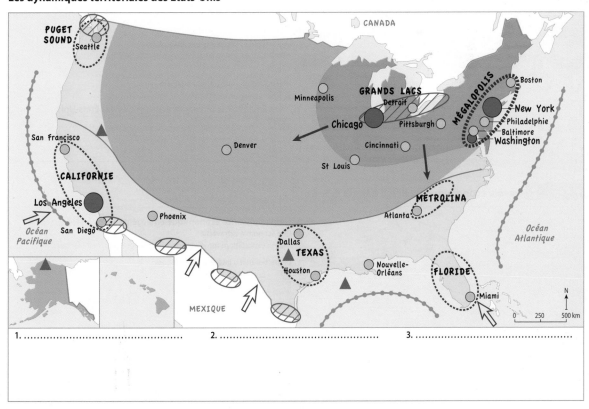

1. .... 2. .... 3. ....

EXERCICE GUIDÉ

SUJET Le rôle mondial des États-Unis et du Brésil

Étape 1 Analyser le sujet

■ Délimiter l'espace concerné   **Le** rôle mondial **des** États-Unis **et du** Brésil

Le rôle de ces deux États doit être étudié dans tous les domaines : économique, financier, politique, culturel, etc.

■ Identifier les mots-clés

Il faut s'interroger sur la capacité de ces deux États à jouer un rôle planétaire. Leur rôle s'étend-il à tous les espaces du monde ? Certains espaces y échappent-ils ?

Qu'implique le terme « et »?

Quels points communs et quelles différences entre ces deux États ?

■ Dégager la problématique

Proposition de formulation : *Quelles sont les manifestations et les limites de la présence des États-Unis et du Brésil dans le monde ?*

Étape 2 Élaborer la légende

Complétez les deux schémas suivants.

Schéma 1 Le rôle économique des États-Unis dans le monde

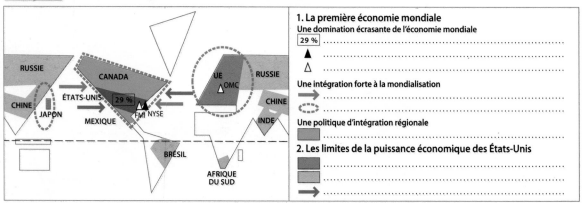

1. La première économie mondiale
Une domination écrasante de l'économie mondiale
29 % ....
▲ ....
△ ....

Une intégration forte à la mondialisation
⟲ ....
....

Une politique d'intégration régionale
▢

2. Les limites de la puissance économique des États-Unis
▢ ....
▢ ....
→ ....

Schéma 2 Le rôle économique du Brésil dans le monde

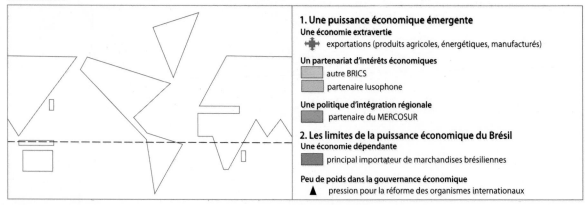

1. Une puissance économique émergente
Une économie extravertie
✥ exportations (produits agricoles, énergétiques, manufacturés)

Un partenariat d'intérêts économiques
▢ autre BRICS
▢ partenaire lusophone

Une politique d'intégration régionale
▢ partenaire du MERCOSUR

2. Les limites de la puissance économique du Brésil
Une économie dépendante
▢ principal importateur de marchandises brésiliennes

Peu de poids dans la gouvernance économique
▲ pression pour la réforme des organismes internationaux

Complétez les légendes et les schémas suivants.

Schéma 3 Le rôle géopolitique des États-Unis dans le monde

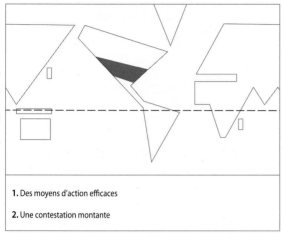

1. Des moyens d'action efficaces

2. Une contestation montante

Schéma 4 Le rôle géopolitique du Brésil dans le monde

1. Un réseau d'alliance en construction Le leader de l'Amérique latine	2. Des instruments d'action encore limités
☐	Une audience internationale limitée
☐	....
Un leader des puissances émergentes	Un néo-impérialisme régional contesté
☐	....
☐	....

Organisez les informations fournies par ces quatre schémas dans les trois parties de plan suivantes.

1. États-Unis, Brésil : deux puissances économiques majeures
2. États-Unis, Brésil : un rôle géopolitique inégal
3. Des limites au rôle mondial des États-Unis et du Brésil

Étape 3 Choisir les figurés et réaliser le croquis

Conseil *Attention aux couleurs, qui sont un instrument de la démonstration cartographique.*

Le rôle des États-Unis et du Brésil dans le monde

États-Unis, Brésil : deux puissances économiques majeures
....
....
....
États-Unis, Brésil : un rôle géopolitique inégal
....
....
....
Des limites au rôle mondial des États-Unis et du Brésil
....
....
....

L'essentiel

A. Quelles dynamiques caractérisent le continent américain ?

Le continent américain, entre tensions et intégration régionale

➤ Un continent marqué par de multiples contrastes :
  • des différences de développement ; culturelles ; politiques.
➤ Un continent aux multiples tensions :
  • qui se cristallisent face à l'hégémonie américaine ; qui existent également entre États voisins ; et à l'intérieur des États.
➤ Un continent écartelé entre intégration et cloisonnement :
  • l'intégration productive est réelle ; l'intégration régionale est insuffisante : à l'exception du MERCOSUR et de l'ALENA.

B. Quel est le rôle mondial des États-Unis et du Brésil ?

Une inégale influence planétaire et une influence continentale à partager

➤ Deux centres d'impulsion de la mondialisation :
  • Les États-Unis sont la première puissance économique, commerciale et financière mondiale ; le Brésil est une puissance émergente.
➤ Les États-Unis sont à la fois des gendarmes et constituent un modèle attractif :
  • le *hard power* résulte de leur puissance politique et militaire, de leur influence dans les organismes de décision internationaux ;
  • le *soft power* fait d'eux un modèle attractif planétaire ;
  • il y a cependant des limites à leur hyperpuissance : contestations, concurrences, fragilités internes.
➤ Le Brésil est un géant en devenir :
  • c'est une puissance américaine ; mais, c'est surtout une puissance leader des Suds ;
  • son rôle mondial a néanmoins des limites : faiblesse dans les organismes décisionnels, critique du néo-impérialisme brésilien par les pays voisins.

C. Comment les territoires des États-Unis et du Brésil sont-ils organisés ?

Des dynamiques territoriales similaires

➤ L'histoire de la conquête pionnière a des conséquences sur le territoire :
  • la population est inégalement répartie ; l'histoire du peuplement a conduit au brassage ethnique au Brésil et au multiculturalisme aux États-Unis ; la mise en valeur du territoire est extensive.
➤ Le Brésil et les États-Unis connaissent les mêmes dynamiques territoriales de la mondialisation :
  • la métropolisation et la mégalopolisation ; la littoralisation ; la valorisation des espaces transfrontaliers.
➤ Ces deux territoires s'organisent en centres et périphéries :
  • aux États-Unis, le Nord-est est le centre majeur, alors que le croissant périphérique est l'espace le plus dynamique : les marges sont constituées de l'Alaska et les Grandes Plaines ;
  • au Brésil, le Sudeste est le centre majeur tandis que le Nordeste est en retard de développement. Le Centre-Ouest est dynamisé par le front pionnier amazonien.

Schémas cartographiques

A. Le continent américain entre tensions et intégration régionale

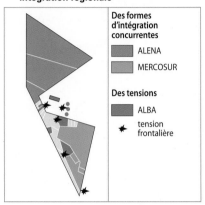

B. Le rôle mondial des États-Unis et du Brésil

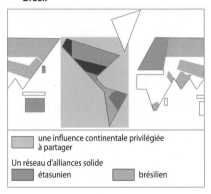

C. Les dynamiques régionales d'un État du Nouveau Monde

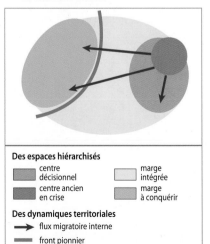

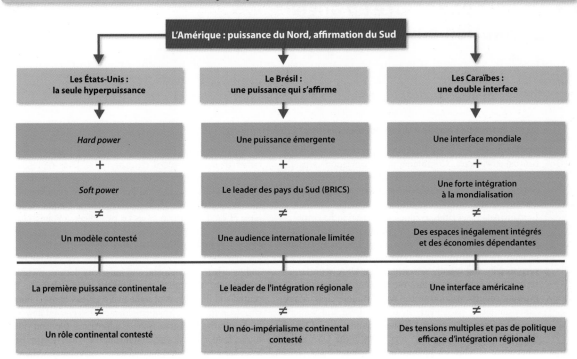

L'Amérique : puissance du Nord, affirmation du Sud

Les États-Unis : la seule hyperpuissance	Le Brésil : une puissance qui s'affirme	Les Caraïbes : une double interface
Hard power	Une puissance émergente	Une interface mondiale
+	+	+
Soft power	Le leader des pays du Sud (BRICS)	Une forte intégration à la mondialisation
≠	≠	≠
Un modèle contesté	Une audience internationale limitée	Des espaces inégalement intégrés et des économies dépendantes
La première puissance continentale	Le leader de l'intégration régionale	Une interface américaine
≠	≠	≠
Un rôle continental contesté	Un néo-impérialisme continental contesté	Des tensions multiples et pas de politique efficace d'intégration régionale

Amérique du Nord, Amérique centrale, Amérique du Sud et Amérique latine, bassin caraïbe

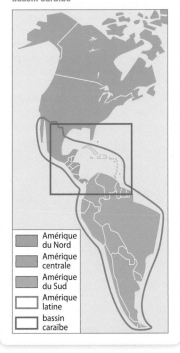

Légende :
- Amérique du Nord
- Amérique centrale
- Amérique du Sud
- Amérique latine
- bassin caraïbe

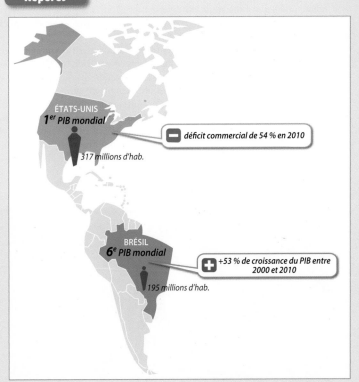

ÉTATS-UNIS
1er PIB mondial

déficit commercial de 54 % en 2010

317 millions d'hab.

BRÉSIL
6e PIB mondial

+53 % de croissance du PIB entre 2000 et 2010

195 millions d'hab.

Utiliser une source en anglais
L'évolution des villes des États-Unis

Dans l'enseignement supérieur, l'utilisation croissante de l'anglais nécessite de recourir à des sources écrites dans cette langue et de connaître un vocabulaire spécifique, dont les expressions sont fréquemment utilisées dans les travaux français.

1 Extrait de l'article « Urban forms » écrit par Chris Hamnett

Contemporary cities are changing in complex and often contradictory ways. Continuing suburbanization is paralleled by inner-city urban decline (the two are frequently causally linked) and by central city urban regeneration and gentrification.

In many American cities, counter-urbanization has proceeded apace in recent years, with population decentralizing from the old urban cores to expanding suburbs and, most recently, to ex-urban centres. This out-migration has been very socially and racially selective in the USA, with large-scale ethnic immigration into the cities accompanied by a growing suburbanization of the white middle class. Many American cities, particularly in the southern and western states, have seen the growth of 'gated communities'. One of the defining characteristics of edge cities in the USA is the emergence of what are termed 'gated communities': safe, socially selective, high-security residential environments in which the predominantly white, upper-middle-class residents can turn their backs on the growing social and economic problems of the ethnically diverse central cities and retreat behind the walls, protected by security staff, electronic surveillance and 'rapid response' units.

In the predominantly black inner cities of the north-eastern United States such as Pittsburgh, Philadelphia, New York, Detroit and Chicago, large-scale deindustrialization has been associated with a massive increase in unemployment and poverty. The collapse of inner-city manufacturing jobs, particularly for males, and the growth of predominantly low-wage service-sector jobs, linked to the out-migration of jobs to the white suburbs ('white flight'), have generated major social problems. The social and behavioural problems found in inner-city black areas are very real, but they should be seen as the consequence of deindustrialization and discrimination rather than innate social characteristics. They represent a response to a changed set of economic and social conditions. This is the social world treated in gritty and demanding films such as Spike Lee's *Do the Right Thing, Grand Canyon and Boyz n the Hood*. The latter focuses on two talented young blacks who live in the ghetto of South Central Los Angeles and struggle against the forces of crime, violence and des pair to get a college education. In addition to the rise of edge cities and ex-urban development, and inner-city decline, there has as a been of widespread growth in the middle classes in the central and inner areas of some major cities where economic change in the structure of employment has created new jobs in the creative industries (such as advertising, film and video, music, fashion and design) and financial services (such as banking, legal services and management consultancy). Many of the workers in these growing industries have chosen to live in the central cities, leading to the growth of gentrification and 'loft living'. This latter trend has been associated with the conversion of industrial buildings to residential uses. Areas such as SoHo in New York have become fashionable residential areas for the new wealthy professional middle classes. An insight into loft living in SoHo is seen in the film *Desperately Seeking Susan* featuring Madonna and Rosanna Arquette.

American cities are frequently characterized by growing inequality – both between rich and poor and between different ethnic groups. This is accompanied by growing social segregation between those with greater resources and choice, and those with limited resources and limited choice. Whilst some people may be living in a postmodern urban lifestyle playground, others have to live in a post-industrial wasteland.

P. Cloke, P. Crang et M. Goodwin (dir.), *Introducing Human Geographies*, 2005.

2 Vue aérienne de Houston (Texas)

Qu'est-ce que Linguee (www.linguee.fr) ?

Ce site est un dictionnaire-moteur de recherche beaucoup plus performant que les sites ou logiciels de traduction dite automatique. Linguee ne traduit pas des phrases entières, mais affiche les occurrences des expressions dans les très nombreux sites bilingues de l'Internet. Cela permet d'enrichir son vocabulaire en étant sûr du bon emploi du mot dans son contexte.

Exemple : pour l'expression gated community, on choisira entre : communauté fermée, communauté clôturée, communauté à accès restreint ou les biens meilleurs résidence sécurisée ou ensemble résidentiel protégé.

Démarche

1. Lisez ce texte une première fois (doc. 1). À l'aide du site Internet Linguee, définissez les mots et expressions difficiles.
2. Après une deuxième lecture, définissez (en français ou en anglais) les concepts suivants à l'aide du texte, de la photographie et de vos connaissances personnelles : *counter-urbanization – out-migration – suburbanization – ex-urban development – ment – deindustrialization – gated community – gentrification – postmodern urban lifestyle – edge city* (doc. 1).
3. Expliquez en quelques lignes l'évolution contrastée des centres-villes des villes des États-Unis.
4. Complétez en anglais le schéma type d'une ville des États-Unis. Donnez-lui un titre.
5. Localisez sur le doc. 2 quelques types d'espaces urbains représentés dans le schéma.

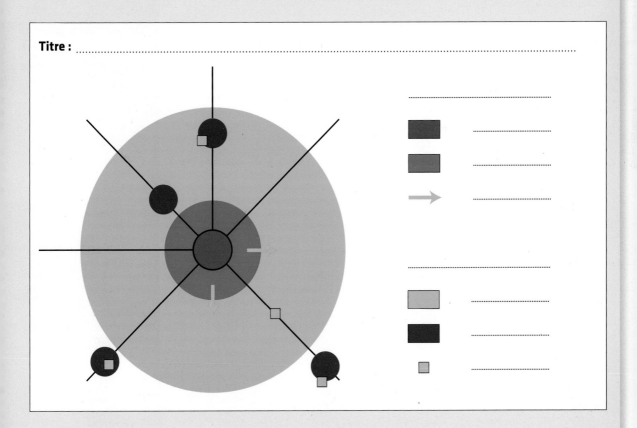

Titre : ....

CHAPITRE 7

L'Afrique : les défis du développement

▬ L'Afrique, sept fois plus étendue que l'Union européenne, vient de franchir le milliard d'habitants. À l'échelle planétaire, ce continent semble à l'écart du développement. Des conflits armés font des ravages et la malnutrition concerne près du quart de la population. Les défis restent nombreux pour impulser un développement durable, mais la croissance se confirme, les démocraties progressent.

▬ De plus, l'Afrique n'est plus à l'écart du monde. L'utilisation d'Internet et du téléphone mobile explose. L'exploitation des richesses du continent, convoitées en particulier par les pays émergents, l'intègre dans le marché mondial, même si les populations et les territoires s'ancrent inégalement dans la mondialisation.

▬ L'Afrique du Sud est particulièrement symbolique de ces mutations. Membre du G20, 5e partenaire des BRICS depuis 2011, l'Afrique du Sud s'impose comme la première puissance économique et politique africaine. Elle doit cependant relever les défis d'une société et d'un territoire fragmentés, héritage de la ségrégation et d'une insertion rapide à la mondialisation.

➤ **Quels défis l'Afrique doit-elle relever face à la mondialisation ?**

Le port de Lagos, un développement impulsé par la mondialisation

Comme de nombreuses villes portuaires africaines, Lagos est née avec la colonisation.
Capitale du Nigeria indépendant, elle perd ce statut en 1991 au profit d'Abuja. En cinquante ans,
elle passe de 230 000 habitants à plus de 11 millions et devient la métropole économique et
culturelle du Nigeria dont l'essor est lié au boom pétrolier. Elle est au centre des flux mondialisés
licites et illicites de l'Afrique de l'Ouest.

Quels sont les enjeux économiques et géopolitiques du Sahara ?

« Espace inutile » à l'époque coloniale, le Sahara (8,5 millions de km², 10 millions d'hab.) suscite la convoitise depuis la découverte de ses ressources en eau et en énergie dans les années 1950. Mais le contrôle et l'exploitation de ces ressources provoquent des conflits et profitent davantage aux États et aux espaces littoraux qu'aux Sahariens eux-mêmes. Par les tensions récentes et la question des migrations, le Sahara est au cœur de la géopolitique internationale.

1 En quoi le Sahara est-il un espace de fortes contraintes mais disposant de ressources ?

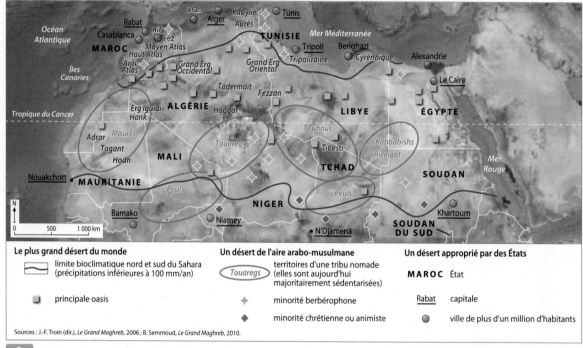

Le plus grand désert du monde

limite bioclimatique nord et sud du Sahara (précipitations inférieures à 100 mm/an)

principale oasis

Un désert de l'aire arabo-musulmane

Touaregs territoires d'une tribu nomade (elles sont aujourd'hui majoritairement sédentarisées)

minorité berbérophone

minorité chrétienne ou animiste

Un désert approprié par des États

MAROC État

Rabat capitale

ville de plus d'un million d'habitants

Sources : J.-F. Troin (dir.), *Le Grand Maghreb*, 2006 ; B. Semmoud, *Le Grand Maghreb*, 2010.

1 Un immense désert, peu habité mais approprié par des États

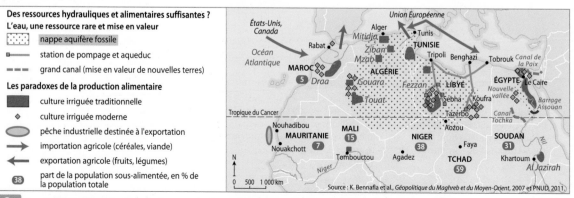

Des ressources hydrauliques et alimentaires suffisantes ?
L'eau, une ressource rare et mise en valeur

nappe aquifère fossile

station de pompage et aqueduc

grand canal (mise en valeur de nouvelles terres)

Les paradoxes de la production alimentaire

culture irriguée traditionnelle

culture irriguée moderne

pêche industrielle destinée à l'exportation

importation agricole (céréales, viande)

exportation agricole (fruits, légumes)

part de la population sous-alimentée, en % de la population totale

Source : K. Bennafla et al., *Géopolitique du Maghreb et du Moyen-Orient*, 2007 et PNUD, 2011.

2 La politique de développement agricole ambitieuse garantit-elle la sécurité alimentaire ?

3 Des populations en marge du développement

	Population en 2011 (en millions d'hab.)	IDH en 2011	Rang IDH sur 187 États en 2011	Pop. vivant avec moins de 1,25 $/ jour en 2010 (%)	Chômage en 2010 (%)
Maroc	32,3	0,58	130	2,5	9,8
Algérie	36	0,68	96	NC	10
Tunisie	10,6	0,69	94	2,6	14
Libye	6,4	0,76	64	NC	30
Égypte	82,5	0,64	113	2,0	10
Mauritanie	3,5	0,45	159	21,2	30
Mali	15,8	0,35	175	51,4	30
Niger	16,1	0,29	186	43,1	NC
Tchad	11,15	0,32	182	61,9	NC
Soudan	44,6	0,40	169	NC	18,7

Sources : Banque mondiale et PNUD, 2011.

parcelle irriguée par rampes-pivots — ghout — exploitation agricole

4 Les usages de l'eau : agriculture moderne contre agriculture traditionnelle ?

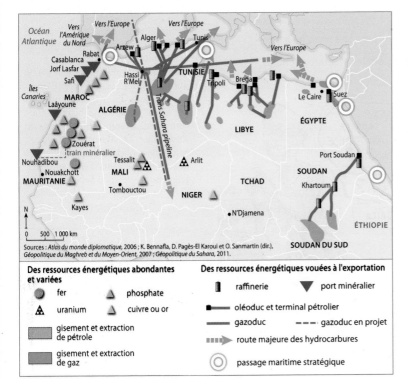

Sources : *Atlas du monde diplomatique*, 2006 ; K. Bennafla, D. Pagès-El Karoui et O. Sanmartin (dir.), *Géopolitique du Maghreb et du Moyen-Orient*, 2007 ; *Géopolitique du Sahara*, 2011.

Des ressources énergétiques abondantes et variées
- fer
- uranium
- phosphate
- cuivre ou or
- gisement et extraction de pétrole
- gisement et extraction de gaz

Des ressources énergétiques vouées à l'exportation
- raffinerie
- port minéralier
- oléoduc et terminal pétrolier
- gazoduc
- gazoduc en projet
- route majeure des hydrocarbures
- passage maritime stratégique

5 Des ressources énergétiques abondantes et variées.

Deuxième fournisseur d'Europe, l'Algérie se situe au 12e rang mondial des exportateurs de pétrole et au 3e rang pour le gaz, devant la Libye (18e rang mais 40 % des réserves pétrolières de l'Afrique). Les hydrocarbures et les mines ont contribué à l'essor des villes sahariennes comme Hassi R'mel ou Hassi Messaoud en Algérie ou Zouérat en Mauritanie.

Vocabulaire

Ghout : fosse plantée de palmiers-dattiers irriguée par la nappe phréatique superficielle. Les ghouts sont peu à peu abandonnées au profit des parcelles irriguées par rampes-pivots grâce à des forages profonds.

IDH : voir p. 22.

Nappe aquifère fossile : nappe d'eau souterraine profonde et captive de la roche qui n'est pas ou peu alimentée. C'est une ressource non renouvelable, son exploitation l'épuise irrémédiablement.

Questions

1. Pourquoi le Sahara est-il un espace de fortes contraintes ? Comment la population est-elle répartie ? (doc. 1)
2. Quelles sont les ressources en eau et comment sont-elles exploitées ? Pourquoi les agricultures traditionnelles sahariennes sont-elles menacées ? (doc. 2 et 4)
3. Montrez que l'exploitation des ressources énergétiques n'impulse pas réellement un développement pour les populations sahariennes. (doc. 3 et 5)

2 Pourquoi le Sahara est-il un espace géopolitique fractionné ?

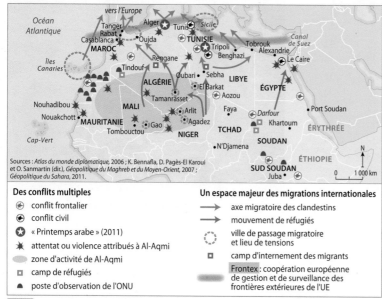

Sources : *Atlas du monde diplomatique*, 2006 ; K. Bennafla, D. Pagès-El Karoui et O. Sanmartin (dir.), *Géopolitique du Maghreb et du Moyen-Orient*, 2007 ; *Géopolitique du Sahara*, 2011.

Des conflits multiples

- ⊕ conflit frontalier
- ⊕ conflit civil
- ✪ « Printemps arabe » (2011)
- ✹ attentat ou violence attribués à Al-Aqmi
- ▬ zone d'activité de Al-Aqmi
- ◻ camp de réfugiés
- ▲ poste d'observation de l'ONU

Un espace majeur des migrations internationales

- → axe migratoire des clandestins
- → mouvement de réfugiés
- ◌ ville de passage migratoire et lieu de tensions
- ◻ camp d'internement des migrants
- ▬ Frontex : coopération européenne de gestion et de surveillance des frontières extérieures de l'UE

6 Un espace au cœur des tensions régionales et internationales

8 Le Sahara pris en tenaille entre les grands groupes industriels et la menace islamiste ? Caricature de Gletz, *Jeune Afrique*, 21 mars 2011.

Les enlèvements par Al-Aqmi se multiplient au Sahara contre le versement de rançon : 90 millions d'euros demandés pour libérer quatre Français enlevés au Niger en 2010.

7 Un espace majeur de migrations internationales

Les causes des migrations clandestines sont liées à la dégradation des conditions de vie, aux sécheresses et aux guerres. L'émigration clandestine, créant de véritables routes à travers le Maghreb, apparaît comme une tragédie humaine dont rendent compte les images de naufrages dans le détroit de Gibraltar, surnommé le « détroit de la mort ». Des carrefours de ralliement et d'éclatement des flux s'organisent : Tamanrasset, Sebha, Agadez pour les ressortissants de ces pays mais aussi pour ceux du Ghana, du Nigeria, du Mali, du Tchad, voire de Centrafrique et du Congo, etc. [...] On peut parler de trafics d'êtres humains organisés par des réseaux mafieux. Les réseaux deviennent complexes : les Pakistanais choisissent la filière saharienne quand des Maghrébins passent par la Turquie imités par des ressortissants sud-sahariens. La pression croissante de l'Union européenne incite les gouvernements à renforcer leur action de surveillance. Du Maroc à la Libye, les patrouilles policières se multiplient et des camps de détention sont apparus à Reggane (Algérie) ou Sebha (Libye).

B. Semmoud, *Maghreb et Moyen-Orient dans la mondialisation*, 2010.

Vocabulaire

Al-Aqmi : mouvement islamiste terroriste, dont l'acronyme signifie « Al-Qaïda au Maghreb islamique ».

Frontex : coopération européenne de gestion et de surveillance des frontières extérieures de l'UE.

9 **Le problème humanitaire des Sahraouis en Algérie**

L'ONU s'est révélée impuissante à régler la question du Sahara occidental. Les Sahraouis trouvent refuge en Algérie, sur le plateau aride de Tindouf où les conditions de vie sont préoccupantes.

10 **Un enjeu sécuritaire international**

La présence de mouvements terroristes islamistes, le développement du trafic des stupéfiants et des armes, les migrations clandestines et les nouveaux enjeux pétroliers et miniers ont fini par mettre la question de la sécurité sur le devant de la scène, les États sahariens et les puissances occidentales ne pouvant plus tolérer un tel désordre : le Sahara est désormais un « front de guerre contre le terrorisme », les États-Unis jugeant que leur propre sécurité est dépendante des succès contre le terrorisme tout particulièrement au Maghreb-Sahel dont sont originaires des combattants affrontés en Afghanistan. Dès 2002, soit un an après les attentats du 11 septembre 2001, les États-Unis cherchent à renforcer les capacités des gouvernements de la région. […]

Les intérêts vitaux de la France sont aussi menacés par l'instabilité de la région […]. C'est pourquoi elle cherche à développer sa coopération sécuritaire et militaire avec ses anciennes colonies sahéliennes, notamment dans le domaine des flux migratoires à destination de l'Europe. Les amalgames entre « terrorisme « et « migration clandestine » sont de plus en plus récurrents si bien que des États comme l'Algérie ont renforcé leurs contrôles des déplacements dans la zone à la satisfaction des États-Unis et de l'Europe.

A. Bourgeot, E. Grégoire « Désordres, pouvoirs et recompositions territoriales au Sahara », *Hérodote*, mars 2011.

Questions

1. Montrez en quoi le Sahara est une zone d'instabilité. Quels en sont les facteurs et les acteurs ? (doc. 6 à 8)

2. Pourquoi le Sahara est-il un enjeu stratégique pour les grandes puissances internationales ? (doc. 6 à 10)

3. Comment les grandes puissances internationales interviennent-elles dans cette région et la rendent-elle dépendante ? (doc. 6, 9 et 10)

3 Pourquoi le Sahara est-il un espace convoité ?

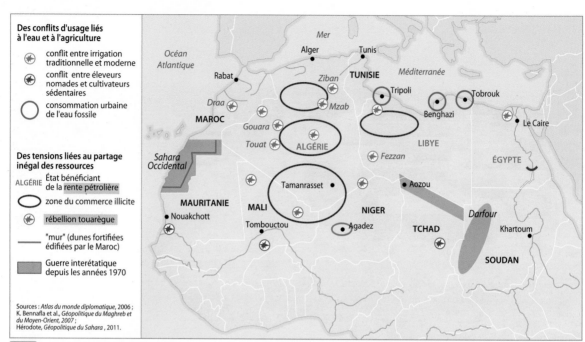

Des conflits d'usage liés à l'eau et à l'agriculture

- ⚙ conflit entre irrigation traditionnelle et moderne
- ⚙ conflit entre éleveurs nomades et cultivateurs sédentaires
- ◯ consommation urbaine de l'eau fossile

Des tensions liées au partage inégal des ressources

- ALGÉRIE État bénéficiaire de la rente pétrolière
- ◯ zone du commerce illicite
- ⚙ rébellion touarègue
- —— "mur" (dunes fortifiées) édifiées par le Maroc)
- ▬ Guerre interétatique depuis les années 1970

Sources : *Atlas du monde diplomatique*, 2006 ;
K. Bennafla et al., *Géopolitique du Maghreb et du Moyen-Orient, 2007* ;
Hérodote, *Géopolitique du Sahara*, 2011.

11 **Des tensions pour le contrôle des ressources sahariennes**

Des investissements chinois à l'origine de nombreux aménagements

- ━━ autoroute
- ┄┄ voie ferrée en construction en 2012
- ╍╍ projet de conduite d'eau
- 🔺 exploitation pétrolière

Un marché à partager

- ━━ voie ferrée financée par d'autres entreprises étrangères

Source : F. Souiah, "*La société algérienne au miroir des migrations chinoises*", Moyen-Orient n° 7, 2010.

12 **Des ressources algériennes convoitées en particulier par la Chine**

13 Le Sahara, un producteur d'énergie pour l'Europe ?

[Depuis 2009,] le principe [de l'initiative industrielle allemande Desertec] séduit toujours le monde politique : il promet de couvrir 15 % des besoins énergétiques européens par de l'électricité solaire propre produite en Afrique du Nord d'ici 2050. [...].

Or [...] l'énergie solaire thermodynamique, bien qu'éprouvée du point de vue technologique, est chère, très chère [et], selon les calculs de la Banque mondiale, jusqu'à 70 % de la production d'électricité du Sud devront être exportés afin de rendre les projets rentables. [...] Cela suppose plusieurs grandes réalisations pour bénéficier des effets d'apprentissage et des rendements d'échelle. Sans tarif d'achat suffisamment juteux, celles-ci semblent impossibles. Or les annonces de baisse des tarifs – concernant le solaire photovoltaïque, pour l'instant – s'enchaînent [et certains projets risquent d'être abandonnés].

[...] La construction d'une vision partagée pour un monde énergétique durable à l'horizon 2050 ne pourra se faire qu'avec la participation, en tant que pairs, de nos voisins du Sud et de l'Est.

Le Monde, 1er novembre 2010.

14 **Le tourisme : une ressource à mettre en valeur.**

Encouragés par l'État marocain, les habitants du sud marocain se reconvertissent dans le tourisme en tirant partie d'un milieu naturel exceptionnel. L'un des sites les plus fréquenté a d'ailleurs été ironiquement baptisé « dune Fram » du nom du voyagiste.

15 **Les activités illicites, une réponse à l'échec des politiques de développement**

À propos du trafic du hachisch et de la cocaïne, la porosité des frontières sahariennes et la faiblesse des systèmes judiciaires et policiers nationaux ont constitué pour les trafiquants un avantage comparatif déterminant dans leur choix d'emprunter, depuis 2006, la voie sahélo-saharienne vers l'Europe. Loin d'être combattue par leurs dirigeants, l'arrivée de ces produits est, au contraire, tolérée car ils permettent l'apport de cash que l'économie formelle et les projets de développement sont incapables de fournir aux populations. Ces trafics de drogue vont de pair avec une accélération de la circulation des armes, d'abord légères puis lourdes depuis la guerre civile en Libye. Aussi, la zone sahélo-saharienne se caractérise-t-elle par un fort développement des activités criminelles qui s'effectuent en toute impunité : les frontières protègent les trafiquants locaux des poursuites et ralentissent les enquêtes. De plus, ceux-ci bénéficient de l'appui de réseaux structurés au sein desquels sont impliquées de hautes personnalités politiques et des militaires de haut rang comme l'attestent les arrestations de personnages importants et de membres des forces de sécurité.

A. Bourgeot, E. Grégoire, « Désordres, pouvoirs et recompositions territoriales au Sahara », *Hérodote*, mars 2011.

Vocabulaire

Conflit d'usage : rivalité entre différents utilisateurs d'une même ressource, ici l'eau.

Rente pétrolière : les revenus extérieurs des pays pétroliers sont fondés à plus de 90 % sur le pétrole, ce qui les rend dépendants de la conjoncture internationale et ce qui nuit au développement d'une économie diversifiée. Souvent, la rente pétrolière constitue une manne financière détenue par les gouvernants ; ses bénéfices concernent pas ou peu la population et les activités locales.

Rébellion touarègue : depuis les années 1980, les groupes targui berbérophones, marginalisés sur le plan politique et économique, revendiquent régulièrement davantage de reconnaissance de la part des gouvernements du Mali et du Niger.

Questions

1. Quels sont les acteurs qui profitent le plus de l'exploitation des ressources sahariennes dans le contexte de la mondialisation ? **(doc. 11 à 15)**

2. Montrez que l'accès aux ressources constitue un facteur de tensions et de guerre au sein des États et entre les États **(doc. 11)**

3. Pourquoi les activités illicites et la criminalité se développent-elles de plus en plus dans l'espace saharien ? **(doc. 11 et 12)**

Comment le Sahara entre-t-il dans la mondialisation ?

L'essentiel

A. Les ressources du Sahara sont-elles moteur du développement ?

Des ressources abondantes qui profitent peu aux populations sahariennes

➤ Le Sahara est un espace contraignant et peu peuplé mais qui dispose de nombreuses ressources.
Rédigez un paragraphe résumant cette idée.

➤ Les ressources alimentaires et les aménagements hydrauliques sont variés mais profitent peu aux populations.
Rédigez un paragraphe résumant cette idée.

➤ L'exploitation des énergies n'impulse pas le développement.
Rédigez un par agraphe résumant cette idée.

B. Pourquoi le Sahara est-il un espace géopolitique fractionné ?

Le Sahara est une zone d'instabilité sous dépendance

➤ Le Sahara est un espace politiquement instable.
Rédigez un paragraphe résumant cette idée.

➤ Les tensions sahariennes dépassent les frontières de la région.
Rédigez un paragraphe résumant cette idée.

➤ Longtemps à la marge, l'espace saharien est au cœur de la géopolitique internationale.
Rédigez un paragraphe résumant cette idée.

C. Pourquoi le Sahara est-il un espace convoité ?

L'accès aux ressources entraîne des tensions à toutes les échelles

➤ Les États et les FTN profitent le plus de ces ressources.
Rédigez un paragraphe résumant cette idée.

➤ Des conflits sont générés, directement ou indirectement par ces ressources.
Rédigez un paragraphe résumant cette idée.

➤ L'essor des trafics au Sahara a pris une ampleur internationale.
Rédigez un paragraphe résumant cette idée.

Notions-clés

Définissez les notions suivantes et donnez des exemples sahariens.

➤ **Mal-développement :** ....
....
....

➤ **Économie de rente :** ....
....
....

➤ **Enjeu géopolitique :** ....
....
....

Schémas cartographiques

A. Un désert riche en ressources mais une région peu développée

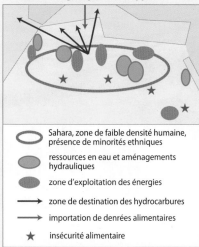

Sahara, zone de faible densité humaine, présence de minorités ethniques

ressources en eau et aménagements hydrauliques

zone d'exploitation des énergies

zone de destination des hydrocarbures

importation de denrées alimentaires

★ insécurité alimentaire

B. Un désert instable et sous dépendance

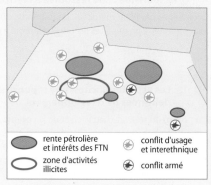

rente pétrolière et intérêts des FTN

conflit d'usage et interethnique

zone d'activités illicites

conflit armé

C. Un désert convoité et sous tensions

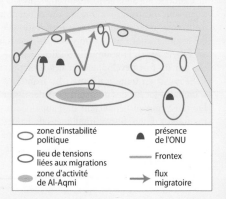

zone d'instabilité politique

présence de l'ONU

lieu de tensions liées aux migrations

Frontex

zone d'activité de Al-Aqmi

flux migratoire

Croquis de synthèse

Les enjeux économiques et géopolitiques du Sahara

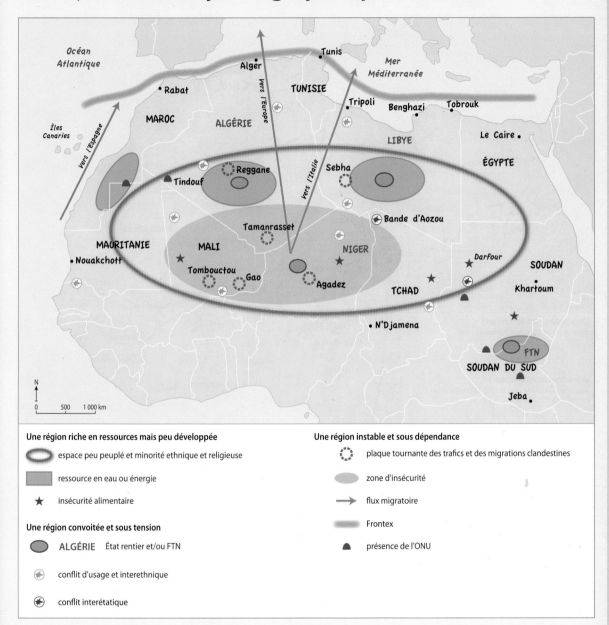

Une région riche en ressources mais peu développée

- espace peu peuplé et minorité ethnique et religieuse
- ressource en eau ou énergie
- ★ insécurité alimentaire

Une région convoitée et sous tension

- **ALGÉRIE** État rentier et/ou FTN
- conflit d'usage et interethnique
- conflit interétatique

Une région instable et sous dépendance

- plaque tournante des trafics et des migrations clandestines
- zone d'insécurité
- → flux migratoire
- Frontex
- présence de l'ONU

Questions

❯ La mise en valeur du Sahara est très discontinue. À quelles astuces cartographiques a-t-on recouru pour éviter la multiplication des figurés ponctuels ?

Le continent africain face au développement

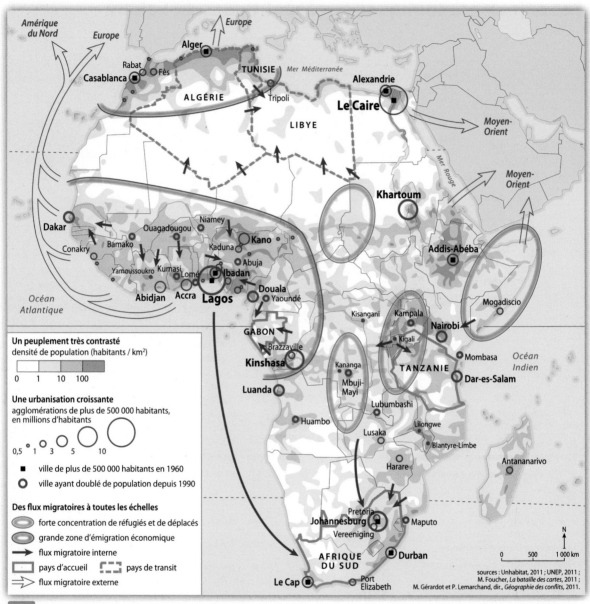

1 Une répartition de la population en mutation

Un peuplement très contrasté
densité de population (habitants / km²)

0   1   10   100

Une urbanisation croissante
agglomérations de plus de 500 000 habitants,
en millions d'habitants

0,5   1   3   5   10

■ ville de plus de 500 000 habitants en 1960

○ ville ayant doublé de population depuis 1990

Des flux migratoires à toutes les échelles

forte concentration de réfugiés et de déplacés

grande zone d'émigration économique

→ flux migratoire interne

▭ pays d'accueil   ⸬ pays de transit

⇒ flux migratoire externe

sources : Unhabitat, 2011 ; UNEP, 2011 ;
M. Foucher, *La bataille des cartes*, 2011 ;
M. Gérardot et P. Lemarchand, dir., *Géographie des conflits*, 2011.

0   500   1 000 km

Questions

1. Quels sont les contrastes de peuplement en Afrique ?

2. Comment cette carte montre-t-elle que le continent africain est aujourd'hui largement urbanisé ?

3. Donnez des exemples de migrations à l'échelle locale, nationale et extracontinentale.

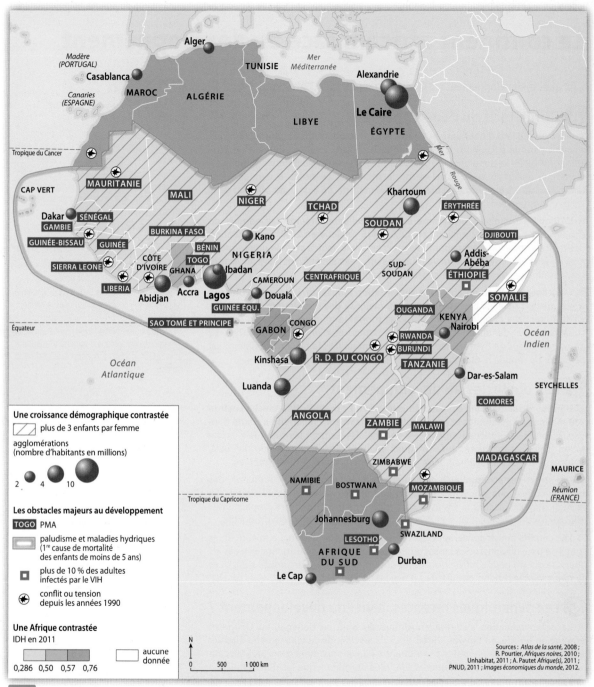

Une croissance démographique contrastée

- plus de 3 enfants par femme

agglomérations
(nombre d'habitants en millions)

2   4   10

Les obstacles majeurs au développement

TOGO PMA

paludisme et maladies hydriques
(1re cause de mortalité
des enfants de moins de 5 ans)

plus de 10 % des adultes
infectés par le VIH

conflit ou tension
depuis les années 1990

Une Afrique contrastée

IDH en 2011

0,286   0,50   0,57   0,76   aucune donnée

N

0   500   1 000 km

Sources : *Atlas de la santé*, 2008 ;
R. Pourtier, *Afriques noires*, 2010 ;
Unhabitat, 2011 ; A. Pautet *Afrique(s)*, 2011 ;
PNUD, 2011 ; *Images économiques du monde*, 2012.

2 **Une Afrique plurielle face aux défis du développement**

Questions

1. Dans quelle partie de l'Afrique la fécondité est-elle la plus importante ?

2. De quelle nature sont les obstacles au développement ? Quels sont les pays les plus concernés ?

3. Quels sont les deux espaces régionaux les plus développés ?

Le continent africain face au développement

> En quoi le développement est-il un défi majeur pour l'Afrique ?

A L'impératif du développement

■ **Avec un milliard d'habitants et un fort taux d'accroissement naturel, l'Afrique s'inscrit dans la transition démographique (Repère)**. C'est le continent le plus jeune : 41 % de la population a moins de 15 ans. L'espérance de vie (55 ans en moyenne) s'allonge avec la baisse de la mortalité. Le nombre d'enfants par femme est de 7 à 8 en Afrique subsaharienne mais de 2 à 3 dans les villes et dans les pays arabes (doc. 1).

■ **L'Afrique s'urbanise à un rythme exceptionnellement rapide : le nombre de citadins est passé de 32 millions en 1950 à 415 millions en 2010**. La population des métropoles a fortement augmenté mais les villes petites et moyennes sont de plus en plus attractives. Partout, les cultures urbaines substituent leurs normes et leurs pratiques aux valeurs et usages de la tradition.

■ **Mais l'accès à l'eau potable, une alimentation suffisante, l'école, la santé, un travail décent ne sont pas assurés pour la majorité des populations**. Les bidonvilles s'étendent et se densifient. La forte mortalité infantile (78 ‰ en Afrique subsaharienne) dénonce les carences des structures d'encadrement social. La plupart des pays de l'Afrique subsaharienne ont un IDH faible à très faible. C'est la région du monde la plus touchée par le paludisme et le sida.

B Les obstacles au développement

■ **L'insécurité alimentaire concerne tous les pays. La malnutrition touche environ 230 millions de personnes et les émeutes de la faim sont récurrentes**. Faute d'investissement, les agricultures vivrières sont délaissées pour les cultures d'exportation (café, cacao, fleurs...). Les risques environnementaux (érosion des sols, déforestation, désertification) pénalisent localement les pratiques agricoles.

■ **Les structures économiques demeurent fragiles : faiblesse de l'industrie, des infrastructures, des nouvelles technologies et des services sophistiqués**. Le secteur informel assure la vie et la survie du plus grand nombre. L'opacité des économies de réseaux (licites et illicites) freine les investissements productifs.

■ **Les conflits armés concernent plus de 20 % de la population**. La misère et les luttes de pouvoir alimentent l'insécurité. Des jeunes sont instrumentalisés par les chefs de guerre pour contrôler richesses et territoires (les *diamants de sang*). Les famines sont le produit des guerres (Corne de l'Afrique).

C Les dynamiques récentes, levier du développement ?

■ **La démocratisation s'affirme en Afrique du Sud, au Sénégal, au Ghana et émerge en Tunisie, en Égypte...** (doc. 2) Les associations de village et de quartier et la scolarisation des femmes contribuent au développement (doc. 3). Mais, sur le continent, les régimes autoritaires sont plus nombreux que les démocraties.

■ **Les taux de croissance sont relativement forts (de 2 à 6 %)**. Le commerce et les investissements s'intensifient. Les plans d'ajustement structurels (PAS) ont réduit la dette des États en contrepartie de la suppression des droits de douane et des aides aux producteurs. Mais agriculteurs, éleveurs et artisans subissent de plein fouet la concurrence des produits importés à bas prix.

■ **Des puissances régionales émergent**. Trois groupes de pays contribuent aux trois quarts du PIB du continent : l'Afrique du Sud (23 %), le Nigeria, l'Algérie et l'Égypte (environ 10 % chacun), enfin la Libye, le Maroc, l'Angola, l'Éthiopie et la Tunisie (environ 5 %). Partout, les disparités régionales sont très fortes. Le maintien de l'aide internationale reste capital.

Vocabulaire

Afrique subsaharienne : voir p. 212.

Développement : voir p. 22.

Diamants de sang : trafic de diamants alimentant guerres et rébellions (Angola, Liberia, RDC...).

Économie de réseaux : système fondé sur les liens de connaissance et les réseaux privés pour accéder aux soins, documents administratifs, diplômes, logement, emploi...

IDH : voir p. 22.

PAS (Plan d'ajustement structurel) : ensemble de mesures imposées par le FMI et la Banque mondiale pour lutter contre l'endettement des États à partir des années 1970.

Secteur informel : activités de l'économie populaire non prise en compte par la comptabilité nationale.

Transition démographique : passage d'un régime démographique à natalité et mortalité élevées à un régime à natalité et mortalité faibles.

Repère

La population de l'Afrique de 1960 à 2020

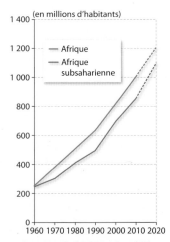

Sources : J.-M. Sévérino, O. Ray, *Le Temps de l'Afrique*, 2010, et un-habitat.org, 2010.

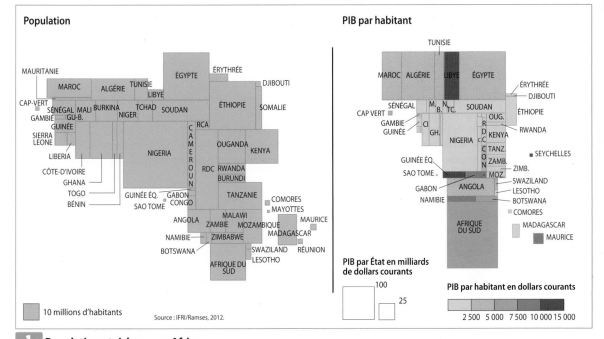

Population

PIB par habitant

10 millions d'habitants

Source : IFRI/Ramses, 2012.

PIB par État en milliards de dollars courants

100
25

PIB par habitant en dollars courants

2 500 5 000 7 500 10 000 15 000

1 ● Population et richesse en Afrique

1. Quels sont les cinq pays les plus peuplés ? Quels sont les pays au niveau de vie le plus élevé ?

2 ● L'Afrique, dernière frontière du développement

Depuis Tunis, épicentre du séisme qui secoue le monde arabe mais aussi l'Afrique, la demande d'un changement profond s'exprime avec plus ou moins d'acuité, selon le contexte local. Ce vaste mouvement de contestation et cette aspiration sans précédent à rattraper un retard criant dans bien des domaines (développement, libertés, démocratie, citoyenneté, État de droit, justice, etc.) sonnent le grand réveil des peuples… Nous avons ainsi découvert qu'en Tunisie, en Égypte ou en Côte d'Ivoire, une grande partie de la population était au courant de (presque) tout : des turpitudes de leurs dirigeants et de leurs familles, des progrès accomplis par des pays, en Asie ou en Amérique latine, qui étaient, au moment des indépendances, au même niveau de développement que les leurs, avec des atouts mais aussi des handicaps similaires. L'Afrique, cette dernière frontière du développement dont la jeunesse est le principal capital, change. Plus vite qu'on ne le croit. De Tunis au Cap, en passant par Le Caire, Alger, Rabat, Dakar, Abidjan, Douala, Conakry ou Antananarivo.

Jeune Afrique, éditorial du hors-série n° 27, 2011.

1. Que signifie le titre de ce document ?

3 ● Les femmes et le développement

Aya, héroïne de BD, incarne le dynamisme des femmes dans un quartier populaire d'Abidjan (Côte d'Ivoire). *Aya de Yopougon* (t. 1, 2005).

1. Comment expliquer l'étonnement du père d'Aya ?

Pourquoi le développement de Madagascar est-il difficile ?

Madagascar, « la Grande Ile » de l'océan Indien, possède des ressources minières très variées, des terres agricoles abondantes et une forêt d'une biodiversité exceptionnelle. Le tourisme, le textile, la pêche et la riziculture sont les secteurs clés de l'économie. Son patrimoine culturel, original par les influences asiatiques, est particulièrement riche. Pourtant, l'amélioration des conditions de vie de la population rencontre encore des freins et Madagascar figure parmi les pays les plus pauvres de la planète.

1 Un pays face à des défis démographiques

Indicateurs en 2011	Madagascar (PMA)	Mali (PMA)	Maroc (pays intermédiaire)
Population en 2011 (population en 1960)	21 millions (5 millions)	15,8 millions (4 millions)	32,3 millions (11 millions)
Superficie en km²	587 000	1 240 200	447 000
Densité	35	12	72
Mortalité (‰)	6	15	6
Natalité (‰)	35	45	19
Mortalité infantile (‰)	42	116	30
Indice de fécondité par femme	4,5	6,1	2,2
Espérance de vie (2011)	66	51	72
Moins de 15 ans (%)	43	48	28
IDH (rang en 2011)	0,4 (151e)	0,3 (175e)	0,58 (130e)
Taux d'urbanisation	31	33	57

Source : INED-PNUD, 2011.

2 Un État en crise

a) L'affaire Daewoo

Fin 2008, le coréen Daewoo a négocié auprès du gouvernement malgache, de manière opaque, la location de terres : 1,3 million d'ha pour une durée de 99 ans. La mobilisation des médias, des ONG et des associations paysannes, à Madagascar et dans le monde entier, a contribué à la chute du gouvernement malgache en mars 2009.

S.Tabarly, «Agricultures sous tension, terres agricoles en extension », http://geoconfluences.ens-lyon.fr, 2011.

b) Une situation chaotique

La situation politique, chaotique depuis 2009, a coïncidé avec la crise économique mondiale ce qui a accentué un peu plus les faiblesses structurelles du pays : pauvreté endémique, sous-emploi chronique, médiocrité des infrastructures de transport (en dehors de quelques axes routiers refaits), très insuffisante diversification des activités économiques, secteur informel pléthorique, corruption… Madagascar ne manque cependant pas de richesses à valoriser. Le pays dispose de matières premières très recherchées : ilménite[1], nickel, cobalt, titane, chromite, graphite, fer, pierres précieuses et or. Les prospections d'hydrocarbures *offshore* continuent aussi de se mener. Le secteur touristique est encore très largement entravé mais il s'annonce comme l'un des plus prometteurs en Afrique.

F. Bost, *Images économiques du monde*, 2011.

1. Minerai de titane utilisé dans l'industrie.

3 La gestion durable des forêts en question

Depuis l'application du plan national d'action environnementale, lancé au début des années 1990 avec le soutien de la Banque mondiale, la déforestation semble ralentie, mais au profit de qui ? Assurément, des scientifiques, des riches touristes et de l'opinion publique occidentale. Des grandes ONG (telles WWF) qui trouvent à Madagascar un champ d'action exceptionnel, source de prestige et de nouveaux financements. De l'élite citadine malgache, qui bénéficie d'emplois bien rémunérés dans le secteur environnemental. Des puissances occidentales, comme les États-Unis, qui à travers la conservation ont accru leur influence à Madagascar et pourraient à l'avenir exploiter le potentiel phar-maceutique et agronomique de la biodiversité.

En revanche, l'intégration des paysans demeure très floue, en dépit des méthodes participatives invoquées, les opérations de développement agricole dans les villages voisins des forêts et des balbutiements de l'écotourisme. Les populations locales n'ont en effet aucun pouvoir de décision face à des acteurs globaux en situation hégémonique. Leur situation économique demeure précaire, pénalisée par la trop longue absence d'une politique agricole d'ensemble qui s'appuierait sur les prix, la modernisation technique, l'amélioration des routes, l'éducation.

Y. Veyret et P. Arnould, *Atlas des développements durables*, 2009.

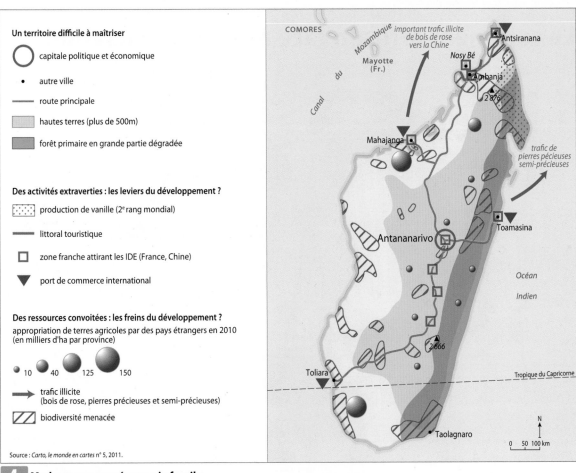

Un territoire difficile à maîtriser

◯ capitale politique et économique

• autre ville

— route principale

▦ hautes terres (plus de 500m)

▩ forêt primaire en grande partie dégradée

Des activités extraverties : les leviers du développement ?

⣿ production de vanille (2ᵉ rang mondial)

— littoral touristique

▢ zone franche attirant les IDE (France, Chine)

▼ port de commerce international

Des ressources convoitées : les freins du développement ?
appropriation de terres agricoles par des pays étrangers en 2010
(en milliers d'ha par province)

• 10 ● 40 ⬤ 125 ⬤ 150

→ trafic illicite
(bois de rose, pierres précieuses et semi-précieuses)

▨ biodiversité menacée

Source : *Carto, le monde en cartes* n° 5, 2011.

4 **Madagascar : une économie fragile**

5 **Un paysage emblématique de Madagascar :** riziculture irriguée au pied des collines (riz : 43 % du PIB agricole)

Questions

1. Quels sont les atouts naturels, sociaux et économiques de Madagascar ? (doc 2, 3, 4 et 5)

2. Quels sont pourtant les freins au développement de Madagascar ? (doc 1, 2, 3 et 4)

3. Montrez que les politiques de développement entrent parfois en conflit et ne bénéficient pas toujours à la population (doc 1, 3 et 4)

Le continent africain face à la mondialisation

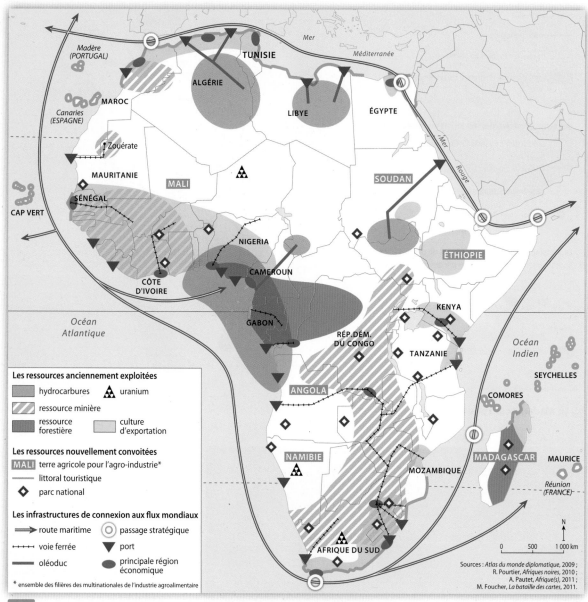

Les ressources anciennement exploitées

- hydrocarbures
- ressource minière
- ressource forestière
- uranium
- culture d'exportation

Les ressources nouvellement convoitées

- MALI terre agricole pour l'agro-industrie*
- littoral touristique
- parc national

Les infrastructures de connexion aux flux mondiaux

- route maritime
- passage stratégique
- voie ferrée
- port
- oléoduc
- principale région économique

* ensemble des filières des multinationales de l'industrie agroalimentaire

Sources : *Atlas du monde diplomatique*, 2009 ;
R. Pourtier, *Afriques noires*, 2010 ;
A. Pautet, *Afrique(s)*, 2011 ;
M. Foucher, *La bataille des cartes*, 2011.

1 **Les ressources en Afrique : un facteur de mondialisation**

Questions

1. Les ressources exploitées en Afrique sont-elles semblables au Sahara et hors du Sahara ? **(voir aussi p. 276 à 283)**
2. D'après cette carte, quelles ressources sont aujourd'hui convoitées ? Pourquoi ?
3. Où sont localisées les infrastructures de transformation et d'exportation ?

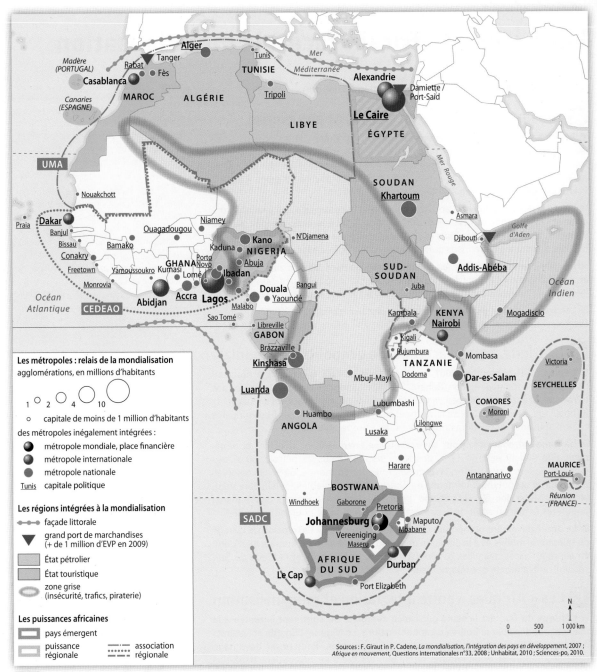

Les métropoles : relais de la mondialisation
agglomérations, en millions d'habitants

○ 1   ○ 2   ○ 4   ○ 10

○ capitale de moins de 1 million d'habitants

des métropoles inégalement intégrées :

● métropole mondiale, place financière
● métropole internationale
● métropole nationale

Tunis   capitale politique

Les régions intégrées à la mondialisation

●—●—● façade littorale

▼ grand port de marchandises
(+ de 1 million d'EVP en 2009)

▭ État pétrolier

▭ État touristique

⬭ zone grise
(insécurité, trafics, piraterie)

Les puissances africaines

▭ pays émergent

▭ puissance régionale

·-·-· association régionale

—·—· régionale

Sources : F. Giraut in P. Cadene, *La mondialisation, l'intégration des pays en développement*, 2007 ; *Afrique en mouvement*, Questions internationales n°33, 2008 ; Unhabitat, 2010 ; Sciences-po, 2010.

2 **Les espaces de la mondialisation en Afrique**

Questions

1. Quel rôle les villes et les littoraux jouent-ils dans l'intégration mondiale de l'Afrique ?
2. Comment l'intérieur du continent s'intègre-t-il à la mondialisation ?
3. Citez trois États intégrés à la mondialisation, trois États en cours d'intégration et trois États en marge.

Le continent africain face à la mondialisation

> Quelle est la place de l'Afrique dans la mondialisation ?

A L'Afrique, une marge en économie extravertie

■ **Les économies de rente caractérisent les États africains**. Cinquante ans après les indépendances, ces derniers ne contrôlent ni les capitaux, ni la technologie, ni le marché, ni les prix et sont toujours soumis à leurs clients de l'UE, des États-Unis et de Chine. Les produits vendus, peu transformés, représentent à peine 4 % de la valeur des exportations (légales) dans le monde (**Repère**).

■ **Les FTN des pays du Nord et d'Asie contrôlent le commerce des produits agricoles et l'exploitation de gisements miniers** (doc. 3) **ou énergétiques** (pétrole, gaz, uranium). La prospérité des États et des élites africaines dépend très largement de ces très puissantes entreprises qui investissent en Afrique (doc. 1).

■ **Les ONG tentent de pallier les carences étatiques dans les domaines sociaux et environnementaux**. Les conflits et les crises économiques provoquent des migrations internationales vers d'autres pays africains (80 %) et vers les pays du Nord (20 %).

■ **Les trafics illicites s'articulent dans des réseaux globalisés** : drogues, armes, contrefaçons, pierres précieuses, traite des êtres humains, vente d'organes, etc.

B L'Afrique, nouvel acteur de la géopolitique mondiale

■ **Depuis le 11 septembre 2001, les États-Unis et l'UE surveillent à nouveau l'Afrique,** car certaines régions (Sahara, Somalie...) servent de bases aux groupes terroristes et à la piraterie. Depuis une décennie, la présence des pays émergents (Chine, Inde, Brésil, Turquie) se renforce et se diversifie (doc. 2). Les États africains côtiers utilisent leur position entre Amérique, Europe et Asie.

■ **L'Afrique est convoitée pour ses ressources énergétiques, minières et végétales**. Elle détient environ 12 % des réserves mondiales de pétrole, 60 % des réserves de terres cultivables, le 2ᵉ massif forestier du monde, 80 % des réserves de coltan et un potentiel immense en énergies renouvelables (soleil, eau, vent, biomasse) (**voir doc. 5 p. 277 et doc. 13 p. 280**). L'envolée des prix des matières premières la met au cœur de la compétition internationale pour leur contrôle.

■ **Le désenclavement numérique est spectaculaire grâce à l'explosion de l'usage du téléphone mobile et à la diffusion des NTIC**. Les câbles sous-marins haut débit améliorent l'accès des villes côtières à Internet. Le Maghreb et l'Afrique du Sud concentrent la moitié des internautes.

C Les « Afriques » entre intégration et marginalisation

■ **L'Afrique du Sud est la seule puissance complète du continent, intégrée à la finance mondiale** par la Bourse de Johannesburg. Le Nigeria, l'Égypte et les États du Maghreb s'affirment comme puissances régionales. Pour peser davantage dans l'économie et la diplomatie mondiale, les États se regroupent dans des organisations régionales (SADC, UA).

■ **L'Afrique subsaharienne concentre 34 PMA (sur 48 dans le monde)**. Leurs économies sont fondées sur la rente agricole (Côte d'Ivoire, Sénégal, Mali...), minière (RDC, Sierra Leone, Guinée...) ou pétrolière (Soudan et Soudan du Sud, Angola...). Ils sont affaiblis par la dépendance alimentaire, les variations des cours des matières premières et les conflits nationaux, interethniques ou interétatiques. Les régions sahéliennes sont pénalisées par leur enclavement.

■ **La mondialisation ne bénéficie qu'aux classes moyennes urbaines** (doc. 4) **et aux diasporas** (indienne, libanaise, chinoise...). Les laissés-pour-compte de la croissance sont les habitants des bidonvilles, les ruraux sans débouchés économiques et les minorités ethniques et politiques qui constituent les flux migratoires.

Vocabulaire

Coltan : minerai utilisé pour fabriquer les condensateurs et résistances des téléphones portables, des consoles de jeux vidéo et autres appareils électroniques.

Économie de rente : voir p. 53.

Économie extravertie : voir p. 219.

PMA : pays les moins avancés, selon 4 critères (espérance de vie inférieure à 55 ans, revenu inférieur à 2 dollars par jour, taux d'alphabétisation inférieur ou égal à 40 %, industrialisation inférieure ou égale à 10 % du PIB).

SADC : Communauté de développement de l'Afrique australe (née en 1980) ; l'Afrique du Sud y entre en 1994.

UA : l'Union africaine remplace en 2002 l'Organisation de l'unité africaine née en 1963.

Repère

L'essor des exportations de l'Afrique 1948-2008

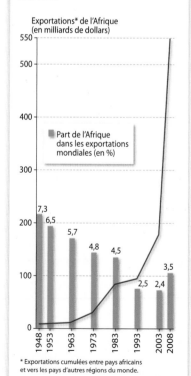

Exportations* de l'Afrique (en milliards de dollars)

Part de l'Afrique dans les exportations mondiales (en %)

7,3 — 6,5 — 5,7 — 4,8 — 4,5 — 2,5 — 2,4 — 3,5

1948 1953 1963 1973 1983 1993 2003 2008

* Exportations cumulées entre pays africains et vers les pays d'autres régions du monde.

Source : OMC, 2012.

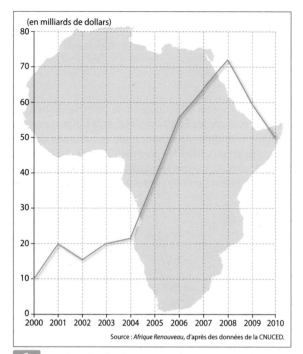

(en milliards de dollars)

Source : *Afrique Renouveau*, d'après des données de la CNUCED.

1 Les flux nets[1] d'IDE vers l'Afrique (2000-2010)

1. IDE nets = IDE entrants – IDE sortants.

La part du montant global des IDE absorbés par l'Afrique (4 %) est la plus basse du monde. Mais en termes absolus, la valeur pour l'Afrique de ce genre de flux financiers est importante et augmente rapidement, notamment dans les secteurs pétroliers et miniers. Cette progression est cependant ralentie par la crise.

2 L'affirmation de la « Chinafrique »

Les grandes entreprises chinoises se sont fait une spécialité de construction d'infrastructures dans des délais records. En quelques années, le réseau routier éthiopien a été modernisé de façon spectaculaire. En 2007, la Chine et la RDC ont signé un protocole pour des infrastructures routières et ferroviaires. Protocole exemplaire de ces échanges «infrastructures contre permis minier ou forestier». Les sociétés chinoises emploient une abondante main-d'œuvre importée de Chine. Efficace, peu rémunérée et à faible protection sociale, elle rend toute concurrence impossible, au point que des projets financés par les pays européens font appel à des entreprises chinoises... On estime à 100 000 le nombre de travailleurs venus de Chine employés dans ces entreprises (à environ 750 000 le nombre total de Chinois en Afrique). Phénomène nouveau, un nombre croissant de Chinois investissent la petite entreprise commerciale et artisanale et pénètrent jusqu'à l'informel. Au Cap, les « triades[1] » ont même supplanté les Nigérians dans l'organisation du commerce illicite des drogues... Sur le terrain du petit commerce, les Chinois exercent une concurrence que les Africains ne sont pas prêts d'accepter : des émeutes anti-chinoises se sont déjà produites, par exemple au Soudan et au Sénégal.

Roland Pourtier, *Afriques noires*, 2010.

1. Nom donné aux réseaux mafieux en Chine.

3 L'Afrique dans la production minière mondiale

Minerai	Pays	Part de la production mondiale (%)	Rang
platine	Afrique du Sud	80	1er
chrome	Afrique du Sud	42	1er
diamant	RDC	20	1er
	Botswana	20	2e
cobalt	RDC	50	1er
or	Afrique du Sud	9	2e
manganèse	Afrique du Sud	16	2e
	Gabon	8	4e
titane	Afrique du Sud	17	2e
uranium	Namibie	10	4e
	Niger	7	6e

Sources : World Mineral Production 2004-2008 et British geological Survey, 2010.

4 L'émergence de classes moyennes

La taille de la famille (deux enfants) et la pratique des loisirs balnéaires caractérisent les classes moyennes qui émergent en Afrique (ici à Maputo au Mozambique).

1. En quoi ces familles sont-elles représentatives des mutations de la société en Afrique ?

Pourquoi le golfe de Guinée est-il de plus en plus intégré à la mondialisation ?

De la Côte d'Ivoire à l'Angola, les États s'ouvrent sur l'océan Atlantique par le golfe de Guinée. Depuis une décennie, cet « autre golfe » est convoité par les États-Unis, l'UE et la Chine. Les villes portuaires sont les pivots des flux migratoires et de la vie économique et culturelle de ce foyer de peuplement de près de 250 millions d'habitants. Mais les guerres et l'essor des trafics illicites (drogues, armes) accentuent l'insécurité. Le contrôle des ressources et des littoraux pour l'exportation du pétrole, des minerais et du bois devient un enjeu stratégique majeur.

1 Le golfe de Guinée : « l'autre golfe »

Pétrole. Les réserves du golfe de Guinée demeurent relativement faibles (4,5 % des réserves mondiales dont les deux tiers pour le seul Nigeria) mais l'intérêt des pétroliers, depuis le début du XXIe siècle, repose sur plusieurs facteurs :

1. La découverte de gisements de taille importante dans l'*off shore* profond.

2. La production en *off shore* garantit l'exploitation contre les risques politiques. La production du Congo n'a jamais été interrompue en dépit des flambées de guerre civile qui ont affecté ce pays dans les années quatre-vingt-dix.

3. Des sites de production proches, par voies maritimes, des centres de consommation d'Amérique du Nord et d'Europe.

4. Le pétrole du golfe de Guinée a été découvert à partir des années cinquante. Les pays riverains, nouvellement indépendants, manquent de moyens financiers ou humains pour le contrôle de la production. Le champ demeure ouvert pour les investisseurs étrangers.

5. La stratégie des États-Unis et de la Chine de diversification de leurs approvisionnements pour limiter leur dépendance vis-à-vis du golfe Persique.

Gaz. Seul le Nigeria dispose de réserves consistantes de gaz. Il a signé avec le Niger et l'Algérie un accord, en 2009, pour la construction d'un gazoduc transsaharien de 4 500 km de long.

D. Ortolland et J.-P. Pirat,
Atlas géopolitique des espaces maritimes, 2010.

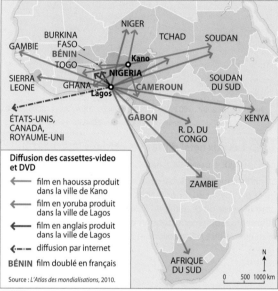

Diffusion des cassettes-vidéo et DVD

← film en haoussa produit dans la ville de Kano

← film en yoruba produit dans la ville de Lagos

← film en anglais produit dans la ville de Lagos

←-·- diffusion par internet

BÉNIN film doublé en français

Source : *L'Atlas des mondialisations*, 2010.

2 Nollywood : la diffusion internationale du cinéma nigérian.

La production de films à très petits budgets au Nigeria a débuté dans les années 1990. Nollywood réalise plus de 1 000 fictions longues par an. En nombre de productions cinématographiques, le Nigeria a dépassé les États-Unis et talonne Bollywood, mais ce secteur repose quasi exclusivement sur la vidéo et la distribution de copies VHS, VCD et DVD.

3 Une décharge de déchets électroniques à Accra (Ghana).

Les déchets électroniques d'Europe et d'Amérique du Nord arrivent par conteneurs, sont déversés dans des décharges illégales, puis démontés pour récupérer les métaux et circuits imprimés.

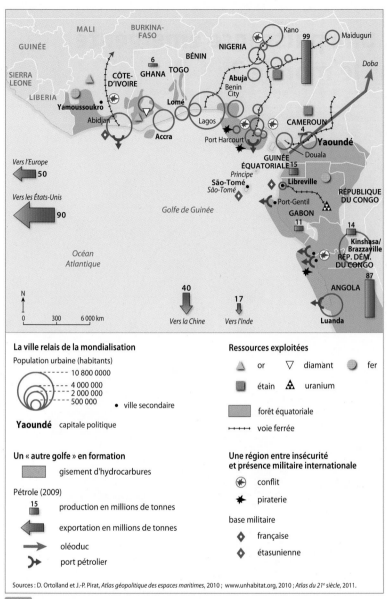

La ville relais de la mondialisation

Population urbaine (habitants)

- 10 800 0000
- 4 000 000
- 2 000 000
- 500 000
- • ville secondaire

Yaoundé capitale politique

Un « autre golfe » en formation

gisement d'hydrocarbures

Pétrole (2009)

15 production en millions de tonnes

exportation en millions de tonnes

oléoduc

port pétrolier

Ressources exploitées

△ or   ▽ diamant   ⬤ fer

■ étain   ⚛ uranium

forêt équatoriale

voie ferrée

Une région entre insécurité
et présence militaire internationale

✹ conflit

✴ piraterie

base militaire

◆ française

◇ étasunienne

Sources : D. Ortolland et J.-P. Pirat, *Atlas géopolitique des espaces maritimes*, 2010 ; www.unhabitat.org, 2010 ; *Atlas du 21ᵉ siècle*, 2011.

4 **Le golfe de Guinée dans la mondialisation**

5 **La diaspora camerounaise**

Chaque jour, des milliers de Camerounais convergent devant les guichets des banques ou des établissements de microfinance (EMF) spécialisés dans les transferts de fonds pour recevoir de l'argent envoyé par des proches, des amis ou des partenaires vivant à l'étranger. Il y a quelques années encore, l'argent reçu permettait principalement de scolariser des enfants ou de combler les besoins familiaux. Aujourd'hui, il permet de construire des immeubles de plusieurs étages, des hôtels de luxe, de créer des PME/PMI ou de produire des produits d'artisanat et autres denrées commerciales. Les fonds de la diaspora sont devenus la seconde source de financement externe du pays après les investissements directs étrangers (IDE), et devant l'Aide publique au développement (APD) accordée par les partenaires bilatéraux et multilatéraux. Plus de deux millions de Camerounais sont installés au Nigeria, 700 000 aux États-Unis, 500 000 au Gabon et 40 000 en France. Le départ de ces émigrés a privé de compétences et de main-d'œuvre des secteurs essentiels de l'économie. Sur la période 1995-2005, 46 % des médecins et 19 % des infirmiers camerounais ont émigré.

S. Tetchiada, *African Business*, 2011.

Questions

1. Montrez que le golfe de Guinée est un espace riche en ressources. (doc. 1 et 4)
2. Quelles sont les différentes formes d'intégration du golfe de Guinée dans la mondialisation ? (doc. 1 à 4) Quel est le rôle particulier des diasporas dans ce domaine ? (doc. 5)
3. Montrez cependant que la région reste instable. (doc. 4)

L'Afrique du Sud, une puissance émergente en Afrique et dans le monde ?

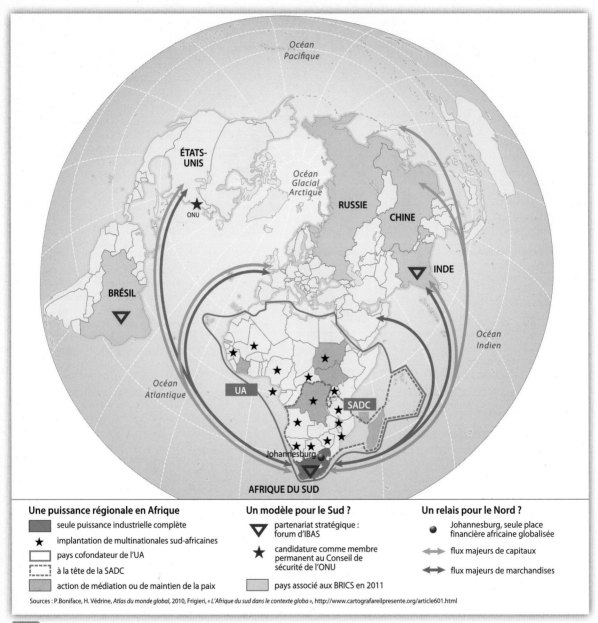

Une puissance régionale en Afrique

- ▨ seule puissance industrielle complète
- ★ implantation de multinationales sud-africaines
- ▢ pays cofondateur de l'UA
- ⬚ à la tête de la SADC
- ▨ action de médiation ou de maintien de la paix

Un modèle pour le Sud ?

- ▽ partenariat stratégique : forum d'IBAS
- ★ candidature comme membre permanent au Conseil de sécurité de l'ONU
- ▢ pays associé aux BRICS en 2011

Un relais pour le Nord ?

- ● Johannesburg, seule place financière africaine globalisée
- ⬄ flux majeurs de capitaux
- ⬄ flux majeurs de marchandises

Sources : P.Boniface, H. Védrine, *Atlas du monde global*, 2010, Frigieri, « *L'Afrique du sud dans le contexte globa* », http://www.cartografareilpresente.org/article601.html

1 **L'Afrique du Sud, une puissance émergente**

Questions

1. Quelles sont les caractéristiques de la présence de l'Afrique du Sud dans le monde ?
2. Quelles en sont les limites ?
3. Dans quels domaines l'Afrique du Sud s'affirme-t-elle comme une puissance régionale ?

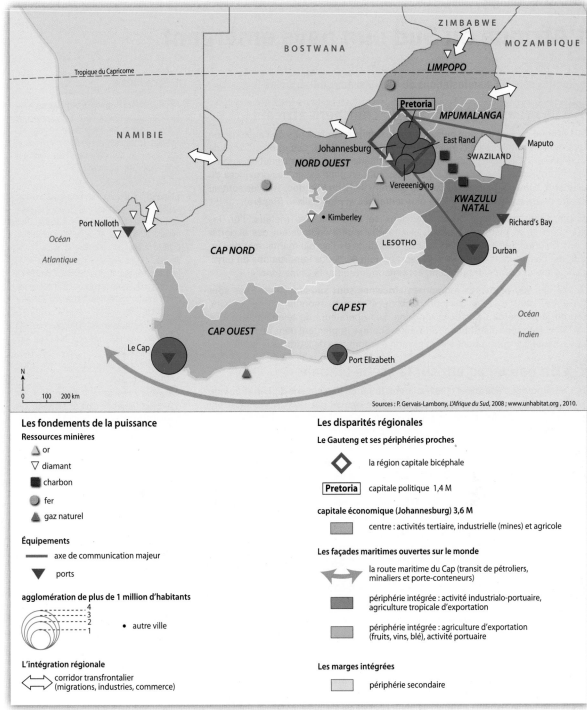

Sources : P. Gervais-Lambony, *L'Afrique du Sud*, 2008 ; www.unhabitat.org , 2010.

Les fondements de la puissance

Ressources minières

△ or

▽ diamant

■ charbon

● fer

▲ gaz naturel

Équipements

—— axe de communication majeur

▼ ports

agglomération de plus de 1 million d'habitants

```
    4
    3
    2
    1
```

• autre ville

L'intégration régionale

⟨⟩ corridor transfrontalier
(migrations, industries, commerce)

Les disparités régionales

Le Gauteng et ses périphéries proches

◇ la région capitale bicéphale

Pretoria capitale politique 1,4 M

capitale économique (Johannesburg) 3,6 M

▢ centre : activités tertiaire, industrielle (mines) et agricole

Les façades maritimes ouvertes sur le monde

⟷ la route maritime du Cap (transit de pétroliers, minaliers et porte-conteneurs)

▢ périphérie intégrée : activité industrialo-portuaire, agriculture tropicale d'exportation

▢ périphérie intégrée : agriculture d'exportation (fruits, vins, blé), activité portuaire

Les marges intégrées

▢ périphérie secondaire

2 **L'inégale intégration des régions sud-africaines dans la mondialisation**

Questions

1. Quelles grandes disparités cette carte présente-t-elle ?
2. Quels sont les atouts du Gauteng, principal moteur régional de l'Afrique du Sud ?
3. L'intégration régionale et mondiale de l'Afrique du Sud favorise-t-elle un rééquilibrage territorial ?

L'Afrique du Sud : un pays émergent

> **Quelles sont les manifestations de la puissance sud-africaine ?**

A La première économie du continent africain

■ **L'Afrique du Sud est une puissance industrielle complète** née de l'exploitation des mines et de la main-d'œuvre noire d'Afrique australe. Les mines d'or et de diamants ont assuré la prospérité du secteur financier. Le tourisme haut de gamme (safari, tourisme médical...) et les services sont en plein essor. Les provinces du Gauteng, Kwazulu-Natal et du Cap concentrent 70 % du PIB **(doc. 1)**. Elles sont au centre d'une économie de plus en plus tertiarisée et mondialisée **(Repère)**.

■ **L'insertion dans les flux commerciaux se diversifie.** Les métaux, l'or, les diamants et les pierres précieuses assurent la moitié de la valeur des exportations **(Repère)**. Le reste est composé des produits de l'agroalimentaire et de l'industrie. Les produits manufacturés représentent 60 % des importations du pays. L'UE, premier client et fournisseur, est concurrencée par la Chine **(doc. 4)**.

■ **127 des 500 premières entreprises africaines sont sud-africaines.** Elles sont présentes dans tous les secteurs. Eskom, 4e groupe mondial de l'électricité, fournit la moitié de l'électricité africaine. Les opérateurs de téléphonie mobile (MTN) et la grande distribution (ShopRite, Score) s'implantent dans de nombreux pays. Leurs IDE contribuent à l'intégration économique de l'Afrique australe.

B Un nouvel acteur sur la scène globale

■ **L'abolition de l'apartheid (1991) marque la fin de l'isolement diplomatique de l'Afrique du Sud.** La politique de réconciliation menée par Nelson Mandela, élu président en 1994, lui donne une aura morale sans précédent. Le sommet de la Terre à Johannesburg (2002) et la Coupe du monde de football (2010) renforcent la présence du pays sur la scène internationale et son rayonnement culturel.

■ **Ce pays émergent est au centre de l'intégration régionale du continent avec la SADC**, l'adoption du NEPAD et la mise en place de l'Union africaine en 2002. Puissance militaire et diplomatique, elle intervient pour le règlement des conflits **(carte p. 296)**. Candidate à un siège de membre permanent au Conseil de sécurité des Nations Unies, elle se veut la voix de l'Afrique et un modèle pour le Sud.

■ **Associée au G20 et aux BRICS, elle intensifie ses relations avec le Brésil et l'Inde** **(doc. 3)**. Ensemble, ils défendent la production de médicaments génériques et dénoncent les subventions à l'agriculture des pays du Nord qui pénalisent celle des Suds.

C L'État face aux défis de l'après-apartheid

■ **La « nation arc-en-ciel » désigne la société de l'après-apartheid.** Les trois quarts de ces 50 millions de personnes se considèrent comme Noirs, 10 % Blancs, presque autant Métis, et moins de 3 % Asiatiques. La politique de discrimination positive privilégie l'emploi des personnes de couleur mais contribue à la pérennité des communautés. La classe moyenne noire progresse, mais l'essentiel de l'appareil économique reste aux mains des grands groupes financiers blancs.

■ **Le pays est considéré comme un eldorado par ses voisins car le développement y est relativement plus élevé (doc. 2).** L'accès de tous à l'eau potable est en grande partie assuré mais le système de santé est toujours très inégalitaire. La violence sociale et la criminalité restent très élevées. Le sida, première cause de mortalité, a fait chuter l'espérance de vie de 59 ans en 1990 à 52 ans en 2010.

■ **Les anciens townships sont confrontés à une crise sociale profonde.** Ils restent des territoires marginalisés. L'agriculture est dominée par les fermiers blancs et moins de 5 % des terres ont été redistribuées. La rupture avec l'apartheid, la transition démocratique et l'intégration rapide à la mondialisation créent des tensions sociales et des disparités territoriales inédites.

Vocabulaire

Apartheid (« développement séparé » en afrikaans) : de 1948 à 1991, le gouvernement blanc a imposé un système de ségrégation spatiale fondé sur des critères raciaux et ethniques. Les Noirs devaient vivre dans des réserves, ou bantoustans.

BRICS : voir p. 24.

Gauteng : « lieu de l'or » en tswana, nom donné en 1995 à la nouvelle province réunissant Pretoria et Johannesburg. Au total : 10,5 millions d'habitants, 40 % du PIB sud-africain dont 16 % pour Johannesburg.

Mandela (Nelson) : un des dirigeants de la lutte contre l'apartheid, emprisonné de 1964 à 1990. Prix Nobel de la paix en 1993 et premier président noir de la République sud-africaine de 1994 à 1999.

NEPAD : sorte de charte de bonne conduite économique et politique pour les États africains depuis 2001.

Pays émergent : voir p. 24.

SADC : voir p. 292.

Township : lotissement public pour les non-Blancs, privés du droit de propriété. Les *townships* formaient des ghettos à la périphérie des grandes agglomérations.

Union africaine : voir p. 292.

Repère

L'Afrique du Sud en chiffres (2011)

- 1,2 million de km²
- 50 millions d'habitants
- Population urbaine : 62 %

- Accroissement naturel annuel : 0,8 %
- Indice de fécondité : 2,4 enfants/femme
- IDH : 0,619 (123e rang mondial)
- Espérance de vie : 52 ans

- PIB = 1/4 du PIB de l'Afrique

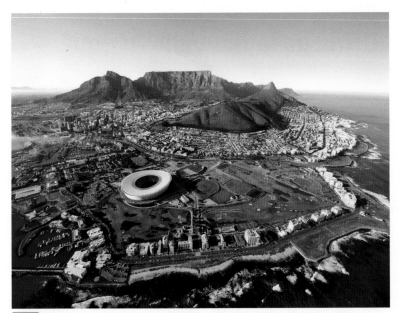

1 **Au pied de la montagne de la Table, Le Cap,** métropole historique et touristique de 3,7 millions d'habitants

1. Quelles sont les activités économiques repérables sur cette photographie ?

3 **Rencontre à Pretoria pour le 5e sommet des IBAS, en 2011.**
Ici le président d'Afrique du Sud (Jacob Zuma, au centre), la présidente du Brésil (Dilma Rousseff) et le Premier ministre indien (Manmohan Singh).

1. Quel est le sens diplomatique de cette photographie ?

2 **L'Afrique du Sud, un pôle d'immigration africain**

Il y aurait, en Afrique du Sud, entre 3 et 4 millions d'immigrés illégaux. Depuis 1994, on ne vient plus seulement des pays voisins, mais de toute l'Afrique. Des quartiers de Johannesburg abritent d'importantes communautés d'Afrique francophone. Ces « nouveaux » étrangers sont très actifs dans le commerce informel, ce qui donne régulièrement lieu a des poussées de xénophobie. Mais la majorité des étrangers vient des pays d'Afrique australe. Et ce, depuis longtemps. Dans les mines d'or sud-africaines par exemple, au début des années 1970, 80 % des mineurs étaient étrangers. Ils venaient avant tout du Lesotho, du Malawi et du Mozambique mais aussi d'Angola, du Botswana, et du Swaziland. Récemment, des millions de Zimbabwéens fuyant la misère d'un pays en situation d'effondrement économique, passent la frontière. […] Dans toute l'Afrique, l'Afrique du Sud peut faire figure d'eldorado; mais les migrants, salariés sous-payés, victimes de la corruption de la police, expulsés, sont les boucs émissaires des maux de la société sud-africaine.

Ph. Gervais-Lambony, *L'Afrique du Sud*, 2009.

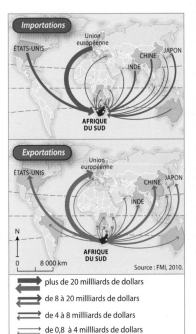

4 **Importations et exportations en Afrique du Sud**

Johannesburg, la vitrine de la nouvelle Afrique du Sud ?

Née de l'exploitation des mines d'or, Johannesburg (3,7 millions d'habitants) est depuis 1994 la capitale du Gauteng, la 1re région économique de l'Afrique. La puissance de la Bourse, des entreprises et des infrastructures est valorisée pour faire de la ville la vitrine de la nouvelle Afrique du Sud et l'insérer dans le réseau des métropoles mondiales. Malgré la fin de l'apartheid, Johannesburg reste fragmentée par une forte ségrégation sociale et ethno-raciale.

Traduction :

« Bienvenue dans le Gautrain

Pour les gens qui bougent

Avec la mise en service du Gautrain, Jo'burg, le centre d'affaires de l'Afrique, franchit encore une nouvelle étape pour accéder au statut de ville mondiale.

Voici votre portail d'informations, avec tout ce que vous devez savoir sur la carte Gold Gautrain, les lignes, les tarifs, les bus et les parkings. »

1 Le Gautrain, train rapide reliant Johannesburg à Tshwane (Pretoria) depuis 2010

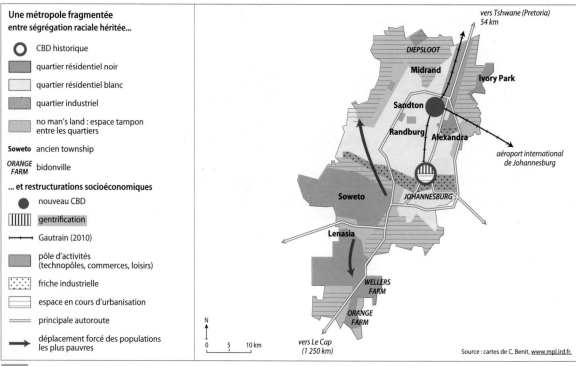

Une métropole fragmentée entre ségrégation raciale héritée...

- ⚪ CBD historique
- quartier résidentiel noir
- quartier résidentiel blanc
- quartier industriel
- no man's land : espace tampon entre les quartiers
- **Soweto** ancien township
- *ORANGE FARM* bidonville

... et restructurations socioéconomiques

- ⚫ nouveau CBD
- gentrification
- Gautrain (2010)
- pôle d'activités (technopôles, commerces, loisirs)
- friche industrielle
- espace en cours d'urbanisation
- principale autoroute
- déplacement forcé des populations les plus pauvres

Source : cartes de C. Benit, www.mpl.ird.fr.

2 Johannesburg : une métropole fragmentée

3 **Une ville industrielle en mutation.**

Entre Soweto et le CBD à l'horizon s'étendent les terrils des mines d'or fermées.

5 **Soweto et ses *matches boxes* :** un ex-*township* dont l'habitat se diversifie

4 **Johannesburg, une vitrine de la mondialisation**

Le pouvoir métropolitain de Johannesburg s'est doté en 2002 d'un plan de développement à long terme, *Joburg*[1] *2030*, qui s'appuie sur trois éléments pour créer un environnement urbain favorable à la croissance économique : une lutte affichée contre la criminalité, la baisse du coût des services urbains, notamment pour les entreprises [...], une politique de l'image, qui s'appuie sur l'informatisation de la gestion urbaine [...]. À Johannesburg, le « rattrapage » en termes d'équipement urbain des *townships* reste limité et se concentre dans les espaces les plus visibles pour les investisseurs étrangers. L'ancien *township* d'Alexandra, situé aux portes de Sandton (centre d'affaire) bénéficie ainsi de financements massifs pour sa réhabilitation : il s'agit d'en éradiquer les bidonvilles et de tirer parti des espaces vacants qui l'entourent pour des opérations immobilières. Alexandra, en tant que « vitrine » de l'Afrique du Sud post-apartheid, concentre l'essentiel des fonds d'investissement publics dans la ville – bien plus que Soweto, de renommé internationale pourtant sans commune mesure, et présentant des problèmes d'étendue bien supérieure. La municipalité de Johannesburg n'est cependant pas insensible aux problèmes du plus grand nombre, et propose un important « programme social » pour les ménages démunis ; mais seules les vitrines de la ville ont droit à un véritable aménagement urbain.

C. Bénit, P. Gervais-Lambony, *La Mondialisation comme instrument politique local dans les métropoles sud-africaines*, « Annales de Géographie », 2003.

1. Abréviation pour Johannesburg.

Vocabulaire

Gentrification : remplacement des populations modestes par des populations aisées.

Match box : : maison de 40 m² surnommée « boîte d'allumettes », en briques et toit de tôle ou de fibrociment, héritée de la planification urbaine standardisée pour les townships pendant l'apartheid.

Township : voir p. 298.

Questions

1. Quels sont les atouts de Johannesburg pour devenir une métropole mondiale ? (doc. 1, 2 et 4)

2. Pourquoi Johannesburg apparaît-elle comme une ville fragmentée ? (doc. 2, 3, 4 et 5)

3. Quelles sont les politiques mises en œuvre pour concilier les ambitions mondiales de la ville et son intégration à l'échelle du Gauteng ? (doc. 1, 2 et 4)

EXERCICE GUIDÉ

SUJET Le Sahara : ressources, conflits

Étape 1 Analyser le sujet

> Quelles sont les limites du Sahara (pays concernés) et quelles sont les caractéristiques de ce territoire ?

■ Délimiter l'espace concerné

Le Sahara : ressources, conflits

■ Identifier les mots-clés

> Listez les ressources du Sahara qui suscitent les convoitises et qui en font un territoire stratégique.

> Trouvez un synonyme au terme « conflits ». Quels conflits existent, en lien avec le contrôle et l'exploitation des ressources ? Y a-t-il d'autres conflits ?

Conseil *Dans l'intitulé d'un sujet, l'utilisation du pluriel et la ponctuation sont à prendre en considération.*

■ Dégager la problématique

Parmi les problématiques ci-dessous, choisissez celle qui convient le mieux au sujet.

Laquelle est trop partielle ? Hors-sujet ? Pertinente ? Convenable mais peu inventive ?

1. *Quelles sont les ressources et les conflits dans la région du Sahara ?*   **3.** *Quels sont les enjeux économiques et géopolitiques du Sahara ?*

2. *Comment les ressources du Sahara sont-elles exploitées par les pays ?*   **4.** *Comment le Sahara s'inscrit-il dans les circuits de la mondialisation ?*

Étape 2 Élaborer le plan

À partir de l'étude de cas en trois parties p. 276 à 281, organisez chaque partie en deux ou trois sous-parties auxquelles vous donnerez un titre.

Étape 3 Rédiger la composition

■ Illustrer la composition par des schémas   **Conseil** *Pour illustrer la composition, il n'est pas attendu un schéma complet sur le sujet.*

Complétez le schéma et sa légende illustrant la partie 1 de la composition en sélectionnant les informations dans la liste ci-dessous.

Ressources en eau et aménagements hydrauliques ; zone d'activités illicites ; flux migratoire ; zone d'exploitation des énergies ; intérêt des FTN ; zone d'insécurité alimentaire et de mal-développement ; exportation des ressources ; conflit armé ; importation nécessaire des denrées alimentaires ; région à faible densité, peuplée par des groupes minoritaires ; présence internationale.

Des ressources importantes, mais qui profitent peu à la population

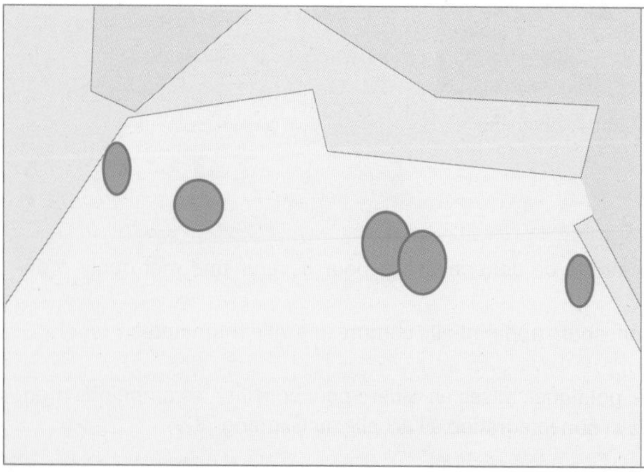

Une région riche en ressources...

⬤ ressources en eau et aménagements hydrauliques

....

....

... qui profitent peu à la population locale

....

....

....

EXERCICE GUIDÉ

SUJET **Le continent africain face au développement et à la mondialisation**

Étape 1 — Analyser le sujet

■ Délimiter l'espace concerné

Si l'échelle concernée est celle du continent, il ne faut pas omettre les autres échelles : quelles sont les disparités intra-régionales ? Comment le continent africain s'intègre-t-il dans la mondialisation ?

Le continent africain face au développement et à la mondialisation

Cette expression suggère l'existence d'un problème.

Reportez-vous à la définition p. 22. Quels sont les obstacles au développement de l'Afrique ?

Quelle est la place de l'Afrique dans la mondialisation ?

■ Identifier les mots-clés

■ Dégager la problématique

Proposition de formulation : *Comment le continent africain relève-t-il les défis soulevés par la mondialisation et le développement ?*

Étape 2 — Élaborer le plan

Complétez-le tableau ci-dessous.

Conseil *Aidez-vous de l'organigramme de révision p. 319.*

Grandes parties *Verbes à utiliser pour formuler les grandes parties : se confronter, s'affirmer, se creuser*	Arguments *Verbes à utiliser pour formuler les arguments : s'imposer, être, demeurer, accuser, émerger, se mettre, devoir surmonter, devenir*
1. Un continent en marge de la mondialisation, qui .... progressivement	a. L'Afrique .... une périphérie dans la mondialisation b. L'Afrique .... un nouvel acteur géopolitique sur la scène internationale
2. Un continent qui........................ aux défis du développement	a. L'Afrique........................ en mal de développement b. L'Afrique........................ les obstacles à son développement c. De nouveaux leviers de développement .... progressivement en place.
3. Les « Afriques », des disparités qui .... à toutes les échelles	a. L'Afrique du Sud............................... comme seule puissance complète b. Des puissances régionales .... c. L'Afrique subsaharienne .... un retard important

Étape 3 — Rédiger la composition

■ Rédiger l'introduction

Distinguez les trois temps de l'introduction suivante, puis expliquez ses points forts et ses points faibles.

Introduction

En février 2012, le groupe automobile français Renault ouvrait sa première usine en Afrique, à Tanger au Maroc. Cette annonce a déclenché une polémique en France et illustre l'insertion récente de ce continent dans la mondialisation. En effet, si l'Afrique reste une périphérie de la mondialisation, de nouveaux leviers d'insertion se mettent progressivement en place qui lui permettent de s'intégrer petit à petit dans les échanges mondiaux. Comment l'Afrique s'in-sère-t-elle dans la mondialisation ? Après avoir vu que l'Afrique, continent en marge de la mondialisation, s'affirme progressivement, nous verrons en quoi le continent est confronté aux défis du développement. Enfin, nous verrons qu'avec les disparités qui se creusent à toutes les échelles il est plus pertinent d'utiliser le pluriel et de parler des « Afriques ».

PRÉPA BAC   COMPOSITION 18

EXERCICE GUIDÉ

SUJET   L'Afrique du Sud : un pays émergent

Étape 1   Analyser le sujet

> Situez l'Afrique du Sud. Comment ce pays s'intègre-t-il aux échelles régionale et mondiale ?

■ <u>Délimiter l'espace concerné</u>

L'Afrique du Sud : un pays émergent

■ <u>Identifier les mots-clés</u>   **Conseil** *La définition apportée doit être précise et géographique.*

> Reportez vous au bloc vocabulaire du chapitre. Quelles sont les caractéristiques d'un pays émergent ?

■ <u>Dégager la problématique</u>

Quelle problématique convient le mieux ? Pourquoi ?

Problématique 1 : *En quoi l'Afrique du Sud est-elle un pays émergent ?*

Problématique 2 : *Quelles sont les manifestations de la puissance sud-africaine ?*

Problématique 3 : *Pourquoi l'Afrique du Sud est-elle la première économie du continent africain ?*

Étape 2   Élaborer le plan

En vous appuyant sur le cours 3 p. 298, complétez l'organigramme.

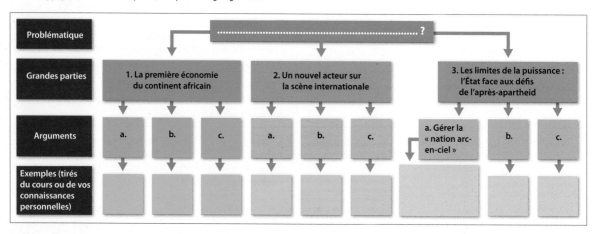

Étape 3   Rédiger la composition

■ <u>Rédiger le corps de la composition</u>

D'après le plan proposé dans l'organigramme pour la dernière partie, rédigez le reste de la composition.

Si l'Afrique du Sud est aujourd'hui la première économie du continent africain et s'impose comme un acteur incontournable sur la scène internationale, sa puissance a aussi des limites. Ainsi, cet État doit affronter un passé douloureux et faire face aux défis de l'après-apartheid.

> Transition avec les deux parties précédentes et introduction du troisième thème

D'abord, l'État doit gérer une « nation arc-en-ciel » de 50 millions de personnes aux origines différentes et qui a, de 1948 à 1991, connu les ségrégations de l'apartheid. Ce système mis en place par le gouvernement blanc imposait en effet un système de ségrégation spatiale fondée sur des critères raciaux et ethniques. Pour dépasser cet héritage, l'État met en place une politique de discrimination positive qui, par exemple, privilégie l'emploi de personnes de couleur et contribue au développement d'une classe moyenne noire.

> Premier argument

> Mot de liaison permettant de structurer le développement

> Exemple extrait du cours : il enrichit le propos

■ Illustrer la composition par des schémas

Des deux premiers schémas ci-dessous, lequel illustre la partie 1 de la composition ?

Conseil *Soignez la réalisation des schémas de la composition (coloriage, écriture, tracé) et représentez les limites d'un pays ou d'une région avec des formes géométriques.*

Schéma 1 ....

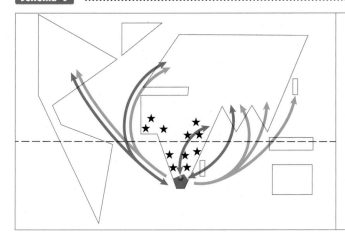

La première puissance économique du continent africain

■ unique puissance industrielle complète du continent

● Johannesburg, la seule place financière africaine

L'insertion dans la mondialisation

◄► flux majeur de capitaux

◄► flux majeur de marchandises

★ implantation de FTN sud-africaines

Schéma 2 ....

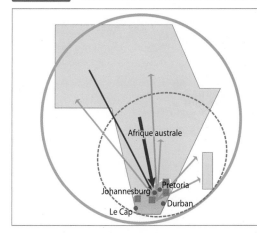

Les fondements de la puissance sud-africaine

■ ressource minière importante

● principale métropole

Une puissance régionale en Afrique

◯ UA : une cofondation sud-africaine

◌ SADC : une organisation dans laquelle l'Afrique du Sud a un rôle décisif

Un modèle pour l'Afrique

◄ migration vers l'Afrique du Sud

← action de médiation ou de maintien de la paix en Afrique

Schéma 3 ....

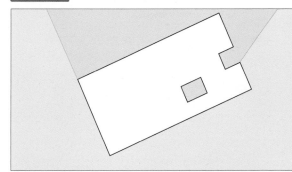

Un pays attractif ...

...... principale métropole

...... migration frontalière

... qui cache d'importantes disparités régionales

☐ cœur économique du pays

...... façade maritime ouverte sur le monde

☐ marge plus ou moins bien intégrée

Donnez un titre à chacun des trois schémas et complétez le schéma 3.

ENTRAÎNEMENT

SUJET Le Sahara : ressources, conflits

En quoi peut-on dire que le Sahara dispose de ressources importantes mais que les tensions géopolitiques constituent un frein au développement de cet espace ?

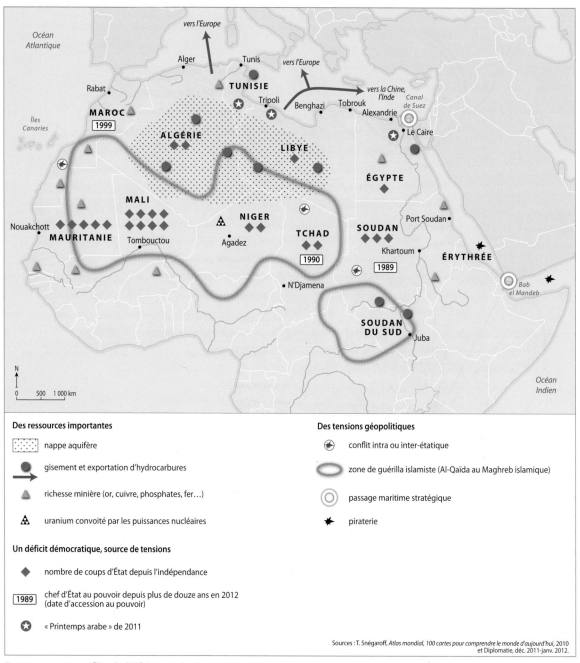

Des ressources importantes

:::::: nappe aquifère

● gisement et exportation d'hydrocarbures

▲ richesse minière (or, cuivre, phosphates, fer…)

⚛ uranium convoité par les puissances nucléaires

Un déficit démocratique, source de tensions

◆ nombre de coups d'État depuis l'indépendance

1989 chef d'État au pouvoir depuis plus de douze ans en 2012 (date d'accession au pouvoir)

✪ « Printemps arabe » de 2011

Des tensions géopolitiques

✧ conflit intra ou inter-étatique

⬭ zone de guérilla islamiste (Al-Qaïda au Maghreb islamique)

◎ passage maritime stratégique

✦ piraterie

Sources : T. Snégaroff, *Atlas mondial, 100 cartes pour comprendre le monde d'aujourd'hui*, 2010 et Diplomatie, déc. 2011-janv. 2012.

Ressources et conflits de l'Afrique saharienne

ENTRAÎNEMENT

SUJET ## Le Sahara : ressources, conflits

Montrez que les stratégies de la Chine et des États-Unis au Sahara témoignent de l'enjeu des ressources mais que ces stratégies s'expriment différemment.

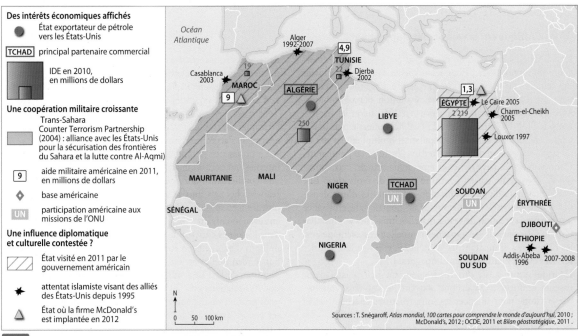

1 **Le Sahara : un territoire convoité par les États-Unis**

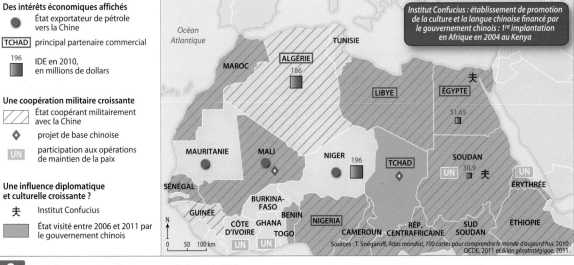

2 **Le Sahara : un territoire convoité par la Chine**

ENTRAÎNEMENT

SUJET Le continent africain face au développement

Montrez que l'Afrique dispose d'atouts importants mais que les disparités de développement constituent un frein à son intégration dans la mondialisation. Portez un regard critique sur les documents.

1 L'Afrique sur la voie du développement ?

Et si l'Afrique était en train de devenir la nouvelle zone émergente du monde ? [...] Pour Jean-Michel Severino et Olivier Ray, auteurs du *Temps de l'Afrique*, le premier atout du continent est d'être engagé dans une révolution démographique. Avec 1,8 milliard d'habitants prévus en 2050 selon les projections de l'ONU, l'Afrique aura 25 % d'habitants de plus que la Chine et, surtout, aura vu sa population multipliée par dix en un siècle seulement, du jamais-vu dans l'histoire de l'humanité. Comme pour les pays riches et émergents actuels, cette poussée de la force de travail peut être source de croissance. Elle s'accompagnera d'une urbanisation galopante et d'une densification des territoires susceptibles de nourrir une croissance interne par la création de vastes marchés intérieurs et l'installation de relations villes-campagnes mutuellement avantageuses, les campagnes alimentant les villes et les villes produisant des services et des biens pour les campagnes. [...]
L'Afrique attire aussi progressivement un peu plus d'investisseurs étrangers. On évoque souvent les capitaux apportés par la Chine pour financer les infrastructures énergétiques et minières qu'elle utilise pour alimenter son industrie. Mais les investisseurs étrangers s'intéressent également de plus en plus au secteur bancaire, au commerce, au transport ou encore aux télécoms [...].
Enfin, le continent dispose d'un potentiel agricole et énergétique important, susceptible notamment de répondre aux demandes croissantes des classes moyennes des pays émergents d'Asie. L'Afrique concentre en effet 60 % des terres arables non cultivées de la planète, elle dispose de vastes ressources minières et d'un énorme potentiel énergétique. [...]
Tout n'est pas rose pour autant. [...] Le développement de l'Afrique est très inégal et les disparités entre pays risquent encore de s'accroître dans les années qui viennent.
« La croissance démographique s'accompagne de migrations internes qui occasionnent une pression foncière et nourrissent une conflictualité qui peut détruire la croissance », poursuit Jean-Michel Severino. L'Afrique est également en très mauvaise posture face au réchauffement climatique. Elle est très exposée aux évènements extrêmes, et en particulier à la montée des eaux dans les zones côtières de l'ouest qui devraient rassembler 250 millions d'habitants en 2050.
Sur le plan de l'insertion internationale du continent, les économistes de l'AFD[1] soulignent également que si l'intensification des relations avec les pays émergents d'Asie est nécessaire pour profiter du dynamisme de la zone, elle « risque de polariser encore davantage les économies africaines autour des activités extractives et de ralentir ainsi le besoin de diversification (sectorielle) du continent ».

C. Chavagneux, « L'Afrique est bien repartie », *Alternatives économiques*, juillet-août 2011.

1. Agence française de développement.

2 De fortes disparités de développement

Pays	IDH (rang mondial en 2011)	RNB/hab. en 2011, en dollars PPA	Taux d'alphabétisation des 15 ans et plus en 2005-2010, en %	Espérance de vie à la naissance en 2011, en années	Nombre moyen d'enfants par femme 2010-2015 (prévisions)	Part de la population vivant avec moins de 1,25 $ par jour, en 2000-2009, en %
Libye	64e	12 637	88,9	74,8	2,4	–
Afrique du Sud	123e	9 469	88,7	52,8	2,4	17,4
Nigeria	156e	2 065	60,8	51,9	5,4	64,4
Niger	186e	641	28,6	54,7	6,9	43,1
Monde	–	**10 082**	**80,9**	**69,8**	**2,4**	–

Source : PNUD, 2011.

ENTRAÎNEMENT

SUJET Le continent africain face à la mondialisation

Montrez que l'Afrique devient un nouveau marché à conquérir et que ses atouts sont multiples. Portez un regard critique sur les documents.

1 L'Afrique, un champ d'expansion pour les investissements extérieurs

Arrivés sur le continent africain à la fin des années 1990, Huawei et Zhongxing Telecom (ZTE), les deux géants chinois spécialisés dans la fabrication de téléphones, ont bousculé le marché local. [...] Basés tous les deux à Shenzhen, en Chine, [ils] se sont imposés dans le paysage africain des télécommunications, au nez et à la barbe des [...] leaders mondiaux.

Arrivé en 1998 en Afrique, où il est désormais actif dans plus de trente pays, Huawei travaille ainsi avec la plupart des opérateurs locaux présents, dont les sud-africains Telkom et MTN, le kenyan Safaricom, le français Orange [...]. [Il] a clairement défini une nouvelle stratégie : « Dans le passé, nous étions focalisés sur les opérateurs télécoms. Désormais, nous visons

également les consommateurs », confirme Wan Biao, directeur exécutif de Huawei Device.

Sur le terminal à conteneurs de Can Island, à Lagos, des hangars entiers sont destinés au montage de téléphones Huawei qui alimenteront l'Afrique, mais aussi l'Europe. Loin encore de tacler le plus gros vendeur, Nokia (453 millions de téléphones en 2010), la marque chinoise a tout de même écoulé quelque 7 millions de portables au premier semestre 2011. Objectif : devenir le 3e vendeur de mobiles en 2015. Rien que sur le marché nigérian, le fabricant a frappé un grand coup en lançant en septembre [...] son smartphone Ideos à un prix inférieur à 75 euros.

M. Pauron, « Télécoms, les nouvelles visées des opérateurs chinois en Afrique », Jeuneafrique.com, nov. 2011.

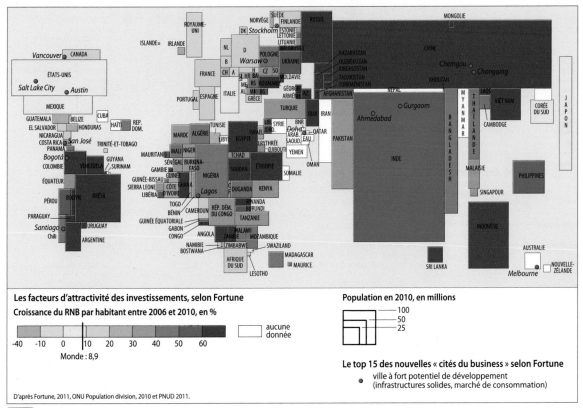

Les facteurs d'attractivité des investissements, selon Fortune

Croissance du RNB par habitant entre 2006 et 2010, en %

-40 -10 0 10 20 30 40 50 60   aucune donnée

Monde : 8,9

Population en 2010, en millions
— 100
— 50
— 25

Le top 15 des nouvelles « cités du business » selon Fortune
• ville à fort potentiel de développement (infrastructures solides, marché de consommation)

D'après Fortune, 2011, ONU Population division, 2010 et PNUD 2011.

2 L'Afrique, un marché mondial porteur pour les investisseurs ?

SUJET L'Afrique du Sud : un pays émergent

Pourquoi peut-on dire que l'Afrique du Sud est une puissance émergente intégrée dans la mondialisation ? Portez un regard critique sur les documents.

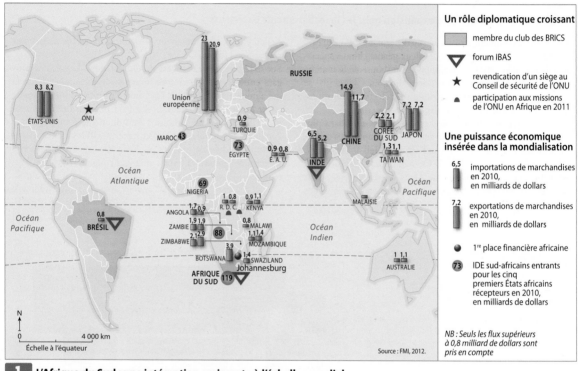

1 L'Afrique du Sud : une intégration croissante à l'échelle mondiale

2 Le top 10 des entreprises les plus riches d'Afrique en 2010

Entreprise	Secteur	Chiffres d'affaires (en milliards de dollars)	Pays
Sonatrach	Hydrocarbures	58,8	Algérie
Sonangol	Hydrocarbures	22,2	Angola
Sasol	Industrie chimique	18,4	Afrique du Sud
MTN Group	Téléphonie mobile	17,2	Afrique du Sud
The Bidvest Group	Groupe diversifié	16,5	Afrique du Sud
Eskom	Électricité	13,7	Afrique du Sud
Shoprite Holdings	Commerce de détail	10,2	Afrique du Sud
Sanlam	Assurances	10,1	Afrique du Sud
Vodacom Group	Téléphonie mobile	9,2	Afrique du Sud
Imperial Holdings	Holding	8,0	Afrique du Sud

Source : *Jeune Afrique*, hors-série n° 25, janv. 2012.

ENTRAÎNEMENT

SUJET L'Afrique du Sud : une puissance émergente ?

À l'aide des documents, montrez les contrastes de la montée en puissance de l'Afrique du Sud. Quelles sont les limites de ces documents ?

1 Une persistance de fortes inégalités

Les inégalités caractéristiques de la société sud-africaine d'avant 1994 n'ont pas véritablement disparu. La République sud-africaine est un des pays où la répartition de la richesse est une des plus inégales au monde. [...] Près de la moitié de la population vit en dessous du seuil de pauvreté et le chômage touche près de 27 % des actifs (40 % si on y intègre ceux qui ont renoncé à chercher du travail dans l'économie formelle), contre 17 % il y a vingt ans. Le quart des Sud-Africains (12 millions de personnes) ne dispose pas d'eau courante, près de 20 % est illettré. Cette misère frappe inégalement les communautés [...]. Ainsi, le taux de chômage élevé est tiré vers le haut par la communauté noire, qui compte près de 50 % de sans-emplois, pour 30 % chez les Métis, 20 % chez les Sud-Africains d'origine indienne et seule-

ment 8 % chez les Blancs. De même, la mortalité infantile, qui atteint le chiffre dramatique de 50 ‰ en RSA (moins de 4 ‰ en France), n'est que de 12 ‰ chez les Blancs mais monte à 70 ‰ chez les Noirs et 40 ‰ chez les Métis. Le revenu moyen est douze fois moins élevé chez les Noirs que chez les Blancs et les inégalités dans l'accès au logement, à l'eau, à l'électricité ou à l'éducation restent très marquées. [...]

Ces fractures qui traversent la société viennent nourrir deux des principaux fléaux qui frappent le pays : la violence endémique [...] et l'épidémie de sida [...].

G. Merveilleux de Vignaux, « Afrique du Sud : émergence d'une puissance africaine », www.diploweb.com, 2009.

2 Durban, une métropole vitrine de la modernité sud-africaine

EXERCICE GUIDÉ

SUJET Le continent africain face au développement et à la mondialisation

Étape 1 Analyser le sujet

Le sujet évoque l'échelle continentale. N'y a-t-il pas des éléments de diversité ?

■ Délimiter l'espace concerné

Le continent africain face au **développement** et à la **mondialisation**

■ Identifier les mots-clés

L'expression « face au » fait référence à la fois à un état des lieux et aux défis à relever.

Qu'est-ce que le développement ? Comment caractériser le développement africain par rapport au reste du monde ?

Quelles relations peut-on établir entre le développement et la mondialisation ?

Qu'est-ce que la mondialisation ? Quelles sont les formes d'intégration du continent africain dans la mondialisation ?

■ Dégager la problématique

Proposition de formulation : *Comment le continent africain relève-t-il les défis soulevés par la mondialisation et le développement ?*

Étape 2 Choisir les figurés et réaliser le croquis

Conseil *La nomenclature doit être sélectionnée et écrite avec soin. Inscrire tous les noms d'États et de villes n'est pas obligatoire, mais vous devez préciser les informations légendées.*

Complétez le croquis et la légende en localisant correctement les informations à l'aide des cartes et des cours p. 284 à 293. Complétez la nomenclature en fonction des informations apportées sur le croquis. Donnez un titre au croquis.

Titre : ....

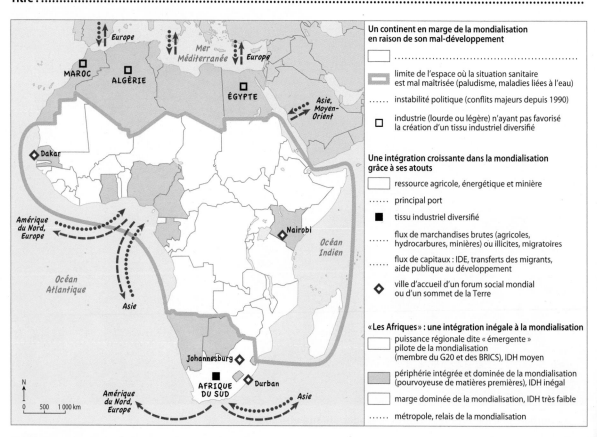

Un continent en marge de la mondialisation en raison de son mal-développement

☐ ....

▭ limite de l'espace où la situation sanitaire est mal maîtrisée (paludisme, maladies liées à l'eau)

...... instabilité politique (conflits majeurs depuis 1990)

☐ industrie (lourde ou légère) n'ayant pas favorisé la création d'un tissu industriel diversifié

Une intégration croissante dans la mondialisation grâce à ses atouts

☐ ressource agricole, énergétique et minière

...... principal port

■ tissu industriel diversifié

...... flux de marchandises brutes (agricoles, hydrocarbures, minières) ou illicites, migratoires

...... flux de capitaux : IDE, transferts des migrants, aide publique au développement

◆ ville d'accueil d'un forum social mondial ou d'un sommet de la Terre

« Les Afriques » : une intégration inégale à la mondialisation

☐ puissance régionale dite « émergente » pilote de la mondialisation (membre du G20 et des BRICS), IDH moyen

▢ périphérie intégrée et dominée de la mondialisation (pourvoyeuse de matières premières), IDH inégal

☐ marge dominée de la mondialisation, IDH très faible

...... métropole, relais de la mondialisation

EXERCICE GUIDÉ

SUJET L'Afrique : les défis du développement

Étape 1 Analyser le sujet

■ Délimiter l'espace concerné

L'Afrique, les défis du développement

À quelle(s) échelle(s) doit-on analyser le sujet ? Quelles sont les limites du sujet ?

Quels sont les défis majeurs du développement de l'Afrique ? Quels atouts l'Afrique possède-t-elle pour relever ces défis ?

Quelles sont les différences entre « richesse » et « développement » ?

■ Identifier les mots-clés

■ Dégager la problématique

Proposition de formulation : *Comment, en dépit de ses handicaps, l'Afrique relève-t-elle les défis du développement ?*

Étape 2 Choisir les figurés et réaliser le croquis

Conseil *Pour réaliser un croquis, il est utile de dessiner des schémas intermédiaires pour mieux visualiser l'ensemble.*

Complétez les schémas suivants et leur légende en vous aidant des cartes p. 284-285, 290-291 et 312. Donnez-un titre à chacun d'eux.

Schéma 1 ....

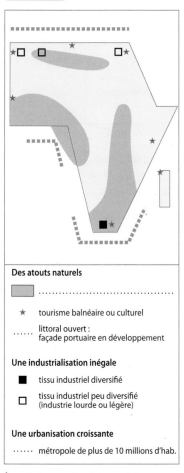

Des atouts naturels

▭ ....

★ tourisme balnéaire ou culturel

...... littoral ouvert :
façade portuaire en développement

Une industrialisation inégale

■ tissu industriel diversifié

▢ tissu industriel peu diversifié
(industrie lourde ou légère)

Une urbanisation croissante

...... métropole de plus de 10 millions d'hab.

Schéma 2 ....

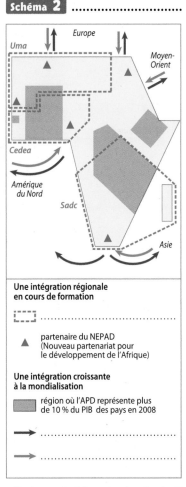

**Une intégration régionale
en cours de formation**

▭ ....

▲ partenaire du NEPAD
(Nouveau partenariat pour
le développement de l'Afrique)

**Une intégration croissante
à la mondialisation**

▭ région où l'APD représente plus
de 10 % du PIB des pays en 2008

→ ....

→ ....

Schéma 3 ....

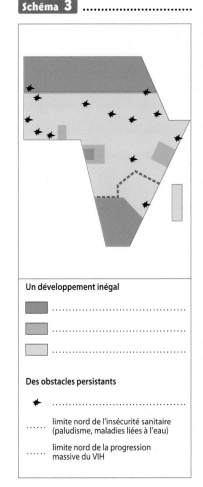

Un développement inégal

▭ ....

▭ ....

▭ ....

Des obstacles persistants

★ ....

...... limite nord de l'insécurité sanitaire
(paludisme, maladies liées à l'eau)

...... limite nord de la progression
massive du VIH

À partir de ces trois schémas, réalisez un croquis en sélectionnant les informations les plus significatives, que vous organiserez dans un plan.

EXERCICE GUIDÉ

SUJET L'Afrique du Sud : un pays émergent

Étape 1 Analyser le sujet

■ Délimiter l'espace concerné

L'Afrique du Sud, un pays émergent

L'échelle nationale est-elle la seule échelle d'analyse du sujet ?

Quelles sont les caractéristiques des pays émergents ? En quoi l'Afrique du Sud peut-elle être qualifiée de pays émergent ?

■ Identifier les mots-clés

■ Dégager la problématique

Problématique : *Quels sont les atouts et les manifestations de l'émergence de l'Afrique du Sud sur la scène internationale ?*

Étape 2 Élaborer le plan

Sur le modèle proposé pour le plan 1, expliquez les points forts et les points faibles des plans 2 et 3.

Conseil *Les différentes parties de la légende constituent une démonstration ; la formulation des titres y contribue.*

Plan 1

1. La première économie du continent africain

2. Les ressources naturelles, fondement de l'économie sud-africaine

3. Les fragilités économiques

Point fort :
une démarche démonstrative qui constate
(1re partie), explique (2e partie) et nuance (3e partie)

Point faible :
une analyse strictement économique alors que
l'émergence est aussi géopolitique

Plan 2

1. Une puissance régionale en développement

2. Une puissance émergente

3. Une croissance inégale

Plan 3

1. Un nouvel acteur sur la scène globale

2. Les atouts de la première puissance africaine

3. De nombreux défis à relever

Complétez le tableau suivant en proposant une formulation et un figuré adapté à la représentation des informations.

Conseil *Pour cartographier une information, il faut réfléchir à une formulation qui se prête à la représentation cartographique et au figuré adapté.*

Informations	Formulation pour la représentation cartographique	Figuré adapté
L'Est de l'Afrique du Sud est fortement touché par le sida	Limite ouest d'expansion forte du sida	....
Une route maritime majeure contourne l'Afrique du Sud	....	....
....	....	....

Étape 3 **Choisir les figurés et réaliser le croquis**

Conseil *La clarté d'un croquis est essentielle. Le nombre et les formes de figurés doivent faire l'objet d'une réflexion minutieuse.*

Complétez les légendes, cartes et titres de chaque schéma à l'aide de la carte p. 291.

Schéma 1 ....

Un centre de la gouvernance internationale :

.... sommet de la Terre

.... siège du secrétariat du NEPAD
(Nouveau partenariat pour le développement de l'Afrique)

Un centre africain de la mondialisation :

⬌ ....

● 1ʳᵉ place financière du continent

.... siège des grandes entreprises
(plus de 20 % des 500 FTN africaines)

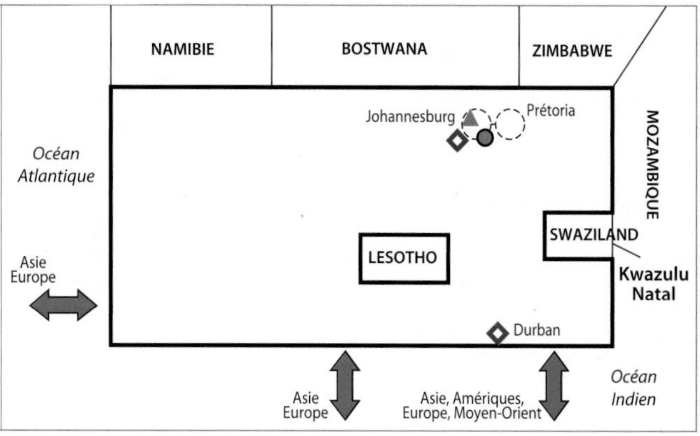

NAMIBIE   BOSTWANA   ZIMBABWE
MOZAMBIQUE
Océan Atlantique
Asie Europe
Johannesburg   Prétoria
LESOTHO
SWAZILAND
Kwazulu Natal
Durban
Océan Indien
Asie Europe
Asie, Amériques, Europe, Moyen-Orient

Schéma 2 ....

Des activités économiques extraverties

☐ exploitation minière (or, diamant, charbon, cuivre…)

☐ agriculture d'exportation

☐ tourisme (balnéaire, culturel, réserves animalières)

Des infrastructures favorables à l'ouverture

▼ ....

▼ ....

⬌ corridor transfrontalier

⟷ ....

Océan Atlantique
LESOTHO
SWAZILAND
Océan Indien
Cape Town
Port Elisabeth   Durban   Richard's Bay

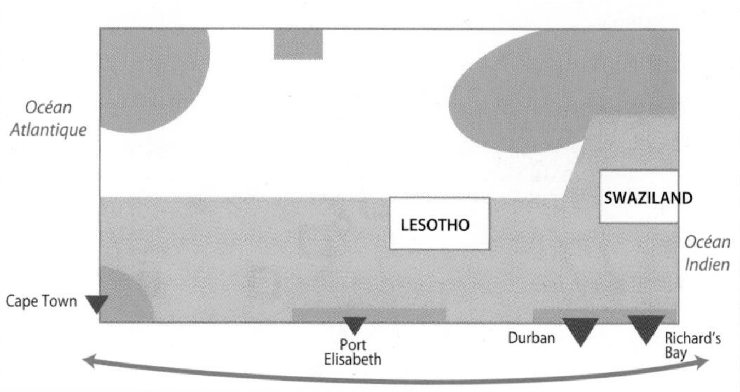

Schéma 3 ....

Une organisation déséquilibrée du territoire
Un centre bicéphale

●● ....

....

Des espaces inégalement intégrés

☐ périphérie dynamique et intégrée (70 % du PIB)

☐ marge intégrée et exploitée (extraction minière et agriculture extensive)

La persistance de la pauvreté

.... grande ville comprenant au moins un bidonville

.... limite ouest d'expansion forte du sida
(taux de prévalence > 10 % des 15-49 ans)

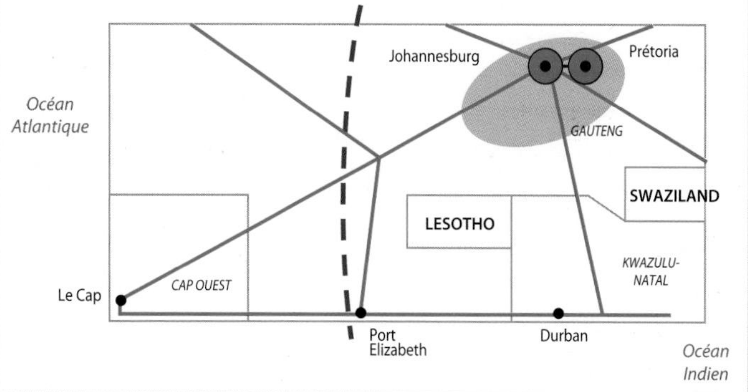

Océan Atlantique
Johannesburg   Prétoria
GAUTENG
SWAZILAND
LESOTHO
KWAZULU-NATAL
Le Cap
CAP OUEST
Port Elizabeth   Durban
Océan Indien

À l'aide des trois schémas précédents, réalisez un croquis répondant au sujet.

EXERCICE GUIDÉ

SUJET La ville africaine face au développement et à la mondialisation

Étape 1 — Analyser le sujet

■ Délimiter l'espace concerné

> Les deux échelles du sujet sont d'une part l'espace urbain, d'autre part le continent africain.

La ville africaine face au développement et à la mondialisation

■ Identifier les mots-clés

> Le terme est au singulier, le but est de dégager des traits spécifiques, des points communs aux villes africaines. Il s'agit donc de construire un modèle.

> L'espace urbain doit être pensé comme un espace dynamique, toujours en évolution. Cette évolution est liée au développement et à la mondialisation. Donnez une définition de ces deux termes.

■ Dégager la problématique

Proposition de formulation : *Y a-t-il un modèle d'organisation et de fonctionnement de l'espace urbain spécifique à l'Afrique noire ?*

Étape 2 — Élaborer la légende

Croquis 1 — Kinshasa (République démocratique au Congo)

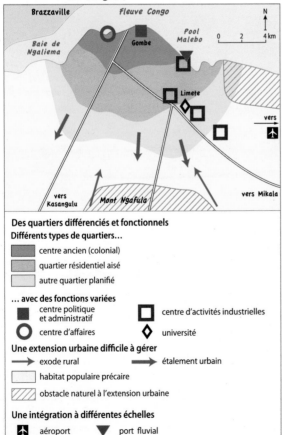

Des quartiers différenciés et fonctionnels

Différents types de quartiers...

- centre ancien (colonial)
- quartier résidentiel aisé
- autre quartier planifié

... avec des fonctions variées

- centre politique et administratif
- centre d'affaires
- centre d'activités industrielles
- université

Une extension urbaine difficile à gérer

- → exode rural
- → étalement urbain
- habitat populaire précaire
- obstacle naturel à l'extension urbaine

Une intégration à différentes échelles

- ✈ aéroport
- ▼ port fluvial
- ═══ axe de communication terrestre majeur

Croquis 2 — Dakar (Sénégal)

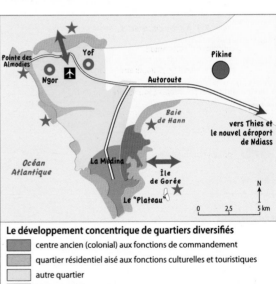

Le développement concentrique de quartiers diversifiés

- centre ancien (colonial) aux fonctions de commandement
- quartier résidentiel aisé aux fonctions culturelles et touristiques
- autre quartier
- habitat populaire précaire

Des dynamiques urbaines contrastées

Une intégration aux échanges mondiaux

- zone industrialo-portuaire
- ✈ aéroport
- ↔ flux international (commerce, capitaux, tourisme)
- ═══ axe de communication terrestre majeur

Des dynamiques de population difficiles à contrôler

- ⊙ village absorbé par l'étalement urbain
- ● création de ville-satellite pour désengorger Dakar
- pollution des eaux et des plages
- ★ conflit d'usage (tourisme et privatisation des plages, pêche...)

En vous appuyant sur les deux croquis précédents, dégagez des points communs à l'organisation urbaine des villes africaines. À quelle aire du continent africain les deux villes proposées en exemples appartiennent-elles ?

	Des quartiers urbains fonctionnels et fragmentés (héritage colonial)	....	Un espace intégré à différentes échelles
Exemples de Kinshasa et Dakar	–	– habitat populaire précaire – étalement urbain –	– ....

Étape 3 Choisir les figurés et réaliser le schéma

Information	Information et figuré utilisés dans le croquis de		Figuré possible pour le schéma
	Kinshasa	**Dakar**	
– Étalement urbain	→ étalement urbain	⬭ village absorbé par l'étalement	→ étalement urbain
– Zone industrialo-portuaire	▼ port fluvial jumelé à un centre d'activités industrielles	◼ ZIP	– ....
–	–	–	– ....

À l'aide des deux tableaux ci-dessus, complétez le titre, le schéma et la légende.

Titre : ....

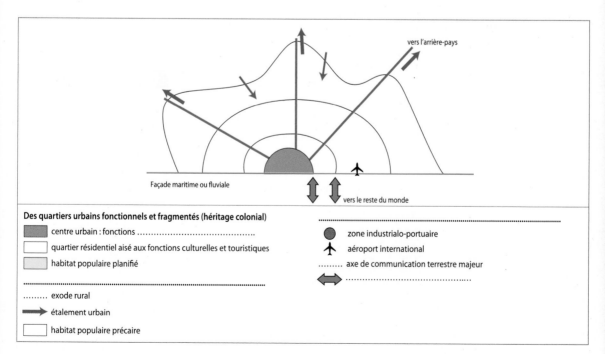

Des quartiers urbains fonctionnels et fragmentés (héritage colonial)
- centre urbain : fonctions ....
- quartier résidentiel aisé aux fonctions culturelles et touristiques
- habitat populaire planifié
- .... exode rural
- → étalement urbain
- habitat populaire précaire

....
- ● zone industrialo-portuaire
- ✈ aéroport international
- .... axe de communication terrestre majeur
- ⟷ ....

Façade maritime ou fluviale — vers l'arrière-pays — vers le reste du monde

Quelques rares métropoles africaines ne sont pas portuaires, à l'exemple de Johannesburg (voir p. 300-301). Recomposez le schéma ci-dessus en tenant compte de cette information.

Fiche de révision

L'essentiel

A. Pourquoi le développement est-il un défi majeur pour l'Afrique ?

Un impératif pour un continent d'un milliard d'habitants

➤ Des raisons impérieuses de se développer :
- une population jeune, croissante et de plus en plus urbaine ;
- mais la grande majorité des habitants n'a pas accès aux biens de première nécessité.

➤ De nombreux obstacles au développement :
- l'insécurité alimentaire, la fragilité des structures économiques, la corruption, l'insécurité et les guerres civiles.

➤ Des dynamiques récentes, mais des inégalités très fortes entre les États :
- l'essor du commerce et des transports, favorisé par la croissance et la démocratisation en cours ;
- des puissances régionales qui émergent : Afrique du Sud, Nigeria.

B. Quelle est la place de l'Afrique dans la mondialisation ?

Un continent en cours d'intégration

➤ L'Afrique, une marge extravertie :
- des économies fondées sur l'exportation de produits primaires peu transformés ;
- une mainmise des FTN des pays du Nord et d'Asie.

➤ L'Afrique, un enjeu géopolitique mondial :
- un continent convoité pour ses ressources et sa position stratégique ;
- l'Europe, les États-Unis et les pays émergents en concurrence pour contrôler ses richesses.

➤ Une intégration très sélective dans la mondialisation :
- une puissance complète, l'Afrique du Sud, et des périphéries intégrées (Nigeria, Égypte) ;
- les PMA, marges convoitées dépendantes de l'aide internationale.

C. Quelles sont les manifestations de la puissance sud-africaine?

Une puissance économique qui s'affirme politiquement

➤ L'économie la plus puissante du continent :
- l'exploitation des mines a permis l'essor industriel, financier et urbain ;
- les grandes entreprises sud-africaines contribuent à l'intégration économique de l'Afrique australe.

➤ L'émergence politique de l'Afrique du Sud :
- une ouverture diplomatique avec la fin de l'apartheid (1991) ;
- la voix de l'Afrique avec l'Union africaine (2002) ;
- un pays associé au G20 et aux BRICS.

➤ Mais la persistance d'inégalités sociales freine son développement :
- la « nation arc-en-ciel » : 50 millions de personnes aux conditions de vie très disparates ;
- considéré comme un eldorado par ses voisins, le pays attire de nombreux immigrés ;
- des tensions sociales dues à l'intégration rapide dans la mondialisation et à la transition démocratique.

Schémas cartographiques

A. L'Afrique face au développement

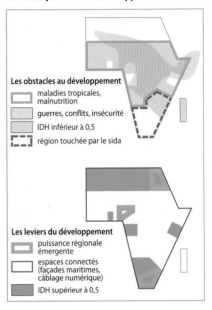

B. La place de l'Afrique dans la mondialisation

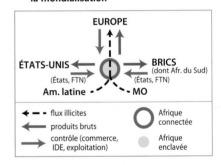

C. La puissance sud-africaine

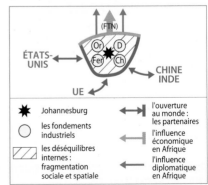

Organigramme de révision

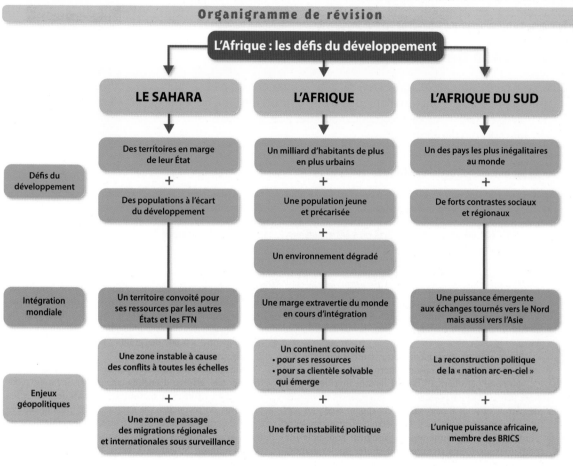

L'Afrique : les défis du développement

LE SAHARA — **L'AFRIQUE** — **L'AFRIQUE DU SUD**

Défis du développement

LE SAHARA	L'AFRIQUE	L'AFRIQUE DU SUD
Des territoires en marge de leur État	Un milliard d'habitants de plus en plus urbains	Un des pays les plus inégalitaires au monde
+	+	+
Des populations à l'écart du développement	Une population jeune et précarisée	De forts contrastes sociaux et régionaux
	+	
	Un environnement dégradé	

Intégration mondiale

| Un territoire convoité pour ses ressources par les autres États et les FTN | Une marge extravertie du monde en cours d'intégration | Une puissance émergente aux échanges tournés vers le Nord mais aussi vers l'Asie |

| Une zone instable à cause des conflits à toutes les échelles | Un continent convoité • pour ses ressources • pour sa clientèle solvable qui émerge | La reconstruction politique de la « nation arc-en-ciel » |

Enjeux géopolitiques

| + | + | + |
| Une zone de passage des migrations régionales et internationales sous surveillance | Une forte instabilité politique | L'unique puissance africaine, membre des BRICS |

Repères

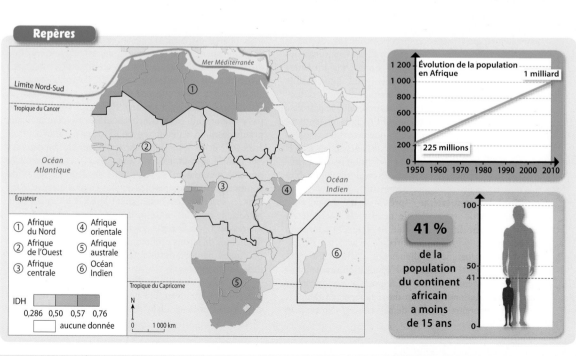

Mer Méditerranée

Limite Nord-Sud

Tropique du Cancer

Océan Atlantique

Équateur

Océan Indien

① Afrique du Nord
② Afrique de l'Ouest
③ Afrique centrale
④ Afrique orientale
⑤ Afrique australe
⑥ Océan Indien

IDH
0,286 0,50 0,57 0,76
aucune donnée

N

0   1 000 km

Tropique du Capricorne

Évolution de la population en Afrique
1 milliard
225 millions
1950 1960 1970 1980 1990 2000 2010

41 % de la population du continent africain a moins de 15 ans

Faire une fiche de lecture
La place de l'Afrique dans le monde

Le but d'une fiche de lecture est de faciliter la mémorisation et l'appropriation du contenu d'un ouvrage ou d'un article. Une fiche de lecture bien faite vous permettra de réaccéder à ce contenu quand vous en aurez besoin dans vos études.

Dictionnaire de géopolitique et de géoéconomie

sous la direction de Pascal Gauchon
coordonné par Sylvia Delannoy et Jean-Marc Huissoud

puf

1 Extrait de l'article « Afrique » écrit par Sylvie Brunel

Il est temps d'en finir avec l'image d'une Afrique réduite à la misère et aux réserves d'éléphants. Les Africains eux-mêmes ne supportent plus ce prisme déformant qui les assimile à des victimes, à des tortionnaires ou à des mendiants. Non seulement l'Afrique est sortie de la « décennie du chaos » (1991-2001), ces années noires où l'effondrement de l'État consécutif à la crise de la dette avait engendré la multiplication des guerres civiles et des camps de réfugiés, mais elle connaît aujourd'hui une croissance économique « à la chinoise », qui montre que le continent a renoué avec ce dynamisme qui le caractérisait dans les années 1960 et 1970.

Trois raisons expliquent cette santé recouvrée du continent africain, deux raisons externes et une interne.

La rente pétrolière, d'abord. Elle joue un rôle de premier plan : l'Afrique possède 12 % des réserves mondiales de pétrole et seuls 8 pays sur 53 échappent à ce jour aux prospections en cours […]. Le pétrole africain présente l'intérêt d'être de bonne qualité, aisément accessible (de nombreux gisements se situent off-shore, sur les grandes routes maritimes qui desservent les États-Unis et l'Europe), et les États africains sont beaucoup moins exigeants dans les contrats qu'ils passent avec les grandes « majors » que leurs homologues moyen et proche-orientaux. Sécuriser leurs approvisionnements est aujourd'hui pour toutes les grandes puissances, traditionnelles (États-Unis) ou émergentes (Chine, Inde, Brésil), un enjeu vital. Leur bataille énergétique autour du continent africain donne à ce dernier de nouvelles cartes. Ce n'est pas parce que le pétrole a longtemps été une malédiction pour l'Afrique, engendrant corruption et mal-développement, que les erreurs passées doivent forcément se reproduire. Mais la dépendance de la plupart des États à des recettes d'exportation issues de produits primaires très peu diversifiés les rend très vulnérables à la fluctuation des cours internationaux.

Seconde raison externe : après avoir été l'angle mort de la diplomatie internationale pendant la décennie du chaos, la principale aide apportée au continent consistant en des interventions humanitaires dépêchées par l'Occident dans une logique d'endiguement, l'Afrique est redevenue une priorité stratégique. L'application draconienne de plans d'ajustement structurel, imposés au continent par ses bailleurs de fonds au nom du règlement de la dette, avait fait disparaître nombre de services et d'entreprises

publics, qui, bien que peu rentables, jouaient pourtant un rôle essentiel dans l'aménagement du territoire et la redistribution de la manne étatique. Déclassés dans la mondialisation, les États africains en faillite ont joué de leurs « avantages comparatifs » en se criminalisant et en multipliant les activités délictueuses et illicites : ils sont devenus le « maillon faible » des échanges internationaux. […] Les États-Unis ont pris conscience que le démantèlement des États transformait de fait d'immenses territoires en sanctuaires pour les terrorismes et les mafias. Aujourd'hui, la normalisation en cours sur le continent vient à la fois d'un changement d'attitude des grandes puissances à son égard et d'un sursaut interne.

Sursaut interne en effet : peu de continents ont effectué de tels efforts d'assainissement de leurs finances publiques. […] Presque partout, les accords des paix et les processus de réconciliation nationale ont permis l'émergence de nouveaux dirigeants africains, dont beaucoup ont travaillé au sein des grandes institutions internationales (Ellen Johnson Sirleaf au Liberia, Amadou Toumani au Mali…). Ils se sont engagés en étroite relation avec leurs homologues occidentaux sur des stratégies de redressement économique, souvent frappées du sceau libéral. Les pays phares du NEPAD (Nouveau partenariat pour le développement pour l'Afrique), Sénégal, Égypte, Afrique du Sud, Nigeria, Algérie, ont mis en place des conditions favorables aux investissements privés. L'Afrique en attire autant que la Chine du début des années 2000 (environ 50 milliards de dollars par an). Et la croissance africaine passe aujourd'hui par la conclusion d'accords commerciaux privilégiés, non seulement avec l'Europe (« Tout sauf les armes »[1]) et les États-Unis (African Growth Opportunity Act[2]), mais surtout avec la Chine, en passe de devenir le premier investisseur et le premier bailleur de fonds du continent, avec une présence de plus en plus massive, dans tous les secteurs, particulièrement le BTP, les mines et le pétrole, le commerce de proximité. Cette omniprésence intéressée oppose aux anciennes allégeances coloniales donneuses de leçons économiques (bonne gouvernance) et politiques (démocratisation) un pragmatisme qui séduit les dirigeants africains.

On assiste ainsi dès le début des années 2000 à un processus de restauration de l'autorité des États et de retour de la paix, les deux allant de pair. Alors que 35 pays sur

53 étaient en guerre en 1995, il ne reste plus « que » quatre grandes zones d'instabilité quinze ans plus tard :

– le Soudan, avec l'instabilité du Darfour qui a débordé sur le Tchad ;

– la Corne de l'Afrique, avec une Somalie sans États et partagée entre régions quasi autonomes et deux États en conflit frontalier (Éthiopie-Érythrée) ;

– l'est du Congo, où la guerre issue du génocide rwandais de 1994 a créé une immense zone d'instabilité ;

– le Sahara, devenu le sanctuaire d'Al-Qaïda Maghreb islamique, où les trafics de drogues, d'armes et les enlèvements d'Occidentaux ont trouvé un terreau favorable au sein de peuples nomades discriminés par leurs États d'appartenance.

[…] L'Afrique abrite un ventre mou et vulnérable qui l'affaiblit : la « diagonale du vide » en termes de peuplement (de la Somalie à l'Angola, avec une branche saharienne) est aussi celle des désordres. Riche en terres disponibles et en ressources minérales, elle suscite les convoitises internationales comme celle des États riverains, confrontés à des problèmes de surpeuplement relatif, notamment dans les régions des Grands Lacs (Rwanda, Ouganda, Burundi) […].

Le renouveau du continent passe par la mise en place de formes de maintien de la paix africaine et par une certaine renaissance du panafricanisme : une nouvelle Union africaine est née en 2002, calquée sur le modèle de l'Union européenne. L'intégration régionale progresse : 10 000 produits circulent désormais mais en franchise de douanes au sein de l'UEMOA (Union économique et monétaire ouest-africaine). Le continent essaie d'obtenir au moins un siège de membre permanent au Conseil de sécurité des Nations Unies : 27 % des pays membres de l'ONU émanent de ce continent.

1. Accord commercial selon lequel l'UE s'engage à importer en franchise de douanes tous les produits des pays les moins avancés (PMA), excepté les armes.

2. AGOA : disposition par laquelle les États-Unis concluent avec certains pays africains (pétroliers notamment) des accords commerciaux privilégiés, exemptant de taxes certaines de leurs exportations en échange de leur ouverture commerciale aux produits américains.

Source : P. Gauchon (dir.), *Dictionnaire de géopolitique et de géoéconomie*, 2011.

2 Extrait d'un exemple de fiche

Comment construire une fiche de lecture ?

- La fiche de lecture doit être concise (une à plusieurs pages) et structurée pour faire apparaître le plan et les idées principales de l'auteur.
- Pour que vous puissiez réutiliser la fiche, sa rédaction doit être synthétique et sa présentation claire.
- L'argumentation de l'auteur doit être reformulée dans des phrases courtes : une phrase par idée.

Démarche

1. À l'aide d'Internet, recherchez quelques informations sur l'auteur du **doc. 1** : qu'est-ce qui justifie qu'elle écrive un article sur l'Afrique dans cet ouvrage ?

2. Pour comprendre l'intérêt de cet article, dégagez-en les arguments dans l'introduction, le développement et la conclusion.

3. Quelles sont les trois causes du renouveau africain ? Quelles sont les quatre zones d'instabilité restante ?

4. Rédigez la suite de la fiche de lecture en suivant le modèle du **doc. 2**.

5. Complétez la fiche en brossant le portrait de personnalités évoquées dans le texte (Ellen Johnson Sirleaf et Amadou Toumani Touré) et en recherchant une carte de la présence chinoise en Afrique.

CHAPITRE 8

L'Asie du Sud et de l'Est : les enjeux de la croissance

■ L'essor économique de l'Asie du Sud et de l'Est se traduit par des taux de croissance élevés. L'émergence de cette aire continentale, auquel on rattache l'Asie du Sud-Est, est telle que des États comme la Chine et l'Inde sont en passe de réussir leur sortie du sous-développement. La ville de Mumbai est un cas emblématique de cette situation de transition.

■ L'émergence de l'Asie du Sud et de l'Est, qui concentre un peu plus de la moitié de la population mondiale, s'appuie sur une main-d'œuvre abondante qui bénéficie de plus en plus de la croissance du fait de la hausse des salaires. Mais cette population très nombreuse peut devenir un frein pour la croissance économique de la région.

■ Cette forte croissance, qui est le moteur de la fulgurante ascension de la Chine, est à l'origine d'un basculement du centre de gravité du monde vers l'Asie qui compte désormais deux puissances : la Chine et le Japon. L'entrée sur la scène régionale et mondiale de la Chine, plus que celle de l'Inde dont la puissance restera encore modeste d'aujourd'hui à 2025, modifie sensiblement les rapports de force internationaux.

 L'Asie du Sud et de l'Est peut-elle, par son potentiel de croissance, devenir le nouveau centre du monde ?

LAOS
PHILIPPINES
THAÏLANDE
Mer de Chine Méridionale
CAMBODGE
VIETNAM
BRUNEI
M A L A I S I E
■ Kuala Lumpur
SINGAPOUR
I N D O N É S I E

Le quartier d'affaires à Kuala Lumpur (Malaisie).

Sorti de terre en moins de quinze ans, le quartier d'affaires de Kuala Lumpur est une vitrine de la modernité de la Malaisie qui, selon le FMI, maintiendrait sa croissance au-dessus de 5 % jusqu'en 2016. Depuis la fin des années 1970, la Malaisie s'est lancée dans une stratégie de développement fondée sur les exportations et s'est transformée à un rythme soutenu. Les tours Petronas, qui ont été les plus hautes du monde jusqu'en 2005, témoignent de cette émergence à succès.

En quoi Mumbai est-elle la « vitrine » de l'émergence de l'Inde ?

En s'affirmant comme la capitale économique et culturelle de l'Inde, Mumbai (Bombay) incarne, auprès du monde, la vitrine de la modernité du pays par excellence. Cette mégapole de près de 21 millions d'habitants connaît actuellement une croissance économique forte qui se reflète dans son organisation spatiale. Mais cette ville riche de pays en développement souffre d'importantes inégalités et des problèmes classiques de logement, de transport, d'eau et de déchets qui peuvent freiner son ascension.

1 Quels aspects montrent que Mumbai bénéficie de la forte croissance économique de l'Inde ?

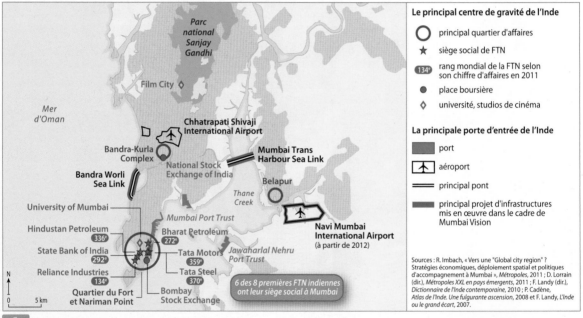

Le principal centre de gravité de l'Inde

○ principal quartier d'affaires

★ siège social de FTN

134° rang mondial de la FTN selon son chiffre d'affaires en 2011

● place boursière

◇ université, studios de cinéma

La principale porte d'entrée de l'Inde

▬ port

✈ aéroport

═ principal pont

▬ principal projet d'infrastructures mis en œuvre dans le cadre de Mumbai Vision

6 des 8 premières FTN indiennes ont leur siège social à Mumbai

Sources : R. Imbach, « Vers une "Global city region" ? Stratégies économiques, déploiement spatial et politiques d'accompagnement à Mumbai », *Métropoles*, 2011 ; D. Lorrain (dir.), *Métropoles XXL en pays émergents*, 2011 ; F. Landy (dir.), *Dictionnaire de l'Inde contemporaine*, 2010 ; P. Cadène, *Atlas de l'Inde. Une fulgurante ascension*, 2008 et F. Landy, *L'Inde ou le grand écart*, 2007.

1 **Une ville intégrée dans la mondialisation.**

Mumbai possède à la fois le premier port, le premier aéroport international et les premières places boursières de l'Inde.

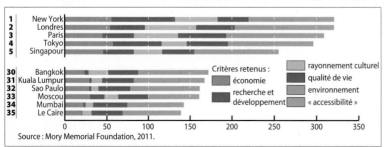

Source : Mory Memorial Foundation, 2011.

Critères retenus :
- économie
- recherche et développement
- rayonnement culturel
- qualité de vie
- environnement
- « accessibilité »

2 **Une ville mondiale de second rang.**

Le classement *Global Power City Index 2011* évalue l'attractivité et la compétitivité de 35 villes mondiales.

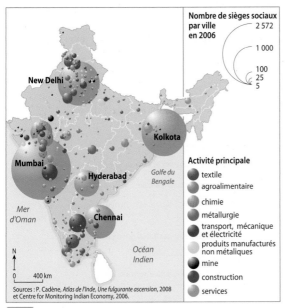

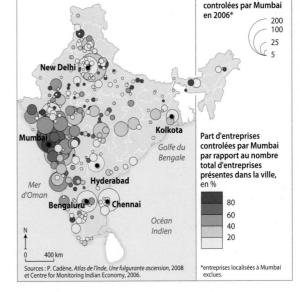

3 La capitale économique de l'Inde

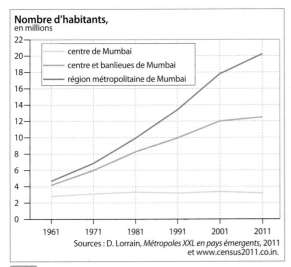

Sources : D. Lorrain, *Métropoles XXL en pays émergents*, 2011
et www.census2011.co.in.

4 Évolution de la population de Mumbai
depuis 1961

5 Mumbai Vision : devenir une ville mondiale

Dès 1993, le cabinet McKinsey* produit un premier rapport soulignant les forces de Mumbai pour devenir un centre financier international et, en 1995, des industriels proches de la chambre de commerce de Mumbai créent Bombay First, [un] cercle de réflexion [qui] regarde vers l'Asie, et en particulier Singapour et Hong Kong, pour y trouver de nouvelles perspectives d'avenir pour la ville.

Une vision d'ensemble [...] est relancée au début des années 2000 [...], dont l'objectif affirmé est d'élaborer une stratégie pour transformer Mumbai en une ville de classe mondiale d'ici à 2013. [...] Il s'agit bien d'un plaidoyer pour la globalité et l'attractivité de la ville, tout en s'inscrivant, ville pauvre oblige, dans un objectif de réduction de la pauvreté urbaine. Le diagnostic posé est le suivant : la croissance économique est entravée par le manque de logements [...] et le déficit d'infrastructures. Par conséquent, des investissements colossaux s'imposent dans ces deux secteurs. [...] En ce qui concerne le financement, le rapport McKinsey avait estimé les besoins [...] à environ 40 milliards de dollars. [...] Mais les experts de la Banque mondiale font des estimations bien supérieures.

D. Lorrain (dir.), *Métropoles XXL en pays émergents*, 2011.

* Le premier cabinet de stratégie du monde.

2 En quoi l'organisation spatiale de Mumbai reflète-t-elle son statut de métropole émergente ?

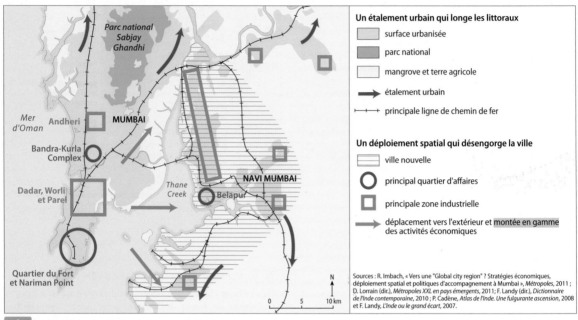

Un étalement urbain qui longe les littoraux

- surface urbanisée
- parc national
- mangrove et terre agricole
- → étalement urbain
- ⊢—⊢ principale ligne de chemin de fer

Un déploiement spatial qui désengorge la ville

- ville nouvelle
- ○ principal quartier d'affaires
- □ principale zone industrielle
- → déplacement vers l'extérieur et montée en gamme des activités économiques

Sources : R. Imbach, « Vers une "Global city region" ? Stratégies économiques, déploiement spatial et politiques d'accompagnement à Mumbai », *Métropoles*, 2011 ; D. Lorrain (dir.), *Métropoles XXL en pays émergents*, 2011; F. Landy (dir.), *Dictionnaire de l'Inde contemporaine*, 2010 ; P. Cadène, *Atlas de l'Inde. Une fulgurante ascension*, 2008 et F. Landy, *L'Inde ou le grand écart*, 2007.

6 **Une ville qui s'étale et devient polycentrique**

7 **Une ville à la croissance incontrôlée.**

Les bus publics et les trains totalisent 88 % des 11 à 12 millions de déplacements journaliers.

8 **Bandra-Kurla Complex : un nouveau quartier d'affaires en banlieue.** —— Limite de quartier.
a. National Stock Exchange. **b.** American School of Bombay. **c.** Bank of India. **d.** Citybank.

9 **Une ville gagnante de l'externalisation des activités**

Fonctions de sous-traitance	Principales villes où se localisent des activités de sous-traitance
Applications informatiques	Bangalore*, Mumbai*, Hyderabad*, Chennai*, Dublin
Animation et jeux vidéo	Shanghai, Beijing, Moscou, São Paulo
Analyse de marchés	Delhi*, Mumbai*, Bangalore*, Chennai*, Cracovie, Toronto
Centre d'appel (anglais)	Delhi*, Manille, Dublin, Mumbai*, Bangalore*, Toronto
Centre d'appel (multilingue)	Mexico, Le Caire, Cracovie, Buenos Aires, Dalian, Bucarest
Services d'ingénierie	Bangalore*, Chennai*, Pune*, Saint-Pétersbourg, Guangzhou
Finance et comptabilité	Mumbai*, Bangalore*, Manille, Cracovie, Shanghai, Dublin
Services de santé	Hyderabad*, Bangalore*, Varsovie, Prague, Saint-Pétersbourg, Mumbai*
Ressources humaines	Prague, Bucarest, Bangalore*, Manille, Budapest
Gestion d'infrastructures	Bangalore*, Dublin, Kuala Lumpur, Delhi*, Toronto
Services juridiques	Manille, Mumbai*, Chennai*
Développement de produits	Bangalore*, Moscou, Chennai*, Shanghai, Hô Chi Minh-Ville
Recherche et développement	Saint-Pétersbourg, Bangalore*, Moscou, Shanghai, Dublin
Tests	Bangalore*, Chennai*, Hyderabad*, Hô Chi Minh-Ville, Toronto, Shanghai

Source : Global Services and Tholons, 2009.

* Ville indienne.

10 **Santacruz : une nouvelle zone industrielle dans la périphérie nord à Andheri**

Ce quartier, jadis périphérique à plus de 20 km du centre historique […], profite d'une bonne connectivité aux réseaux urbains. […] L'aéroport (domestique et international), situé à 5 km, offre par ailleurs une précieuse ouverture sur le pays et la sphère internationale. [La zone a été orientée] vers un secteur d'activité unique, l'électronique, et tourné exclusivement vers l'exportation. […] Depuis les années 1990, la production de matériel électronique a été progressivement remplacée par celle de logiciels informatiques. […]
Les entreprises implantées […] profitent de la proximité de fournisseurs, d'instituts de formation et de la localisation dans la ville. […] [Elles] ont d'autres avantages, notamment fiscaux, leur permettant d'importer les matières premières détaxées. […] De même, on évoque […] la fiabilité et la productivité des employés réputée meilleure que dans le reste du pays.

R. Imbach, « Vers une "Global city region" ? Stratégies économiques à Mumbai », *Métropoles*, 2011.

Questions

1. Montrez que Mumbai connaît une croissance spatiale mal maîtrisée. (doc. 6 et 7)
2. Quels sont les deux types de quartier qui apparaissent et témoignent de la forte croissance économique de Mumbai ? (doc. 6, 9 et 10)
3. Quelles sont les activités motrices de cette forte croissance économique ? (doc. 8, 9 et 10)
4. Quels problèmes empêchent Mumbai d'affirmer davantage ce statut de métropole émergente ?

3 Quels problèmes empêchent Mumbai d'affirmer davantage son statut de métropole émergente ?

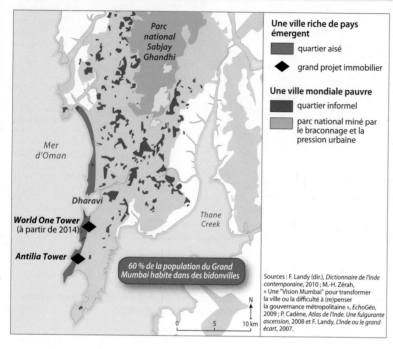

Parc national Sabjay Ghandhi

Une ville riche de pays émergent
- quartier aisé
- ◆ grand projet immobilier

Une ville mondiale pauvre
- quartier informel
- parc national miné par le braconnage et la pression urbaine

Mer d'Oman

Dharavi

World One Tower (à partir de 2014)

Thane Creek

Antilia Tower

60 % de la population du Grand Mumbai habite dans des bidonvilles

Sources : F. Landy (dir.), *Dictionnaire de l'Inde contemporaine*, 2010 ; M.-H. Zérah, « Une "Vision Mumbai" pour transformer la ville ou la difficulté à (re)penser la gouvernance métropolitaine », *EchoGéo*, 2009 ; P. Cadène, *Atlas de l'Inde. Une fulgurante ascension*, 2008 et F. Landy, *L'Inde ou le grand écart*, 2007.

N
0   5   10 km

11 **Une ville marquée par des inégalités socio-spatiales.**

À Mumbai, parfois qualifié de « *Maximum City* », on construit la World One Tower qui sera la plus haute tour entièrement résidentielle du monde (442 mètres et 117 étages). Le prix de base d'un appartement est fixé à 1,6 million de dollars.

12 **Une ville affectée par des problèmes d'eau.** Caricature de Satish Acharya, *Mid-day*, Mumbai, juillet 2009.

Traduction de la caricature : « Restriction d'eau ! De l'eau, de l'eau partout. Et pas une seule goutte potable ! »

Questions

1. Montrez que d'importantes inégalités en termes de conditions de vie persistent à Mumbai. (doc. 11, 14 et 15)

2. À quels problèmes majeurs, permanents dans les villes riches des pays en développement, Mumbai est-elle confrontée ? (doc. 7, 12 et 14)

3. Montrez que des populations au sort très différent cohabitent cependant à Mumbai. (doc. 11 et 13)

AAMIR KHAN PRODUCTIONS presents

Arun : un artiste peintre divorcé qui vit cloîtré dans son appartement et s'inspire de Mumbai.

PRATEIK MONICA DOGRA KRITI MALHOTRA AAMIR KHAN

Shai : une riche américaine d'origine indienne et célibataire venue à Mumbai pour photographier la ville.

dhobi ghat
(mumbai diaries)

Yasmin : une jeune mariée musulmane originaire de la campagne et tournant des vidéos pour faire découvrir Mumbai à son frère l'île de Taiwan.

Munna : un blanchisseur *(dhobi)* célibataire qui vit dans un bidonville et rêve de devenir acteur à Bollywood.

written and directed by
KIRAN RAO

AAMIR KHAN PRODUCTIONS PRESENTS DHOBI GHAT (MUMBAI DIARIES)
FIRST A.D. ADVAIT CHANDAN STILL PHOTOGRAPHY JYOTIKA JAIN
LINE PRODUCER SUNITHA RAM, KISHOR SAWANT EXECUTIVE PRODUCER B. SHRINIVAS RAO
FINANCIAL ADVISOR BIMAL PAREKH COSTUME DESIGNERS ISHA AHLUWALIA, DARSHAN JALAN
PRODUCTION DESIGNER MANISHA KHANDELWAL SOUND DESIGNER AYUSH AHUJA
SOUND MIXING ENGINEER ANUP DEV EDITOR NISHANT RADHAKRISHNAN
DIRECTOR OF PHOTOGRAPHY TUSHAR KANTI RAY MUSIC COMPOSER GUSTAVO SANTAOLALLA
PRODUCED BY AAMIR KHAN AND KIRAN RAO WRITTEN AND DIRECTED BY KIRAN RAO
www.dhobighatfilm.com

OFFICIAL SELECTION TORONTO INTERNATIONAL FILM FESTIVAL 2010
OFFICIAL SELECTION LONDON FILM FESTIVAL 2010

21st JAN
A UTV MOTION PICTURES release UTV

Prod DB © Aamir Khan Productions / DR
DHOBI GHAT (MUMBAI DIARIES) de Kiran Rao 2010
affiche indienne

T.C.D

13 — Une ville cosmopolite.

Dhobi Ghat, qui fait référence à l'immense lavoir situé au centre de Mumbai, raconte les destins de quatre personnes d'origine sociale différente qui se croisent.

14 — Dharavi : le plus grand bidonville de l'Inde.

Avec 700 000 habitants, Dharavi est une « ville dans la ville » où se trouvent de très nombreux ateliers qui travaillent pour l'ensemble du pays, et souvent pour l'exportation. Il jouxte des quartiers résidentiels huppés.

15 — Antilia Tower : la maison la plus chère du monde.

Cette résidence privée de 27 étages où travaillent plus de 600 domestiques est la propriété de Mukesh Ambani qui dirige Reliance Industries, l'une des plus puissantes des FTN indiennes.

En quoi Mumbai est-elle la « vitrine » de l'émergence de l'Inde ?

L'essentiel

A. Quels aspects montrent que Mumbai bénéficie de la forte croissance économique de l'Inde ?

Une métropole émergente intégrée dans la mondialisation

➤ La capitale économique et culturelle de l'Inde.
Rédigez un paragraphe résumant cette idée.

➤ Une interface majeure entre l'Inde et le monde.
Rédigez un paragraphe résumant cette idée.

➤ *Une ville mondiale de second rang.*
Rédigez un paragraphe résumant cette idée.

B. En quoi l'organisation spatiale de Mumbai reflète-t-elle ce statut de métropole émergente ?

Une métropole émergente qui s'étale et devient polycentrique

➤ Une croissance spatiale rapide et mal maîtrisée.
Rédigez un paragraphe résumant cette idée.

➤ Une organisation de plus en plus polycentrique.
Rédigez un paragraphe résumant cette idée.

➤ Un déploiement vers l'extérieur des activités motrices.
Rédigez un paragraphe résumant cette idée.

C. Quels problèmes empêchent Mumbai d'affirmer davantage son statut de métropole émergente ?

Une métropole émergente marquée par des problèmes sociaux et environnementaux

➤ D'importantes inégalités sociales et spatiales.
Rédigez un paragraphe résumant cette idée.

➤ D'importants problèmes d'accès aux services de base.
Rédigez un paragraphe résumant cette idée.

Notions-clés

Définissez les notions-clés suivantes à l'aide des informations extraites de l'étude de cas.

➤ **Métropole émergente :** ....
....
....
....

➤ **Modernité :** ....
....
....
....

➤ **Inégalités :** ....
....
....
....

Schémas cartographiques

A. Une métropole moderne intégrée dans la mondialisation

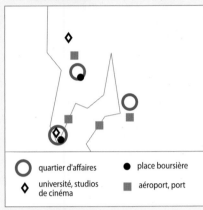

◯ quartier d'affaires	● place boursière
◇ université, studios de cinéma	■ aéroport, port

B. Une métropole émergente qui s'étale et devient polycentrique

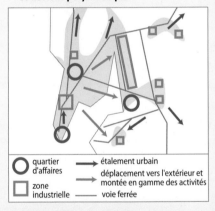

◯ quartier d'affaires	→ étalement urbain
□ zone industrielle	→ déplacement vers l'extérieur et montée en gamme des activités
	— voie ferrée

C. Une métropole émergente marquée par des problèmes sociaux et environnementaux

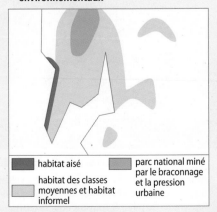

■ habitat aisé	parc national miné par le braconnage et la pression urbaine
habitat des classes moyennes et habitat informel	

Croquis de synthèse

Titre : ....

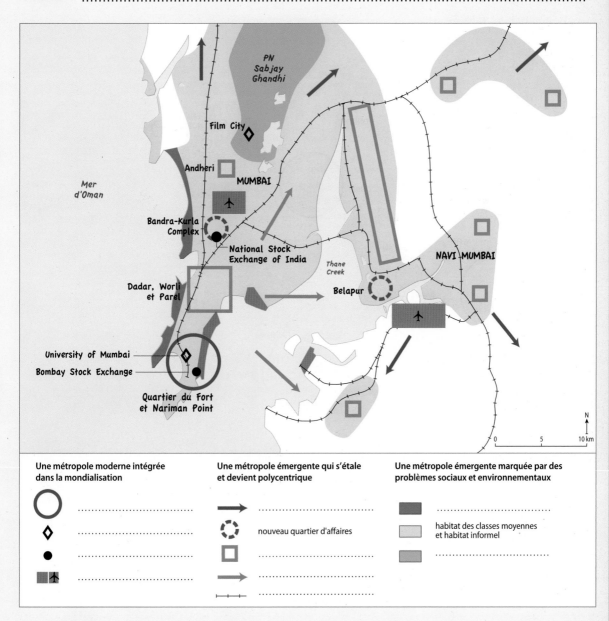

Une métropole moderne intégrée dans la mondialisation

○ ....

◇ ....

● ....

▪▪✈ ....

Une métropole émergente qui s'étale et devient polycentrique

→ ....

⬚ nouveau quartier d'affaires

□ ....

→ ....

├─┼─┤ ....

Une métropole émergente marquée par des problèmes sociaux et environnementaux

▪ ....

▫ habitat des classes moyennes et habitat informel

▪ ....

Question

❯ À l'aide du bilan de l'étude de cas, complétez la légende du croquis de synthèse. Donnez un titre au croquis.

La population et la croissance en Asie du Sud et de l'Est

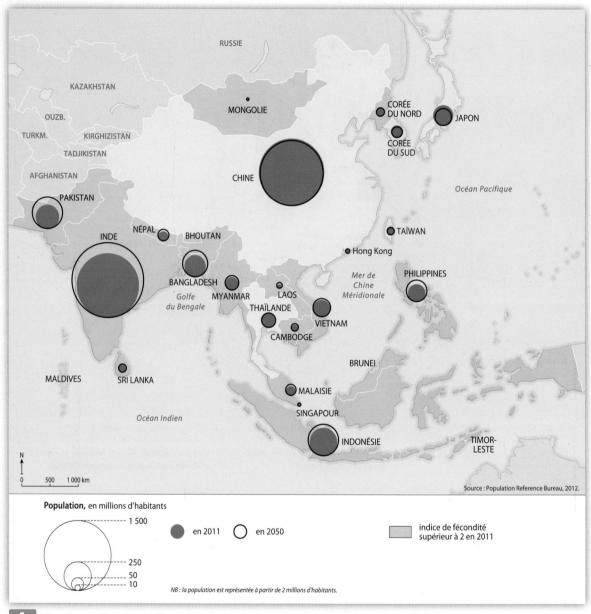

RUSSIE

KAZAKHSTAN

OUZB.

TURKM.   KIRGHIZISTAN

TADJIKISTAN

AFGHANISTAN

PAKISTAN

MONGOLIE

CHINE

CORÉE
DU NORD   JAPON

CORÉE
DU SUD

Océan Pacifique

NÉPAL   BHOUTAN

INDE   TAÏWAN

● Hong Kong

BANGLADESH   *Mer de
Chine
Méridionale*   PHILIPPINES

*Golfe
du Bengale*   MYANMAR   LAOS

THAÏLANDE
CAMBODGE   VIETNAM

MALDIVES   SRI LANKA

BRUNEI

MALAISIE

Océan Indien   SINGAPOUR

INDONÉSIE   TIMOR-
LESTE

N
0   500   1 000 km

Source : Population Reference Bureau, 2012.

Population, en millions d'habitants

1 500

● en 2011   ○ en 2050

indice de fécondité
supérieur à 2 en 2011

250
50
10

NB : la population est représentée à partir de 2 millions d'habitants.

1 Une aire continentale qui concentre la majeure partie de la population mondiale

1. Quels sont les géants démographiques de l'Asie du Sud et de l'Est ?
2. Quels sont les États dont la population va, selon les estimations, augmenter d'ici à 2050 ? Où se situent-ils essentiellement ?
3. Quels sont ceux dont la population va diminuer ? Où se situent-ils essentiellement ?

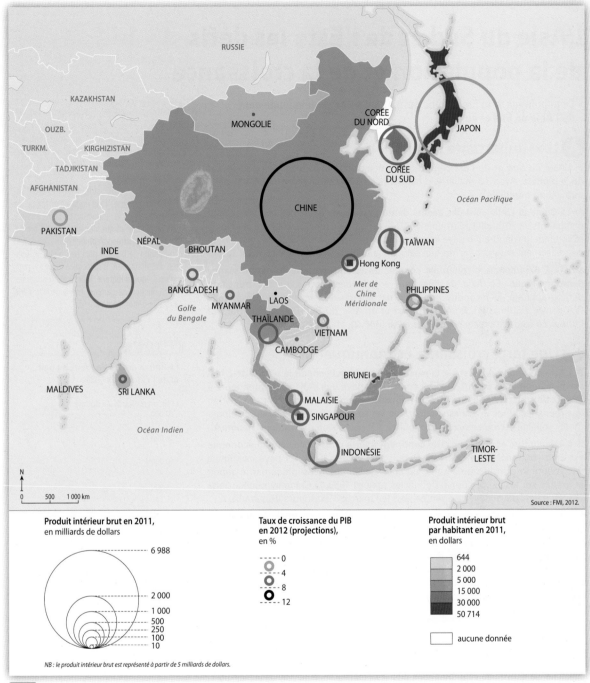

Produit intérieur brut en 2011,
en milliards de dollars

— 6 988

— 2 000

— 1 000
— 500
— 250
— 100
— 10

NB : le produit intérieur brut est représenté à partir de 5 milliards de dollars.

**Taux de croissance du PIB
en 2012 (projections),**
en %

----- 0
----- 4
----- 8
----- 12

**Produit intérieur brut
par habitant en 2011,**
en dollars

644
2 000
5 000
15 000
30 000
50 714

aucune donnée

Source : FMI, 2012.

2 **Une aire continentale qui connaît la plus forte croissance économique**

Questions

1. Quels sont les géants économiques de l'Asie du Sud et de l'Est ?
2. Quels sont les États où la croissance économique est la plus forte ?
3. Montrez que l'Asie du Sud et de l'Est est la partie du monde qui connaît actuellement la plus forte croissance économique, mais qu'elle reste un espace largement à la recherche d'un développement.

L'Asie du Sud et de l'Est : les défis de la population et de la croissance

> **La population et la croissance permettent-elles un développement de l'Asie du Sud et de l'Est ?**

A Une importante population

■ **L'Asie du Sud et de l'Est comporte les deux premiers foyers de peuplement de la planète.** Avec 3,8 milliards d'habitants en 2011, elle concentre 54,4 % de la population mondiale.

■ **La Chine et l'Inde sont des géants démographiques.** Avec 1,35 et 1,25 milliard d'habitants en 2011, elles regroupent 68,2 % de la population de l'Asie du Sud et de l'Est. L'Inde deviendrait le pays le plus peuplé du monde vers 2030 en raison d'un accroissement naturel plus fort que celui de la Chine (1,5 % contre 0,5 % en 2011).

■ **L'Asie méridionale et orientale connaît un ralentissement de sa croissance démographique.** En Asie de l'Est, qui a précocement entamé sa transition démographique, la fécondité moyenne est inférieure à la moyenne mondiale (1,5 contre 2,5 en 2011). En Asie du Sud et en Asie du Sud-Est, la majorité des indices de fécondité reste supérieure à 2,5 (doc. 2).

B Une forte croissance économique

■ **L'Asie du Sud et de l'Est est la partie du monde qui connaît la plus forte croissance économique.** En 2012, le FMI donne à 13 pays une croissance supérieure à 5 %. Cette croissance se fonde sur la demande intérieure : ainsi la consommation des ménages et les investissements dans les transports (TGV chinois), les logements collectifs et les services à la population jouent-ils un rôle moteur (Repère A).

■ **L'Asie du Sud et de l'Est est un continent à forte croissance car son économie est aussi tournée vers l'extérieur.** Depuis les années 1950, les pays asiatiques ont adopté une stratégie de sortie du sous-développement initiée par le Japon et fondée sur les exportations. Depuis les années 1980, la Chine symbolise cette stratégie de « pays atelier » orientée vers les marchés extérieurs (Repère B).

■ **Cette stratégie s'appuie sur une main-d'œuvre abondante, qualifiée et compétitive.** L'Asie du Sud et de l'Est constitue la région du monde aux conditions de travail les plus avantageuses pour les entreprises et, par conséquent, une destination accueillante pour les investissements étrangers. En 2010, les pays de l'Asean ont accueilli deux fois plus de flux d'IDE que l'année précédente (doc. 1).

C De grands défis d'avenir

■ **L'Asie du Sud et de l'Est est désormais confrontée à la question du vieillissement de la population.** Au Japon, la baisse de la fécondité (1,4 en 2011) et l'allongement de l'espérance de vie (86 ans pour les femmes et 80 pour les hommes) font que les actifs doivent supporter la charge d'un grand nombre de non-actifs.

■ **L'Asie du Sud et de l'Est doit faire face à la question de la pauvreté.** Même si la croissance permet un rattrapage des niveaux de vie occidentaux et l'émergence d'une classe moyenne, elle ne répond pas, pour l'instant, complètement aux besoins de la population. En 2010, la proportion des personnes disposant de moins de 1,25 dollar par jour s'élève à 39 % de la population totale en Asie du Sud, 19 % en Asie de Sud-Est et 16 % en Asie de l'Est. (doc. 3)

■ **L'Asie du Sud et de l'Est doit surmonter de nombreuses autres difficultés.** Celle du développement de l'enseignement supérieur, nécessaire pour permettre à la production industrielle d'un pays de monter en gamme. Celle des besoins croissants en ressources et en produits de base qui exercent des pressions sur l'environnement.

Repère A

Évolution du PIB de l'Asie du Sud et de l'Est depuis 1980

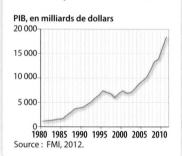

PIB, en milliards de dollars

Source : FMI, 2012.

Repère B

Les étapes de l'essor économique de l'Asie du Sud et de l'Est

*Nouveaux Pays Industrialisés d'Asie
Source : B. Benoit et R. Saussac (dir.), *L'Asie*, 2011.

1 **Sri Lanka : un « pays atelier ».** Ces travailleuses fabriquent des pantalons pour Mark's and Spencer.

1. Définir l'expression « pays atelier » à l'aide de la photographie.

2. Que deviennent les pantalons une fois qu'ils sont fabriqués ?

2 **Japon : les enjeux du déclin démographique**

En 2025, le Japon aura perdu 10 millions d'habitants. La population active aura diminué de 12 millions et représentera à peine 60 % de la population totale. Le nombre des plus de 65 ans aura augmenté de 18 millions et ils constitueront 30 % de la population, alors que les moins de 15 ans (– 5,5 millions) n'en représenteront même plus 10 %. […]
Toutefois le pire n'est jamais sûr. Les jeunes pourraient tirer profit d'une diminution de la population active qui ferait disparaître le chômage et augmenter les salaires. Ils devraient aussi bénéficier d'un meilleur système éducatif – moins d'élèves, plus de concurrence entre les établissements pour les attirer. L'emploi des seniors et, plus encore, celui des femmes seront favorisés. […]
Nonobstant l'amélioration du taux d'activité des femmes et des seniors, le Japon devra sans doute importer de la main-d'œuvre, en s'ouvrant dans une certaine mesure à l'immigration. Les autorités chiffrent les besoins d'ici à 2020 à 92 000 entrées par an. […] Si restreinte qu'elle puisse être, cette immigration contrôlée porterait la population d'origine étrangère à 4 % de la population totale (contre 1,7 % aujourd'hui). Il est fort probable que l'essentiel de la main-d'œuvre importée sera cantonnée aux emplois de rebut, mais le Japon, du fait de sa démographie, a déjà aussi besoin d'informaticiens, d'ingénieurs et de médecins.

J.-M. Bouissou, « Le Japon est-il en déclin ? », *Questions internationales*, mars-avril 2011.

3 **Hongkong : la vie en cage des plus pauvres.**

Mesurant 1 mètre de large sur 1,90 mètre de long et 1 mètre de hauteur, la cage est une pièce grillagée sur l'extérieur et louée 150 euros par mois. Une salle-dortoir peut accueillir une demi-douzaine de cages superposées.

Quels sont les défis posés par la croissance économique de la Corée du Sud ?

La Corée du Sud, qui connaît une très forte croissance économique depuis les années 1970, devient officiellement en 1974 un « nouveau pays industrialisé » selon la Banque mondiale. Cet essor parfois qualifié de « miracle économique » s'est pourtant accompagné d'importantes inégalités en terme de conditions de vie.

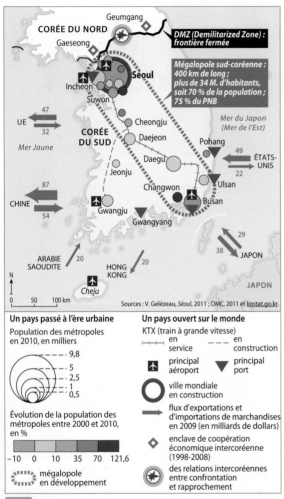

DMZ (Demilitarized Zone) : frontière fermée

Mégalopole sud-coréenne : 400 km de long ; plus de 34 M. d'habitants, soit 70 % de la population ; 75 % du PNB

Sources : V. Gelézeau, *Séoul*, 2011 ; OMC, 2011 et kostat.go.kr.

Un pays passé à l'ère urbaine

Population des métropoles en 2010, en milliers
- 9,8
- 5
- 2,5
- 1
- 0,5

Évolution de la population des métropoles entre 2000 et 2010, en %

–10   0   10   35   70   121,6

mégalopole en développement

Un pays ouvert sur le monde

KTX (train à grande vitesse)
- en service
- en construction

- principal aéroport
- principal port
- ville mondiale en construction
- flux d'exportations et d'importations de marchandises en 2009 (en milliards de dollars)
- enclave de coopération économique intercoréenne (1998-2008)
- des relations intercoréennes entre confrontation et rapprochement

1 Un pays organisé autour d'une mégalopole en développement

2 Monsieur Kim : un témoin du miracle économique

À ma naissance, en 1967, mes parents, mes huit frères et sœurs et moi logions dans la même pièce d'une masure en torchis, situés au coin d'un rizière dans le Sud du pays. L'autre pièce, la plus grande, abritait le bétail. En 1975, nous avons pu loger dans une ferme de 4 pièces en parpaings et en tôle ondulée. L'eau courante a été installée en 1977 et nous avons été raccordés à l'électricité l'année suivante. Le téléphone a été branché en 1979. C'est en 1980 que j'ai goûté ma première orange et ma première banane, un an avant que mes parents ne se décident enfin à acheter une télévision : tous nos voisins en avaient déjà une. En revanche, en 1984, mon frère aîné, qui avait été engagé par une banque, a été un des premiers à rouler en voiture. Dès qu'il s'est marié, il est parti s'établir à Séoul et je l'y ai suivi en 1988, juste après mon service militaire. Admis à l'université, j'ai dû m'acheter un ordinateur comme tous les autres étudiants. Il n'était pas très performant et j'en ai changé assez vite. C'était en 1990 je crois, en tout cas avant que je ne vote pour la première fois, à l'élection présidentielle de 1992. Je ne me rappelle plus la date de mon premier magnétoscope, mais très bien celle de mon premier téléphone portable : c'était en septembre 1996, au retour de mon premier voyage à l'étranger. Il était cher, trop lourd et mon fils n'arrive pas y croire quand je le lui raconte : il ne permettait même pas de prendre des photos ! Heureusement qu'aujourd'hui les nouveaux mobiles permettent de capter la télévision via Internet, sinon, en juin [2009], comme nous étions coincés dans un embouteillage, nous aurions raté les informations sur le nouvel essai de Naro, la première fusée coréenne.

P. Dayez-Burgeon, *Les Coréens*, 2011.

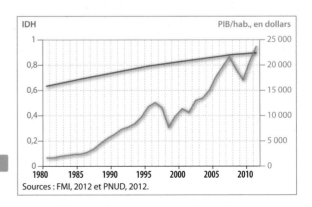

Évolution de l'IDH et du PIB de la Corée du Sud depuis 1980 **3**

Sources : FMI, 2012 et PNUD, 2012.

4 **Séoul : une ville en mutation.** Agglomération de plus de 20 millions d'habitants, Séoul est une mégapole dont le paysage est marqué par le développement sud-coréen. Aujourd'hui, 70 % des Séouliens vivent dans des grands ensembles résidentiels, alors que dans les années 1970, 30 % des logements étaient précaires ou dégradés.

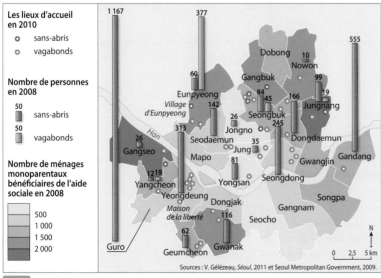

Les lieux d'accueil en 2010

- ◦ sans-abris
- ◦ vagabonds

Nombre de personnes en 2008

50 █ sans-abris

50 █ vagabonds

Nombre de ménages monoparentaux bénéficiaires de l'aide sociale en 2008

| 500
| 1 000
| 1 500
| 2 000

Sources : V. Gélézeau, *Séoul*, 2011 et Seoul Metropolitan Government, 2009.

5 **Séoul : une multiplication des signes de l'exclusion urbaine**

Questions

1. Montrez que les villes de la Corée du Sud sont les points d'ancrage du pays à la mondialisation. (doc. 1 et 2)

2. Montrez que la Corée du Sud a connu une très forte croissance économique. (doc. 2 et 3)

3. Quel lien peut-on établir entre cette croissance économique et le développement du pays ? (doc. 1, 2, 3 et 4)

4. Montrez que d'importantes inégalités en termes de conditions de vie persistent pourtant en Corée du Sud. (doc. 3 et 5)

Japon et Chine : les deux puissances majeures en Asie du Sud et de l'Est

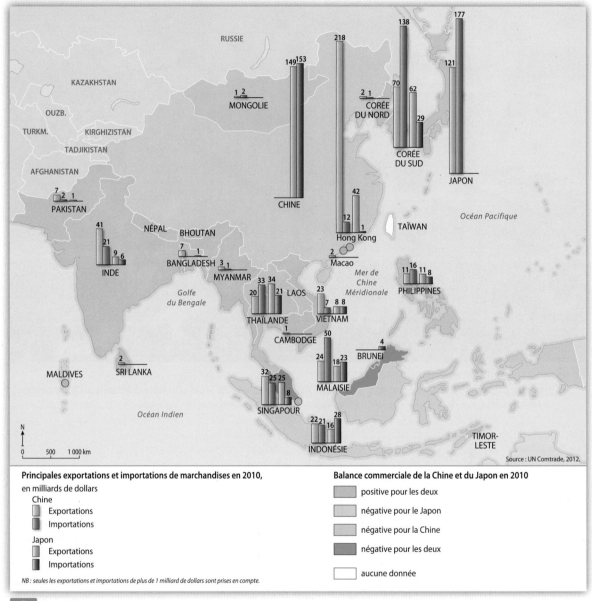

Principales exportations et importations de marchandises en 2010, en milliards de dollars

Chine
- Exportations
- Importations

Japon
- Exportations
- Importations

NB : seules les exportations et importations de plus de 1 milliard de dollars sont prises en compte.

Balance commerciale de la Chine et du Japon en 2010
- positive pour les deux
- négative pour le Japon
- négative pour la Chine
- négative pour les deux
- aucune donnée

Source : UN Comtrade, 2012.

1 Des partenaires et des rivaux économiques

Questions

1. Quel est le principal partenaire commercial du Japon ? De la Chine ?
2. Avec quelle région de l'Asie du Sud et de l'Est le Japon et la Chine échangent-ils le plus ?
3. Quelle région de l'Asie du Sud et de l'Est est la moins intégrée ?
4. Le Japon et la Chine ont-ils les mêmes partenaires commerciaux ?

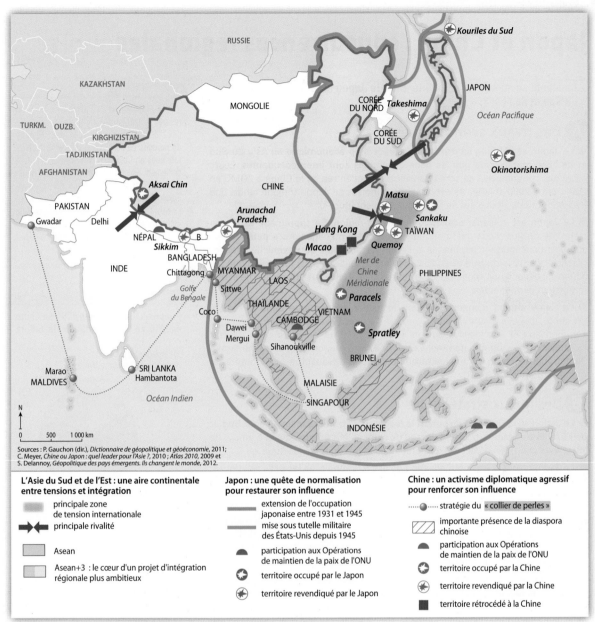

Sources : P. Gauchon (dir.), *Dictionnaire de géopolitique et géoéconomie*, 2011;
C. Meyer, *Chine ou Japon : quel leader pour l'Asie ?*, 2010 ; *Atlas 2010*, 2009 et
S. Delannoy, *Géopolitique des pays émergents. Ils changent le monde*, 2012.

L'Asie du Sud et de l'Est : une aire continentale entre tensions et intégration

█ principale zone de tension internationale

◀▶ principale rivalité

▢ Asean

▢ Asean+3 : le cœur d'un projet d'intégration régionale plus ambitieux

Japon : une quête de normalisation pour restaurer son influence

━━ extension de l'occupation japonaise entre 1931 et 1945

━━ mise sous tutelle militaire des États-Unis depuis 1945

◗ participation aux Opérations de maintien de la paix de l'ONU

✪ territoire occupé par le Japon

✪ territoire revendiqué par le Japon

Chine : un activisme diplomatique agressif pour renforcer son influence

····⦿ stratégie du « collier de perles »

▨ importante présence de la diaspora chinoise

◗ participation aux Opérations de maintien de la paix de l'ONU

✪ territoire occupé par la Chine

✪ territoire revendiqué par la Chine

■ territoire rétrocédé à la Chine

2 Des rivaux stratégiques

Questions

1. Montrez que l'Asie du Sud et de l'Est est une aire continentale conflictuelle, mais en voie d'intégration.

2. Par quels moyens la Chine cherche-t-elle à renforcer son influence en Asie du Sud et de l'Est ?

3. Pourquoi le Japon apparaît-il en retrait sur le plan stratégique ?

Vocabulaire

« Collier de perles » : stratégie chinoise visant à établir une série de bases permanentes dans l'océan Indien en vue de sécuriser son approvisionnement énergétique. Pour cela, la Chine modernise ou construit des ports dans les pays voisins de l'Inde, sa vieille rivale qu'elle contourne.

Asean+3 : groupe informel créé pendant la crise de 1997-1998 qui a accéléré le processus d'intégration régionale au plan monétaire et financier. Le Japon milite pour que l'Asean+3 s'ouvre à l'Australie, l'Inde et la Nouvelle-Zélande et que l'intégration s'étende au plan politique et stratégique afin de contenir l'influence croissante de la Chine dans la région.

Japon et Chine : concurrences régionales

> **Comment se manifeste la rivalité entre le Japon et la Chine en Asie du Sud et de l'Est ?**

A Des rivaux économiques

■ **Le Japon et la Chine se disputent le leadership économique en Asie du Sud et de l'Est, alors même que les deux économies sont interdépendantes.** Leurs échanges commerciaux se sont intensifiés après l'entrée de la Chine à l'OMC en 2001 : entre 2000 et 2010, les exportations chinoises au Japon triplent, tandis que les importations japonaises en Chine quadruplent (doc. 3).

■ **Le Japon est le leader économique dans la région.** Sa suprématie est financière : le surplus d'épargne, notamment celle des ménages, lui a permis d'accumuler un important patrimoine à l'étranger au point de devenir le premier créancier de l'Asie du Sud et de l'Est. Sa suprématie est aussi technologique : le Japon est devenu une économie de la connaissance axée sur une recherche et une innovation permanentes.

■ **La Chine entend s'imposer comme le leader économique dans la région.** En trente ans, elle a comblé son retard en s'ouvrant avec succès aux échanges commerciaux et aux investissements étrangers qui lui ont permis de devenir l'« atelier du monde », notamment celui de l'Asie. Aujourd'hui, elle ambitionne de détrôner le Japon sur le plan technologique en devenant le « laboratoire du monde » (Repère A, doc. 1).

B Des rivaux stratégiques

■ **Le Japon et la Chine se disputent le leadership stratégique en Asie du Sud et de l'Est.** Ils s'engagent pourtant, lorsqu'ils signent le Traité de paix et d'amitié de 1978, à ne pas « rechercher l'hégémonie dans la région Asie Pacifique ».

■ **Le Japon aspire à une normalisation de ses relations avec les pays asiatiques.** Son expansionnisme en Asie entre 1931 et 1945 pèse encore lourd sur celle-ci. Aussi, pour restaurer son influence, il opère un recentrage de sa politique étrangère sur l'Asie en menant une diplomatie économique (aide publique au développement), en s'impliquant dans les questions de sécurité (opérations de maintien de la paix) et en défendant la création d'une Communauté asiatique sur le modèle européen. Sa démilitarisation et sa mise sous tutelle militaire des États-Unis le privent cependant d'un attribut essentiel de la puissance.

■ **La Chine aspire à une ascension qui puisse l'imposer comme la seule puissance globale de la région.** Sa politique étrangère en Asie vise à renforcer son influence en désamorçant les craintes d'une « menace chinoise ». Elle se décline en trois axes : élimination de conflits frontaliers, même si des contestations sur les frontières maritimes (archipels de la mer de Chine) et terrestres (Himalaya, Taiwan) subsistent ; maintien de la stabilité dans la péninsule coréenne ; diplomatie économique (accords commerciaux bilatéraux, sauf avec le Japon) (doc. 2).

C Le plus probable scénario d'avenir

■ **Aucun de ces deux géants asiatiques ne peut prétendre pour l'instant à un leadership global dans la région.** Japon et Chine s'imposent différemment comme puissances régionales : le premier est le leader économique de la région, le second le leader stratégique.

■ **Le partage du leadership entre le Japon et la Chine est le scénario le plus probable pour les vingt prochaines années.** Ce coleadership, qui s'ébauche depuis les années 2000, vise à servir au mieux les intérêts des deux pays : le Japon a besoin de l'expansion chinoise pour rebondir et la Chine de l'avance technologique du Japon pour devenir le leader incontesté en Asie du Sud et de l'Est.

Repère A

Principaux flux entrants d'IDE en Chine en 2010, en % et en milliards de dollars

Allemagne, France, Pays-Bas et Royaume-Uni
4,5 % (4,8)

Autres 9,6 % *(10,1)*

États-Unis
3,9 % (4,0)

Japon et Dragons
82,0% (86,8)

Total : 105,7 milliards de dollars

Source : ministère du Commerce de la République populaire de Chine, 2012.

Repère B

L'Asie du Sud et de l'Est dans le commerce extérieur de la Chine

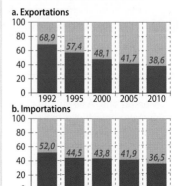

a. Exportations

1992 : 68,9 | 1995 : 57,4 | 2000 : 48,1 | 2005 : 41,7 | 2010 : 38,6

b. Importations

1992 : 52,0 | 1995 : 44,5 | 2000 : 43,8 | 2005 : 41,9 | 2010 : 36,5

Source : UN Comtrade, 2012.

1   Le TGV chinois : un symbole du rattrapage technologique.

L'entreprise publique CSR, qui explique que ce TGV est un produit du savoir-faire chinois, reçoit une partie des pièces conçues et produites sur le territoire chinois par des entreprises étrangères. Le japonais Kawasaki dénonce la ressemblance des trains de nouvelle génération avec le Shinkansen.

1. Ce train est-il le résultat de la recherche-développement chinoise ?

2. Expliquez pourquoi l'utilisation de l'adjectif « chinois » pour qualifier ce TGV est discutable.

3   Japon et Chine : deux puissances dominantes de l'Asie du Sud et de l'Est

	Japon	Chine
Poids dans la population d'Asie du Sud et de l'Est en 2011, en millions d'habitants et en %	128,1 3,4	1 345,9 35,4
Poids dans le PIB d'Asie du Sud et de l'Est en 2011, en milliards de dollars et en %	5 458,8 36,4	6 102,72 40,7
Exportations en 2010, en milliards de dollars – *dont en Asie du Sud et de l'Est*	769,4 *379,5* *43,9 %*	1 577,8 *609,6* *38,6 %*
Importations en 2010, en milliards de dollars – *dont en Asie du Sud et de l'Est*	692,6 *290,6* *42,0 %*	1 396,0 *508,8* *36,5 %*
Flux sortants d'IDE en 2010, en milliards de dollars – *dont en Asie du Sud et de l'Est*	57,2 *22,1* *38,7 %*	68,8 *43,3* *62,9 %*
Stocks sortants d'IDE en 2010, en milliards de dollars – *dont en Asie du Sud et de l'Est*	830,5 *212,7* *25,6 %*	317,2 *221,0* *69,6 %*
Dépenses militaires en 2010, en milliards de dollars	54,5	119,4
Forces armées en 2009, en milliers d'hommes	248	2 285

Sources : FMI, 2012, Population Reference Bureau, 2012, SIPRI, 2012, The Economist, *Pocket World in Figures. 2012 Edition*, 2011, China Statistical Yearbook, 2011 et Japan Statistical Yearbook, 2011.

1. Le Japon et la Chine sont-elles des puissances ayant les mêmes atouts ?

2   Chine : un activisme diplomatique agressif vis-à-vis de ses voisins

La Chine croise ainsi les ambitions régionales et mondiales : elle s'oppose à plusieurs de ses voisins dans des conflits territoriaux et développe une géopolitique du pré-carré asiatique afin de contrer la présence américaine jugée envahissante dans la région.

C'est d'abord le Japon qui fait les frais des revendications territoriales de la Chine – et de Taiwan – sur les îles Senkaku officiellement intégrées au territoire japonais. [...] Les États-Unis, qui s'appuient sur l'allié japonais depuis 1945, soutiennent la position du Japon car les îles Senkaku sont intégrées dans le périmètre du traité de sécurité nippo-américain en mer de Chine méridionale et constituent ainsi, précisément, une barrière contre le danger chinois. [...]

La Chine revendique également l'intégralité de l'archipel des Spratly, cette centaine de poussières d'îles inhabitées qui se trouvent à mi-chemin entre le Vietnam et les Philippines. 21 îles appartiennent officiellement au Vietnam, 9 ont été annexées par la Chine, tandis que la Malaisie, les Philippines et Brunei en occupent également quelques-unes. La revendication chinoise sur les Spratly, de même que sur les îles Paracels, obéit à sa logique stratégique de protection des couloirs maritimes empruntés par les conteneurs et les tankers à destination ou en provenance des ports chinois. En cela, [...] [elle] s'inscrit dans la stratégie du « collier de perles », qui consiste à installer des bases navales sur les routes commerciales chinoises.

S. Delannoy, *Géopolitique des pays émergents. Ils changent le monde,* 2012.

Comment s'exprime l'influence du Japon en Asie du Sud et de l'Est ?

Depuis les années 1980, le Japon sort de son isolement en rétablissant des relations avec ses voisins dont la méfiance se nourrit du souvenir douloureux laissé par l'occupation nippone entre 1931 et 1945.

Le Japon, qui doit faire face à la fulgurante ascension de la Chine, ambitionne de restaurer son influence sur la scène régionale et de s'imposer comme puissance incontestée en Asie du Sud et de l'Est.

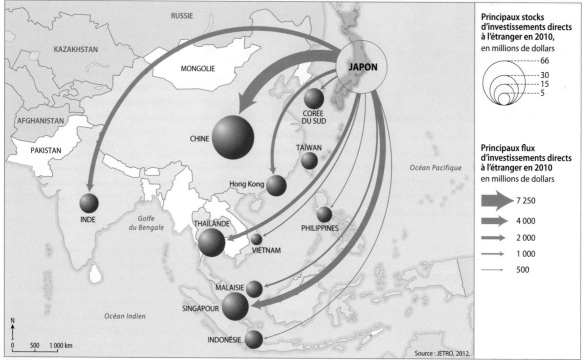

1 Les investissements du Japon en Asie du Sud et de l'Est.

2 Cambodge : un rôle de premier plan

Coller au plus près de l'Asean, telle est la ligne de conduite de Tokyo qui [...] soutient la résolution sur le Cambodge proposée à l'Assemblée générale des Nations unies par l'Asean. Et ainsi Tokyo finit par faire, sans heurt, son entrée [...] par la porte de la Conférence internationale sur le Cambodge [...] de 1989 à 1991. [...] [Le Japon] est choisi pour coparrainer, avec l'Australie, la Commission chargée de la reconstruction du Cambodge, et c'est un Japonais [...] qui est nommé à la tête de l'Autorité provisoire des Nations unies au Cambodge (Apronuc). Enfin, et c'est une grande première de l'histoire du Japon d'après-guerre, 6 000 soldats nippons feront partie de la force militaire déployée au Cambodge par les Nations unies. [...]

Aides publiques et investissements élargissent l'influence que Tokyo s'efforce de se voir reconnaître dans la région. La visite du Premier ministre japonais [...], en [...] 2000, la première depuis 40 ans, s'effectue sans aucun incident, alors que, la même année, les visites des secrétaires généraux des partis communistes de Chine et du Vietnam suscitent des manifestations d'hostilité. [...] Il promet l'aide de son pays pour la décennie à venir [...], tandis qu'il obtient de ses hôtes leur soutien à la candidature du Japon à un siège au Conseil de sécurité aux Nations unies. [...] La liste des contributions nippones est longue et variée : infrastructures (ponts à Phnom Penh), rénovation du port de Sihanouk-Ville, aide alimentaire, [...] aide au déminage.

P. Richer, *Le Cambodge de 1945 à nos jours*, 2009.

3 **Chine : un partenaire commercial dont le Japon a besoin**

a. Sites chinois de production de la Prius Plug-in Hybrid ;

b. La Prius Plug-in Hybrid : voiture électrique qui se recharge à partir d'une prise standart en 1 heure 30 ;

c. Akio Toyoda, président de Toyota, au Salon de l'automobile de Shanghai en 2011.

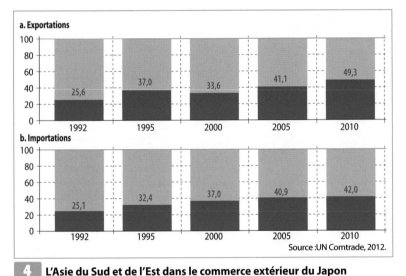

a. Exportations

b. Importations

Source : UN Comtrade, 2012.

4 **L'Asie du Sud et de l'Est dans le commerce extérieur du Japon**

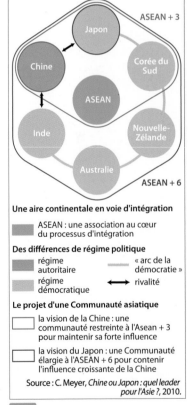

Une aire continentale en voie d'intégration

- ASEAN : une association au cœur du processus d'intégration

Des différences de régime politique

- régime autoritaire
- régime démocratique
- « arc de la démocratie »
- rivalité

Le projet d'une Communauté asiatique

- la vision de la Chine : une communauté restreinte à l'Asean + 3 pour maintenir sa forte influence
- la vision du Japon : une Communauté élargie à l'ASEAN + 6 pour contenir l'influence croissante de la Chine

Source : C. Meyer, *Chine ou Japon : quel leader pour l'Asie ?*, 2010.

5 **Le projet d'une Communauté asiatique : une vision japonaise ambitieuse**

Depuis le milieu des années 2000, le Japon a proposé la création d'une Communauté asiatique qui est l'axe majeur de sa politique étrangère dans la région.

Questions

1. Quels sont les attributs de la puissance du Japon en Asie du Sud et de l'Est ? (doc. 1, 3 et 4)
2. Montrez que le Japon opère un recentrage de son économie et de sa politique étrangère sur l'Asie du Sud et de l'Est. (doc. 2, 4 et 5)
3. Montrez que le Japon et la Chine sont partenaires économiques mais rivaux stratégiques. (doc. 1, 3 et 5)

Japon et Chine : deux grandes puissances du monde

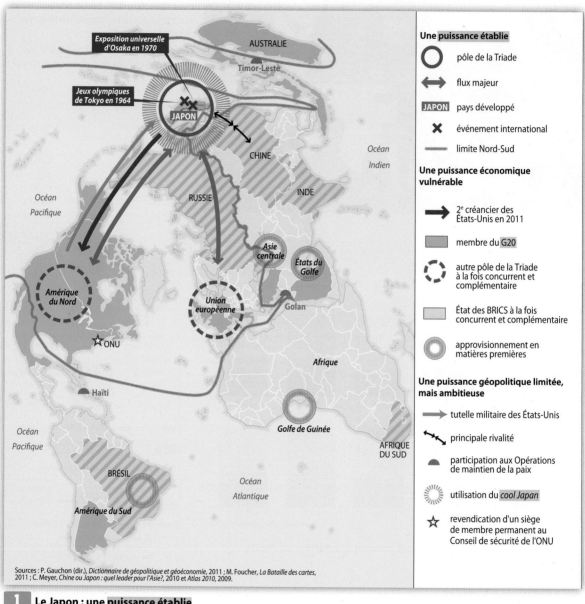

Sources : P. Gauchon (dir.), *Dictionnaire de géopolitique et géoéconomie*, 2011 ; M. Foucher, *La Bataille des cartes*, 2011 ; C. Meyer, *Chine ou Japon : quel leader pour l'Asie?*, 2010 et *Atlas 2010*, 2009.

1 Le Japon : une **puissance établie**

Légende :

Une puissance établie
- ○ pôle de la Triade
- ⟷ flux majeur
- JAPON pays développé
- ✕ événement international
- — limite Nord-Sud

Une puissance économique vulnérable
- ➡ 2e créancier des États-Unis en 2011
- membre du G20
- autre pôle de la Triade à la fois concurrent et complémentaire
- État des BRICS à la fois concurrent et complémentaire
- ◎ approvisionnement en matières premières

Une puissance géopolitique limitée, mais ambitieuse
- ➡ tutelle militaire des États-Unis
- ✕ principale rivalité
- participation aux Opérations de maintien de la paix
- utilisation du *cool Japan*
- ☆ revendication d'un siège de membre permanent au Conseil de sécurité de l'ONU

Vocabulaire

Cool Japan : voir p. 346.
G20 : voir p. 26.
Puissance établie : voir p. 369.

Questions

1. Expliquez pourquoi le Japon est considéré comme une « puissance établie ».
2. Quelles sont les forces et les faiblesses de la puissance économique japonaise ?
3. Montrez que la puissance économique du Japon est plus importante que sa puissance géopolitique.

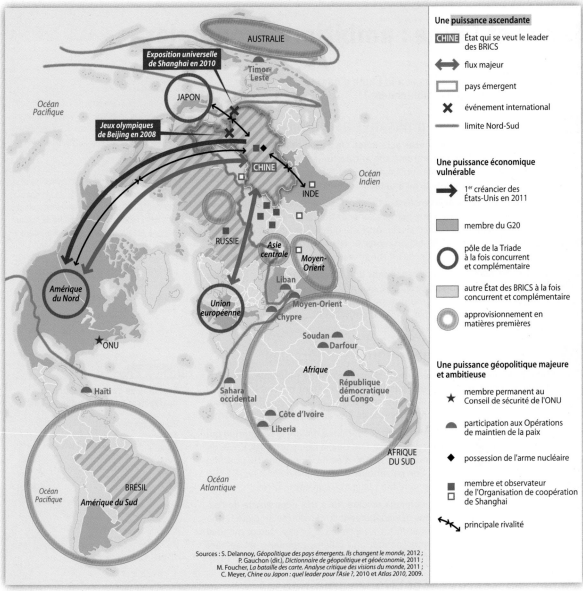

Une **puissance ascendante**

CHINE État qui se veut le leader des BRICS

⟷ flux majeur

□ pays émergent

✕ événement international

━━━ limite Nord-Sud

Une puissance économique vulnérable

➡ 1er créancier des États-Unis en 2011

▬ membre du G20

◯ pôle de la Triade à la fois concurrent et complémentaire

▬ autre État des BRICS à la fois concurrent et complémentaire

◎ approvisionnement en matières premières

Une puissance géopolitique majeure et ambitieuse

★ membre permanent au Conseil de sécurité de l'ONU

◖ participation aux Opérations de maintien de la paix

◆ possession de l'arme nucléaire

■ membre et observateur
□ de l'Organisation de coopération de Shanghai

⤤⤡ principale rivalité

Sources : S. Delannoy, *Géopolitique des pays émergents. Ils changent le monde*, 2012 ; P. Gauchon (dir.), *Dictionnaire de géopolitique et géoéconomie*, 2011 ; M. Foucher, *La bataille des carte. Analyse critique des visions du monde*, 2011 ; C. Meyer, *Chine ou Japon : quel leader pour l'Asie ?*, 2010 et *Atlas 2010*, 2009.

2 La Chine : une **puissance ascendante**

Vocabulaire

Organisation de coopération de Shanghai : voir p. 54.
Puissance ascendante : voir p. 369.

Questions

1. Expliquez pourquoi la Chine est considérée comme une « puissance ascendante ».

2. Quelles sont les forces et les faiblesses de la puissance économique chinoise ?

3. Montrez que la puissance géopolitique de la Chine est plus importante que celle du Japon.

Japon et Chine : ambitions mondiales

> Qu'est-ce qui permet au Japon et à la Chine d'atteindre le statut de puissance mondiale qu'ils ambitionnent ?

A Puissance établie, puissance ascendante

■ **La planète compte deux puissances asiatiques : le Japon et la Chine.** La croissance économique de la Chine a entraîné son entrée sur la scène mondiale et son reclassement dans la hiérarchie des puissances. En 2010, elle détrône le Japon de son rang de 2e économie mondiale qu'il détenait depuis 1968.

■ **Les trajectoires des deux puissances asiatiques présentent des similitudes.** Ces deux pays longtemps repliés sur eux-mêmes sont contraints par l'Occident à s'ouvrir dans la deuxième moitié du XIXe siècle. Après la guerre, ils suivent un modèle de développement fondé sur les exportations (« Haute Croissance » japonaise entre 1955 et 1973 et «Trente Glorieuses » chinoises entre 1978 et 2008) **(doc. 2)**.

■ **Le Japon et la Chine présentent cependant une différence majeure : le niveau de vie.** Le Japon est une puissance établie ayant un haut niveau de vie, tandis que la Chine est considérée comme une **puissance ascendante** ou **prématurée** marquée par un niveau de vie faible. En 2011, entre le PIB par habitant du Japon et celui de la Chine, l'écart est de l'ordre de 10 à 1.

B Des puissances économiques vulnérables

■ **La Chine et le Japon pèsent fortement dans l'économie mondiale.** Les deux PIB, qui sont loin derrière celui des États-Unis, représentent ensemble 18 % du PIB mondial en 2011. La Chine et le Japon sont devenus les premiers banquiers des États-Unis puisqu'ils détiennent ensemble 45,7 % des bons du Trésor en 2011.

■ **Le Japon reste une formidable puissance économique malgré la stagnation qui le mine depuis vingt ans.** Il produit presque autant que la Chine (en 2011, 8,7 % du PIB mondial contre 9,3 %) avec douze fois moins d'actifs. Son industrie possède 45 % du parc mondial des robots. Son patrimoine à l'étranger, qui s'élève à 2 500 milliards de dollars en 2010, lui rapporte bien plus que son commerce.

■ **La Chine est une puissance économique récente mais très dépendante de l'extérieur.** Sa stratégie de sortie du sous-développement la transforme en plate-forme d'assemblage de produits fabriqués ailleurs, ce qui en fait le 1er exportateur mondial en 2009. Elle l'oblige aussi à s'approvisionner en matières premières en se liant avec les parties utiles du monde (Afrique, Asie centrale et Moyen-Orient) **(Repère A)**.

C Des puissances géopolitiques ambitieuses

■ **Le Japon et la Chine pèsent différemment dans les rapports de force internationaux.** Démilitarisé à l'issue de la guerre et protégé par les États-Unis, le Japon est un « nain politique ». Membre permanent du Conseil de sécurité de l'ONU et du club des États ayant l'arme nucléaire, la Chine se veut le leader des **BRICS**.

■ **Confronté à la Chine, le Japon entend jouer un rôle politique mondial en s'émancipant de la tutelle des États-Unis.** Depuis 1992, il participe aux opérations de maintien de la paix (Irak, Afghanistan) **(doc. 2)**. En 2000, le Japon revendique un siège de membre permanent du Conseil de sécurité de l'ONU. Parallèlement, il s'assure une image positive dans le monde en vantant le *Cool Japan* **(doc. 3)**.

■ **La Chine ambitionne de jouer un rôle politique mondial et d'égaler, voire dépasser, les États-Unis.** Elle défend l'idée d'un partenariat privilégié avec eux, que certains nomment **G2**. La conquête de l'espace et des abysses, l'ouverture d'instituts Confucius, le développement de médias internationaux (CCTV, agence Xinhua), le nombre croissant d'étudiants chinois à l'étranger et la diplomatie du panda sont les signes de son aspiration à devenir une superpuissance **(Repère B)**.

Vocabulaire

Bon du Trésor : les bons du Trésor sont émis pour financer le déficit budgétaire d'un pays. Le Japon et la Chine, qui les considèrent comme des placements financiers, achètent donc de la dette.

BRICS : voir p. 24.

Cool Japan : stratégie de communication qui vise à modifier l'image du Japon dans le monde et à renforcer son rayonnement culturel à travers l'exportation de la culture de masse : mangas, dessins animés, jeux vidéo, musique (J-pop), modes vestimentaires, cuisine.

G2 : sorte de directoire sino-américain assurant une co-gestion des affaires économiques du monde.

Puissance ascendante : voir p. 369.

Puissance établie : voir p. 369.

Repère A

Évolution du commerce extérieur du Japon et de la Chine depuis 1990

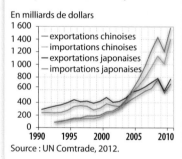

En milliards de dollars

- exportations chinoises
- importations chinoises
- exportations japonaises
- importations japonaises

Source : UN Comtrade, 2012.

Repère B

Évolution du nombre d'étudiants chinois à l'étranger depuis 1985

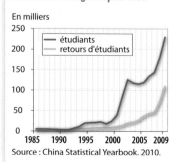

En milliers

- étudiants
- retours d'étudiants

Source : China Statistical Yearbook. 2010.

1 ● Japon : la participation au maintien de la paix en Irak en 2005

1. En quoi consiste l'intervention de l'armée japonaise en Irak en 2005 ?

2 ● Chine : une puissance ascendante

La Chine est bien sûr le pays le plus dangereux : peuplée de plus d'1,35 milliard de personnes, la Chine est parvenue en trente ans à passer du sous-développement le plus tragique au rang de seconde puissance mondiale par le PIB. Elle a réussi à intégrer les règles de l'économie de marché, elle a intégré l'OMC en 2001 tout en se protégeant contre la concurrence étrangère à coups de politiques monétaires habiles, ce qui lui permet d'être la première puissance exportatrice du monde depuis 2009. Elle est parvenue à exercer une aura sur nombre de pays du Sud qui voient dans la Chine un partenaire qui leur offre du « gagnant-gagnant » et non pas une relation déséquilibrée fondée sur le paternalisme. Enfin, la Chine, qui est depuis longtemps une puissance nucléaire, n'omet de maîtriser ni le hard power, en investissant de façon croissante dans sa défense, ni le soft power, en promouvant l'apprentissage du mandarin dans le monde entier.

S. Delannoy, *Géopolitique des pays émergents. Ils changent le monde*, 2012.

3 ● Japan Expo : un engouement pour la culture de masse japonaise.

La France est le deuxième marché mondial du manga avant celui de la Corée du Sud. En 2011, Japan Expo a été fréquentée par 192 000 visiteurs.

1. Quelle image le Japon renvoie-t-il à travers l'exportation de cette forme de culture ?

Comment la Chine exerce-t-elle son influence dans le monde ?

La montée en puissance de la Chine est le principal signe d'un basculement du centre de gravité du monde en Asie qui bouleverse l'ensemble des rapports politiques et économiques.

Ce pays émergent, dont le projet géopolitique est de devenir un « pays riche et puissant », tire parti de ses résultats économiques pour s'imposer de plus en plus sur la scène mondiale.

1 **Une puissance diplomatique et économique.** Caricature de Chappatte, *Le Temps*, 4 décembre 2011.

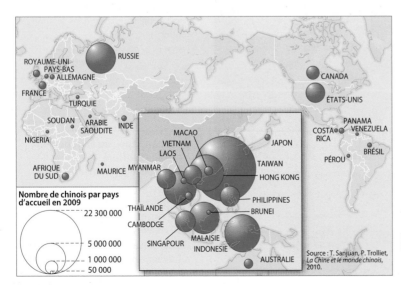

Nombre de chinois par pays d'accueil en 2009

- 22 300 000
- 5 000 000
- 1 000 000
- 50 000

Source : T. Sanjuan, P. Trolliet, *La Chine et le monde chinois*, 2010.

2 **L'Organisation de coopération de Shanghai : un activisme diplomatique en Asie centrale**

[Les rapports de la Chine] avec les pays d'Asie centrale sont ambivalents. Elle convoite leurs abondantes ressources mais craint la contagion de l'islamisme dans ses provinces limitrophes. L'Organisation de coopération de Shanghai (OCS), dont le secrétariat permanent est basé à Pékin, et qui comprend la Chine, la Russie, le Kazakhstan, l'Ouzbékistan et le Tadjikistan, contitue pour elle l'instrument d'une étroite coopération et stratégique. [...]

Elle en retire deux [...] bénéfices : l'accès privilégié à d'abondantes ressources tant pétrolières que minières aux marches de l'empire et une forme de glacis protecteur contre l'influence américaine dans cette région. De ce point de vue, les intérêts de la Chine rejoignent ceux de la Russie avec laquelle elle a signé en 2001 un traité d'amitié et de coopération. Leurs échanges économiques ne sont pas encore à la hauteur de leur potentiel mais la Russie est pour la Chine son 1er fournisseur d'armes ; surtout, les deux pays partagent les mêmes réserves sur la politique de puissance des États-Unis et la même conception d'un ordre mondial multipolaire sous l'égide de l'ONU. Forum d'abord économique, l'OCS n'est pas une sorte d'OTAN de l'Asie centrale, mais la dimension politique n'en est pas absente.

C. Meyer, *Chine ou Japon : quel leader pour l'Asie ?*, 2010.

3 **Les Chinois d'outre-mer : un réseau au service du rayonnement de la Chine**

Shameless greed at AIG

One more try on Iran

What's wrong with General Electric

Farmers rake it in

Let Michelle be Michelle

MARCH 21ST–27TH 2009   Economist.com

4 **Une vision du monde centrée sur elle-même.**

Couverture de *The Economist*,
21-27 mars 2009.

La Chine se considère jusqu'au XIXᵉ siècle comme « l'Empire du milieu ».

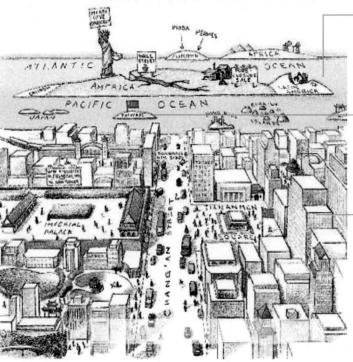

How China sees the world

Une ouverture sur l'étranger depuis la fin des années 1970

Un objectif : la réunification avec l'île de Taiwan

Le littoral, une interface avec le monde occidental

Questions

1. Comment la Chine voit-elle le monde ? (doc. 2, 4 et 5)
2. Montrez que l'influence de la Chine est économique, militaire et diplomatique. (doc. 1, 2 et 5)
3. Montrez que la dépendance de la Chine vis-à-vis de l'étranger est forte. (doc. 1, 2, 4 et 5)

Une diplomatie économique active

Principales exportations et importations de marchandises en 2010, en milliards de dollars

Exportations vers la Chine   Importations de Chine

Balance commerciale de la Chine en 2010

positive   négative

stock d'IDE chinois supérieurs à 300 millions de dollars en 2010

Une diplomatie publique active

visite officielle de Hu Jintao entre 2003 et 2010

État ayant des relations diplomatiques ouvertes avec Taïwan

NB : seules les exportations et les importations de plus de 500 millions de dollars sont prises en compte.

Océan Atlantique
MAROC 2,5

TUNISIE
ALGÉRIE 4 1
LIBYE 2 4
ÉGYPTE 6 1

MAURITANIE 1

NIGER

SOUDAN 7 2

NIGERIA 7 2,5 1,5
GHANA 4 0,5 1 0,5

ÉTHIOPIE 1

CONGO 0,5 1 3
RÉP. DÉM. DU CONGO 23 2,5

KENYA 2

TANZANIE 1

Océan Indien

ANGOLA 2

ZAMBIE 2,5
15
11

AFRIQUE DU SUD

Territoires « utiles » de l'Afrique (pétrole, gaz et minerais) : ils captent de l'essentiel des IDE chinois

MAROC
SÉN. MALI SOUDAN
NIGERIA CAMEROUN
LIBERIA
BURKINA FASO KENYA
ZAMBIE TANZANIE
MOZAM.
AFRIQUE DU SUD SWAZILAND

N
0   1 000 km

Sources : UN Comtrade, 2012 ;
China Statistical Yearbook, 2011 ;
et M. Foucher, *La Bataille des cartes*.
Analyse critique des visions du monde ;
S. Delannoy, *Géopolitique des pays émergents. Ils changent le monde*, 2012.

5 **Afrique : une dépendance de la Chine pour l'approvisionnement en matières premières**

EXERCICE GUIDÉ

SUJET Mumbai : modernité, inégalités

Étape 1 Analyser le sujet

Localiser Mumbai et rappeler que cette mégapole est la première ville de l'Inde.

■ Délimiter l'espace concerné
et identifier les mots-clés

Mumbai : modernité, inégalités

Établir le lien entre la modernisation de la ville et l'émergence de l'Inde, pays à forte croissance qui s'insère de plus en plus dans la mondialisation.

Identifier les inégalités qui marquent l'espace urbain à partir des conditions de vie de ses habitants.

■ Dégager la problématique

Quelle problématique convient le mieux au sujet ? Pourquoi ?

Problématique 1 : *Quelles sont les dynamiques actuelles de Mumbai ?*

Problématique 2 : *En quoi Mumbai est-elle la « vitrine » de l'émergence de l'Inde ?*

Problématique 3 : *Quelles sont les caractéristiques d'une mégapole comme Mumbai ?*

Étape 2 Élaborer le plan

Grandes parties du plan	Problématiques des grandes parties	Objectifs des grandes parties
Partie 1 **Une métropole émergente intégrée dans la mondialisation** a/......................... b/......................... c/.........................	....	....
Partie 2 **Une métropole émergente qui s'étale et devient polycentrique** a/......................... b/......................... c/.........................	....	....
Partie 3 **Une métropole émergente marquée par des problèmes sociaux et environnementaux** a/......................... b/......................... c/.........................	....	....

Organisez les arguments suivants dans chacune des grandes parties du plan :
– Une organisation de plus en plus polycentrique
– Une croissance spatiale rapide et mal maîtrisée
– D'importantes inégalités sociales et spatiales
– Une interface majeure entre l'Inde et le monde
– Une ville mondiale de second rang
– La capitale économique et culturelle de l'Inde
– D'importants problèmes d'accès aux services de base
– Un déploiement vers l'extérieur des activités motrices

Attribuez à chacune des trois parties une problématique en choisissant parmi les suivantes :
– Quelles sont les limites de ce dynamisme ?
– Comment ce dynamisme s'inscrit-il dans l'espace ?
– Qu'est-ce qui fait de Mumbai une ville dynamique ?

Attribuez à chacune des trois parties un objectif en choisissant parmi les suivants :
– Analyse des fragilités de Mumbai
– Analyse de l'organisation de l'espace de Mumbai
– Analyse des fondements du dynamisme de Mumbai

Conseil *Les arguments doivent être organisés de manière logique afin de développer un propos cohérent.*

Étape 3 Rédiger la composition

■ Illustrer la composition par des schémas

Complétez la légende de ces schémas et donnez un titre à chacun d'eux. Associez chaque schéma à l'une des parties de la composition.

Conseil *Les schémas ne doivent pas être nombreux, mais réguliers : un schéma par partie est un minimum.*

Schéma 1 ....

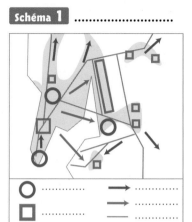

Schéma 2 ....

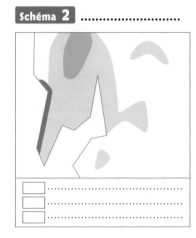

Schéma 3 ....

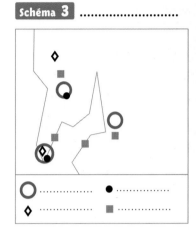

ENTRAÎNEMENT

SUJET L'Asie du Sud et de l'Est : les enjeux de la croissance

Vous vous appuierez notamment sur l'étude du cas de Mumbai conduite au cours de l'année.

Étape 1 Analyser le sujet

■ Délimiter l'espace concerné
et identifier les mots-clés

Vous vous appuierez notamment sur l'étude du cas de **Mumbai** conduite au cours de l'année. La consigne oriente la réflexion et oblige à tirer les arguments et les exemples de l'étude de cas qui porte sur Mumbai.

L'Asie du Sud et de l'Est : les enjeux de la croissance

Le sujet évoque l'Asie du Sud et de l'Est, contrairement à la consigne qui mentionne Mumbai. Comme la consigne oriente la réflexion, c'est à l'échelle de Mumbai qu'il faut la placer. En revanche, pour l'étoffer, il est possible de se servir du cours 1 « L'Asie du Sud et de l'Est : les défis de la population et de la croissance ».

Le sujet reprend l'intitulé de la question au programme. Sans la consigne, il ne peut être traité.

Étapes 2 et 3 Élaborer le plan et rédiger la composition

Après avoir élaboré un plan détaillé (comprenant arguments et exemples), rédigez intégralement la composition en intégrant des productions graphiques soignées.

EXERCICE GUIDÉ

SUJET L'Asie du Sud et de l'Est : les défis de la population et de la croissance

Étape 1 Analyser le sujet

> Définir cette aire continentale qui inclut, par extension, l'Asie du Sud-Est.

■ **Délimiter l'espace concerné et identifier les mots-clés**

L'Asie du Sud et de l'Est : **les défis** de la population **et de la croissance**

| Relever un défi consiste à répondre à une situation, à affronter une chose qui peut représenter un problème. En ligne de mire, c'est la question du développement de l'aire continentale qui est posée. | Rappeler que l'Asie du Sud et de l'Est concentre la majeure partie de la population mondiale. Identifier le rôle de la population dans la croissance économique, et donc dans le développement. | Rappeler que l'Asie du Sud et de l'Est est la partie du monde qui connaît actuellement la plus forte croissance économique. Expliquer en quoi la population est facteur de croissance économique, et donc contribue au développement. |

■ **Dégager une problématique**

Quelle problématique convient le mieux au sujet ? Pourquoi ?

Problématique 1 : *Pourquoi la population et la croissance représentent-elles un défi en Asie du Sud et de l'Est ?*

Problématique 2 : *La population et la croissance permettent-elle un développement de l'Asie du Sud et de l'Est ?*

Problématique 3 : *À quels défis l'Asie du Sud et de l'Est doit-elle faire face ?*

Étape 2 Élaborer le plan

À l'aide du cours et des connaissances personnelles, détaillez le plan suivant en argumentant et en illustrant par des exemples et des schémas.

> **Conseil** *Formuler des titres de parties parallèles (« Une aire continentale qui… ») permet de mettre en valeur les enchaînements de la réflexion. Rédiger les titres sous la forme d'une phrase n'est pas indispensable au brouillon, mais cette phrase peut servir pour introduire le paragraphe.*

Plan

1. Une aire continentale qui concentre la majeure partie de la population mondiale

A. Les deux principaux foyers de population sont asiatiques
Argument du paragraphe : ....
Exemple(s) : ....

B. Les deux géants démographiques de la planète sont asiatiques
Argument du paragraphe : ....
Exemple(s) : ....

C. L'Asie du Sud et de l'Est n'est cependant plus une bombe démographique
Argument du paragraphe : ....
Exemple(s) : ....

Schéma 1 Les deux principaux foyers de population de la planète

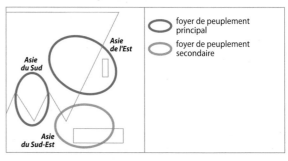

Schéma 2 Les deux géants démographiques de la planète

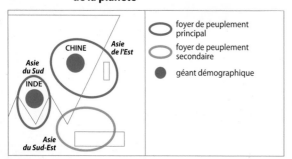

Schéma 3 Un ralentissement de la croissance démographique

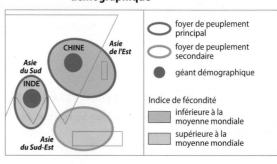

2. Une aire continentale qui connaît la plus forte croissance économique

A. La croissance se fonde de plus en plus sur la demande intérieure

Argument du paragraphe : ....

Exemple(s) : ....

B. La croissance se fonde essentiellement sur la demande extérieure

Argument du paragraphe : ....

Exemple(s) : ....

C. La croissance s'appuie sur une main-d'œuvre abondante, qualifiée et compétitive

Argument du paragraphe : ....

Exemple(s) : ....

Sur le modèle de la partie 1, construisez trois schémas correspondant aux sous-parties A, B et C et mettant en valeur les enchaînements de la réflexion pour la partie 2.

La légende du schéma ci-dessous regroupe sans structuration tous les items des paragraphes de la partie 2.

⭕ principal « pays atelier »

➡ principal flux d'exportations

▬ principal marché de consommation

➡ principal flux d'IDE

Conseil *Enrichir un schéma est toujours possible, mais le nombre restreint d'informations garantit sa clarté.*

3. Une aire continentale qui doit faire face à de grands défis d'avenir

A. L'Asie du Sud et de l'Est doit faire face au vieillissement de la population

Argument du paragraphe : ....

Exemple(s) : ....

B. L'Asie du Sud et de l'Est doit faire face à la pauvreté

Argument du paragraphe : ....

Exemple(s) : ....

C. L'Asie du Sud et de l'Est doit faire face à d'autres défis

Argument du paragraphe : ....

Exemple(s) : ....

Sur le modèle des parties 1 et 2, construisez trois schémas correspondant aux sous-parties A, B et C et mettant en valeur les enchaînements de la réflexion pour la partie 3.

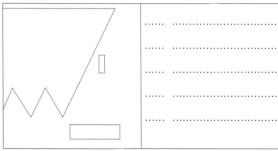

Étape 3 Rédiger la composition

Rédigez intégralement la composition à l'aide du plan détaillé. Soignez vos schémas car ces productions graphiques sont valorisées.

EXERCICE GUIDÉ

SUJET Japon et Chine : concurrences régionales

Étape 1 Analyser le sujet

> Même si le libellé du sujet comporte les termes « Japon » et « Chine », l'espace concerné est l'Asie du Sud et de l'Est, c'est-à-dire une aire continentale qui inclut, par extension, l'Asie du Sud-Est.

■ Délimiter l'espace concerné
et identifier les mots-clés

Japon et Chine : concurrences régionales

> Justifier le choix de comparer ces deux États asiatiques. À l'aide du cours, expliquer pourquoi une réflexion comparative incluant l'Inde serait moins pertinente.

> Le « et » indique qu'il est nécessaire de conduire une réflexion comparative. Le plan ne peut pas être organisé autour de deux parties traitant successivement du Japon et de la Chine.

> Le terme « concurrence » confirme qu'il est nécessaire de conduire une réflexion comparative. Il appelle deux questions : qu'est-ce que se disputent le Japon et la Chine ? Dans quels domaines ?

■ Dégager une problématique

Quelle problématique convient le mieux au sujet ? Pourquoi ?

Problématique 1 : *Quelle est la place du Japon et de la Chine en Asie du Sud et de l'Est ?*

Problématique 2 : *Pourquoi le Japon et la Chine sont-ils concurrents ?*

Problématique 3 : *Comment se manifeste la rivalité entre le Japon et la Chine en Asie du Sud et de l'Est ?*

Étape 2 Élaborer le plan

Conseil *Dans les paragraphes consacrés au Japon, n'oubliez pas de le comparer à la Chine et inversement.*

1. Le Japon et la Chine : des partenaires et rivaux économiques en Asie du Sud et de l'Est

A. Des économies interdépendantes
Argument et exemple(s) (dont au moins un schéma)
B. Une suprématie japonaise qui est financière et technologique
Argument et exemple(s) (dont au moins un schéma)
C. Une suprématie chinoise qui est industrielle
Argument et exemple(s) (dont au moins un schéma)

3. Le Japon et la Chine : les futurs co-leaders en Asie du Sud et de l'Est ?

A. Des puissances incomplètes
Argument et exemple(s) (dont au moins un schéma)
B. Des puissances qui se partageront l'influence dans la région ?
Argument et exemple(s) (dont au moins un schéma)
C. Des puissances qui seront au cœur d'une intégration régionale ?
Argument et exemple(s) (dont au moins un schéma)

2. Le Japon et la Chine : des rivaux stratégiques en Asie du Sud et de l'Est

A. Des États « amis »
Argument et exemple(s) (dont au moins un schéma)
B. Un Japon qui cherche à restaurer son influence
Argument et exemple(s) (dont au moins un schéma)
C. Une Chine qui cherche à renforcer son influence
Argument et exemple(s) (dont au moins un schéma)

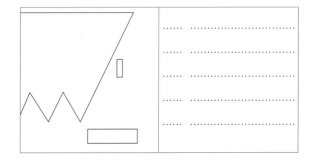

Étape 3 Rédiger la composition

Rédigez intégralement la composition à l'aide du plan détaillé. Soignez vos schémas (voir fond de schéma ci-dessus) car ces productions graphiques sont valorisées.

EXERCICE GUIDÉ

SUJET Japon et Chine : ambitions mondiales

Étape 1   Analyser le sujet

■ Délimiter l'espace concerné
et identifier les mots-clés

Même si le libellé du sujet comporte les termes « Japon » et « Chine », l'espace concerné est le monde : quel rôle jouent ou ambitionnent de jouer le Japon et la Chine dans le monde ?

Japon et Chine : ambitions mondiales

Justifier le choix de comparer ces deux États asiatiques. À l'aide du cours, expliquer pourquoi une réflexion comparative incluant l'Inde serait moins pertinente.

Le « et » indique qu'il est nécessaire de conduire une réflexion comparative. Le plan ne peut pas être organisé autour de deux parties traitant successivement du Japon et de la Chine.

Le terme « ambitions » fait référence au statut de puissance auquel le Japon et la Chine aspirent : dans quels domaines ?

■ Dégager une problématique

Quelle problématique convient le mieux au sujet ? Pourquoi ?

Problématique 1 : *Quelles sont les ambitions du Japon et de la Chine ?*

Problématique 2 : *Quelle est la place du Japon et de la Chine dans le monde ?*

Problématique 3 : *Qu'est-ce qui permet au Japon et à la Chine d'atteindre le statut de puissance mondiale qu'ils ambitionnent ?*

Étape 2   Élaborer le plan

Conseil *Dans les paragraphes consacrés au Japon, n'oubliez pas de le comparer à la Chine et inversement.*

1. Le Japon et la Chine : une puissance établie, une puissance ascendante

A. Un monde qui compte deux puissances asiatiques
Argument et exemple(s) (dont au moins un schéma)
B. Des puissances similaires
Argument et exemple(s) (dont au moins un schéma)
C. Des puissances différentes
Argument et exemple(s) (dont au moins un schéma)

3. Le Japon et la Chine : des puissances géopolitiques ambitieuses

A. Des puissances qui pèsent différemment dans les rapports de force internationaux
Argument et exemple(s) (dont au moins un schéma)
B. Le rôle politique mondial du Japon
Argument et exemple(s) (dont au moins un schéma)
C. Le rôle politique mondial de la Chine
Argument et exemple(s) (dont au moins un schéma)

2. Le Japon et la Chine : des puissances économiques vulnérables

A. Des économies qui pèsent fortement dans l'économie mondiale
Argument et exemple(s) (dont au moins un schéma)
B. Un Japon puissant malgré la stagnation
Argument et exemple(s) (dont au moins un schéma)
C. Une Chine puissante malgré la dépendance vis-à-vis de l'extérieur
Argument et exemple(s) (dont au moins un schéma)

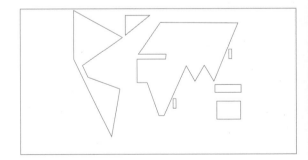

Étape 3   Rédiger la composition

Rédigez intégralement la composition à l'aide du plan détaillé. Soignez vos schémas (voir fond de schéma ci-dessus) car ces productions graphiques sont valorisées.

ENTRAÎNEMENT

SUJET Mumbai, métropole de la modernité ou des inégalités ?

Montrez que l'organisation spatiale de Mumbai reflète son statut de métropole émergente, mais également de fortes inégalités. Portez un regard critique sur les documents.

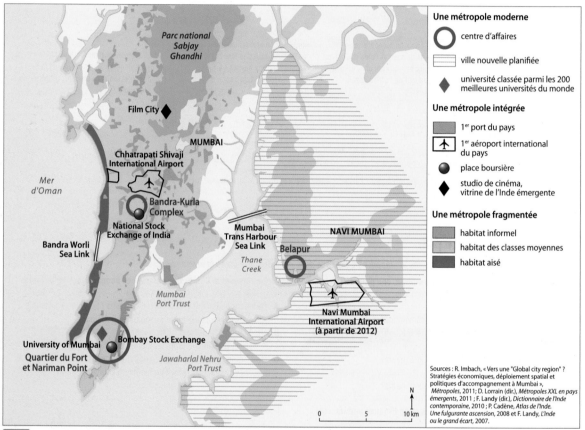

Une métropole moderne

⭕ centre d'affaires

▭ ville nouvelle planifiée

◆ université classée parmi les 200 meilleures universités du monde

Une métropole intégrée

▭ 1er port du pays

✈ 1er aéroport international du pays

⬤ place boursière

◆ studio de cinéma, vitrine de l'Inde émergente

Une métropole fragmentée

habitat informel

habitat des classes moyennes

habitat aisé

Sources : R. Imbach, « Vers une "Global city region" ? Stratégies économiques, déploiement spatial et politiques d'accompagnement à Mumbai », *Métropoles*, 2011 ; D. Lorrain (dir.), *Métropoles XXL en pays émergents*, 2011 ; F. Landy (dir.), *Dictionnaire de l'Inde contemporaine*, 2010 ; P. Cadène, *Atlas de l'Inde. Une fulgurante ascension*, 2008 et F. Landy, *L'Inde ou le grand écart*, 2007.

1 **Une métropole moderne et marquée par des inégalités socio-spatiales**

2 **Une métropole mondiale du Sud**

En dépit de la concurrence croissante des autres villes indiennes, Mumbai maintient sa position économique dominante. Spécialisée dans les activités bancaires et financières, Mumbai représente 10 % de l'emploi industriel du pays, et contribue à hauteur de 40 % au PIB du Maharashtra[1] et de 4 % au PIB national. Toutefois, depuis les années 1980, Mumbai fait face à un processus de désindustrialisation avec une baisse de la production industrielle, une mutation vers le secteur tertiaire de la structure des emplois, et un processus de précarisation du travail. Par ailleurs, Mumbai est confrontée à un certain nombre de graves problèmes : une forte volatilité de son taux de croissance

[…], un déséquilibre entre l'offre et la demande sur le marché du travail, des goulets d'étranglement croissants dans les infrastructures (particulièrement dans les transports routiers et ferroviaires, mais de plus en plus également dans les secteurs de l'eau, de l'assainissement et de l'énergie), des prix de l'immobilier exorbitants (à la location ou à l'achat). Ces prix, parmi les plus élevés au monde, sont en partie expliqués par une pénurie de terrains constructibles alors même que persistent des injustices aiguës quant à la répartition des propriétés foncières.

L. Kennedy et M.-H. Zérah, « Villes indiennes sous tutelle », *Métropoles*, 2011.

1. État dont Mumbai est la capitale.

ENTRAÎNEMENT

SUJET Mumbai, métropole de la modernité ou des inégalités ?

Montrez que Mumbai est une vitrine de l'émergence de l'Inde, mais que les inégalités constituent un frein à ses ambitions de ville mondiale. Portez un regard critique sur les documents.

1 **Une ville marquée par des inégalités socio-spatiales.**

Les bidonvilles jouxtent des quartiers résidentiels des classes moyennes.

2 Bollywood, « vitrine » de la modernité de Mumbai

Il n'est pas rare aujourd'hui que des films de Bollywood soient complètement tournés hors d'Inde. Les personnages portent aussi bien des vêtements occidentaux qu'indiens. Leurs prénoms ont des sonorités américaines ou européennes (Vicky, Paula, Monica…). Les paroles des chansons sont en hindi mais en anglais de plus en plus souvent […]. Le style de vie de plus en plus consumériste des élites qui vivent en Inde, comme des Indiens aisés qui résident en Occident se traduit, dans les films de Bollywood, par la multiplication d'intérieurs extravagants, de bijoux fastueux, de vêtements de grands couturiers, de scènes de shopping dans des centres commerciaux ultramodernes, de repas dans des clubs, de soirées dans des bars […].

Outre qu'elle est aisée, la diaspora à laquelle les producteurs de Bollywood s'adressent est en majorité hindoue. Résultat : leurs films résument de plus en plus l'identité indienne à l'appartenance à cette seule religion, d'une part. Et à la richesse, d'autre part. Rien d'étonnant à ce que les Indiens pauvres et les minorités religieuses (musulmans et chrétiens…) se sentent exclus de la représentation très mondialisée que les studios de Mumbai donnent de leur pays et de leur société. […] Pour toucher de nouveaux spectateurs, [l'industrie du cinéma de Mumbai] a abandonné toute ambition de décrire les conditions sociales, la misère, les conflits dans sa propre société.

S. Rao, *Alternatives internationales*, n° 51, juin 2011.

ENTRAÎNEMENT

SUJET Les défis de la population en Asie du Sud et de l'Est

À partir de l'étude critique de ces documents, montrez que la population représente un défi majeur en Asie du Sud et de l'Est.
Portez un regard critique sur les documents.

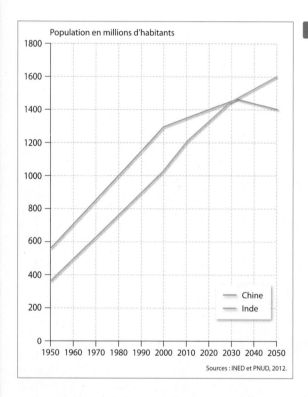

Population en millions d'habitants

Sources : INED et PNUD, 2012.

1 Chine et Inde : les deux géants démographiques de la planète

2 La Chine, vieille avant d'être riche

Estimée à 40 millions de personnes au début de notre ère, la population chinoise devrait atteindre son maximum vers 2033 avant de stagner, voire de diminuer progressivement si la fécondité des femmes se maintenait à son niveau actuel. Entre-temps, la Chine sera entrée dans une phase de vieillissement rapide et massif. On projette ainsi que l'âge médian, qui s'élevait à 27 ans en 1995 devrait atteindre 39 ans en 2025.
[...] Le processus du vieillissement chinois procède de deux évolutions parallèles : le ralentissement de la natalité faisant passer la part des moins de 15 ans de 39,5 % en 1975 à 18,1 % en 2025 ; l'entrée dans le troisième âge, à la même période, de générations plus nombreuses nées entre 1950 et 1970 et dont les deux tiers auront survécu grâce à l'allongement de l'espérance de vie.
À partir de 2030, le vieillissement chinois sera également marqué par la croissance très rapide des 80 ans et plus. De 19,3 millions en 2010, ils devraient passer à près de 41 millions en 2030 et pourraient même dépasser 100 millions de personnes en 2050. Au problème critique de retraite que soulèvera déjà le vieillissement de la population chinoise s'ajoutera alors celui de la prise en charge médicale et sociale de populations particulièrement vulnérables aux maladies et au handicap.

V. Raisson, *2033. Atlas des futurs du monde*, 2010.

ENTRAÎNEMENT

SUJET ## Les défis de la croissance en Asie du Sud et de l'Est

À partir de l'étude critique de ces documents, montrez que la croissance économique représente un défi majeur en Asie du Sud et de l'Est.
Portez un regard critique sur les documents.

1 **L'Inde, un pays émergent.** Dessin de Khushdeep Kaur, *The Times of India*, 2011.

2 **Le boom immobilier, facteur et conséquence de la croissance en Chine.**

Dans la métropole de Guangzhou (Canton) comme dans le reste des villes chinoises, la pression immobilière est forte. Les candidats à l'achat choisissent sur plan et maquette leur logement dans les vastes programmes immobiliers.

ENTRAÎNEMENT

SUJET **Le Japon face aux concurrences régionales dans l'aire pacifique**

Montrez la place qu'occupe le Japon en Asie du Sud et de l'Est et les concurrences régionales auxquelles il doit faire face. Portez un regard critique sur le document.

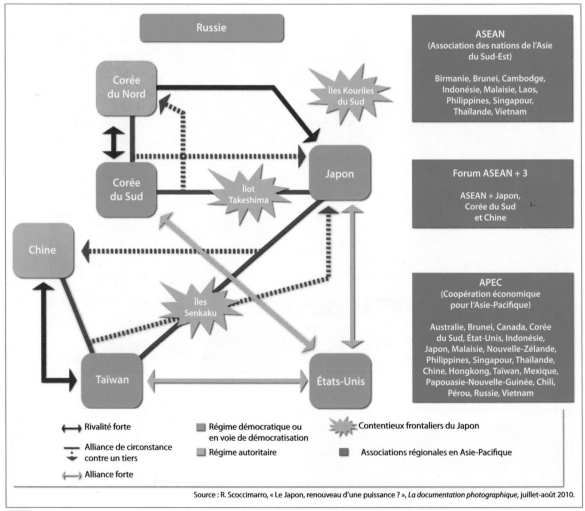

Source : R. Scoccimarro, « Le Japon, renouveau d'une puissance ? », *La documentation photographique*, juillet-août 2010.

1 **Le Japon en Asie du Sud et de l'Est : entre tensions et intégrations régionales.**

L'îlot Takeshima revendiqué par le Japon est contrôlé par la Corée du Sud. Les îles japonaises Senkaku sont réclamées par Taïwan et la Chine.

ENTRAÎNEMENT

SUJET ## La Chine face aux concurrences régionales en Asie du Sud et de l'Est

Montrez la place qu'occupe la Chine en Asie du Sud et de l'Est et les concurrences régionales auxquelles elle doit faire face. Portez un regard critique sur les documents.

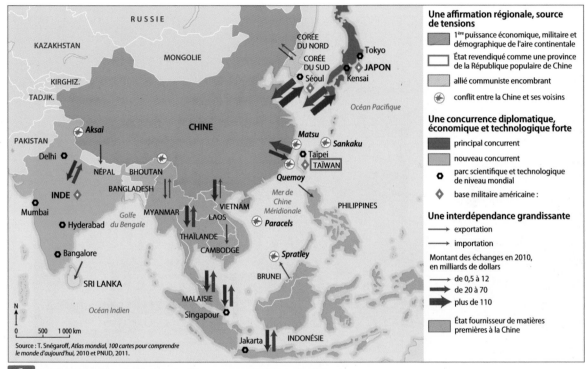

1 **La Chine en Asie du Sud et de l'Est : entre tensions et intégration**

2 **L'Inde : un partenaire et un rival**

Rivaux sur terre, l'Inde et la Chine le sont davantage encore dans l'océan Indien. New Delhi souffre d'un complexe d'encerclement lié à l'essor du « collier de perles » sous influence chinoise (la construction de ports jusqu'au détroit d'Ormuz) et au déploiement de missiles sur le plateau tibétain. De son côté, Pékin est convaincu que l'Inde est en mesure de lui bloquer l'accès à « sa » mer de Chine […]. Les inquiétudes sont d'autant plus vives de part et d'autre que l'essentiel des approvisionnements en hydrocarbures de chacun se fait au Proche-Orient et passe par l'océan Indien. […]

Cette rivalité donne lieu à la formation de coalitions régionales. Proche du Pakistan, de la Birmanie et du Sri Lanka, la Chine courtise des partenaires avec lesquels l'Inde souhaiterait conserver ou développer de bonnes relations, comme l'Iran, le Népal

et le Bangladesh. New Delhi, pour sa part, cherche à exploiter l'inquiétude face à la puissance chinoise de pays aussi différents que le Vietnam, Singapour et le Japon – avec lequel a été signé en 2006 un important accord de partenariat stratégique. Il se rapproche par ailleurs des États-Unis […].

Ces relations bilatérales compliquées n'empêchent pas les deux pays de se retrouver – et de converger – de plus en plus souvent dans les instances multilatérales. La multiplicité des institutions regroupant des pays asiatiques […] accroît la fréquence et l'intensité des échanges : l'Inde et la Chine sont aujourd'hui membres d'une demi-douzaine d'organisations de ce genre, à l'échelle régionale ou intercontinentale.

C. Jaffrelot, « Inde-Chine, conflits et convergences », *Le Monde diplomatique*, mai 2011.

ENTRAÎNEMENT

SUJET Le Japon : une puissance majeure en Asie du Sud et de l'Est

À partir des documents, montrez que le Japon est une puissance régionale et qu'il entretient des relations ambivalentes avec la Chine.
Portez un regard critique sur les documents.

1 **Uniqlo au Sanlitun Village à Beijing (Chine).** Uniqlo, une entreprise japonaise de prêt-à-porter qui accélère son déploiement planétaire, participe à l'image positive du Japon dans le monde.

2 **Indonésie : un rôle de premier plan**

Malgré les pénibles souvenirs laissés par la guerre du Pacifique et l'occupation nippone, l'Indonésie partage avec le Japon des intérêts communs. [...]

L'Asie de l'Est est largement dominée par la puissance nippone dont les investissements et le commerce ont structuré la région. En Indonésie, le Japon a opéré son retour grâce aux réparations de guerre, dès les années 1950. Très vite, le Japon est devenu le premier investisseur étranger dans l'archipel, et son premier client et fournisseur. Il est aussi le plus important créancier du pays. Selon la Banque des règlements internationaux, jusqu'en juillet 1997, le Japon avait prêté au secteur privé indonésien quelque 23 milliards de dollars.

L'Indonésie bénéficie d'une aide nippone résolue et continue,

qui est la contrepartie de ses avantages vitaux, tant sur le plan des ressources naturelles (gaz naturel) que stratégique : la moitié des cent cinquante navires de plus de 30 000 tonnes traversant chaque jour les détroits de Malacca, Singapour, Lombok et Makasar sont japonais ; les trois quarts du pétrole importé par les Japonais passent par ces détroits ; en cas de fermeture, les pétroliers géants devraient allonger leur trajet de 78 % en contournant l'Australie. [...]

Dans les calculs de Jakarta, le puissant Japon joue un rôle de contrepoids face à la grande Chine. La diplomatie indonésienne cherche ainsi à aménager une relation triangulaire équilibrée avec la RPC et le Japon, pour ne dépendre d'aucun des deux.

F. Raillon, *Indonésie. Les voies de la survie*, 2007.

ENTRAÎNEMENT

SUJET **Les ambitions mondiales du Japon**

À travers l'étude critique de ces documents, montrez les ambitions mondiales du Japon.

1 **Le *cool Japan*, un rayonnement culturel**

2 **Des ambitions mondiales dépendantes des États-Unis et concurrencées par la Chine**

Longtemps, Tokyo s'est contenté d'être le supplétif militaire des Américains dans la région. Mais la donne a été modifiée par l'émergence de la Chine dans les affaires du monde, qui a conduit les États-Unis à chercher des contrepoids asiatiques [...]. Après la révision de l'accord stratégique signé en 2005 avec Washington, les forces militaires nippones, jusqu'alors purement défensives, se transforment en armée d'intervention apte à se projeter à l'extérieur. Même si [...] la Constitution japonaise interdit toujours l'utilisation de l'armée dans des conflits internationaux, Tokyo aimerait s'affranchir des contraintes liées à l'après-guerre et s'affirmer sur la scène mondiale. D'autant que son voisin chinois occupe très largement la place. Si leurs rapports connaissent des périodes de fortes tensions (comme en 2005-2006), les liens économiques, eux, ne se sont jamais distendus depuis l'ouverture de la Chine. Ce qui n'exclut évidemment pas la concurrence politique – en Asie, notamment vis-à-vis de l'Association des nations de l'Asie du Sud-Est, en Afrique (dans la course aux matières premières) et dans les rencontres internationales (tel le G20, qui réunit les puissances les plus riches et les nations émergentes). [...] En fait, le trio sino-américano-nippon mène une sarabande endiablée, faite de relations économiques étroites, de rapports diplomatiques houleux et de méfiance réelle [...].

E. Guyonnet, « Le Japon méconnu », *Le Monde diplomatique, Manière de voir*, juin-juillet 2009.

ENTRAÎNEMENT

SUJET ## Les ambitions mondiales de la Chine

À travers l'étude critique de ces documents, montrez les ambitions mondiales de la Chine.

1 Défilé du 60ᵉ anniversaire de la création de la République populaire de Chine, en 2009

2 Des ambitions militaires et spatiales fortes

Le budget de la défense [chinoise] est passé de 32,8 milliards de dollars en 2003 à 119 milliards en 2010 et son armée s'élève aujourd'hui à 2,5 millions d'hommes et à plus de 800 000 réservistes, ce qui en fait la première armée du monde par les effectifs. [...] Selon les différents rapports annuels sur la puissance militaire chinoise faits par les États-Unis, les investissements officiels seraient très en deçà de la réalité, son programme balistique serait le plus actif du monde et ses capacités de projection lui permettraient bientôt d'atteindre des porte-avions de l'autre côté du Pacifique. Les Américains s'inquiètent donc de l'augmentation des capacités militaires chinoises portée par une puissante industrie de l'armement, et se demandent quels sont les réels objectifs du géant chinois : assurer au mieux sa défense,

ou effrayer des voisins protégés jusqu'ici par le bouclier américain. [...]

[En matière de conquête spatiale], les Chinois sont pour l'instant à la traîne derrière les États-Unis et la Russie, mais l'énergie qu'ils mettent à rattraper au plus vite leur retard porte ses fruits depuis une dizaine d'années. L'objectif de la Chine se porte aujourd'hui sur la Lune, que les Chinois aimeraient conquérir à l'horizon 2025, mais aussi sur l'exploration de la planète Mars : un satellite nommé Yinghuo-1 a ainsi été lancé en collaboration avec la Russie le 7 novembre 2011 afin d'être mis sur orbite autour de Mars. [...] La Chine souhaite également installer en orbite basse terrestre sa propre station spatiale à l'horizon 2020.

S. Delannoy, *Géopolitique des pays émergents*, 2012.

ENTRAÎNEMENT

SUJET Les ambitions mondiales de la Chine

À partir des documents, montrez que la Chine est une puissance économique incontournable, mais qu'elle reste très dépendante de l'extérieur. Portez un regard critique sur les documents en insistant sur ce qu'ils ne montrent pas.

1 Des besoins croissants en matières premières

2 La Chine et les BRICS

[Dans le groupe des BRICS,] les projets de coopération restent essentiellement bilatéraux, aucune règle de fonctionnement en commun n'a été établie, et aucune structure réellement pérenne n'a été mise en place. Les raisons de cette difficulté à se rapprocher, au-delà des effets d'annonce, repose sur la divergence de leurs intérêts qui nuit à leur capacité d'union, et sur leur potentiel très inégal : les BRICS souffrent d'une sorte de macrocéphalie si l'on considère que la Chine est leur tête. La Chine n'est pas une puissance émergente comme les autres : elle représente 50 % du PIB des BRICS, les deux tiers du commerce de l'ensemble, et occupe la place de premier partenaire commercial de ces pays en représentant 9 à 14 % de leur commerce extérieur.

La Chine est de son côté beaucoup moins dépendante des autres BRICS, qui occupent des places comprises entre le 9e et le 23e rang dans son commerce extérieur. Ces caractéristiques hors norme et la montée en puissance quasiment inéluctable qu'elles sous-tendent expliquent que la Chine ait des visées mondiales plus claires. L'attitude de la Chine est d'ailleurs révélatrice de l'admiration qu'elle éprouve pour les États-Unis, seul pays qu'elle estime à sa hauteur, instrumentalisant souvent les autres espaces si bien que le comportement de la Chine vis-à-vis des pays européens semble finalement proche des relations qu'elle entretient avec l'Afrique. Dans les négociations entre BRICS, le poids de la Chine est donc disproportionné.

S. Delannoy, *Géopolitique des pays émergents*, 2012.

ENTRAÎNEMENT

SUJET Les ambitions mondiales de la Chine

À partir du document, montrez que la Chine est une puissance économique récente, mais qu'elle reste très dépendante de l'extérieur. Portez un regard critique sur le document en insistant sur ce qu'il ne montre pas.

In the future, South-South trade will be norm not novelty.

Statue en terre cuite de l'armée de l'empereur Qin (IIIe siècle avant notre ère).

Tongs jaune et verte (aux couleurs du drapeau brésilien) de la marque brésilienne Havaianas.

Direct trade between fast-growing nations is reshaping the world economy. HSBC is one of the leading banks for trade settlement between China and Latin America. There's a new world emerging. Be part of it.

There's more on trade at
www.hsbc.com/inthefuture

HSBC ◀▣▶

Campagne publicitaire de la banque britannique HSBC

Traduction : (en haut) « Demain, le commerce Sud/Sud ne sera plus un phénomène marginal mais bel et bien la norme » ; (en bas) « Aujourd'hui, le commerce direct entre les nations à forte croissance vient rebattre toutes les cartes de l'économie mondiale. HSBC fait partie de ces grandes banques établissant des liens commerciaux entre la Chine et l'Amérique latine. Un monde nouveau est en train d'émerger. Ne restez pas sur le banc de touche. »

ENTRAÎNEMENT

SUJET Les ambitions mondiales du Japon

À partir des documents, montrez que le Japon est une puissance économiquement forte, mais géopolitiquement limitée et qu'il ambitionne d'atteindre le statut de puissance mondiale. Portez un regard critique sur les documents.

1 Shibuya : l'un des centres de Tokyo

2 La place du Japon dans le monde

Pendant la guerre froide, [la] géopolitique [du Japon] est marquée par trois tendances : il transforme en atout la démilitarisation subie pour devenir la deuxième puissance économique mondiale ; ancré dans le « monde libre », il est désormais l'allié des États-Unis ; il cherche à rétablir des relations avec ses voisins malgré les différences de régimes politiques.

Tourné vers l'économie depuis la Seconde Guerre mondiale, [...] [le Japon adhère] aux organisations internationales [...] : il devient successivement membre du FMI et de la Banque mondiale (1952), du GATT (1955), de l'ONU (1956), de l'OCDE (1964), et fait partie du G6 à sa création, en 1975. [...] Symbole de sa puissance nouvelle, le Japon organise les Jeux olympiques en 1964 (à Tokyo) et l'Exposition universelle en 1970 (à Osaka).

Son pacifisme, isolationniste, ne se convertit pas en soft power. L'implication du Japon dans la lutte contre la prolifération et pour le désarmement, et son importante contribution au budget de l'ONU lui ont permis d'être l'État ayant le plus souvent occupé un siège de membre non permanent au Conseil de sécurité – et non d'obtenir le siège de membre permanent auquel il prétend depuis les années 1960.

Son principal obstacle est la Chine, une réforme de l'ONU nécessitant l'approbation de chacun des membres permanents du Conseil. Le « capital sympathie » qu'il tire de l'animation et des mangas, en Asie comme en Europe, ne se traduit pas en influence politique.

P. Gauchon (dir.), *Dictionnaire de géopolitique et de géoéconomie*, 2011.

Fiche de révision

L'essentiel

A. La population et la croissance permettent-elles un développement de l'Asie du Sud et de l'Est ?

Des facteurs permettant un développement incomplet de cette aire
➤ Une aire continentale concentrant la majeure partie de la population mondiale :
- ces deux géants démographiques de la planète constituent les deux premiers foyers de peuplement ;
- leur croissance démographique connaît un ralentissement.

➤ L'aire continentale à la plus forte croissance économique :
- cette croissance se fonde sur la demande extérieure et, de plus en plus, sur la demande intérieure ;
- elle s'appuie sur une main-d'œuvre abondante et compétitive.

➤ Une aire continentale qui reste confrontée à de grands défis :
- le vieillissement de la population ;
- la pauvreté de la population, ses besoins croissants en éducation, en logement et en ressources.

B. Comment se manifeste la rivalité entre le Japon et la Chine en Asie du Sud et de l'Est ?

Des rivaux qui se disputent le leadership de l'Asie du Sud et de l'Est
➤ Un leadership économique du Japon sur cette aire :
- sa suprématie est financière et technologique ;
- pour s'imposer comme leader économique, la Chine doit détrôner le Japon sur le plan technologique.

➤ Un leadership stratégique de la Chine sur cette aire :
- la Chine cherche à renforcer son influence en désamorçant les craintes d'une « menace chinoise » ;
- le Japon cherche à restaurer son influence en recentrant sa politique étrangère sur l'Asie.

➤ Un leadership global de l'aire continentale à partager :
- ni le Japon ni la Chine ne possède pour l'instant ce leadership ;
- le partage de ce leadership, qui s'ébauche depuis cinq ans, vise à servir les intérêts des deux pays.

C. Comment le Japon et la Chine atteignent-ils le statut de puissance mondiale ?

Des puissances économiques et géopolitiques qui ont des ambitions mondiales
➤ Le Japon est une puissance établie ; la Chine est une puissance ascendante :
- la Chine a détrôné le Japon de son rang de 2ᵉ économie mondiale ;
- mais son niveau de vie reste dix fois moins élevé que celui du Japon.

➤ Le Japon et la Chine sont des puissances économiques vulnérables :
- le Japon reste une formidable puissance économique malgré la stagnation qui le mine depuis vingt ans ;
- la Chine est une puissance économique récente, mais très dépendante de l'extérieur.

➤ Le Japon et la Chine sont des puissances géopolitiques ambitieuses :
- le Japon vise un rôle politique mondial en s'émancipant de la tutelle des États-Unis ;
- la Chine vise un rôle politique mondial en égalant voire dépassant les États-Unis.

Schémas cartographiques

A. Une population et une croissance qui permettent un développement incomplet de l'Asie du Sud et de l'Est

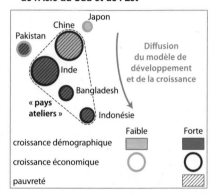

B. Des rivaux qui se disputent le leadership de l'Asie du Sud et de l'Est

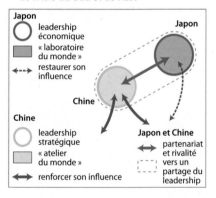

C. Des puissances qui ont des ambitions mondiales

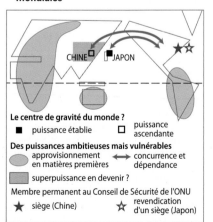

Organigramme de révision

L'Asie du Sud et de l'Est

est caractérisée par →
est l'enjeu de ↓
est dominée par →

est caractérisée par :

- Un développement incomplet
  ↓
- Elle concentre la majeure partie de la population mondiale
  +
- Elle connaît la plus forte croissance économique
  +
- Elle reste encore confrontée à de grands défis

est l'enjeu de :

- Une rivalité entre le Japon et la Chine, qui se disputent le leadership
  ↓
- Le Japon est le leader économique
  +
- La Chine est le leader stratégique
  +
- Le Japon et la Chine se partageront probablement le leadership global

est dominée par :

- Deux puissances ayant des ambitions mondiales : le Japon, une puissance établie ; La Chine, une puissance ascendante
  ↓
- Le Japon et la Chine sont des puissances économiques vulnérables
  +
- Le Japon et la Chine sont des puissances géopolitiques ambitieuses

Ne pas confondre

Puissance établie / puissance ascendante

Puissance établie : expression du géographe Michel Foucher désignant un centre de pouvoir ancien et reconnu qui a un poids économique et un niveau de vie élevés.

Puissance ascendante : expression du géographe Michel Foucher désignant un centre de pouvoir nouveau et en ascension ayant un poids éconononomique élevé mais un niveau de vie faible. Il parle aussi de puissance prématurée.

Flux d'IDE sortants / flux d'IDE entrants

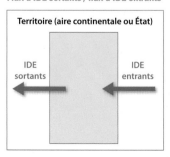

Territoire (aire continentale ou État)

IDE sortants ← ← IDE entrants

Repères

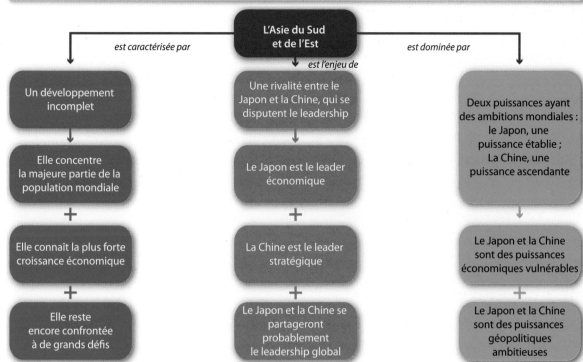

JAPON
CHINE
INDE
Limite Nord-Sud

N
0   2 000 km
Source : PNUD, 2012.

Indice de développement humain en 2011
Monde : 0,682

0,45   0,50   0,70   0,80   0,91   aucune donnée

Évolution de l'IDH entre 1980 et 2010

	1980	2010
JAPON	0,778	0,901
CHINE	0,404	0,687
INDE	0,344	0,547

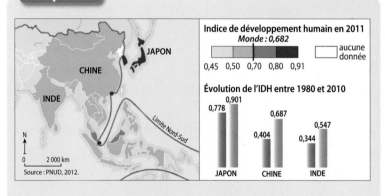

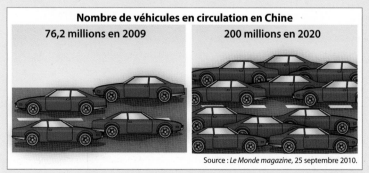

Nombre de véhicules en circulation en Chine

76,2 millions en 2009   200 millions en 2020

Source : *Le Monde magazine*, 25 septembre 2010.

CANADA

ISLANDE

NORVÈGE

SUÈD

ROYAUME-UNI

DANEMARK

IRLANDE   PAYS-BAS   POLOG

BELGIQUE   ALLEMAGNE

15   18

22

4   23   12

ÉTATS-UNIS

FRANCE   SUISSE   11   8   2

2   ITALIE   17   1

20

ESPAGNE   25

PORTUGAL

TUNISIE

GF

Tropique
du Cancer

MEXIQUE

BAHAMAS

Océan
Atlantique

MAROC

ALGÉRIE

LIBYE

CUBA   RÉP. DOMINICAINE

HAÏTI   ANTIGUA ET BARBUDA

BELIZE   CAP-VERT   MAURITANIE

HONDURAS   JAMAÏQUE   DOMINIQUE   MALI   NIGER

GUATEMALA   SAINTE-LUCIE   SÉNÉGAL

EL SALVADOR   NICARAGUA   ST-VINCENT ET LES GRENADINES   GAMBIE   BURKINA

GRENADE   GUINÉE-BISSAU   FASO   BÉNIN   NIGERIA

COSTA RICA   TRINITÉ ET TOBAGO   GUINÉE   TOGO

PANAMÁ   SIERRA LEONE   CÔTE   TOGO   CENTRAFR

VENEZUELA   LIBERIA   D'IVOIRE   CAMEROUN

COLOMBIE   GUYANA   GUYANE FR.   GHANA

SURINAM   GUINÉE ÉQUATORIALE

Équateur

ÉQUATEUR   SÃO TOMÉ ET PRINCIPE   GABON

CONGO   RÉP. D

DU CO

Océan
Pacifique

PÉROU   BRÉSIL   ANGOLA

ZA

BOLIVIE   NAMIBIE

BOTSW

PARAGUAY

Tropique du
Capricorne

CHILI   AFRI

DU

ARGENTINE

URUGUAY

N

0   1 000   2 000 km

Échelle à l'équateur

ANDE

— ESTONIE
— LETTONIE
— LITUANIE
ORUSSIE

KRAINE
— MOLDAVIE
MANIE

GÉORGIE
3   5
TURQUIE   TURKMÉNISTAN   TADJIKISTAN

YPRE
14   SYRIE
AËL
4
JORDANIE   KOWEÏT
6   QATAR
TE   ÉAU
ARABIE
SAOUDITE   OMAN

DAN
ÉRYTHRÉE   YÉMEN
DJIBOUTI

DAN   ÉTHIOPIE
UD
SOMALIE
GANDA
KENYA

SEYCHELLES
ANZANIE

COMORES

MALAWI

MOZAMBIQUE
ABWE   MADAGASCAR   MAURICE

— SWAZILAND
— LESOTO

RUSSIE

KAZAKHSTAN   MONGOLIE

OUZBÉKISTAN   KIRGHIZSTAN   CORÉE
DU NORD   JAPON
CORÉE
DU SUD

AFGHANISTAN   CHINE

PAKISTAN   NÉPAL   7
TAÏWAN
INDE   BANGLADESH

LAOS
MYANMAR   VIETNAM
THAÏLANDE
CAMBODGE   PHILIPPINES

SRI LANKA

MALDIVES   BRUNEI
MALAISIE
SINGAPOUR
INDONÉSIE   PAPOUASIE-
NOUVELLE-
GUINÉE

TIMOR-
LESTE

Océan
Pacifique

Océan
Indien

AUSTRALIE

NOUVELLE-
ZÉLANDE

ALBANIE	6 BAHREIN	11 CROATIE	16 MACÉDOINE	21 SERBIE
ANDORRE	7 BHOUTAN	12 HONGRIE	17 MONTÉNÉGRO	22 SLOVAQUIE
ARMÉNIE	8 BOSNIE-HERZ.	13 KOSOVO	18 RÉPUBLIQUE TCHÈQUE	23 SLOVÉNIE
AUTRICHE	9 BULGARIE	14 LIBAN	19 RWANDA	24 Autorité nationale palestinienne
AZERBAÏDJAN	10 BURUNDI	15 LUXEMBOURG	20 SAINT-MARIN	25 VATICAN

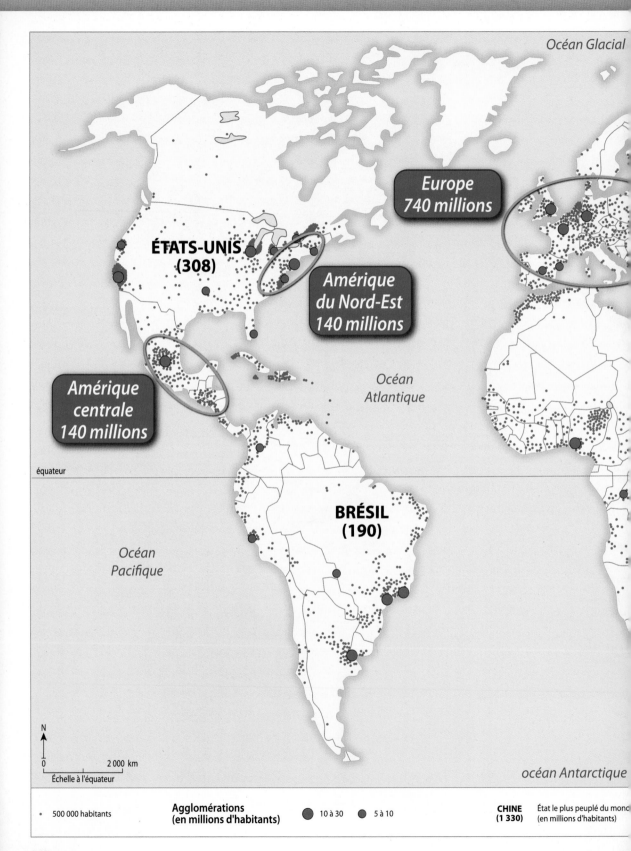

Océan Glacial

**Europe
740 millions**

**ÉTATS-UNIS
(308)**

**Amérique
du Nord-Est
140 millions**

**Amérique
centrale
140 millions**

Océan
Atlantique

équateur

**BRÉSIL
(190)**

Océan
Pacifique

N

0   2 000 km

Échelle à l'équateur

océan Antarctique

· 500 000 habitants   **Agglomérations
(en millions d'habitants)**   ● 10 à 30   ● 5 à 10   **CHINE
(1 330)**   État le plus peuplé du mond
(en millions d'habitants)

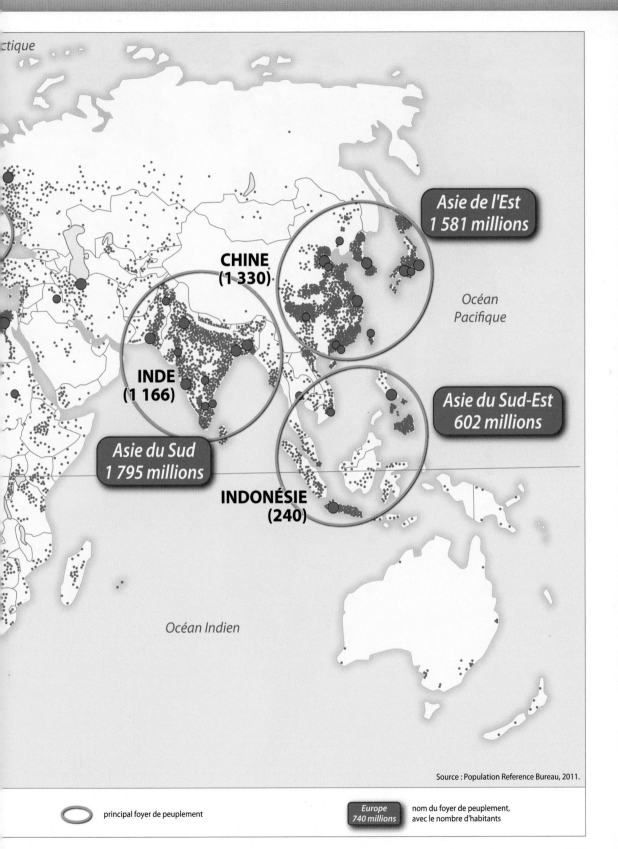

ctique

Asie de l'Est
1 581 millions

Océan Pacifique

CHINE
(1 330)

Asie du Sud-Est
602 millions

INDE
(1 166)

Asie du Sud
1 795 millions

INDONÉSIE
(240)

Océan Indien

Source : Population Reference Bureau, 2011.

principal foyer de peuplement

Europe
740 millions   nom du foyer de peuplement,
avec le nombre d'habitants

CANADA

ÉTATS-UNIS

ISLANDE
NORVÈGE
ROYAUME-UNI
DANEMA
IRLANDE
ALLEMA
FRANCE
ITALIE
PORTUGAL ESPAGNE

Tropique
du Cancer

MEXIQUE

TUNISIE
MAROC
ALGÉRIE

CUBA
HAÏTI   RÉP. DOMINICAINE

GUATEMALA   HONDURAS
NICARAGUA

COSTA RICA

PANAMÁ

CAP-VERT   MAURITANIE
SÉNÉGAL   MALI
                NIGER
                TC
GUINÉE   BURKINA
         FASO   NIGERIA
CÔTE
D'IVOIRE
LIBERIA   CENTR
         GHANA CAMEROUN

Océan
Atlantique

VENEZUELA
COLOMBIE   GUYANA
           GUYANE FR.
SURINAM

Équateur

ÉQUATEUR

CONGC
GABON
RÉ
DU

Océan
Pacifique

PÉROU

BRÉSIL

ANG

BOLIVIE

NAMIB
BC

PARAGUAY

Tropique
du Capricorne

CHILI

URUGUAY

ARGENTINE

N

0   1 000   2 000 km

Échelle à l'équateur

PIB par habitant,
en dollars en 2011

197   1 500   4 000   7 500   15 000   40 000   122 000

aucune
donnée

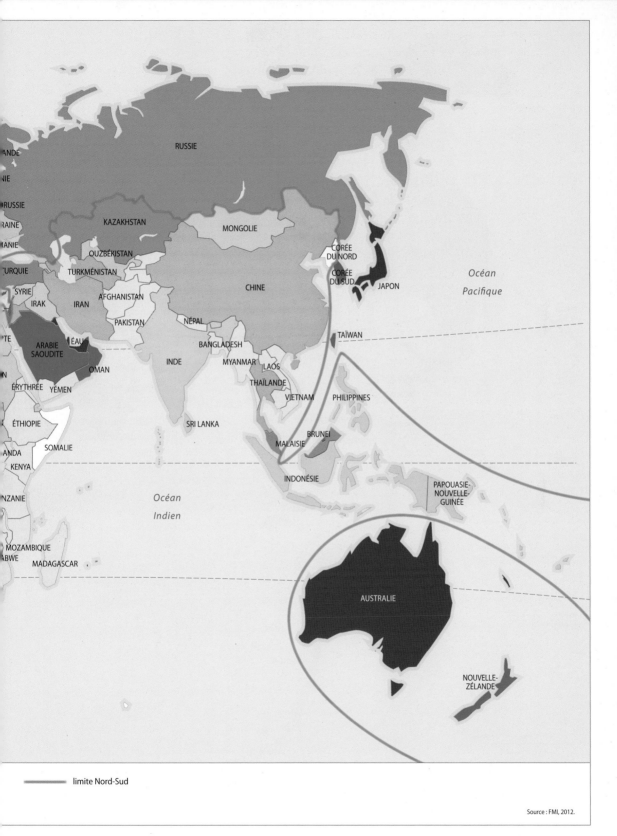

limite Nord-Sud

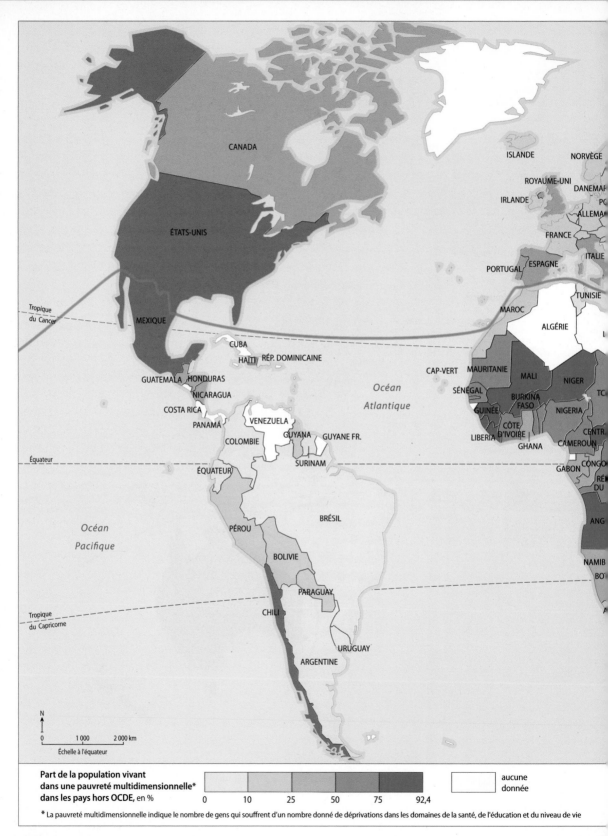

Part de la population vivant
dans une pauvreté multidimensionnelle*
dans les pays hors OCDE, en %

0   10   25   50   75   92,4

aucune
donnée

* La pauvreté multidimensionnelle indique le nombre de gens qui souffrent d'un nombre donné de déprivations dans les domaines de la santé, de l'éducation et du niveau de vie

Part de la population vivant
avec moins de 50 % du revenu médian équivalent
des ménages dans les pays de l'OCDE
fin des années 2000

5,4   10   15   21

limite Nord/Sud

Source : PNUD 2012.

LEXIQUE

A

Acteurs : ensemble de ceux qui, par leurs comportements, peuvent agir sur l'espace (firmes transnationales, États, ONG, individus…). Ce pouvoir dépend des intérêts, des moyens et des stratégies de chaque acteur. Par leur action collective, les acteurs produisent du territoire. Voir p. 85.

Aire de civilisation : espace identifié comme ayant une unité culturelle, du fait que les sociétés humaines qui y vivent adoptent des modes de pensée et de vie semblables. Voir p. 31.

Al-Aqmi : mouvement islamiste terroriste, dont l'acronyme signifie « Al-Qaïda au Maghreb islamique ». Voir p. 278.

ALBA : « aube » en espagnol. Alternative bolivarienne pour les Amériques. Voir p. 228.

ALENA (Accord de libre-échange nord-américain) : communauté économique créée en 1994 groupant le Canada, les États-Unis et le Mexique. Voir p. 226.

Altermondialisme : courant de pensée qui recherche des alternatives à la mondialisation libérale surtout fondées sur la réduction des inégalités et la protection de l'environnement. Voir p. 209.

Amazonie bleue : zone économique exclusive brésilienne riche en réserves pétrolières. Voir p. 238.

Amérique latine : voir p. 271.

Amérique du Nord : voir p. 271.

Amérique centrale : voir p. 271.

Amérique du Sud : voir p. 271.

Anamorphose : carte dans laquelle la surface d'un territoire est proportionnelle au phénomène représenté. Voir p. 22.

Apartheid (« développement séparé » en afrikaans) : de 1948 à 1991, le gouvernement blanc a imposé un système de ségrégation spatiale fondé sur des critères raciaux et ethniques. Les Noirs devaient vivre dans des réserves, ou bantoustans. Voir p. 298.

Arc de crise (ou croissant de crise) : région concentrant des foyers de violence et de guerre dus à l'enchevêtrement de peuples différents, à l'exploitation du pétrole et aux questions religieuses. Voir p. 26.

Archipel métropolitain mondial : ensemble des villes mondiales qui, étroitement connectées en réseaux, organisent le monde et nouent des relations privilégiées entre elles. Voir p. 146.

Asean+3 : groupe informel créé pendant la crise de 1997-1998 qui a accéléré le processus d'intégration régionale au plan monétaire et financier. Le Japon milite pour que l'Asean+3 s'ouvre à l'Australie, l'Inde et la Nouvelle-Zélande et que l'intégration s'étende au plan politique et stratégique afin de contenir l'influence croissante de la Chine dans la région. Voir p. 339.

Asie méridionale et Asie orientale : l'Asie méridionale correspond au sous-continent indien et à l'aire de diffusion de la culture indienne et l'Asie orientale à l'aire de diffusion de la culture chinoise. Voir p. 334.

ASPA (Amérique du Sud-Pays arabes) : forum de discussion né en 2005 entre les 22 pays de la Ligue arabe et 12 pays sud-américains. Voir p. 230.

« Atelier du monde » : expression que l'on réserve à la Chine pour désigner son rôle pivot de plate-forme d'assemblage. Nombre de produits ne sont pas à proprement parler fabriqués en Chine (*made in China*), ils y sont seulement assemblés à partir de composants importés (*made by China*). Ce rôle explique l'explosion du commerce extérieur chinois. Voir p. 340.

B

Baléarisation : urbanisation intense d'un espace dû à sa spécialisation dans le tourisme. Voir p. 184.

Bassin : espace créé autour d'un lieu commun (bassin hydrographique, bassin d'emploi, etc.). Voir p. 216.

Bassin caraïbe : voir p. 271.

Bolivarisme : courant politique d'Amérique du Sud se référant au Vénézuélien Simon Bolivar (1783-1830) et incarné aujourd'hui par Hugo Chavez. Il prône l'unification des peuples d'Amérique latine, considérés comme « dominés », et la lutte contre l'hégémonie étasunienne. Voir p. 228.

Bon du Trésor : les bons du Trésor sont émis pour financer le déficit budgétaire d'un pays. Le Japon et la Chine, qui les considèrent comme des placements financiers, achètent donc de la dette. Voir p. 346.

BRICS : noyau pilote des principaux pays ascendants (Brésil, Russie, Inde, Chine et Afrique du Sud). Voir p. 24.

C

Caricom : association régionale de coopération économique des Caraïbes. Voir p. 220.

CBD : quartier d'affaires. Voir p. 146.

CÉI (Communauté des États indépendants) : association régionale créée en 1991 afin de préserver une cohérence économique et politique entre les territoires de l'ex-URSS : respect de l'intégrité territoriale des États, harmonisation des réformes économique, politique, commerciale, douanière et diplomatique. Toutefois, la CÉI reste une coquille vide dominée par la Russie. Voir p. 56.

Centrage : choix cartographique privilégiant un espace placé au centre de la carte. Les planisphères utilisés en Europe sont le plus souvent européano-centrés. Voir p. 21.

Centre / périphérie : opposition entre un centre qui domine un espace et des périphéries qui sont dominées. Ces deux ensembles entretiennent des flux dissymétriques et cette organisation peut se lire à toutes les échelles (ville, région, État et monde). Voir p. 22 et p. 144.

Centre d'impulsion : ville ou région motrice de la mondialisation où les pouvoirs de décision sont très concentrés. Ces pouvoirs sont économiques (sièges sociaux, Bourses), politiques (institutions nationales et internationales), mais aussi culturels. Voir p. 146.

Chiite : courant de l'islam formé à la mort de Mahomet, en 632. Pour les chiites, la direction de la communauté des croyants doit être assumée par le gendre du Prophète, Ali, puis par ses descendants. Voir p. 29.

« Collier de perles » : stratégie chinoise visant à établir une série de bases permanentes dans l'océan Indien en vue de sécuriser son approvisionnement énergétique. Pour cela, la Chine modernise ou construit des ports dans les pays voisins de l'Inde, sa vieille rivale qu'elle contourne. Voir p. 339.

Coltan : minerai utilisé pour fabriquer les condensateurs et résistances des téléphones portables, des consoles de jeux vidéo et autres appareils électroniques. Voir p. 292.

Commerce équitable : système d'échange garantissant un revenu juste au producteur qui, ainsi, bénéficie d'une partie raisonnable du prix payé par le consommateur. Voir p. 85.

Conflit d'usage : rivalité entre différents utilisateurs d'une même ressource. Voir p. 281.

Contrainte : élément naturel, physique, climatique, etc., qui oppose une résistance à l'action humaine. Voir p. 66.

Coopérative : groupement de travailleurs ayant pour but de défendre leurs intérêts et d'augmenter leurs marges face aux conditions d'organisation de la production et des marchés. Voir p. 85

Cool Japan : stratégie de communication qui vise à modifier l'image du Japon dans le monde et à renforcer son rayonnement culturel à travers l'exportation de la culture de masse : mangas, dessins animés, jeux vidéo, musique (J-pop), modes vestimentaires, cuisine. Voir p. 346.

Culture mondialisée : résultat de l'uniformisation culturelle. Pratiques culturelles communes à l'ensemble des sociétés de la planète. Voir p. 184.

D

Découplage : principe visant à concilier croissance et préservation de la planète. Il consiste à produire davantage de richesses en consommant moins de ressources naturelles. Voir p. 184.

Délocalisation : transfert d'une unité de production dans des pays bénéficiant d'avantages comparatifs (main-d'œuvre moins chère, matières premières, zones défiscalisées…). Voir p. 190.

Démondialisation : processus visant à limiter le libre-échange, à travers la relocalisation de la production et des emplois et le retour à un protectionnisme ciblé via des droits de douanes. Voir p. 209.

Développement : ensemble des processus sociaux et économiques apportant aux hommes une plus grande sécurité, une plus grande satisfaction de leurs besoins. Voir p. 22.

Développement durable : développement qui permet de satisfaire nos besoins actuels sans compromettre la possibilité pour les générations futures de satisfaire les leurs. Le développement durable doit conduire à plus d'équité entre les hommes et les générations. Voir p. 37.

Développement de filiales à l'étranger : installation d'une activité dans un pays étranger pour produire sur place, mais également vendre sur place. Même si pour cela on ferme une unité de production d'origine. Voir p. 209.

Destinée manifeste : idéologie née au XIXe siècle qui affirme la mission des États-Unis à répandre la démocratie et leur modèle de civilisation. Voir p. 29.

Degré de financiarisation : rapport entre le stock de capitaux d'un pays et son PIB. Voir p. 98.

Diamants de sang : trafic de diamants alimentant guerres et rébellions (Angola, Liberia, RDC…). Voir p. 286.

Discrétisation : voir doc. 3 p. 20.

Division internationale du travail : spécialisation des pays dans un type d'activité (recherche, innovation, production, montage…). Voir p. 102.

Disneylandisation : effet d'un tourisme mondialisé qui façonne le monde comme un parc d'attractions. Voir p. 184.

E

Échanges : voir p. 123.

Échelle : La définition est double : 1. Numérique : rapport entre les distances réelles d'un espace et celles de la carte ; 2. Géographique : échelon d'analyse spatiale d'un phénomène par le géographe : local, régional, continental, global. Voir p. 21.

Économie de rente : économie faiblement diversifiée qui s'appuie surtout sur les ressources naturelles. Voir p. 58.

Économie de réseaux : système fondé sur les liens de connaissance et les réseaux privés pour accéder aux soins, documents administratifs, diplômes, logement, emploi… Voir p. 286.

Économie extravertie : économie dont une grande part des activités est destinée à l'exportation. Voir p. 219.

Edge city : espace périphérique concentrant des fonctions de commandement. Voir p. 132.

Empreinte carbonique : émissions de CO_2 en tonnes/hab. Voir p. 179.

Empreinte écologique : diffusée par l'ONG WWF, elle se mesure en hectares globaux par personne et évalue la superficie moyenne par habitant nécessaire à chaque État pour assouvir ses besoins. Plus l'empreinte est forte, plus l'État est jugé prédateur. Voir p. 36.

Enpowerment zone : zone urbaine en grande difficulté qui bénéficie d'un programme de subventions. Voir p. 132.

Environnement : au sens étroit, milieu naturel ; au sens large, ensemble des éléments naturels et sociaux qui nous entourent. Voir p. 37.

État défaillant : État classé (par l'ONG Fundforpeace) en fonction de sa « vulnérabilité aux conflits internes violents et de la détérioration sociale ». Voir p. 178 et Repère B, p. 180.

Étranger proche : expression forgée au lendemain de l'effondrement de l'URSS désignant les ex-Républiques soviétiques, dans lesquelles la Russie conserve des intérêts stratégiques. Depuis 1992, les limites de l'« étranger proche » ont évolué. Si les États baltes, du fait de leur intégration à l'Union européenne, ne font plus partie de cet ensemble, la Russie cherche à s'approprier une partie de l'Arctique qu'elle considère comme « son » étranger proche. Voir p. 56.

Externalisation : transfert d'une partie de l'activité d'une entreprise (et des risques qui y sont associés) vers un sous-traitant. Voir p. 326.

F

Façade maritime : littoral qui concentre un grand nombre de villes portuaires ouvertes aux échanges mondiaux et en liaison avec un même arrière-pays. Voir p. 173.

Feedering : système de transfert de conteneurs. Les porte-conteneurs transocéaniques déchargent sur des petits porte-conteneurs à partir d'un hub où les porte-conteneurs doivent faire escale vers des ports secondaires. Voir p. 152.

Filière : secteur d'activité rassemblant les activités de production (secteur amont), de transformation, de conditionnement et de conservation, de transport et de commercialisation (secteur aval) d'un produit. Voir p. 85.

Flux : voir p. 123.

Flux d'IDE sortants / flux d'IDE entrants : voir p. 369.

Food power (« arme alimentaire ») : moyen de pression politique qui entraîne une dépendance culturelle (habitudes alimentaires), économique et politique des pays clients. Voir p. 232.

Forum social mondial : rassemblement annuel organisé par le mouvement altermondialiste pour débattre des problèmes liés à la mondialisation et proposer des solutions non libérales. Voir. p. 179.

Fracture numérique : inégalité dans l'accès aux technologies de l'information et de la communication (TIC) entre le Nord et le Sud. Voir p. 93.

Front pionnier : espace en cours de peuplement dans le cadre d'une mise en valeur agricole ou minière. Voir p. 238.

Frontex : coopération européenne de gestion et de surveillance des frontières extérieures de l'Union européenne. Voir p. 278.

FTN (firme transnationale) : entreprise possédant au moins une filiale à l'étranger. Voir p. 85.

G

G2 : sorte de directoire sino-américain assurant une co-gestion des affaires économiques du monde.

G3 (ou IBAS) : forum de discussion trilatérale (Inde, Brésil, Afrique du Sud). Voir p. 230.

G8 (ou Groupe des huit) : né dans les années 1970, le G8 réunit une fois par an les dirigeants de huit pays figurant parmi les plus grandes puissances économiques mondiales. Voir p. 16.

G20 : apparu en 1999, il est composé de pays industrialisés et émergents représentant près de 90 % du PIB mondial. Par son poids grandissant, il s'impose peu à peu face au G8 et symbolise l'émergence d'un monde polycentrique ainsi que la redistribution récente des richesses et des rapports géopolitiques. Voir p. 16.

Gated community **:** quartier résidentiel privé dont l'accès est contrôlé. Voir p. 132.

Gauteng : « lieu de l'or » en tswana, nom donné en 1995 à la nouvelle province réunisssant Pretoria et Johannesburg. Au total : 10,5 millions d'habitants, 40 % du PIB sud-africain dont 16 % pour Johannesburg. Voir p. 298.

Géopolitique : branche de la géographie étudiant les rivalités étatiques, mais aussi intra et interétatiques. Voir p. 26.

Gentrification : remplacement de populations modestes par des populations aisées. Voir p. 132 et p. 301.

Gouvernance : ensemble des règles, des acteurs et des actions liés à une question commune (ex. : régulation du capitalisme, développement durable) et exerçant une autorité. Voir p. 26.

Ghetto : quartier dévitalisé, dégradé et enclavé qui concentre des communautés ethniques pauvres. Voir p. 132.

Ghouts : fosses plantées de palmiers-dattiers irriguées par la nappe phréatique superficielle et peu à peu abandonnées au profit des parcelles irriguées par rampes-pivots grâce à des forages profonds. Voir p. 277.

H

Hard power **(« puissance forte ») :** domination qui s'exprime par la force militaire et stratégique. Voir p. 232.

Hub : en anglais, aéroport ou port où convergent toutes les correspondances du réseau aérien ou maritime à l'échelle mondiale, européenne, nationale sous la forme de rayons (*spokes*) desservis séparément. Voir p. 146.

I

IBAS (ou G3) : forum de discussion trilatérale (Inde, Brésil, Afrique du Sud). Voir p. 230.

IDE : investissement d'une firme à l'étranger par la création ou le rachat d'une entreprise existante. Voir p. 106.

IDH (indice de développement humain) : indicateur de développement qui prend en compte l'espérance de vie à la naissance, le taux d'alphabétisation des adultes et le revenu national brut par habitant (qui remplace désormais le PIB). Voir p. 22.

Indice de mondialisation : compris entre 0 et 100 et calculé par l'École polytechnique fédérale de Zurich (EPFZ), il mesure les trois dimensions économique, sociale et politique de la mondialisation à partir de 24 variables. Voir p. 100.

Interface : lieu privilégié d'échanges entre un espace et le reste du monde. Elle peut être linéaire (littoral, frontière) ou ponctuelle (port, aéroport). Voir p. 130, p. 173 et p. 216.

Intégration régionale : pour un État, processus visant à l'insérer dans les échanges à l'échelle d'une région. Elle peut être plus ou moins avancée (Mercosur) et s'élargir au domaine politique (Alba). Voir p. 226.

Islamisme : idéologie politique visant à l'instauration d'un État où l'islam est la base du fonctionnement des institutions, de l'économie et de la société. Voir p. 29.

L

Leadership : capacité d'un État à exercer une influence sur la scène régionale ou mondiale et à s'imposer comme une puissance régionale ou mondiale. Voir p. 340.

M

Mandela (Nelson) : un des dirigeants de la lutte contre l'apartheid, emprisonné de 1964 à 1990. Prix Nobel de la paix en 1993 et premier président noir de la République sud-africaine de 1994 à 1999. Voir p. 298.

Marge : périphérie d'un centre souvent située à proximité d'une frontière. La région du Caucase est un exemple de marge du territoire russe. Voir p. 63.

Maquiladora **:** usine de sous-traitance installée au Mexique, le long de la frontière des États-Unis, et financée par des investisseurs étasuniens qui tirent avantage des différences entre les deux États en matière de rémunération de la main-d'œuvre et de législation (droit du travail et fiscalité). Voir p. 183.

Match box **:** maison de 40 m² surnommée « boîte d'allumettes », en briques et toit de tôle ou de fibrociment, héritée de la planification urbaine standardisée pour les townships pendant l'apartheid. Voir p. 301.

Méditerranée : expression désignant une mer intercontinentale, à l'exemple de la mer Méditerranée, séparée de l'océan par un détroit (Gibraltar) ou un arc insulaire (mer des Caraïbes). Voir p. 216.

Mégalopole : vaste ensemble de villes qui forme un tissu urbain continu. Voir p. 146.

Mégalopolis : mégalopole du Nord-Est des États-Unis s'étendant de Boston à Richmond. Voir p. 238.

Mégapole : d'après l'ONU, ville de plus de 10 millions d'habitants. Voir p. 129 et p. 325.

Merzlota : voir pergélisol.

Montée en gamme : stratégie d'industrialisation d'un pays qui, dans un premier temps, se spécialise dans la production de biens à faible valeur ajoutée et qui, dans un second temps, utilise les recettes effectuées pour passer à la production de biens à plus haute valeur ajoutée. Parallèlement, il délocalise dans les pays voisins, qui débutent leur industrialisation, la production de gamme inférieure. On parle aussi de remontée de filières. Voir p. 334.

MERCOSUR (Marché commun du Sud) : communauté économique créée en 1991 groupant l'Argentine, le Brésil, le Paraguay, l'Uruguay et le Venezuela. Voir p. 226.

Métropole : aire urbaine concentrant des fonctions directionnelles et exerçant un pouvoir de commandement sur d'autres territoires, urbains ou ruraux, à l'échelle régionale. ou internationale. Voir p. 132.

N

Nappe aquifère fossile : nappe d'eau souterraine profonde et captive de la roche qui n'est pas ou peu alimentée. C'est une ressource non renouvelable, son exploitation l'épuise irrémédiablement. Voir p. 277.

Nasdaq : National Association of Securities Dealers Automated Quotations system. Indice boursier aux États-Unis représentant environ 5 000 entreprises dans le domaine technologique. Voir p. 129.

NEPAD : sorte de charte de bonne conduite économique et politique pour les États africains depuis 2001. Voir p. 298.

Net power : puissance du réseau Internet. Voir p. 232.

Nord : ensemble des pays développés. Voir p. 22.

NPIA : voir Repère B p. 334.

NYSE : New York Stock Exchange. Place boursière qui a fusionné avec Euronext (Bourses de Paris, Bruxelles, Amsterdam et Lisbonne), devenant la plus grande entreprise mondiale de marché financier. Son évolution est mesurée par le Dow Jones Industrial Average, un indicateur boursier. Voir p. 129.

O

ONG (organisation non gouvernementale) : les ONG sont des acteurs de la société civile aux divers domaines d'intervention (environnement, humanitaire, droits de l'homme). Voir p. 188.

Organisation de coopération de Shanghai : club de 6 pays, né en 1991, dominé par Moscou et Pékin, agissant, dans cette région stratégique et riche en hydrocarbures, comme un contrepoids aux États-Unis et à l'OTAN. Voir p. 54.

OTAN (Organisation du Traité de l'Atlantique Nord) : pacte militaire, créé en 1949 dans le cadre de la guerre froide, rassemblant les alliés européens (+ le Canada) des États-Unis. Voir p. 230.

P

Paradis fiscal : territoire où le régime fiscal est particulièrement avantageux pour les capitaux étrangers. Voir p. 178.

PAS (Plan d'ajustement structurel) : ensemble de mesures imposées par le FMI et la Banque mondiale pour lutter contre l'endettement des États à partir des années 1970. Voir p. 286.

Pays émergents : pays du Sud en passe de sortir du sous-développement et dont la croissance économique est forte. Les pays émergents, dont le poids dans l'économie mondiale est de plus en plus important, représentent un ensemble inorganisé. Voir p. 24.

Pavillon de complaisance : adresse d'un navire dans un État qui propose aux propriétaires des avantages fiscaux et une réglementation plus souple. Voir p. 152.

Pergélisol : sol gelé en profondeur s'étendant en Russie sur environ 10 millions de km² dont seule la partie superficielle dégèle en été (raspoutitsa). Le réchauffement climatique accélère sa fonte, créant de vastes zones marécageuses qui libèrent des gaz à effet de serre, mais rend aussi possible sa mise en culture. Merzlota et permafrost sont des synonymes russe et anglais. Voir p. 64.

Périphérie/Centre : opposition entre un centre qui domine un espace et des périphéries qui sont dominées. Ces deux ensembles entretiennent des flux dissymétriques et cette organisation peut se lire à toutes les échelles (ville, région, État et monde). Voir p. 22 et p. 144.

Périphérie dominée : région intégrée à la mondialisation (exportation de matières premières, accueil de touristes) mais dépendante des centres d'impulsion (prix, demande). Voir p. 173.

Périphérie en marge : région évitée par les FTN et les investisseurs. Voir p. 173.

Permafrost : voir **pergélisol**.

PIB/PNB : voir p. 22.

PMA : pays les moins avancés, selon 4 critères (espérance de vie inférieure à 55 ans, revenu inférieur à 2 dollars par jour, taux d'alphabétisation inférieur ou égal à 40 %, industrialisation inférieure ou égale à 10 % du PIB). Voir p. 292.

PNUE : Programme des Nations Unies pour l'environnement. Organisme international auteur de rapports sur l'environnement et détenant des fonds de soutien financier et technique accessibles aux États. Voir p. 179.

Polycentrisme : ordre mondial basé sur l'existence de plusieurs centres. Dans les relations internationales, la période de l'hyperpuissance américaine (1991-2001) a laissé la place à une nouvelle organisation, fondée avant tout sur la croissance économique, dans laquelle les États-Unis doivent composer avec l'affirmation de puissances ascendantes. Voir p. 24.

Projection : procédé imaginé pour représenter à plat la Terre qui est une sphère. Il en existe plus de 200 qui portent le nom de leur créateur et aucune n'est absolument exacte : il n'est pas possible de cartographier la Terre sans la déformer. Le choix d'une projection dépend donc surtout de ce que l'on veut représenter. Voir p. 21.

PTOM : pays et territoires d'outre-mer, associés par des conventions à l'Union européenne. Voir p. 219.

Puissance : capacité d'un État à influer sur le comportement des autres États. Voir p. 24.

Puissance ascendante : expression du géographe Michel Foucher désignant un centre de pouvoir nouveau et en ascension ayant un poids économique élevé mais un niveau de vie faible. Il parle aussi de puissance prématurée. Voir p. 369.

Puissance établie : expression du géographe Michel Foucher désignant un centre de pouvoir ancien et reconnu qui a un poids économique et un niveau de vie élevés. Voir p. 369.

R

Rébellion touarègue : depuis les années 1980, les groupes targui berbérophones, marginalisés sur le plan politique et économique, revendiquent régulièrement davantage de reconnaissance de la part des gouvernements du Mali et du Niger. Voir p. 281.

Réfugié : personne fuyant une situation politique qui la met en danger dans son pays d'origine (guerre civile, dictature, persécution ethnique ou religieuse). Voir p. 106.

Relocalisation : retour dans son pays d'origine d'une unité de production antérieurement délocalisée dans un pays à faibles coûts salariaux. Voir p. 209.

Rente pétrolière : les revenus extérieurs des pays pétroliers sont fondés à plus de 90 % sur le pétrole, ce qui les rend dépendants de la conjoncture internationale et ce qui nuit au développement d'une économie diversifiée. Souvent, la rente pétrolière constitue une manne financière détenue par les gouvernants ; ses bénéfices concernent pas ou peu la population et les activités locales. Voir p. 281.

République islamique d'Iran : État où les principes fondateurs, en matière politique, économique et sociale proviennent de l'islam chiite. Voir p. 29.

Réseau : le mot est employé avec deux sens différents : 1. Ensemble des axes ou lignes sur lesquels circulent des flux et assurant les liaisons entre les différents lieux (qui forment des nœuds) de la planète ; 2. Ensemble des relations complexes entre les acteurs. Voir p. 123.

Réseau social : plate-forme virtuelle de socialisation sur laquelle les internautes peuvent se construire des profils, accéder à ceux des autres et communiquer avec eux. Voir p. 188.

Ressource : tout élément, matériel ou immatériel qui peut être utilisé par une société humaine. Un élément présent à la surface de la Terre ou de son sous-sol ne devient ressource que s'il est identifié, s'il correspond à un besoin, une utilisation, et s'il est réellement utilisable en fonction de l'état des techniques, des réseaux de transport, etc. Voir p. 66.

Russe (Rossiiski) : citoyen russe habitant dans la fédération de Russie quelle que soit sa communauté culturelle, linguistique ou ethnique (tatar, tchétchène, russien…). Voir p. 61.

Russien (*Rousskie*) : personne qui appartient à la communauté culturelle, linguistique ou ethnique russe. Les Russiens forment 80 % de la population de la Russie, mais plusieurs millions d'entre eux vivent dans les États de l'étranger proche. Voir p. 61.

S

SADC : Communauté de développement de l'Afrique australe (née en 1980) ; l'Afrique du Sud y entre en 1994. Voir p. 292.

Secteur informel : activités de l'économie populaire non prise en compte par la comptabilité nationale. Voir p. 286.

Smart border (« frontière intelligente ») : frontière équipée de manière suffisamment sophistiquée pour rester ouverte. L'identification biométrique des passagers, la vidéosurveillance permanente et le passage au scanner des conteneurs de marchandises sont des techniques électroniques permettant de retenir les éléments indésirables tout en laissant passer les éléments désirés. Voir p. 178.

Soft power (« puissance douce ») : domination qui s'exprime par la persuasion culturelle, politique ou économique. Voir p. 232.

Suburbs : banlieue pavillonnaire devenue la principale structure de peuplement aux États-Unis par l'étendue et par la population. Voir p. 240.

Sud : ensemble des pays en développement. Voir p. 22.

Sun belt : espace groupant les États périphériques de la Californie à la Floride, bénéficiant d'un climat ensoleillé. Voir p. 240.

Sunnite : courant de l'islam formé à la mort de Mahomet, en 632. Pour les sunnites, qui se réclament de la tradition (sunna), la direction de la communauté des croyants doit être assumée par le plus sage des musulmans. Voir p. 29.

T

Technopole/technopôle : ville qui a développé des activités de hautes technologies. Lorsqu'on parle de technopôle, il s'agit d'un parc technologique. Voir p. 130.

Terre-plein : étendue de terre gagnée sur la mer. À la différence du polder, essentiellement agricole, le terre-plein a une vocation industrielle et tertiaire. Voir p. 149.

Terrorisme : emploi de la terreur à des fins politiques ou religieuses. Voir p. 29.

Township : lotissement public pour les non-Blancs, privés du droit de propriété. Les townships formaient des ghettos à la périphérie des grandes agglomérations. Voir p. 298.

Transition démographique : passage d'un régime démographique à natalité et mortalité élevées à un régime à natalité et mortalité faibles. Voir p. 286.

Triade : ensemble des trois régions qui dominent l'économie mondiale : l'Amérique du Nord (États-Unis et Canada), l'Europe occidentale et le Japon. Parfois, cette définition s'élargit à d'autres pays d'Asie orientale (Corée du Sud, Taïwan, Hongkong et Singapour) ou intègre la Chine littorale. Voir p. 24.

U

UA : l'Union africaine remplace en 2002 l'Organisation de l'unité africaine née en 1963. Voir p. 292.

Uniformisation culturelle : homogénéisation des pratiques culturelles, surtout dans la consommation de produits mondialisés. Voir p. 184.

UNASUR : Union des nations sud-américaines. Voir p. 225.

URSS (Union des Républiques socialistes soviétiques) : État modèle du communisme fondé en 1922 qui domine le bloc de l'Est durant la guerre froide. Elle a éclaté en 1991 en 15 États indépendants. Voir p. 54.

V

Ville mondiale : métropole qui concentre des fonctions rares et de très haut niveau et exerce une influence dans l'ensemble ou une partie du monde. Voir p. 129.

Ville nouvelle : ensemble urbain (habitat, commerce, industrie) créé de toutes pièces pour aménager le territoire. Voir p. 141.

Z

ZEE : zone économique exclusive), espace maritime de 200 miles marins autour des côtes sur lequel un État exerce sa souveraineté. Voir p. 152 et p. 220.

ZES : zone économique spéciale.

ZLEA (Zone de libre-échange nord-américaine) : projet d'extension de l'ALENA à l'ensemble du continent américain. Voir p. 226.

Zone franche : espace où les activités économiques bénéficient de conditions fiscales favorables. Voir p. 146.

CRÉDITS ICONOGRAPHIQUES

Achevé d'imprimer en Italie par «La Tipografica Varese Srl»
Dépôt légal : avril 2017 - Collection n° 33 - Édition 03
13/5563/5

MÉMENTO CARTOGRAPHIQUE

Une diversité de représentations cartographiques

Pour représenter des informations sur une carte ou un croquis, on utilise un langage spécifique qui permet de visualiser simplement les éléments.

Les représentations possibles peuvent être des traits, des flèches, des figures géométriques et des plages de couleurs.

Pour des représentations plus complexes et précises, les éléments cartographiques peuvent être hiérarchisés ou gradués.

Les informations à représenter	Les types de représentations	
	Les signes de base	**Les signes précis**
Un axe ou une limite Exemples : - une limite - un axe de communication - un cours d'eau	▬ ～	▬▬ frontière ～ cours d'eau ═══ route ┼┼┼┼ voie ferrée
Une dynamique, un flux Exemples : - une migration humaine - un échange commercial	➡ ➴	➡ déplacement ⟵⟶ échange
Un pôle, un lieu Exemples : - une ville - un site industriel - un conflit localisé	○ □ ▽ △ ⬡ ▯ ✳ ✕ ☆	● ● ■ ville ▼ port ▲ grand organisme international ● ▲ ■ monument ✸ conflit ◎ passage stratégique
Un espace, un territoire Exemples : - des ensembles géographiques - des densités de population - une hiérarchie entre des espaces (selon le PIB, le poids démographique…)	▮▮▮▮ ▮▮▮▮ ▯ ▨	**relief** ▭ 200 500 1000 1500 2 000 **espaces spécialisés** espace rural terre-plein forêt et zone boisée zone urbanisée gisement d'hydrocarbures